Coaching, Mentoring and Organizational Consultancy

Supervision, Skills & Development

코칭, 멘토링, 컨설팅에 대한
슈퍼비전

Peter Hawkins · Nick Smith 저
대표 역자 고현숙

Coaching, Mentoring and Organizational Consultancy, 2ndEdition

1   2   3   4   5   6   7   8   9   10   PYM   20   18

Original: Coaching, Mentoring and Organizational Consultancy, 2ndEdition © 2016
         By Peter Hawkins, Nick Smith

This authorized Korean translation edition is jointly published by McGraw-Hill Education Korea, Ltd. and PYMATE. This edition is authorized for sale in the Republic of Korea.

This book is exclusively distributed by PYMATE.

When ordering this title, please use ISBN 979-11-88040-71-1

Printed in Korea

코칭, 멘토링, 컨설팅에 대한 슈퍼비전
Coaching, Mentoring and Organizational Consultancy

2판 1쇄 발행 | 2018년 2월 28일
2판 3쇄 발행 | 2023년 10월 25일

공저자 | Peter Hawkins and Nick Smith
대표역자 | 고현숙

발행인 | 노 현
발행처 | ㈜ 피와이메이트
         서울특별시 금천구 가산디지털2로 53 한라시그마밸리 210호(가산동)
         등록 2014. 2. 12. 제2018-000080호
전   화 | 02)733-6771
팩   스 | 02)736-4818
이 메 일 | pys@pybook.co.kr
홈페이지 | www.pybook.co.kr

정 가 32,000원   ISBN 979-11-88040-71-1 93180

_이 책에 대한 찬사

"처음 나왔던 이 책의 초판본은 신선하고 통찰력 있는 글이었다. 새로 나온 2판은 코칭 컨설팅 분야 실무자와 학생들이 반드시 읽어야 할 핵심을 유지하면서 완전히 최신의 내용으로 업데이트를 한 것이다."
— 조나단 패스모어 교수, 포르투갈 에보라대학

"컨설팅과 코칭, 멘토링의 귀중한 기술은 다양한 뿌리를 가지고 있다. 고대 아테네의 파레시아(두려움 없이 영향력 있게 하는 말)나 호머의 오디세이에 나오는 아테네의 위대한 인물 멘토도 그 중 하나다. 명쾌하고 이해하기 쉬운 가이드를 해주는 이 책은 컨설팅이나 멘토링이 비즈니스를 변혁시키려면 두려움 없는 열정이 기초가 되어야 한다고 설명한다."
— 에릭 드 한 박사, 암스테르담 VU 대학 조직개발 교수,
　　아쉬리지 경영대학원 코칭센터장

"전문서적의 고전은 항상 개선되는 중이다. 이 최신판에서 코칭, 멘토링, 슈퍼비전에 대한 글을 통해 저자들은 적용과 전문화의 관점에서, 학습과 변화의 강력한 접근법 뒤에 존재하는 기본 메커니즘에 대한 지식 측면에서 상당한 변화를 반영하고 있다. 확신컨대, 이것도 최종판이 아닐 것이다."
— 데이빗 클러터벅 교수, 유럽 멘토링과 코칭위원회

"나는 이 책의 초판을 읽으며 광범한 폭과 깊이에 감명 받았다. 코칭과 멘토링, 조직 컨설팅과 슈퍼비전 분야의 모델들과 프레임, 이론, 아이디어와 실용성으로 가득 찬 알라딘의 보물 동굴 같은 것이었다. 그토록 폭넓고 깊이 있었던 초판보다 더 나은 2판이 나온다는 건 믿기 어려웠지만, 세상에! 진짜 더 폭넓고 더 깊이 있는 내용이었다. 이 책이 나옴으로써 초판은 개요서가 되었다. 편집 디자인이 좋아졌고 읽기가 더 쉬워지고 현대 조직 생활의 최신 요청에 따라 주제를 다루었

다. 이 책은 한 번 읽고 말 책이 아니라 두고두고 다시 참고해야 할 책이다."
　　- 마이클 캐롤 교수, 초빙 산학교수, 영국 브리스톨대학

"이 책은 코칭과 멘토링, 조직 컨설팅에 대한 유익한 정보와 열정을 담은 안내서로서 초보자들에겐 필수적이며 경험 많은 실무자들에게도 가치 있는 책이다. 이미 저자들의 철학과 접근법을 알고 있는 독자라 하더라도 이 책은 현재 세계의 상태와 많은 다른 것들 사이에 낀 상태인 실행 수준을 되돌아보게 만든다. 코칭 슈퍼바이저들의 필독서"
　　- 타티아나 바키로바 박사, 코칭 심리학 부교수, 영국 옥스퍼드 브룩스대학

우리 시대의 도전에 대응하기 위해 리더와 리더십을 개발하는 데
헌신하고 있는 모든 사람들에게 바친다.

항상 똑같은 생각을 되풀이하는 사람의 마음 상태를 바꾸려면 완전히 다른 방향, 훨씬 더 흥미있는 방향을 제시해야 한다. 인생에서 가장 먼저 해야 할 것은 우리의 가슴에서 우러나는 성찰을 명료화하고 앞으로 나아가는 것을 방해하는 생각을 깨끗이 치우는 것이다.

- 거울 궁전, 하즈라트 이나야트 칸

_차 례

_역자 서문

　　한국에 국제 기준의 체계적인 코칭과 코치 교육이 도입된 지도 17년이 지났다. 그간 코칭 세계는 눈부시게 성장해 왔다. 인증 코치, 코칭 교육기관, 코칭 교육 프로그램의 수가 크게 늘어났다. 이렇게 양적으로 확대되는 만큼, 코칭의 표준을 분명히 하고 실행의 질을 높여야 한다는 요구도 또한 커져 왔다. 한국의 1세대 코치로서 역자 또한 그러한 요청에 답해야 한다는 마음을 갖고 있었다.

　　코칭의 질적 심화를 위해 꼭 필요한 것이 슈퍼비전이다. 2014년 영국 런던에서 이 책의 저자인 피터 호킨스 박사를 만나 우리 시대의 코칭이 직면하는 도전과 그 해법 중 하나로서 코칭 슈퍼비전에 대해 토론을 할 기회가 있었다. 호킨스 박사의 진지하고 학구적인 자세와 본질적인 문제를 다루는 의지를 접하면서, 글로벌 슈퍼비전 세계에서 그의 연구 작업이 존중되는 이유를 짐작할 수 있었다. 현재 북미와 유럽을 중심으로 다양한 코칭 슈퍼비전 그룹이 생겨나고 있지만 대부분 호킨스 박사의 세븐 아이 모델을 근간으로 운영될 정도로 이 책에 소개된 슈퍼비전 이론과 모델은 세계적인 인정을 받고 있다.

　　이 책은 코칭과 멘토링, 조직 컨설팅까지 이른바 사람과 조직의 변화를 돕는 전문작업에 대한 슈퍼비전의 모델과 스킬, 방법론을 소개하는 책이다. 이를 위해 코칭과 멘토링 및 유사 분야에 대한 이론들을 정리해 제시하고 있다. 코칭과 슈퍼비전 관련 선행 연구들을 토대로 해서 이론을 소개하고 이를 통합하여 저자들만의 독자적인 모델을 제시한다. 기존의 연구를 통합해서 개념과 모델을 제시하는 이 책은 코칭, 멘토링, 슈퍼비전 분야를 공부하려는 이들에게 더없이 좋은 안내서가 될 것이다. 단지 교과서적인 이론만이 아니라 실행 방법론을 깊이 있게 제시하기 때문이다. 이 책은 코칭의 현재 상황과 기본 개념에서 시작하여 코칭 조직 문화 창조에 이르기까지 점차 논의를 심화해 가며 서술하고 있다. 그럼에도 불구하고 각 장별로 전문화된 내용으로 이루어져 있어서, 독자들은 각자의 수준에 맞게 필요한 부분을 먼저 읽거나 발췌해서 보아도 좋을 것이다.

저자들은 현재의 코칭 수준에 대한 통렬한 문제 제기를 하여 우리를 숙연하게 만든다. 또한 코칭이 따로 존재하는 하나의 개입방법이 아니라고 제시하며, 코치와 고객 및 고객 시스템, 나아가 전체 세계와 연관된 시스템 안에서 코칭 관계를 보도록 하는 큰 시각을 제시한다. 이는 우리에게 영감을 주고 시야를 크게 넓혀주는 파워가 있다.

코치들에게, 멘토들에게 왜 슈퍼비전이 필요한가? 우리의 실행 수준을 계속 높여가야 하기 때문이다. 이미 잘 훈련받아서 국제 자격을 가졌더라도, 지속적인 학습과 개발은 필수다. 그것이 없으면 각자의 안전지대 안에서 자기 편향대로 실행하고 결과에 대한 합리화를 거듭하기 쉽다. 그래서는 진정한 전문가로서 질적 성장을 달성할 수 없다. 코치들에게 슈퍼비전이 필요한 또 다른 이유는 지원을 필요로 하기 때문이다. 고객 시스템에 의해 소모되고 내적·외적 도전을 받는 작업의 특성상 슈퍼바이저의 따뜻하고 깊이 있는 지원을 받으며 성찰하고 성장할 수 있는 안전한 공간이 필수다. 슈퍼비전은 바로 그 안전한 공간을 제공한다.

한국에서 신뢰 받는 슈퍼비전이 자리 잡으려면 이론과 실행 면에서 경험을 쌓은 슈퍼바이저들이 준비되어야 한다. 역자는 EMCC(유럽 멘토링 코칭협회)의 기준을 따르는 글로벌 코칭 슈퍼비전 프로그램을 통해 슈퍼바이저 훈련을 받아왔다. 또한 2년에 걸쳐 국내에서 슈퍼비전을 연구하고 실행을 준비해왔다. 이 과정에는 코칭경영원의 슈퍼비전 SIG(Special Interest Group) 소속 코치들이 함께 연구해왔다. 이론적 개념을 확립하고 임상과 훈련을 통해 슈퍼바이저로서 역량을 개발해야 하기 때문에 이 그룹에서 연구와 그룹 슈퍼비전을 동시에 진행한 것이 큰 자산이 되었다. 이 작업을 함께 해 온 박창규 교수를 비롯한 고경일, 구자호, 김미나, 김상임, 김성수, 김종명, 김해동, 남관희, 민은홍, 이한주, 임인상, 정지현, 최재호, 허달 코치께 감사드린다.

이 책을 번역하는 데는 국민대학교 대학원 인사조직 전공 박사과정 연구자들이 기여를 해주었다. 국민대학교에서 리더십과 코칭을 주제로 삼아 진지하게 학문적 연구를 해온 분들로서, 이 책의 번역에도 집단 지성의 힘을 발휘해 주었다. 김성철, 김재훈, 김혜경, 민은홍, 배용관, 변영실, 이은아, 한진수 선생에게 감사한다. 향후 코칭뿐 아니라 슈퍼비전에 대한 연구도 더욱 활발해지기를 기대한다.

코치는 평생학습자다. 역자 역시 코칭의 길에 들어선 이래 지속적으로 공부를 해왔다. 국제코치연맹(ICF)의 최고 자격인 MCC(Master Certified Coach)를 취득했다고 배움을 멈추는 것은 아니다. 지금도 나의 슈퍼바이저에게 슈퍼비전을 받으면서 코치로서 성장해가며 충만감을 느끼고 있다. 코칭은 단순한 스킬 이상의 것으로서, 결국 우리 자신의 성숙함와 수련 정도가 실행의 수준에 큰 영향을 미친다. 한국의 많은 코치와 연구자들에게, 지성무식(至誠無息), 즉 지극한 정성에는 쉼이 없다는 말을 헌사로 바친다. 코칭과 슈퍼비전의 길에 앞으로도 함께 꾸준히 정진해나가기를 바란다.

2018. 2.

대표 역자 고현숙

_서 문

환영한다! 이 책은 코칭, 멘토링, 조직 컨설팅의 기초를 탐색하고 동시에 도전을 주려는 목적에서 쓰여졌다. 사람의 가능성을 이끌어내는 작업의 상호적 특성과 프로세스를 탐구하고, 슈퍼비전 및 다른 개발 방법을 제시함으로써 기술을 익히는 데 도움을 주고자 한다. 우리는 책이 지니는 독백형식이라는 한계에서, 독자와 함께 하는 그리고 독자의 실행과 함께 진행되는 상호적 대화로 빨리 바뀌기를 희망한다. 무릇 좋은 대화에는 어느 정도의 준비와 자기 노출이 필요하다. 따라서 우리의 출발점과 이 작업의 토대인 핵심 가정들을 설명하려고 한다. 마찬가지로 독자들도 이 글과 실행의 맥락을 파악하고서 스스로에게 유용한 것으로 만들어가기 바란다.

슈퍼비전을 주제로 글을 쓰려고 앉아서, 우리는 대화의 소재가 될 경험을 먼저 살펴보았다. 우리 둘 다 몇 년 동안 심리치료사로 일을 해왔고 이후 다시 훈련을 받아 조직 컨설턴트가 되었다. 그때부터 25년 동안 부분적으로 경영자 코치로 활동했고, 가끔은 고객을 멘토링했다. 그래서 여기 중년의 백인 남자 둘이서 영국 사회의 맥락에서 형성된 특별한 관점과 경험을 가지고, 물론 세계 여러 곳에서 교육도 받고 코칭과 슈퍼비전을 받고 컨설팅을 받아오긴 했지만, 서로 다른 문화에 있는 폭넓고 다양한 사람들, 스킬 도구도 다르고 주제에 대한 몰입도도 다르고 따라서 묻고자 하는 구체적인 질문도 다른 사람들과 막 대화를 하려고 하는 참이다. 이런 조건에서는 명료하게 말한다는 게 매우 어렵다. 적어도 코칭이나 슈퍼비전은 대부분 한 사람을 앞에 두고 그에게 맞추면서, 또 그가 원하는 것에 맞추면서 진행하는데 말이다. 그래서 지금 우리가 당신과 막 시작하고자 하는 이 일은 그보다 훨씬 어려운 과제다.

코칭과 멘토링, 조직 컨설팅 혹은 슈퍼비전에 어느 수준으로 참여하고 있든 우리에게는 한 가지 공통점이 있다. 우리 모두는 어떻게 하면 개인의 변화를 잘 도울 수 있는지, 이를 위한 스킬을 어떻게 지속적으로 향상시킬 수 있을지에 관심이 있다는 점이다. 이런 공통의 관심이 이 책의 핵심이며 우리가 함께 알아가는 이 여정에 에너지를 불어넣을 것이다.

이제 막 이 주제에 대해 생각했든 혹은 수년간 경험을 쌓았든 간에 우리는 누구나 삶에서 뭔가 개인적인 변화를 해보려고 노력했던 경험이 있다. 여기서 잠시 멈추어 당신이 변화하는데 어려웠던 점을 되돌아보기를 요청한다. 최근 당신은 어떤 개인적 변화를 하고자 했는가? 새로운 언어를 배우기로 결심했을 수도 있고 담배를 끊거나 체중을 줄이거나 다른 사람의 마음을 상하게 하는(예: 가까운 사람을 화나게 하는) 행동을 중단하려고 했을 수도 있다. 문제는 모든 중요한 변화들은 하루아침에 혹은 단 한 번의 시도로 이루어지지 않는다는 것이다. 성공하려면 지속적이며 결단력 있는 행동이 필요하다.

당신은 시도했던 변화에 성공했는가? 성공과 실패의 차이를 가져온 요인은 무엇이라고 생각하는가? 누군가 다른 사람이 중요한 역할을 해 주었거나 혹은 노력을 방해했는가? 어려워하는 부분을 도와주는 중요한 대화가 있었는가, 아니면 절대 그런 변화를 못해낼 거라는 식의 태도와 맞닥뜨렸는가? 세상은 혼자 사는 게 아니기 때문에 타인들과의 관계는 중요하다. 당신이 원하던 변화를 도왔거나 방해했던 사람과의 관계의 질은 어떠했는가? 그 변화 시도를 좀 더 깊게 성찰해 보자. 당신은 변화를 이루기 위해 얼마나 전념했는가? 만약 당신의 저축액 전부를 변화 결과에 따라 주기로 한다면, 변화 목표를 성취하는 데 그걸 다 걸 수 있겠는가? 당신은 정말 변화를 원하는지 확신할 수 있는가? 정말 그런가?

이런 고려사항들에 대해 대답하는 것이 바로 이 책의 핵심이다. 일을 잘 해내려면 무엇이 개인적, 조직적 변화를 이뤄내게 하고 무엇이 이를 방해하는지를 이해해야 한다. 비록 코칭, 멘토링, 컨설팅의 주제가 무엇인지에 따라, 또 앞에서 예를 든 것처럼 개인 변화의 아젠다가 무엇이냐에 따라서도 다르겠지만, 중요한 공통점은 현재 행동하는 방식을 바꾸고 싶거나 혹은 바꿔야만 한다는 점이다. 어떤 비즈니스 이슈는 이런 개인적 변화와 밀접하게 연관되어 있을 수 있다. CEO가 직원 대신 모든 걸 결정해버리지 않고 그들의 성장을 돕거나, 혹은 CFO가 직원이 잘못한 걸 비판하는 대신 일을 잘했을 때 보상을 하도록(그럼으로써 사람들과 상호작용을 하는 자신의 스타일을 바꾸도록) 도울 수도 있다. 또 상황이 다른 이슈들, 예를 들어 최근의 주가 하락으로 이사회가 동요하는 걸 다룰 수도 있다. 초점이 개인의 변화든 비즈니스 변화든 공통의 고리는 사람들이 뭔가 다르게 행동해야 하며, 이는 대부분 평소 행동하고 생각하고 느끼는 습관적 행태에 도전하는 것을 포함한다.

당신의 변화 혹은 타인의 변화를 도왔던 경험에서 볼 때 변화를 일으키고 지속하는 데 가장 큰 장애요소는 무엇인가? 아마 변화를 성공시키는 요소는 많이 있을 것이다. 매우 효과적인 사람들은 예를 들어 일이 어떻게 되고 있는지 자신과 자신의 행동에 대해 정기적으로 피드백을 구하는 식으로 새로운 정보를 알아낸다. 그걸 생각하면서 예상되는 변화 경로를 어떻게 실험할지 결정한다. 이는 새로운 것을 배우는 것과 같은 것이며, 그러므로 결국 배우는 능력이 성인들에게 성공이냐 미달이냐를 가져오는 차이다. 성인 학습은 극히 일부만의 혹은 교육학자들만의 주제인 것 같지만, 우리가 볼 때 이것이 개인 변화에 있어서 결정적으로 중요하다. 이 주제를 이 책에서 여러 가지 방식으로 다룰 것이다. 여러 경험 많은 경영자 코치와 멘토들, 조직 컨설턴트들에게 자신의 역할을 어떻게 정의하는지 질문을 했는데, 그들은 자신이 직장에서의 '학습 촉진자(enablers of learning)'라고 대답했다. 이것이 우리 일의 본질과 실행에 대한 핵심적인 통찰이다.

_감사의 글

무엇보다 먼저 삶의 중요한 기초에 대해 우리를 코치해주고 멘토링해주고 슈퍼비전 해주었던 모든 분들에게 감사드리고 싶다. 닉은 워렌 켄톤과 키이스 크리치로우, 마스터 램 캠천에게 특별히 감사를 표한다. 피터는 머쉬드 파잘 이나야트 칸과 엘리아스 아미돈에게, 슈퍼비전과 팀개발센터(CSTD)의 동료들에게, 조안 윌모트, 로빈 쇼헷, 주디 라이드, 그리고 웨스턴 아카데미의 동료 멘토들에게, 말콤 파레트, 피터 리즌, 피터 테이팀, 그리고 고인이 된 존 크룩에게 영광을 돌린다.

이 책이 근거하고 있는 많은 자료들은 지난 36년 이상 개인과 팀 그리고 조직을 코칭해온 경험을 통해, 그리고 2003년 이후로 배쓰 컨설팅 그룹(BCG; Bath Consultancy Group)이 코칭 슈퍼비전 분야에서 운영해온 교육 과정을 통해 개발되었다. 우리가 코칭하고 멘토링, 컨설팅, 슈퍼비전을 하고 교육시켰던 모든 이들에게 감사드린다. 그들은 우리의 작업을 지속 개발하는 데 변함없는 최고의 교사들이었고 계속 신선한 도전과 유용한 피드백을 제공해주었다.

이 책에 표현된 우리의 생각은 지난 30년간 CSTD 동료인 로빈 쇼헷과 주디 라이드, 조안 윌못과 함께 처음으로 저술했던 내용에 결정적으로 기초하고 있다. 그 중심엔 〈Supervision in the helping Professionals〉(1989)가 있는데, 그 책은 이제 4판(2012)을 냈고 25개국 이상에서 사용되고 있다.

우리는 초판 출판 시 호킨스와 쇼헷(1989, 2000, 2006)에서 중요한 내용을 가져왔음에도 이를 충분히 언급하지 못한 것을 사과하고 싶다. 무심코 9장과 10장에서 세븐 아이 모델을 호킨스와 스미스가 개발한 것 같은 인상을 준 부분은 특히 그렇다. 그건 사실이 아니다. 원래 세븐 아이 모델은 호킨스(1985)가 개발한 것이고, 이후 1980년대 후반부터 CSTD(www.cstd.co.uk)에서 더 발전시키고 교육시켜왔다. 그리고 나서 피터 호킨스가 BCG(Hawkins, 1993) 동료들의 도움을 받아서 코치와 컨설턴트들을 위해 추가 개발한 것이다. 비슷한 면에서, 10장의 '우리'라는 단어를 쓰면서 호킨스와 스미스를 거론하는 듯한 인상을 준 것에 대해 사과한다. 사실은 호킨스와 쇼헷 그리고 CSTD가 원래 개발하고 가르쳤던 내용이며, 전문가들에게 그룹 슈퍼비전 접근법을 가르치고 그룹 슈퍼비전 영역에서 BCG의 코치 슈퍼비전 교육에 도움을 주기 위한 것이었다. 이 개정판에서 두 장은 완전히 다르게 새로 쓰여졌다. 하지만 아직도 호킨스와 쇼헷의 초기 작업에 빚지고 있다. 피터가 새로 쓴 내용들이 개정판 뿐 아니라 호킨스와 쇼헷의 4판(2012)에도 실려 있음을 밝혀둔다.

BCG와 CSTD 양쪽의 동료들은 우리의 생각과 글, 작업에 대해 엄청난 도전과 지지를 동시에 보내 주었다. 특별히 존 브리스토, 길 슈웬크, 피터 빈스, 로빈 코츠, 그리고 힐러리 라인즈 등 우리와 함께 아이디어를 개발해준 사람들에게 감사드린다. 피터 빈스와 길 슈웬크는 이 책을 읽고 코멘트를 해주었다.

책을 준비하면서 우리는 BCG의 스탭들, 특히 피오나 벤톤과 데비 와킨스로부터 무한한 지원을 받았다.

마지막으로 우리의 파트너인 주디 라이드와 게이 스미스에게, 그들의 사랑과 인내, 동지애, 지지와 이 책에 대한 중요한 공헌에 대해 다시 한 번 감사한다. 또 우리 자녀와 손자녀들에게 우리를 지지해주고 우리의 바쁨을 견뎌준 것에 대해 감사를 전한다.

2판 서문 | 우리 시대 코칭의 도전

이 책의 초판이 발간된 지 6년이 지났다. 그동안 코칭, 멘토링, 컨설팅, 슈퍼비전의 세계뿐 아니라 정치, 경제, 비즈니스, 환경, 사회의 모든 분야에서 많은 일들이 일어났다.

2006년 이후 세계는 이라크와 아프가니스탄에서 값비싼 전쟁을 치렀고, 어떤 나라에는 새로운 희망을 또 어떤 나라에는 내전을 가져온 아랍의 봄을 경험했다. 금융 위기는 선도적인 글로벌 은행들이 소멸되거나 국가 통제로 넘어가게 했을 뿐 아니라, 유럽경제공동체와 북미에 거대한 경기 침체를 야기하고, 그토록 존경받던 많은 비즈니스 리더와 정부 리더들의 스캔들을 목도하게 만들었다.

우리의 직업 생애에서도 세상이 급격하게 변하고 있음을 인식할 필요가 있다. 에덴 프로젝트의 설립자 팀 스미트는 다가올 30년이 인류 전체 역사에서 가장 흥미진진한 시대라고 쓰면서, 이 때 '인류가 진짜 사피엔스'인지 혹은 화석에 기록을 남기고 멸종할지 결판날 것이라고 말했다.

토마스 프리드만은 이렇게 기록했다.

> 2008년의 위기가 깊은 불경기 이상의 더 근본적인 무언가를 나타내는 것이라면? 지난 50년 동안의 전체 성장 모델이 경제적으로나 생태적으로 지속 가능하지 않다는 걸 말하는 것이라면, 한계에 부딪힌 대자연과 시장이 모두 '더 이상은 안 된다'고 하는 것이라면 어떻게 해야 할 것인가?
>
> (뉴욕타임즈, 2009. 3. 7.)

경제학자 케네스 볼딩(Gilding에서 인용, 2011: 64)은 더 나가서 "유한한 세계에서 급속한 성장이 영원히 지속된다고 믿는 사람은 미친 사람이거나 경제학자뿐"이라고 말했다.

경제적 위기 또는 생태적 위기를 경제학자, 은행가, 정부 또는 규제기관의 책임으로 돌릴 수는 없다. 실은 성장에 대한 우리의 중독과 의존이 이를 만들어냈고, 모두의 기대수준과 삶, 생활 방식이 크게 변화하지 않는 한 경제적 생태적 위기는 늘 병존할 수밖에 없다.

이것이 코칭, 멘토링, 조직 컨설팅, 슈퍼비전에 의미하는 바는 무엇일까? 앞으로 수십 년 간 강력히 작용할 힘이자, 향후 조직과 리더십의 형태를 결정지을 것으로 이론의 여지가 없는 네 가지의 힘이 있다. 그것은 바로, 더 커지는 수요, 서비스 질에 대한 더 높아지는 기대, 더 적은 자원, 그리고 '대혼란'이다.

더 커지는 수요

세계 인구는 여전히 기하급수적으로 늘고 있다. 우리가 태어났을 때 전 세계 인구는 25억 미만이었다. 2011년에 처음으로 70억에 도달했다. UN은 인구성장률이 매년 0.7%를 지속하여 2050년에 세계인구가 90억 명에 이를 것이라고 예측한다. 이는 우리가 사는 동안 전 세계 인구가 세배 이상으로 커진다는 뜻이다. 일부 사람들은 개발도상국에서 출생률이 떨어지고 있지 않느냐고 말하지만, 거기서는 기대수명이 기하급수적으로 늘어나면서 인구 증가를 부채질하고 있다. 정치적인 수사에도 불구하고 이주는 계속 증가할 것이다. 세계에서 가장 가난한 사람들이 본인의 삶과 부유한 세계 삶의 수준 차이를 점점 더 알게 되고, 생태학적 위기는 가난한 지역에 더 극심한 어려움을 안기는 불균형한 방식으로 일어나게 된다.

서비스 질에 대한 높아지는 기대

도와야 할 대상이 정말 많을 뿐 아니라 도움 전문가들에 대한 사용자들의 기대도 기하급수적으로 늘고 있다. 토마스 프리드만(2008)은 세상은 '뜨겁고', '붐빌'

뿐만 아니라 '평평'하다고 씀으로써, 모두가 서로를 더 잘 알게 된다고 말했다. 심지어 가장 가난한 나라에서도 휴대폰으로 인터넷에 접속하는 시대다. 우리는 새로운 방식으로 상호 연결되고 있다. 점점 더 최고 수준을 요구받고 있으며, 리더가 뭔가를 잘못하면 미디어와 인터넷을 통해 모든 사람이 알게 되는 세상이다.

더 적은 자원

아직도 많은 사람들이 현재의 경기침체가 번영과 경제성장이 지속되는 가운데 불거진 일시적인 차질 정도로 생각한다. 그러나 과학적 증거를 보면 이는 위험한 집단적 거부의 한 형태임을 알 수 있다. 과학자들은 현재와 같은 인류의 생활을 유지하는 데는 지구가 1.4개 이상 필요하다고 말한다. 매년 지구의 사용 가능한 자원을 140% 사용하고 있으며 달리 말하면 해마다 기초자원들을 고갈시키는, 지속가능하지 않은 방식으로 살고 있다는 뜻이다. 인구 증가와 소비에 대한 경제 전망은 2050년까지 우리가 매년 지구 용량의 500~700%를 작동시킬 것임을 말해 준다. 현재의 부와 번영은 근본적으로 지구의 자원을 엄청나게 초과 인출하는 데서, 기초 자산을 고갈시키는 데서 오는 것이다.

이와 더불어 유럽과 북미 경제가 쇠퇴하고 브릭스(BRIC, 브라질, 러시아, 인도, 중국) 경제와 N11(금세기 경제를 리드하는 G7국가를 추월할 수 있는 잠재력을 가지고 있는 11개국)의 경제력이 모두 빠르게 성장하고 있다. 경제 성장은 남쪽과 동쪽으로 이동하고 있다. 먼저 개발된 나라에서 과소비가 되었기 때문에 늘어나는 수요에 비해 자원이 부족해진다. 이제는 적은 자원으로 생활하는 것에 적응해야 한다.

대혼란

'대혼란'은 폴 길딩의 책 제목(Gilding, 2011)으로, 세계가 모든 면에서 전례 없는 어려운 시대에 직면하고 있다는 압도적인 증거들을 표현한 용어다. 기후 변화는 더 이상 위협이 아닌 현실이 되었고 지난 세기 생태학자의 경고보다 빠르게 진행되고 있다. 지구 온난화가 일어나고 있고 홍수와 가뭄, 극심한 더위와 혹한 등 기후변동으로 이어지고 있다. 지역에 따라 다르게 진행되면서, 때때로 예측할 수 없는 영향을 주기도 한다. 성장의 한계에 부딪히는 시점에 글로벌 상호의존적인 경제의 변동성은 불가피하다. 기본적인 음식과 에너지, 목재, 섬유, 콘크리트, 미네럴 같은 원자재 가격이 소득보다 빠르게 지속적으로 인상될 것이다.

정치적 도전은 계속 증가해서 민족국가가 처리할 수 있는 범위를 뛰어넘는데, 이를 해결할 글로벌 지배구조는 없는 상태이다. 글로벌 환경 정상회담의 실패나 유럽의 위기, 이스라엘 – 팔레스타인 충돌 등을 사람들은 그저 지켜볼 수밖에 없다. 이것은 인류의 혼란, 폐해, 고통과 질병이 증가할 수밖에 없음을 의미한다. 매일 학교와 병원, 집, 거리와 직장에서 나타난다. 많은 조직들이 더 적은 자원으로 더 많은 요구에 맞춰야 하며, 이런 고심의 최전선에 서있게 될 것이다.

어떻게 대응할 것인가?

모든 조직과 리더들은 이런 도전에 맞서야 하고, 코칭, 멘토링, 조직 컨설팅은 도전에 직면한 고위 리더와 조직을 돕는 새로운 방법을 찾는 데 가치를 제공해야 한다. 우리의 선택은 글로벌 도전을 부정하는 것이 아니며, 도전 앞에 무기력한 것도 아니라고 믿는다. 그렇다고 해서 뭔가 영웅적인 행동을 하거나 혹은 압박감 아래서 더 열심히만 해서 되는 것도 아니다. 지금의 도전은 개인적인 리더십 또는 개인적인 대응 매커니즘을 넘어선다. 그러므로 과거 어느 때보다도 훨씬 더 크게 협력하고 협동하며 일해야 한다.

적응하고 진화하는 리더십 개발과 고성과 팀, 조직이 어느 때보다 더 중요해졌으며, 이런 개발을 이끌어낼 사람들 또한 과거 어느 때보다 빠르게 스스로를 개발하고 진화할 수 있어야 한다. 이제는 이 책이 처음 나왔을 때의 방식으로 코칭, 멘토링, 컨설팅, 슈퍼비전을 할 수 없게 된 것이다. 당시 우리는 슈퍼바이지에게 슈퍼비전에서 무얼 원하는지 물었고 팀에게 팀 코치로부터 무엇을 얻기 바라는지 질문을 했다. 이제는 개인을 코치하거나 슈퍼비전 할 때 이렇게 질문한다.

'당신이 나서기를 요구하는 세계는 어떤 세상인가? 그에 대응하기 위해 당신은 어떤 부분을 애쓰고 있는가?'

팀과 일할 때 그들에게 이렇게 물어본다. '당신 그룹이 나서기를 요구하는 세상은 어떤 세상인가? 당신 집단이 아직 대응 방법을 찾지 못한 것은 무엇인가?' 코칭의 초점이 이제 바뀌어야 한다. 개인의 니즈나 바로 지난 주의 문제에서 출발하는 게 아니라, 외부에서 내부로, 미래의 관점에서 현재를 보는 초점으로 이동해야 하는 것이다.

세계는 인류가 더 진화하고 변화하기를 요구하고 있다. 인간의 의식과 사고방식, 행동, 관계에서도 변혁이 요구되고 있다. 이는 개인들뿐 아니라 '인간 세상보다 더 큰' 존재에도 마찬가지다. 개인과 집단의 능력을 높이기 위한 코칭과 멘토링, 조직 컨설팅, 슈퍼비전은 단지 지난 달 고객과 했던 실행의 질이 아니라, 내일의 증가되는 수요에 맞추어 인간의 능력을 개발하는 서비스를 필요로 한다.

2009년 초 피터는 APECS 코칭 컨퍼런스 기조 연설에서 청중에게 이런 질문을 했다. "은행이 불타는 동안 코치들은 무엇을 하고 있었습니까?"

그때 누군가 뒤에서 손을 들고 말했다. "코치들이 한 일은 분명하죠."

피터는 분명한 것 같지 않다고 하면서 다시 "코치들이 무엇을 했다고요?"라고 물었다. "재빨리 청구서를 보냈죠!"라는 대답이 돌아왔다. 많은 청중들이 웃었고 우리도 따라 웃기 시작했지만, 그 순간 슬픔과 염려가 밀려왔다. 유머였지만 그건 우리가 그토록 전념해왔던 직업의 실체를 고발하는 순간이기도 했다.

이후 우리는 전 세계 모든 분야의 리더에게 도전이 얼마나 더 복잡해지고, 이해관계자들의 요구가 더 늘어나고, 변화의 속도와 빈도가 강해지는지에 대해 더 적극적인 관심을 갖게 되었다. 세계 대부분의 지역에서 코칭, 멘토링, 조직 개발 컨설팅이 크게 성장하고 있다. 그럼에도 불구하고, 리더와 리더십 팀에 대한 지원 및 개발에서 요구되는 수준과 공급되는 수준 사이에는 큰 차이가 있다는 점이 우려스럽다. 리더십 개발 산업(경영자 코칭, 팀 코칭, 멘토링과 조직 개발 컨설팅을 포함하여)은 변화하는 요구 속도에 맞추어 빠르게 스스로를 개발하고 있지 않다.

2012년 바바라 켈러만은 이렇게 썼다.

두 가지 평행 진실이 있다. 어떤 유형의 리더도 나쁜 평판이 따라 다닌다. 지칠 줄 모르고 끊임없이 리더십 교육을 시켰는데 그 결과 리더십 열반에 더 가까이 갔다고 할 수가 없다. 어떻게 해야 좋은 리더를 성장시키는지, 나쁜 리더를 막거나 최소한 둔화시키는지에 대해서는 지금 우리가 백년 천년 전보다 더 나은 해법을 가지고 있지 않은 것 같다 … 마지막으로 사람들을 리드하는 법을 가르치는 데 엄청난 돈과 시간을 쏟아 부었음에도 불구하고 40년이 넘는 리더십 산업의 역사에서 인간의 조건을 개선시키는 주요하고 의미 있는, 측정할 수 있는 방법을 가지고 있지 않다. (Kellerman, 2012)

켈러만의 우울한 결론을 뒷받침하는 연구도 많다. 최근 조사를 보면 전 세계에서 지난 4년간 리더십 개발에 쓴 돈은 140억 달러에 달한다. 그러나

- 3명 중 1명의 리더만이 자기가 받은 프로그램이 가치 있다고 했다.
- 뛰어난 리더가 있는 조직은 주요 경쟁 영역에서 13배 나은 결과를 낸다.
- HR 전문가 중 18%만이 향후 3년에서 5년 간 운영에 필요한 질적/양적 리더가 준비되어 있다고 생각한다.

조직 내 코칭은 이미 30년 이상되었고 지난 20년간 영국과 북미, 유럽과 호주 지역에서 코칭은 기하급수적인 성장을 보였다. 지난 몇 년 동안 세계 도처에 코칭이 퍼져나가면서 코칭의 직업화와 수많은 전문적인 기관, 박사학위 프로그램, 코칭 연구와 코칭 슈퍼비전이 함께 성장해왔다(1장 참조). 성장에는 중요한 변화가 따라왔다. 지나치게 외부 코치에 의존하던 데에서 벗어나 내부 코칭이 늘어났고, 이에 따라 많은 매니저와 리더들이 코칭 교육을 받았다(Hawkins, 2012a). 세계 경제의 반전이 있던 2008~2009년 이후로는 코칭에 쓰는 비용에 대해 투자 대비 회수율을 강조하는 흐름이다. 코칭이 리더의 인식이나 통찰, EQ, 관계 능력을 효과적으로 성장시킨다는 증거는 있지만, 조직 성과에 측정 가능한 이익을 만들어낸다는 증거는 매우 부족하다(Hawkins, 2012a).

피터는 최근 코칭이 얼마나 기로에 서있는지에 대해 이렇게 썼다.

코칭이 기하급수적으로 성장하고 확산되면서 코칭이 어떤 가치를 만들어 내느냐는 어려운 질문에 직면하게 되었다. 2008년~2010년 세계 경제 침체 당시 (중국, 인도, 브라질과 한두개 작은 나라는 제외) 공공 분야는 물론 민간 분야에서도 조직들은 간접비용을 엄격하게 축소시켰다. 코칭도 투자대비수익을 가져온다는 걸 입증하지 않으면 바로 예산을 삭감하는 비핵심 분야가 될 것이다.

코칭에 대한 연구들은 코칭이 코치 받는 사람의 자각과 통찰을 높이고 스킬을 향상시키며 초점을 더 맞추게 한다는 점에서 분명히 가치를 제공한다는 걸 입증해왔다. 하지만 아직까지 일부를 제외하고는 코치 받는 사람의 높아진 자각과 좋은 의도가 어떻게 경영성과를 향상시키는지에 대한 증거는 적은 편이다. 또한 그것이 어떻게 조직과 팀의 학습이나 개발, 변화로 전환되는지에 대한 증거는 훨씬 더 적다.

코칭의 미래를 생각하면 세 가지의 가능한 시나리오를 그려볼 수 있다.

첫 번째 시나리오: 정체와 쇠퇴

코칭이 개인의 개발을 넘어서는 그 이상의 가치를 보여주지 못해서 긴축 시기에 잘리는 고위 임원들처럼 사치품 신세로 전락하는 시나리오다.

이 시나리오에서 공공부문은 모든 외부 코칭을 중단하고, 내부 코치들에게 필요한 지원이나 인프라가 미비한 상태에서 단기간 내에 코칭 서비스를 더 확산하라는 부담을 지우게 될 것이다. 부분적으로 있었던 코칭 인프라는 해체되고 내부코치들이 외부에서 활동하기 위해 조직을 떠나지만 일을 찾기가 어려울 것이다. 남는 건 모든 사람이 각자 알아서 직원들을 관리하고 개발하라는 기대뿐이다.

두 번째 시나리오: 특권화된 혜택

이 시나리오에서도 코칭에 대한 지출은 엄격하게 줄이지만 일부 고위직 리더와 빠르게 승진시킬 엄선된 핵심 인재 대상의 코칭은 남게 된다.

코칭 일부는 여전히 리더십 개발 프로그램에 포함되어 있다. 조직은 양극화되어, 한쪽은 코칭을 할 형편이 되는 부유한 회사나 조직이 있는 반면, 한편에서는 비핵심 분야에 대한 비용을 줄이는 이익이 적은 소규모 회사들과 조직으로 나뉠 것이다. 이 시나리오대로면 중국, 인도, 브라질 같이 빠르게 성장하는 경제에서는 코칭이 계속 성장할 것이다.

세 번째 시나리오: 발전의 새로운 전기를 맞는 코칭

이 시나리오에서는 코칭이 새롭고 더 난해한 성장의 국면으로 들어간다. 코칭 전문가와 비즈니스 코치들이 개인과 조직에 실질적인 가치를 제공해야 한다는 점을 충분히 수용한다.

코칭과 코칭 문화, 조직성과와 가치 사슬 간의 연결을 보여주는 뛰어난 연구가 나온다. 코칭은 관리자와 리더의 개발뿐 아니라 리더십과 조직 개발에 강하게 연결되어 행해진다. 고위 리더들이 조직의 민첩성과 회복탄력성, 쇄신과 변혁을 이루어내려면 코칭이 필수적인 요소라고 인식한다. 코칭이 조직 변화를 위한 모든 노력의 핵심 요소가 된다.

피터는 세 번째 시나리오가 실현되려면 코치와 코치 교육자, 코칭 조직, 내부 코치 커뮤니티, 구매자들이 감당해야 할 다섯 가지 도전이 있다고 설명한다. 독자들이 다섯 가지 중대하고 상호 연결된 도전을 수용하기를 요청한다. 개정판은 이러한 도전들을 헤쳐 가는 데 도움이 되는 내용으로 업데이트하였다. 다섯 가지 도전은 다음과 같다.

1. 회사에서 모든 개인 코칭 니즈는 단순히 개인적인 자각과 통찰력, 좋은 의도에만 초점을 맞출 것이 아니라 개인과 팀 조직의 성과 향상이라는 목적을 이루는 데 초점을 맞추어서 이해당사자들에게 가치를 제공해야 한다. 이런 접근에는 효과적인 3자간 계약과 리뷰, 평가가 포함될 뿐 아니라 개별 코칭이 조직 학습으로 결실을 맺음으로써 개인－조직에 모두 혜택이 되도록 슈퍼비전하는 방식을 포함한다.
2. 고성과 팀과 효과적인 집단 리더십을 개발하는 것을 지원하고 팀 결속을 높이는 팀 코칭에 훨씬 많은 초점을 둘 필요가 있다.
3. 외부 코치와 내부 코치의 작업을 통합시키고 조직 구조 안에 코칭을 구축할 수 있도록 지속 가능한 메커니즘을 가져야 한다.
4. 코칭 문화를 만들어가는 모든 단계를 통합해내고 성공적인 조직 혁신에 필수적인 문화의 변화를 담당할 코칭 전략이 있어야 한다.
5. 코칭 스타일은 조직 상황에 맞게 내부 리더십과 관리에 활용될 수 있고,

이해당사자와 외부전문가의 참여도 적용된다. 이는 이해당사자 경험으로부터 관계의 가치 사슬을 따라 리더십 문화로 통합될 수 있다.

피터는 이렇게 결론을 내렸다. '다섯 가지 도전에 응할 때만 조직에서의 코칭은 정체와 쇠퇴, 혹은 특권화 된 혜택에 머무르지 않고 발전을 향한 여정의 다음 단계를 시작할 수 있다.'(Hawkins, 2012)

이 개정판은 세계가 직면한 거대한 도전에 맞닥뜨린 리더들과 코칭 및 멘토링, 조직 컨설팅 전문가들을 위해 업데이트함과 동시에, 다음의 새로운 내용을 추가했다.

- 서문-현재 도전의 맥락
- 2장-변혁적 코칭
- 2장-신경과학 분야의 새로운 발전과 그것이 코칭에 갖는 시사점
- 4장-최근의 체계적인 팀 코칭에 대한 새로운 개발, 5장-리더십의 새로운 개발, 6장-코칭 문화 창조에서의 새로운 개발
- 8장-슈퍼비전에 대한 슈퍼비전
- 12장-조직 및 관계의 체계적 패턴을 이해하기 위한 오쉬리의 접근법

9장 세븐 아이 모델, 10장 그룹 슈퍼비전은 완전히 다시 썼다. 이 부분은 슈퍼비전 훈련의 핵심인데, 그동안 학생과 동료들로부터 계속 배우면서 모델을 진화시켰기 때문이다. 또한 초판의 부록에 수록되었던 닉의 중요한 작업 결과를 13장에 포함시켰다.

초판을 이미 읽은 독자라면 2판을 통해 새로운 도전에 도움이 되고 실력을 향상시킬 새로운 내용을 발견하기 바란다.

제1장 | 실행의 황금 실

한 주요 국제기업과 일할 때였다. 그들은 자기 기업에 대한 인식이 달라지기를 원했다. CEO는 "이 분야에서 가장 존경받는 조직이 되기를 바랍니다."라고 하면서, "우리가 세상에 뭔가 신선한 내용을 제시할 수 있게 도와주십시오."라고 요청했다.

우리는 이 기업이 현재 이해당사자들에게 비쳐지는 모습이 어떤지, 이해당사자들은 그들이 어떻게 달라지기를 원하는지 많은 조사를 했다. 기업에 대한 인식은 고위경영팀과 모든 구성원들이 이해당사자들과 매일 수천 번씩 상호작용하는 과정에서 자연스럽게 만들어지고 있었다.

CEO는 "직원들의 행동 방식이 훨씬 고객 중심으로 바뀌어야 한다"고 주장했다. 그래서 우리는 "지금 여기 고위경영진 팀부터 어떻게 하면 좀 더 고객 중심으로 바뀔 수 있겠습니까?"라고 하면서, "어떻게 하면 여러분 자신이 원하는 변화 자체가 될 수 있습니까?"라고 질문했다. CEO는 이렇게 대답했다. "아, 우리가 고객을 만나지는 않습니다."

우리는 이렇게 이어갔다. "그런 생각이 문제일 수 있습니다. 직원들에게 일종의 신호를 보내기 때문이죠. 리더로서 당신의 고객은 누구입니까? 그들은 당신이 고객 중심이라고 느낄까요?"

당황스러운 침묵이 흘렀다. 잠시 후 CEO는 침묵을 깨고, 사람들에게 일하는 방식을 바꾸라고 훈계하기 시작했다. 결국 원래대로 돌아가는 듯했다.

나는 몹시 화가 났다. '또 시작이구나! 이 사람이 깡패 같아서 함께 일하기 힘들다고 구성원들이 말하는 걸 왜 귀담아 듣지 않았을까?' 후회하면서 '이제 저 말을 중단시키고 바로 당신이 문제라고 말해야겠다'라고 생각했다. 하지만 수년간 슈퍼비전을 받아왔기 때문에 다행히도 그 순간 내 내면의 슈퍼바이저가 '네가 그렇게 하는 것이 바로 저 사람이 팀을 대하는 방식이고, 팀이 회사에 하는 방식과 같은 거다.'라고 말을 해주었다. '내가 여기 있는 이유는 그 패턴을 반복하기 위해서가 아니라 중단시키기 위한 거잖아!'

나는 잠시 깊게 숨을 쉬면서 CEO에게 미소 지었다. 그는 나와 눈을 맞추더니, 놀랍게도 말을 멈추었다. "잠시만요, 다시 시작하겠습니다. 바로 여기 이 팀에서부터, 저부터 달라져야 한다는 점에서 시작해야 할 것 같습니다. 여러분이 조직 변화를 잘 이끌도록 제가 더 잘 도와주려면 말입니다."

그동안 이 팀에서는 직접적 피드백은 한 번도 없었다. 인사 부서가 360도 익명 피드백 과정을 도입하려고 시도한 적은 있지만, 다른 데이터와 보고서에 끼어서 아무런 주목도 받지 못했다(고위 경영팀 사무실은 '20층 요새'라고 불렸는데, 카펫이 깔린 임원 사무실이 모두 함께 본사의 맨 위층에 모여 있었다).

이제 라이브 코칭과 몇 가지 간단한 규칙을 숙지하고서, 팀은 서로에게 인정과 함께 발전을 위한 피드백을 주기 시작했다. CEO가 진정으로 경청하도록 도와주는 한편 그가 들은 것을 동료들이 알 수 있게끔 지원하였다. 미팅 후 그는 우리 중 한 명을 따로 불러서 이렇게 물었다. "왜 전에는 아무도 이 모든 걸 말해주지 않았을까요?" 나는 "답은 당신이 알고 있을 겁니다."라고 대답했다. 그는 "정기적으로 코칭을 받으면 도움이 될까요?"라고 질문했다. 진정한 변화가 일어나기 시작한 것이다.

이 간단한 스토리를 소개하는 것은 여기에 사람과 팀, 조직의 변화에 대해 우리가 배운 많은 교훈이 압축되어 있기 때문이다. 더 넓은 시스템을 이해하려면 '외부에서 내부를' 보는 데서 출발한다. 시스템에 연결된 모든 사람들의 말을 경청하고 연결 패턴과 변화할 내용을 합리적으로 만드는 데서 출발하는 것이다. 그러나 변혁적인 변화는 이와 반대로 항상 '안에서 밖으로' 향하는 데서 시작한다. 진정한 변화는 항상 우리 자신에서 시작되며, 그 순간에 그 방에 있는 사람과의 관계에서 출발하는 것이다.

코칭의 성장

우리 시대에 코칭과 멘토링, 컨설팅 및 슈퍼비전은 기하급수적으로 증가했다. 멘토링은 오랜 기간 비공식적인 형태로 존재해 오다가 최근에 더욱 발전하고 있다. 멘토링이 비공식적인 지원이라기보다는 하나의 훈육의 형태로 보이긴 했지만 말이다.

조직의 변화를 돕는 컨설팅은 40년 이상 비즈니스에 활용되고 있지만 최근에
야 이를 개인적 학습과 리더십 개발과 연계하게 되었다. 코칭, 멘토링, 컨설팅에
대한 슈퍼비전은 이 세 분야가 별다른 규제 없이 엄청나게 성장하는 데 따른 대
응으로 생겨났으며 최근 몇 년에야 중요성을 인정받았다.

조직 내 코칭은 30년이 넘었는데 지난 20년간 영국과 북미, 유럽과 호주에서
기하급수적인 성장을 했다. 최근 몇 년 동안 세계 다른 지역에서도 코칭이 눈에
띄게 확대되어 왔다. 2007년 국제코치연맹이 수행한 코칭 서베이에 따르면 코칭
산업이 전 세계에서 15억 달러 수익을 발생시키고 있으며, 카(2005)는 전 세계 코
치의 수가 3만 명에 근접할 것으로 추정했다. 코칭은 리더십 개발 활동에서 중요
하고 정기적인 부분으로 자리 잡았고(기업리더십위원회, Corporate Leadership Council 2003)
젠거와 스티넷(2006)은 공식적인 리더십 개발을 계획하는 조직의 70%가 코칭을 핵
심 요소로 사용하고 있다고 추정하였다.

이러한 성장과 더불어 코칭 훈련기관의 수도 급증하였다. 카(2008)는 1999년
에 북미지역에 코칭스쿨은 12개 미만이었는데 2008년 7월에는 291개로 늘어났으
며, '코칭의 표준을 세운다'고 주장하며 서로 경쟁하는 협회가 11개나 생겨났다고
추정했다(2008: 114).

개인과 팀을 지원할 필요가 이렇게나 증가한 요인은 무엇인가? 대답은 복합
적이다. 코치 및 슈퍼바이저들의 경험을 돌아보면 수요가 엄청나게 증가하는 데
는 여러 요인들이 있다. 우선, 적은 수의 사람들이 짧은 시간 내에 더 많은 일을
해야 한다. 기술은 지속적으로 늘어나는 수요, 특히 긴급한 수요에 연료를 공급하
고 있는데 삶의 모든 단계에도 그렇다. 이제 기술 발전으로 인해 우리는 다 아우
를 수도 없는 엄청난 양의 자료에 접근할 수 있게 되었다. 예를 들어 60기가 아이
팟에 저장할 15,000곡 정하기, 휴대폰에서 수백 통의 급한 이메일을 처리하고 기
억하기, 작년에 노트북에 저장한 수많은 문서, 논문과 항목을 효과적으로 검색하
기 등이다.

새로운 기술은 모든 정보를 더 빠르게 찾는 방법을 끊임없이 제공한다. 그러
나 우선순위를 정해주는 기술은 아직 없다. 정보의 규모와 속도는 인간이 정보를
처리하고 이해하는 방법이나 관계를 훨씬 뛰어넘는다. 비즈니스 리더들은 이런
거대한 자료 속에서 방향을 명료화하고 우선순위를 정해서 전략적이고 효과적으
로 행동해야 한다. 이것이 다른 사람의 도움을 구하는 이유 중 하나다.

새로운 스킬을 배우거나 기존 스킬을 발전시켜야 하는 도전에 직면했을 때 훈련의 핵심 기술이 무엇인지를 생각해 보자. 경험이 많은 사람들은 일의 목적이나 방법에 대해 많이 생각하지 않고 늘 하던 대로 곧장 실행하거나 혹은 세부사항에 몰입하느라 나무만 보고 숲을 보지 못하기 쉽다. 그렇게 숲을 보지 않은 채 나무만 보고 일을 시작하면 방향을 놓치기 쉽다. 새로운 지식을 처음 접할 때는 무엇이 가장 중요한 요소이고 무엇이 단지 장식에 불과한지를 알기가 매우 어렵기 때문이다.

그래서 우리는 여기 컴퓨터 스크린 앞에 앉아서 독자인 당신이 이 중요한 주제에 대한 우리의 열정에 동참해주기를 바라면서 믿음을 나누고자 한다. 즉 코칭과 멘토링, 팀 코칭, 조직 코칭과 컨설팅의 차이를 구별하면서도 그 영역들에는 하는 일과 하는 방식에서 매우 중요한 '공통의 실'이 있다는 믿음이다.

책의 세부사항으로 들어가 활동의 핵심 측면을 구체적으로 조사하기 전에, 먼저 서로 다른 역량 훈련들을 관통하는 '황금 실'을 살펴보겠다. 공통점을 확인하는 것이 각각의 차이점을 알아보는 데도 도움이 될 것이다. 근본적으로 황금 실은 몇 개 되지 않지만 강력하며, 체계적 변혁적 코칭 슈퍼비전을 흥미진진하고 영향력 있고 영원히 재미있는 활동으로 만들어주는 요소이다.

이 책에서 다루는 모든 훈련은 실시간 성인 학습과 개발을 돕는 공통 기술들이며, 우리 작업의 도전에 대한 대답이기도 하다. 코칭, 멘토링, 조직 컨설팅의 목적에 대한 우리의 정의는 다음과 같다.

> 개인, 팀, 조직이 자신의 더 큰 목적에 가장 효과적으로 복무하기 위해서 바람직한 행동과 태도로 변화하도록 윤리적으로 도와주는 방법론을 가진 실행

황금 실이란 누군가의 배움을 도와주기 위해서 우리가 이해하고 더 심화할 필요가 있는 핵심 스킬이다. 어떤 장인은 처음 견습생으로 시작해서 새로운 신체적 혹은 정신적 기술을 배우고 난 다음 연습을 통해서 익혀서 일을 하게 된다. 그러다가 어느 지점에서 새로운 행동이 체득화 되어 매일의 일을 잘 해내게 된다. 그리고 나면 이런 원칙을 다른 일에도 적용해가면서 생생하고 중요한 경험을 쌓게 되고, 이후 단순히 과제를 해결하는 법만이 아니라 더 복잡한 계약을 조정하는 방법과 사업에 필수불가결한 복잡한 사항들을 관리하는 방법을 배우는 단계로 넘어간다.

장인 기술(craft)은 실제적인 문제에 대해 효과적이고 즐거운 해결책을 만들어 내는 실용적 기술이다. 사람들이 이런 스킬을 지속적으로 개발하고 표준을 유지하려면 슈퍼비전을 받고 관리되어야 한다. 여기서 장인 기술의 비유를 쓰는 이유는 코칭, 멘토링, 조직 컨설팅 및 그에 대한 슈퍼비전이 장인 기술로 확립되었다고 느끼기 때문이기도 하고, 또한 장인 기술이 미래에 대한 대응 방식을 변화시킬 흥미로운 도전을 담고 있기 때문이기도 하다. 공예의 전통은 구전을 통해 중요한 원칙과 기술 지식이 어떻게 시대를 넘어 정확하게 전수되는지를 보여주는 모델이다. 코칭, 멘토링, 조직 컨설팅 슈퍼비전은 실행가들이 다음 용어를 이해하고 동의해야 한다는 의미에서 장인 기술로 간주된다.

- 실행의 근본적 원칙
- 실행가의 성숙도와 효과성을 판단하는 기준
- 성숙도의 단계를 높이는 데 필요한 요소
- 경험의 위계를 구성하는 요소('모든 사람의 모든 경험이 다 중요하고 나름대로 의미 있다'는 식이 아닌)

'코칭과 슈퍼비전의 장인 기술'이 은유를 넘어서 실질적인 현실이 되려면 그 전에 합의해야 할 것들이 많다.

황금 실

'황금 실'은 이 책에서 설명하는 모든 작업에 녹아들어 있는 지속적인 주제이다. 각각의 요소들에 대해서는 다른 장에서 자세히 설명할 것이기 때문에 여기서는 간단히 그 개념을 소개하고 그게 왜 그렇게 중요한지 설명하고자 한다.

- 당신이 섬겨야 할 고객은 언제나 한 사람보다 많다. 당신이 한 사람의 개별 임원을 코칭하는 상황이라도 이 말은 진실이다. 코치, 멘토, 컨설턴트는 직접 고객과 파트너가 되어 두 사람이 함께 세상이 그 개인, 팀, 조직에게 요구하는 것에 답하기 위해 일하는 것이다.

- 모든 실시간 학습과 개발은 관계적이다. 이는 코치, 멘토, 컨설턴트와 슈퍼바이저가 늘 스스로 배우는 상태여야 함을 의미한다. 개인이 달라지기 위해서는 관계가 달라져야 한다.
- 개인이 배우고 개발되는 관계에는 강력한 대화가 필수적이다. 강력한 대화는 도전과 지지의 균형을 갖추고 있으며, 이를 '두려움 없는 연민'이라 부른다.
- 배움은 과정 이수를 위한 것이 아닌 삶을 위한 것이 되어야 한다. 배움을 멈추는 순간 우리가 하는 일도 효과성이 떨어지기 시작한다.
- 성인은 가르침이나 조언을 통해서가 아니라 경험을 통해 가장 잘 배운다. 따라서 학습을 돕는 가장 좋고 중요한 방법은 개인과 관계에 변혁적인 변화를 만들어내는 경험과 학습을 도울 수 있는 조건을 만들어 주는 것뿐이다.
- 변혁적 변화는 바로 앞에 있는 시스템의 일부(개인, 팀, 조직)의 '방 안에서의 변화'에 초점을 맞출 때, 시스템적이 된다. 그들이 변화되면 그들과 함께 더 넓은 시스템에 필요한 변화를 만들어간다.
- 슈퍼비전은 코치, 멘토, 컨설턴트가 효과성을 유지하고 개발해 나가는 데 필수적이다.

언제나 고객은 한 사람보다 많다. 설령 방에 단 한 사람과 있다 해도.

우리는 다중적인 초점을 '세 고객의 법칙'으로 만들었다. 이 작업에서 우리는 영국 관계상담협회(UK relationship counselling charity)인 RELATE가 해 놓은 작업에서 도움을 받았는데, 고객 초점을 다음과 같이 구조화하는 것이다. 첫 번째 고객은 방에 있는 사람이다. 두 번째 고객은 그 사람의 파트너들이다. 세 번째 고객은 앞의 두 고객이 섬겨야 할 관계이다. '세 고객의 법칙'을 코칭, 멘토링, 조직 컨설팅과 슈퍼비전에 이렇게 적용한다.

- 첫 번째 고객은 누구든 그 방에 있는 사람이다(한 개인, 팀, 기타).
- 두 번째 고객은 조직 또는 그들이 부분인 전체 네트워크이다.
- 세 번째 고객은 그들이 일하는 공동의 목적이자 섬기는 대상인 고객, 소비자, 이해관계자 등이다.

초판 이후 피터는 이 개념을 더 발전시켜서 이렇게 설명했다(Hawkins, 2012: 2).

현재 요구되는 것은 코칭 작업에 있어서 미묘하지만 근본적인 패러다임 전환이다. 모든 수준의 코칭, 그게 내부 코치에 의한 것이든 외부 코치에 의한 것이든 상관없이 말이다. 코치들은 자기가 함께 일하는 사람 혹은 팀이 고객이라고 생각하고 그에 초점을 맞춰왔다.
코칭의 새로운 패러다임에서는 이 사람 혹은 팀을 우리가 마주한 고객으로 보는 게 아니라 나란히 옆에 서 있는 파트너로, 즉 공동으로 변화를 이루어낼 파트너로 보아야 한다는 것이다. 그러면 코칭은 제3자를 섬기기 위한 공동의 노력이 된다. 리더십 향상이든 조직 변화든 전략의 실행이든 간에 많은 이해당사자들이 바라는 바를 이루기 위한 공동의 노력 말이다.

슈퍼비전에는 슈퍼바이지와 그들의 고객이 있고, 고객이 일하는 조직이 있다. 슈퍼비전은 이 모든 당사자들을 위한 것이라야 하며, 각 영역의 전문가를 위한 것으로서, 전문가들이 표준을 유지하고 계속 학습하게 만드는 것이다.

⚬ 모든 실시간 학습은 관계적이다.

우리는 또한 성숙함을 단련하는 것은 다른 사람과의 상호작용에서 이루어진다고 믿는다. 그러므로 코치, 멘토 또는 조직 컨설턴트로서 우리는 고객이 가지고 있는 문제를 해결하기 위해서만 거기 있는 게 아니라 그가 끼치는 영향에 대해 진정성 있는 피드백을 제공하기 위해 있는 것이다. 피드백을 받으면 그들은 목표 달성만이 아니라 다른 사람을 섬기는 데에도 자신을 더 효과적으로 쓸 수 있게 된다. 고객이 주어진 상황에서 최선의 능력을 발휘하게 함으로써 직원과 고객을 지원하는 능력을 향상시키게 된다.
고객이 잘 배우기 위해서는 우리 또한 관계 속에서 그리고 관계를 통해서 배워야 한다. 애트우드와 스톨로로(1984), 스톨로로와 애트우드(1992), 호킨스와 쇼헷(2012), 길버트와 에반스(2000), 쇼(2002)가 서술한 것처럼, 우리는 모든 학습과 변화는 상호주관적인 관계 안에서 일어난다는 것을 믿는다. 이것이 의미하는 바는 다음과 같다.

- 학습은 항상 상호적이다.
- 학습에는 두 당사자의 완전한 참여와 성찰이 요구된다.
- 그것은 '진실'을 찾는 게 아니라 더 큰 가능성을 찾아가는 탐구다.
- 새로운 앞길을 공동으로 창조하는 것이다.
- 새롭게 알게 된 것들은 언제나 부분적인 것에 불과하며 더 많은 몰입을 통해 그 유용성의 한계를 시험해 봐야 한다.
- 이는 그 방을 넘어서 더 큰 잠재적인 관계에 복무한다는 의미에서 현재 관계의 변혁을 포함한다.

사람들이 나스루딘에게 어떻게 그렇게 많은 걸 배웠느냐고 물어봤을 때 그가 '나는 많이 말했고 단지 사람들이 내 말에 머리를 끄덕일 때 내가 말한 것을 기록했을 뿐'이라고 한 것처럼(Hawkins, 2005).

지지와 도전을 균형을 갖춘 강력한 대화의 중요성

사람의 행동 방식을 바꾸려는 것이 일부에게는 윤리적인 우려를 자아내기도 한다. 그렇다면 윤리적 우려가 제기될 수 있는 비즈니스를 어떤 방식으로 해야 하는가? 오웰의 〈1984년〉은 이젠 과거가 되었다. 하지만 민감하게 받아들이든 아니든 아직도 그것은 권력을 가진 지배자가 통제하는 데 대한 공포의 상징으로 존재한다. 그런 의미에서 일반적으로 변화의 목적에 대해, 변화를 만들어내는 일 자체에 대해 윤리적 도전이 있을 수 있다. 우리의 일은 무엇에 복무하는 것인가? 궁극적으로 오직 자기 이익을 취하려는 조직을 지원하는 걸까? 근본적으로 진실성을 해치는 행동을 해가면서까지 조직에 맞추라고 하는 조직을 도와주는 일인가?

시스템적인 변혁적 코칭의 황금 실이 행동의 변화를 도와주는 방법론이라면, 그것이 개인이나 그룹에게 다른 누군가의 의지를 강요하는 도구로 쓰이지 않도록 주의해야 한다. '성과나 효율성, 조직의 혜택'이라는 식으로 포장되고 더 직접적으로는 회사에서 잘리지 않으려는 의도일 수도 있기 때문이다. 사람을 변화하게 촉진시키는 것은 적어도 이론적으로는 무엇을 하도록 하거나 혹은 '자신'이 아닌 누군가가 되도록 강요 또는 강제할 가능성을 떠오르게 한다. 사실 우리는 사람을 변화시키려 애쓰는 것이 아니라, 그들이 스스로를 변화시킬 수 있는 조건을 창출하기를 원하는 것이다.

몇 개의 예를 들어 보자. 최근에 저자가 글로벌 투자신탁회사 고위 임원인 제임스와 일을 할 때였다. 제임스는 40대 후반이었고 다른 분야에서 일하다가 투자신탁에 합류했다. 보수가 좋은 직장이었고 원래 일하던 분야에서 배웠던, 여기서는 흔치 않은 역량을 발휘하고 있었다. 그는 고객만이 아니라 비즈니스 요구에 대해 분명히 알고 있었다. 그에겐 회사에 꼭 필요하지만 부족했던 경영 능력과 사람 다루는 기술도 있었다. 제임스는 전무에게 보고하는 임원 팀의 일원이었는데, 우리는 이 임원 팀이 전무와 함께 '더 효과적으로 일할 수 있도록' 도와달라는 요청을 받게 되었다. 이런 상황에서 그가 '잘 맞지 않는다'는 것은 해고와 연관되어 해석될 가능성이 있다.

또 다른 예도 있다. 줄리아는 과거에 심리치료사로 일한 경험이 있는 숙련된 코치다. 그녀는 현재의 실행을 깊이 있게 검토해보고 싶고 '시장'이 코치의 수준을 체크하기를 요구했기 때문에 슈퍼비전에 참여했다. 첫 세션에 그녀는 도저히 해결이 안 되는 코칭 고객 이슈를 가져왔다. 그녀의 코칭이 매우 도움이 된다고 하는 고객이 많았음에도 불구하고 소수의 해결 안 되는 고객 때문에 그녀는 자신이 안전지대에서 벗어나야 한다고 생각했다. 그녀는 "내 코칭은 뭔가 부족해요. 정말 열심히 고객들을 지지하지만 그들은 움직이려 들지 않아요."라고 말했다. 줄리아는 슈퍼바이저인 저자에게 그녀가 가진 가정과 신념 세트('비지시적이고 성찰 원칙에 기반을 둔다'는 가정)를 더 직접적이고 도전적인 코칭 스타일로 바꾸도록 도와달라고 간접적인 요청을 보내고 있었다.

두 상황 모두에서 저자는 변화 압력을 받고 있는 사람들과 일하고 있다. 환경에서 오는 이런 압력은 그들이 원치 않는 방향으로 그들을 밀어붙인다.

이슈의 뿌리는 개인적 변화란 두 가지 적응이 다 필요하다는 것, 즉 환경에 적응하는 면과 환경 속에서 개인을 위해 뭔가 만들어가는 적응 둘 다 필요하다는 점이다. 그래서 타인의 의지에 의해서 보다는 관계를 통해서만 이뤄질 수 있다. '우리가 전문가다, 그러니 당신은 우리가 옳다고 하는 것을 하면 된다'고 주장하는 것만으로 코칭, 멘토링, 컨설팅을 할 수는 없다. 오직 대화를 통해서만 일할 수 있다. 다른 사람에게 효과적으로 도전할 수 있는 수준은 그의 옆에 서서 같은 입장을 경험해 본 수준과 같다. 이렇게 하면 더 좋을 것이라고 말하는 것으로는 기껏해야 머리를 끄덕이게 할 뿐이다. 그 정도로는 진정한 차이를 만들어내지 못한다.

대화란 비즈니스 천재만이 아니라 이슈에 관련된 사람 전체가 참여할 수 있어야 한다. 대화를 활용한다는 것은 코치와 고객 모두 대화에 전적으로 몰입하는 노력을 한다는 의미이며, 이런 정도의 몰입이 있는 대화라야만 진정한 변혁적 변화가 일어난다. 왜냐하면 두 사람이 대화에 충분히 몰입하면 그 사람에게 맞지 않는 아이디어를 일방적으로 강요할 가능성이 적어지기 때문이다.

그러므로 고객과 함께 일할 때 이 프로세스가 반드시 필요하다는 것을 인식해야 한다. 변화를 위한 변화, 즉 당신을 위한 것이라며 강요하는 변화나 또는 누군가의 권력 강화를 위한 변화는 분명 윤리적으로 코치, 멘토, 조직 컨설턴트들이 추구할 목표가 아니다. 두려움 없는 연민에서 나오는 강력한 대화가 조직의 필요와 개인의 진실성 둘 다를 보호하는 중요한 방식이라고 믿는다.

과정 이수를 위한 배움이 아닌 삶을 위한 배움

점점 더 불확실해지는 세상에서 가장 근본적인 원칙은 학습이 원하는 것을 하기 위한 지름길 정도가 아니라 일상적으로 지속되는 삶 안에서 필수적이라는 것이다. 하지만 평생 학습을 하려면 열린 마음가짐이 필요하다. 끊임없이 질의하는 태도를 갖고 현재 하는 일을 향상시키려면 '왜?' 그리고 '요점이 무엇인가?' 같은 질문을 명확히 할 필요가 있다. 학습에서 중요한 초점은 새로운 사실을 배우는 데 있는 게 아니라 인간으로서의 성숙을 돕는 데 있다. 이는 많은 답을 가져야 하는 게 아니라 더 강렬한 질문을 던지는 것이 필요하다는 점과 함께, 어느 정도의 불확실성을 감내하며 살아가는 법을 배워야 함을 말해준다. 누군가가 말했듯이, 개발을 위한 학습 여정은 데이터를 정보로 전환하고 정보를 통해 지식으로, 지식을 정제하여 지혜를 얻는 과정이다.

그러므로 우리에게 있어서 학습이란 목적의식이 있는 활동이다. 단지 더 많은 데이터와 정보를 모으는 것이 아니고 그것을 정제하여 지혜로운 실행의 맥락에서 지식으로 녹여내야 한다. 배움의 과정은 외부 세계를 이해하는 방식을 바꾸는 것만이 아니라 서서히 우리 내부 세계를 변화시키고 생각과 느낌, 행동을 지혜로운 목적에 맞게 통합해가는 것이다. 이런 방식으로 배움이 이루어지면 이는 생활의 다른 측면과 단절된 활동이 아니라는 게 분명해진다. 실시간 학습 기회로 만들어내는 데 개인적으로 전념하며, 머릿속에만 존재하는 미래의 변화가 아닌 지금-여기에서의 변화에 초점을 두는 것이다. 개인적 학습의 중요성에 대한 믿음 특히 코칭, 멘토링, 조직 컨설팅, 그리고 슈퍼비전을 위한 학습의 중요성을 믿는 다면 우리는 실시간으로 배우는 기회를 발견하게 된다. 그러므로 우리의 변화는 방 안에서 일어난 전환으로 시작되지만 언제나 그 변화는 방 너머에 있는 것을 위한 것이라고 믿는다. 방 안에서 발생하는 것은 방 밖에서 일어나야 하는 것과 연결되어 있기 때문에 자기 식대로 좁게 생각하는 행동을 멈추게 된다. 마음에서 관계(예: 코치 받는 사람이 리드하는 관계, 슈퍼바이지 코치와의 관계, 종사하는 조직과의 관계, 훈련하는 커뮤니티와의 관계 등)를 더 넓게 설정하면 학습의 왕성한 가장자리가 만들어지게 된다.

우리는 변화란 개인적 발달과 성숙함으로 나아가는 맥락으로 본다. 또한 이 것을 인간 삶의 도전, 즉 우리를 둘러 싼 세계에 더 참여하고 교훈을 배우며 그를 통해서 다른 사람에게 혜택이 되고 공동체에 긍정적으로 기여하기 위한 도전으로 본다. 이 세계에 요구하고 이용만 하면서 더 형편없는 곳으로 만들어놓는 게 아니 라 말이다. 독자들이 이런 전제를 받아들인다면 실행과 기술 발전 두 가지가 분명 히 이어질 것이다.

개발이라는 주제는 우리 작업에 폭넓게 적용되는 태도이며, 우리의 몇 가지 모델도 설명해준다. 앞서 언급한 것처럼 코칭은 교육 과정에서 한 번 배워두고서 원할 때 기계적으로 적용할 수 있는 것이 아니다. 코칭 대화 과정의 중심성 때문 에 고객이 자신에 대해 배우는 것만큼이나 우리도 계속해서 자신에 대해 배우게 된다. 그러므로 배움을 환영하고 소화하는 것은 평생에 걸친 요구다. 학습과 성숙 은 멈추지 않는다.

현대 유도의 창시자 카노 선생은 평생에 걸쳐 수련을 하고나서 80대에 죽기 몇 주 전에 수제자들을 불러 이렇게 말했다고 한다. 자신이 죽으면 무술 초심자의 상징인 흰 띠를 매고 묻어달라고. 우리는 이 이야기를 좋아한다. 자신과 다른 사 람을 이해해야 하는 그 어떤 수련도 평생이 걸릴 것이고 결코 모든 것을 알 수는 없을 것이다. 비록 아는 게 많지만 여전히 이해해야 할 주제에는 커다란 어둠이 남아있다는 걸 겸손하게 인정해야 한다. 탐구적인 맑은 눈으로 신선함과 경이로 움으로 볼 수 있는 능력은 슌류 스즈키의 책 〈젠 마인드, 초심자 마인드〉(1973)에 요약되어 있다.

코치로서 일을 하는 데 특히 개발 모델을 활용하는 것이 매우 가치 있다는 걸 발견했다. 개발 모델은 인격이 성숙해지는 여정에서 다양한 단계를 인식할 수 있는 방법과 어느 단계가 조직의 생에 기여하는지 명확하게 보여준다. 그럼으로써 현재의 행동을 더 넓은 삶의 맥락에서 볼 수 있고 또 비즈니스 이슈를 둘러싼 일도 개인의 성숙도라는 더 넓은 이슈와 연결해 볼 수 있게 된다.

변혁적 변화

그동안 우리는 영광스럽게도 수백 명의 코치, 멘토, 컨설턴트를 슈퍼비전해 왔다. 때로는 멈춰서서 이렇게 폭넓고 다양한 그룹을 넘나들며 파악한 패턴들을 성찰해보곤 했다. 그런 성찰 세션을 하던 중에 슈퍼바이지들이 가장 힘들어 하는 것이 무엇인지 깨달았다. 그건 고객과 훌륭한 코칭 세션을 해서 고객이 통찰과 깨달음을 얻었거나 새로운 실행 다짐도 했음에도 불구하고, 한 달 뒤에는 고객이 변화를 이루어내지 못했다고 보고해야 하는 순간이었다. 이런 순간에 슈퍼바이지는 종종 고객을 탓하거나 '돌이켜 보니 고객이 명확하게 몰입하지 않았다.'거나 '그들이 용기가 부족했다' '그들이 저항했다'라는 식으로 딱지를 붙이려고도 했다. 그때 우리는 이렇게 질문을 시작했다. "만약 고객을 비난하지 않고 '변화 조력 전문가인 우리가 다르게 해야 할 것은 무엇입니까?'를 물어보았다면 어땠을까요?"

이것은 세 가지의 정말 중요한 깨달음을 주었다. 첫 번째, 통찰과 좋은 의도는 반드시 있어야 하지만 지속적 변화를 창출하기에는 충분하지 않다. 변화에 대해서 말만 해서는 안 되며, 그 방에서 삶의 변화 과정이 시작해야 한다는 것을 분명히 해야 한다. 즉 코칭 방에서부터 변화가 시작되지 않는다면 세션 이후에 변화가 일어날 가능성은 훨씬 적다는 것이다. 이런 생각은 변혁적 코칭과 '방에서의 전환'이라는 접근법을 개발하는 것으로 이어졌다.

두 번째로 상황을 이해하고 새로운 실행계획을 세우는 것에 초점을 맞추는 것이 왜 불충분한지를 탐구했다. 우리는 모든 변화는 '참여의 4단계'에 초점을 맞추어야 한다는 결론에 이르렀다(더 자세한 내용은 2장에 설명한다).

코칭, 멘토링, 컨설팅이 모든 단계에서 행동 변화와 지속적인 성과 향상을 효과적으로 이끌어내는 것인 만큼, 거기에서 현재의 행동이 자리 잡게 만든 고객의 감정과 정서적인 부분, 스스로에게 얘기하는 스토리, 이를 만들어내는 신념 체계와 가정, 동기를 탐구할 필요가 있다. 더 깊은 단계를 다루지 않고 표면적인 행동 변화만 다루면 결국은 실망스럽거나 단기적인 것으로 그치게 된다. 이 영역에 대한 내용은 베잇슨(1973), 알지리스와 숀(1978), 메지로우(1991), 케간과 라헤이(2009) 등 다른 저자들의 저작에 기초한 것이다.

세 번째로 현재의 세계관—라스크(2003, 2009)가 '참조 프레임'이라고 명명했으며, 토버트 외(2004)가 '행동 논리'라고 했고, 베잇슨(1973)이 '인식론'이라 칭했던— 안에서 가능한 변화는 존재에 대한 현재 패러다임의 근본적 전환을 포함하는 변화와는 다르다는 것이다. 우리 시대의 도전은 이 세계에서 우리의 존재 방식에 대한 근본적인 전환을 가능하게 하는 변화의 실행을 요청하고 있다.

● 변혁적 변화에서 시스템적인 변혁적 변화로

다섯 번째 황금 실에서 우리는 방에서 혁신적 변화를 창조하는 것이 중요하다고 주장했다. 하지만 그 주장을 첫 번째 황금 실, 즉 '방 안에 있는 한 사람이 아니라 다중적인 고객을 섬겨야 한다'는 것과 결합시키면 방 안에서의 혁신적 변화가 그 다음으로 더 넓은 시스템에서 필요한 전환을 만들어내는 데 초점을 맞춰야 한다는 걸 알게 된다.

이 책에서는 개인에 대한 코칭과 멘토링(2, 3장)에 대한 접근법을 탐구한 후, 팀 코칭(4장), 조직 코칭과 컨설팅(5장) 그리고 코칭 문화의 창출(6장)을 살펴본다. 어떤 수준의 시스템에서 작업을 하든 더 넓은 시스템적 맥락—임원이 관리하는 팀, 팀의 고객들, 조직의 이해당사자들, 코칭 문화로 더 큰 가치를 창조하려는 사람들—에 초점을 맞추고 있다.

그래서 이 장 앞 부분에 소개된 스토리에서 초점은 CEO의 행동을 변혁적으로 전환시키는 것만이 아니라 CEO와 팀의 관계의 변혁적 전환에 있고, 이는 조직을 리드하는 방식을 변화시키고 그럼으로써 직원이 느끼는 경험이 달라지고 그를 통해 문화가 고객 중심적인 방향으로 변화하는 것으로 이어진다. 분명히 방 안에서 일어난 하나의 혁신적 전환이 그 자체로 전체 문화의 변화를 만들어내는 것은 아니지만 변화의 중심축이 될 수는 있다.

CEO의 전환에 초점을 맞추기에 앞서 전문가로서 우리 자신이 어떻게 시스템적인 패턴의 일부인지를 파악해야 하고 이를 위해 자신을 모니터링하는 데 먼저 초점을 맞추어야 한다는 걸 인식해야 한다.

변화의 도구가 되려는 전문가들은 자신의 실행을 돌아볼 수 있는 자신만의 성찰의 공간을 가져야 한다. 그것이 효과적인 실행을 위한 필수 요건이다.

⁂ 슈퍼비전은 필수다

슈퍼비전은 사회복지업무에서 컨설팅까지, 심리학에서 간호까지(Hawkins and Shohet, 2012) 사람을 다루는 직업의 핵심 요소이다. 하지만 코칭과 멘토링, 슈퍼비전에 대한 연구나 책, 논문과 훈련이 시작된 것은 불과 10년밖에 되지 않았다. 현재는 이들 영역에서 전문성을 높이기 위해 슈퍼비전이 중요하다는 의견이 실제 슈퍼비전이 실행되는 것보다 높은 상황이다(Hawkins and Schwenk, 2006; Bachkirova et al, 2011).

그럼 무엇 때문에 슈퍼비전 훈련이 부족한가? 많은 코치, 멘토들과의 대화를 통해 몇 가지 설명을 찾을 수 있었다.

- 슈퍼비전이 포함하는 내용이 명료하지 않음
- 양질의 훈련된 슈퍼바이저의 부족
- 개인 개발에 대한 헌신 부족─우리를 취약하게 만드는 요인
- 코치들 간의 규율 부족
- 자신의 변화에 대한 도움 받기보다 남을 변화시키는 역할에 중독됨

아마 이 모든 요인들이 어느 정도는 진실일 것이며 완전한 대답이 되려면, 이외에 다른 요인들도 있을 것이다. 코칭 슈퍼비전에 훌륭한 이론체계가 미비하고 훈련 과정과 수련가들이 부족하기 때문에 많은 코치들이 슈퍼비전이나 슈퍼비전 모델을 찾기 위해 상담가와 심리학자, 심리치료사들을 향했다. 물론 사람을 다루는 다른 영역에서, 코칭보다 슈퍼비전의 역사가 길고 높은 수준의 슈퍼비전을 수행해온 다른 영역에서 배우는 부분도 많을 것이다. 하지만 거기엔 우리가 8장에서 논의한 바와 같은 위험이 있다.

우리는 슈퍼비전을 다음과 같이 정의한다.

슈퍼비전이란 코치가 슈퍼바이저의 도움을 받는 프로세스로서 이를 통해
코치가 고객 시스템 및 고객-코치 시스템의 일부로서의 자신을 더 잘 이해

하게 되며, 그럼으로써 코칭을 전환시키고 기술을 개발하는 것이다.

우리는 코칭 슈퍼비전이 세 요소가 있다고 믿는다.

- 코치, 멘토, 컨설턴트들이 고객과 수행한 작업에 대해 실행의 질을 높이기 위해 외부적 관점을 제공하는 슈퍼비전(질적 기능)
- 실행가의 직업적 전문성을 개발하기 위한 멘토링(개발 기능)
- 슈퍼바이저의 도움으로 실행가에게 안전한 성찰 공간을 제공함으로써 지원을 받고 스스로 자원을 발견하게 하는 것(자원 기능)

이 책 2부 7장~11장은 코치, 멘토, 컨설턴트의 개발과 슈퍼비전의 다양한 측면들, 즉 교육 과정과 개별 슈퍼비전 그리고 그룹 슈퍼비전에 대해 할애하였다.

이 공통 작업에 필요한 핵심역량과 능력, 수행능력

위에 언급한 황금 실에는 마치 공예 장인이 활용하는 방법을 배우는 식의 스킬 세트가 필요하다. 습득된 역량은 올바른 시간에 올바른 요구에 맞게 선택적으로 사용되어야 능력으로 전환될 수 있다. 또한 역량과 능력만으로는 충분하지 않다는 점을 강조하고자 한다. 마스터 전문가라면 관련 스킬에서 개인적 능력을 아주 높은 수준으로 개발해야 한다. 이 책의 3부 12장에서 코치, 멘토, 컨설턴트, 슈퍼바이저에게 필요한 핵심 스킬을 다룰 것이다. 13~15장에서는 이 스킬을 연습하면서 습득할 수 있는 핵심 능력들을 다룬다.

결론

우리는 코치, 멘토, 조직 컨설턴트와 슈퍼바이저들의 실행을 살펴보며 각 영역의 작업에 쓸 도구를 보여주는 전반적인 지도를 만들어냈다. 모든 역할들에 걸쳐 쓸 수 있는 실행의 황금 실을 구체화하고 요소들을 밝히고자 했다.

앞으로의 장에서는 이 요소들을 더 자세히 살펴보고 실행의 시사점을 탐구해 나갈 것이다. 개요는 전체 영역에 대한 조감도로서, 시스템적인 변혁적 코칭을 뒷받침하는 것이자 코칭, 멘토링, 조직 컨설팅과 슈퍼비전의 실행에 있어 핵심인 공통의 믿음, 스킬과 방법론을 탐구하는 데서 시작했다. 책 전체를 통해서 학습과 개발, 변혁적 변화를 이끌어내는 각 역할들 간의 유사성뿐 아니라 차이점에 대해서도 깊게 논의하고자 한다.

제1부

코칭, 멘토링, 조직 컨설팅

Coaching, Mentoring
and organizational consultancy

제1부 서문

　1부는 개인, 그룹, 팀, 조직 차원에서 성인 학습과 발달을 이끌어내는 기술의 기본적인 가정 위에서, 코칭과 멘토링, 조직 컨설팅이라는 세 가지 개발 방법의 본질이 무엇인지 명확히 하는 데서 출발한다. 여기서 세 가지 방법의 핵심 요소들을 논하고 탐구한다. 마지막 장에서는 개인과 팀, 조직 학습과 변화를 지원하고 이끌어내기 위해 어떻게 문화를 만들어내는지 그 방법을 살펴본다. 책 뒷부분에서 슈퍼비전을 본격적으로 다루기 전에 여기서는 슈퍼비전을 받는 기술들에 초점을 맞춤으로써 우리가 지원하고 개발하고자 하는 실행이 어떤 것인지 분명하게 이해할 수 있을 것이다.

　2장에서는 경영자 코칭을 우리가 강조하는 변혁적 코칭의 맥락에서 살펴볼 것이다. 코칭이 코치와 고객, 조직에 영향력 있고 효과가 있음을 뒷받침하는 신경과학의 연구결과와 함께 소개한다. 또한 코칭과 그 이웃인 상담을 구별하는 경계선이 무엇인지도 살펴볼 것이다.

　코칭이 구체적이고 중단기적인 것이라면 멘토링은 좀 더 개인적이고 커리어에 맞추어 광범위하게 개인 개발을 다루는 것이라고 본다. 3장에서는 우리가 멘토링의 본질을 무엇이라고 보는지, 코칭과 어떻게 다른지를 다룬다. 이 기초 위에서 삶과 커리어의 전환을 다루는 주요 프레임인 핵심 모델을 다룬다. 그리고 이를 토버트(Torbert) 모델과 연결시키는데 그 모델은 코칭이나 멘토링에서 다루어야 할 중요 요소인 리더의 성숙도 발달 단계를 표현한 것이다.

　2장과 3장이 개인에게 집중하는 데 비해 4장은 개인과 일할 때와 달리 팀과 일할 때 요구되는 역량의 차이를 살펴본다. 또한 좋은 팀의 작동 방식은 무엇인지, 따라서 조직 개선을 위해 그룹과 일할 때 초점이 어떠해야 하는지를 살펴볼 것이다. 팀과 일할 때 사용할 수 있는 CID-CLEAR 프로세스와 호킨스의 5가지 원칙 모델(Hawkins Five Disciplines model)을 소개할 것이며, 서로 다른 유형의 팀, 예를 들어 가상 팀, 프로젝트 팀, 회계 팀 등과 일할 때의 시사점을 다룰 것이다.

　5장에서는 관점을 바꾸어서 성인 학습의 원칙을 전체 조직 개발에 적용하는 것을 살펴본다. 처음 몇 장에서는 개인에서 팀으로 '실행 단위'가 바뀐다. 여기서는 조직 활동의 시스템적인 측면에 대해서, 특히 전략적 변화와 문화 변화, 집단적 리더십 개발을 통합하는 데 초점을 맞추어 생각해볼 것이다. 조직 코칭의 성격을 논하고 개인 코칭 및 팀 코칭과의 차별성을 살펴볼 것이다. 일의 초점도 바뀌지만 이런 평행 프로세스와 조직 문화 기류를 관리하기 위해 코치가 팀의 일원으로 일하기를 요구하는 흐름이 강해지고 있기 때문이다.

1부 마지막 장에서는 조직 내에서 코칭을 온전히 활용하는 데 필요한 문화에 대해 살펴볼 것이다. 코칭이 위기 상황에서나 교정적인 목적으로 사용되는 데서 벗어나 조직에 개발과 학습 문화를 만들어내는 데 핵심적인 리더십과 관리 스타일로 자리 잡아야 한다. 또한 조직 문화의 유형을 살펴 볼 것이다. 또 전환을 만들어내는 데 명료성을 더해 줄 조직적 도구 두 가지 중 하나를 논의할 것이다.

제2장 | 코칭

소개

이 장에서는 코칭의 특성을 더 구체적으로 탐구한다. 10년 이상에 걸쳐 개발한 두 가지 핵심 모델을 소개하고 각 모델의 기반이 되는 변혁적 코칭을 깊이 있게 다루고자 한다. 첫째는 CLEAR 모델이다. CLEAR 모델은 모든 형태의 코칭에 적용할 수 있는 프로세스 틀로서, 코치 받는 사람이 무엇을 필요로 하는지를 명확하게 하고 실행에 합의하게 하는 구조적인 방법이다. 이를 토대로 해서 그 위에 '시스템 사고'와 '영향력 강한 코칭' 두 가지를 통합하여 '시스템적 변혁적 코칭' 개념을 만들어냈다. 시스템적 변혁적 코칭은 코치 받는 사람의 삶에 전환을 가져오는 데 초점을 맞춘다.

코칭이란 무엇인가?

경영자 코칭은 주로 고객이 새로운 행동을 시도함으로써 이루어지는 개인적 변화를 다룬다. 하지만 개인 변화를 촉진하는 요소들은 코칭이나 그 자매격인 멘토링, 컨설팅이나 큰 차이가 없다는 걸 알고 있다. 코칭, 멘토링 및 컨설팅 영역에서 일하는 사람들이 모두 직면하는 문제는 용어의 의미가 정확하지 않고 의미에 대한 합의도 부족하다는 사실이다. 우리가 코치인지, 멘토인지, 컨설턴트인지 어떻게 구분할 수 있는가? 각 역할을 명확하게 구별해주는 활동이 있는가? 혹은 어느 정도 겹쳐지는 것이 불가피한가? 어떤 맥락에서 우리는 자신을 멘토가 아니라 코치라고 할 수 있는가? 각 영역에 대한 별도의 훈련을 받지 않고 틈새에서 활동할 수도 있는가? 역사적으로 '코칭'이라는 용어의 의미에 대하여 많은 혼란이 있었다(CIPD, 2004).

분명한 것은 합의된 하나의 정의가 없다는 것이다. 이 새로운 직업은 과도할 정도로 많은 정의를 만들어냈다. 〈표 2.1〉은 현재 사용되는 정의의 예시이다.

⚐ 표 2.1 **코칭의 정의**

정의	저자
학습과 개발을 통해 성과를 향상시키는 프로세스	파슬로에(Parsloe, 1999)
성과를 극대화하기 위해 그 사람의 잠재력을 이끌어내는 것	휘트모어(Whitmore, 1996)
주로 성과 향상 또는 특정 역량 개발을 목표로 하는 단기간의 개입	클러터벅(Clutterbuck, 2003)
다른 사람의 성과, 학습, 개발을 촉진하는 기술	다우니(Downey, 1999)
동사로서 '코치하다'의 뜻은 '사실을 가지고 가르치고 훈련시키고 암시를 주고 준비를 시키다'	휴대용 옥스퍼드 사전
코치는 학습자들이 목표를 성취하고 문제를 해결하며, 학습하고 개발하는 것을 돕기 위하여 학습자들과 함께 일하는 협력적 파트너이다.	카플란(Caplan, 2003)
코치 받는 사람의 업무 성과와 삶의 경험, 자기주도적 학습과 개인적 성장 향상을 도와주는 협력적이고 해결 중심적이며 결과지향적이고 시스템적인 프로세스	그란트(Grant, 2000)
리더십 코칭은 관리자를 변화시키고 … 성찰의 공간을 제공하며 … 자신을 이해할 수 있게 하여 … 궁극적으로 조직 목표를 향해 창의성을 발휘하고 쏟아내도록 하는 데 관심을 갖는다.	리(Lee, 2003)

경영자 코칭이 촉진하는 핵심 성과는 다음과 같다.

- 성과 향상: 목표에 초점을 맞춘, 결과 지향적이며 실제적인
- 성인 학습
- 개인 개발/지원 및 개인의 잠재력 이끌어내기
- 조직 목표의 창의적 달성

코칭 관계를 통해 다음의 결과가 나와야 한다.

● 협력적 파트너십을 만든다.
● 명료하고 솔직한 피드백을 할 수 있다.
● 단기적이고 실제적인 초점

이러한 관점에서 보면 큰 형뻘인 '스포츠 코칭'과도 맥락이 같다. 스포츠 코칭도 성과 향상과 개인 개발, 개인의 잠재력을 이끌어내는 데 초점을 맞추기 때문이다(아래 Nick Faldo의 이야기 참조). 코칭에 대한 기존의 정의에 우리의 경험을 더해 우리는 다음과 같이 코칭의 정의를 내렸다.

　　코칭은 강력한 지지와 도전을 통해 조직에서 개인의 업무 성과 향상을 가
　　져오는 데 초점을 맞춘 응용 기술이다. 코칭 프로세스는 코치 받는 사람에
　　게 학습과 개인 개발을 하게 하고 자신의 잠재력을 더 이끌어내도록 돕는
　　다. 이 협력적 관계는 단기적 실제적인 것에 초점을 맞추며, 명료하고 강
　　력한 피드백과 새롭고 적절한 행동의 연습으로 특징지어진다.

이 정의의 다양한 측면들은 다음 장에서 언급하기로 한다. 다음 페이지에서 코칭에 요구되는 스킬에 어떤 특성이 있는지, 코칭이 왜 작동되며 어떤 조건에서 작동되는지 그 이유를 알아보기로 하자. 이 장 마지막 부분에 설명한 신경과학에 관한 통찰은 이런 면에서 아주 크게 도움이 될 것이다.

코칭과 멘토링이 급속도로 확산됨에 따라 고객 입장에서는 더 복잡하고 단편적으로밖에 이해할 수 없는 혼란스러운 것이 되었다. 2004년에 있었던 CIPD(The Chartered Institute of Personnel and Development) 조사에서 응답자의 81%가 '코칭이라는 용어가 무엇을 의미하는지에 대한 혼란이 많다.'는 데 동의했다. 응답자의 절반만이 코칭의 여러 유형 차이를 이해한다고 했다. 2004년도 CIPD 보고서는 코칭 분야가 얼마나 단편화되고 있는지를 다음의 사실로 보여주었다.

● 서로 다른 표준과 방법론을 가지고 경쟁하는 다양한 전문기관
● 용어 정의에 대한 합의가 거의 없음

- 코치 자격 취득 경로가 매우 다양함
- 매우 다양한 훈련 프로그램 및 자격조건

2004년부터 관찰해온 바에 따르면 코칭이라는 전문직업에서 아직 근본적 변화는 없어 보인다. 그럼에도 불구하고 이 책 개정판 서문에서 명확히 밝혔듯이, 우리가 코칭하는 리더(그리고 코치로서의 우리)에 대한 도전은 유의미하게 변화되고 있다. 변화의 핵심요소들은 다음과 같다.

- 증대되는 세계화의 효과
- 지구 자원의 윤리적 책임의 필요성 증대
- 점점 더 복잡해지는 비즈니스 관계
- 감축되는 조직 인력, 늘어나는 업무 부담과 축소된 예산
- 도전적인 글로벌 경제상황
- 조직에서 윤리적/도덕적 행동에 대한 신뢰의 약화
- 예측할 수 없는 기후 패턴의 치명적 영향, 복잡해지는 공급 사슬 및 사회 안정성

코칭의 유형

코칭 및 코칭 훈련에 대해 더 넓은 시각에서 코칭의 유형들이 어떤 도움을 주는지 명확하게 알아보기로 한다. 위더스푼(Witherspoon, 2000)의 연구에 기초해서, 코칭의 주요 초점이 무엇인가에 따라 코칭을 4가지 유형으로 이루어진 연속체로 볼 수 있다(그림 2.1) 참조).

코칭 연속체의 첫 번째 단계는 코치 받는 사람의 새로운 스킬 개발에 초점을 맞춘다. 여기서 스킬이란 코치 받는 사람의 역할이나 직무와 관련된 구체적인 스킬로서, 판매 스킬, IT 스킬, 또는 직원을 평가하고 피드백을 주고받는 방법 등 일반적인 사람관리 스킬 같은 것이다. 교육 과정에서 이런 종류의 코칭을 많이 받게 된다.

스킬 코칭 다음 두 번째 단계는 성과 코칭이다. 성과 코칭은 코치 받는 사람

의 스킬 습득(인풋)에 초점을 맞추기보다 넓은 영역의 역할 스킬(인풋과 아웃풋)에서 성과 수준을 높이는 데 더 집중한다. 성과 코칭은 전형적으로 관리자 또는 사내 코치가 수행한다.

세 번째 단계인 개발 코칭은 코치 받는 사람의 현재 역할보다는 장기적 개발에 더 초점을 맞추며, 멘토링적인 측면이 포함된다(3장 참고). 개발 코칭은 코치 받는 사람의 일반적인 역량과 수행능력 외에 전인적이고 인간적인 능력 계발(13장 및 Bachkirova, 2011 참고)을 돕고, 현재의 역할 수행을 통해 미래의 역할과 도전을 감당하는 능력을 개발하는 데 더 집중한다. 그러므로 개발 코칭은 2차적 또는 이중순환 학습에 더 초점을 맞추고 있다(Argyris and Schön, 1978; Hawkins, 1991). 개발 학습이 삶의 단계 및 행동 논리(3장의 Hawkins and Torbert models 참조)의 어느 한 수준에서 코치 받는 사람의 능력을 향상시키는 데 초점을 맞추는 경향이 있는 반면, 마지막 네 번째 단계인 변혁(transformation)은 코치 받는 사람이 어느 한 단계의 기능에서 더 높은 단계로 변혁적인 전환을 돕는 것이다.

◢ 그림 2.1 **코칭 연계도**

코칭 연속 모델은 코칭 가능성의 일반적인 패턴을 보여준다. 예를 들어 코치 또는 리더가 적절한 수준의 기술을 가지고 있다면 함께 일하는 사람과의 관계를 변화시킬 수 있다. 그러나 만약 개인의 변혁적 코칭을 조직의 변혁으로 연계해야 한다면 그때는 외부 코치/컨설턴트의 외부적 시각이 추가로 지원되어야 한다. 높은 수준으로 코칭할 수 있는 능력은 바로 코치의 성숙도 수준에 달려 있을 것이다. '기술 전문가'(금융, HR, 스포츠 등 어떤 분야든)들은 기술 개발에 초점을 맞추는 경향이 있다. '성취가'(Torbert et al, 2004)들은 성과에 초점을 맞출 것이고, 성취가의 초점을 넘어서 그 이상을 보는 사람들만이 더 높은 수준의 개발과 변혁적 전환을 이끌어낼 수 있는 내적 공간을 만든다.

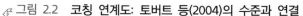
그림 2.2 코칭 연계도: 토버트 등(2004)의 수준과 연결

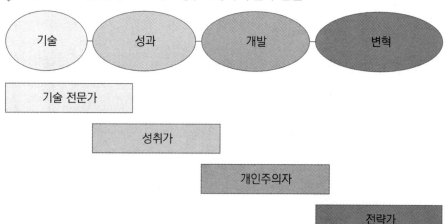

〈그림 2.2〉의 메트릭스는 코치 받는 사람과 슈퍼바이지에게서 이끌어내려는 전환의 내용과 코치에게 요구되는 발달적 성숙의 유형을 강조하여 보여준다. 4장과 5장 팀 코칭 및 조직 코칭에서 이 매트릭스를 다시 다루기로 한다. 코칭의 초점이 이미 정해져 있는 장면을 설정하면, 이제 코칭을 어떻게 하는지, CLEAR 모델을 활용하는 것이 어떤 유익이 있는지 살펴보도록 하자.

클리어(CLEAR) 프로세스 코칭 모델

CLEAR 모델은 1980년대 초 피터 호킨스에 의해 개발되었고 이후 코치 컨설턴트 및 슈퍼바이저를 훈련하는 데 널리 사용되고 있다. CLEAR 모델은 코칭의 프로세스를 다섯 단계로 제시한다.

C: 계약(Contract)

고객이 원하는 결과를 설정하고 코칭에서 다룰 내용을 정하고, 코치와 코칭 프로세스를 가장 잘 활용할 수 있는 방법을 논의하며 코칭 세션을 시작하는 단계다. 코치 받는 고객과 코치가 기본 규칙에 합의를 해야 한다.

계약은 상호적인 과정이며, 코칭이 무엇에 초점을 맞출지를 명확하게 하는 게 목적이다. 만약 목표를 정하는 첫 번째 과정을 쉽게 지나쳐버리면 불필요하게 코칭이 연장될 수도 있다.

목표에 도달한 것이 확인이 되면 그때마다 다시 계약하는 것이 필요하다.

L: 경청(Listen)

코치는 적극적으로 경청하고 촉매적 개입을 함으로써, 고객이 변화를 바라는 상황을 더 잘 이해하도록 돕는다. 코치 받는 사람이 '사람들 각자의 현실이 있음'을 알도록, 즉 각자의 입장을 이해하고 역지사지 할 수 있게 해야 한다. 더 나아가 코치는 코치 받는 사람이 자신의 내면의 소리를 더 충분하게 들을 수 있도록 그가 한 말을 반영하고 재구성하며 새롭게 연결시킨다. 경청은 사람들로 하여금 자신이 그렇게 행동하도록 이끈 가정이 무엇인지를 자각하도록 돕는 결정적 단계이다.

E: 탐구(Explore)

주어진 현재 상황에 대한 느낌을 자각하는 것이다. 코치는 고객에게 질문과 성찰, 브레인스토밍을 통해, 새로운 통찰과 자각을 갖게 함으로써 이슈를 해결하는 다양한 대안을 함께 창출해 낸다.

A: 실행(Action)

고객은 상황의 다양한 역동을 탐구하고 그걸 다룰 대안들을 만들어내면서 앞으로 나아갈 방법을 선택하고 첫 걸음을 옮기기로 합의한다. 이 시점에서는 실제 첫 걸음을 내딛기 위해 '빠른 예행 연습'을 해보는 것이 중요하다. 원하는 변화가 만들어질 때까지 연습을 반복하는 것이다.

R: 점검(Review)

점검이란 하기로 합의했던 실행과 실행하기 위해 거쳐야 하는 과정을 점검하는 것을 말한다. 코칭 과정에서 무엇이 도움이 되었으며, 무엇이 어려웠으며, 향후 코칭 세션에서 달라질 것이 있다면 무엇인가?(12장 참조) 계획된 실행을 어떻게 점검할지에 대해, 그리고 향후 코칭 세션을 언제 할지 합의하면서 마무리한다.

12장에서 클리어(CLEAR) 모델을 다시 살펴보면서 각 5단계에 필요한 기술과 역량을 자세하게 검토할 것이다. 4장과 5장에서는 팀 및 조직 코칭 과정에서 CLEAR 모델을 어떻게 활용할 수 있는지 검토할 것이다.

최근 몇 년 동안 코칭 프로세스에 유용한 모델들이 많이 개발되어, 클리어 (CLEAR) 모델과 나란히 쓰이고 있다. 그라함 알렉산더(Graham Alexander)와 존 휘트모어 경(Sir John Whitmore, 1992; 1996)은 널리 사용되는 그로우(GROW) 모델을 개발하였다. 제임스 플레어티(James Flaherty, 1999)는 관계형 모델을 제안했고, 메리 베쓰 오닐(Mary Beth O'Neill, 2000)은 행동 연구(7장 참고)에 기초해 '코칭 5단계 모델'을 개발했다. 클리어(CLEAR)와 유사한 휘트모어의 모델은 특정 세션 단계에 초점을 맞추고 있는 반면, 플레어티와 오닐의 모델은 전체 코칭 관계를 강조하고 있다.

CLEAR 프로세스를 따르면 초점이 맞춰진 적절한 순서대로 코칭이 진행되기 때문에 코치 받는 사람이 직면한 이슈를 제대로 인식하고 원하는 것을 실현시키는 구체적인 방법으로 나아가게 된다.

시스템적 변혁적 코칭

기본적인 코칭 프로세스를 설명했으니, 이제 변혁적 코칭이라는 주제로 옮겨 논의해 보자. 코칭 연속체에서 다른 부분에 초점을 맞추는 접근법과 이 특별한 접근법을 구별하기 위해 '시스템적 변혁적 코칭'이라는 용어를 채택했다.

우리의 경험으로 보면, 통찰력 하나로 지속적인 행동 변화를 끌어낼 수 있는지는 회의적이다. 새로운 행동을 취하는 걸 코칭 세션 후 코치 받는 사람이 알아서 해야 하는 일로 남겨둬서는 안 된다. 압박감이 있는 직장에서 한 번도 해 본 적이 없는 잠재적 위험이 따르는 행동을 실험하기는 쉽지 않다. 그래서 과거의 습성이 튀어나오게 된다.

새로운 행동을 연습해서 몸에 배게 할 수 있을 때만 코치 받는 사람의 변화 면에서 좋은 결과가 나왔다. 그래서 변혁적 코칭에서는 액션 러닝의 전체 사이클(사고, 계획, 실행, 점검)을 완료하는 것을 목표로 한다. 먼저 방 안에서 적어도 한 번 행동 단계가 일어나고, 그 다음 성찰을 하고, 직장에 돌아가서 어떻게 변화를 실행할지 합의하는 걸로 이어져야 한다고 확신한다.

또한 빠른 예행 연습은 코칭 세션의 에너지를 올려주며, 더 중요하게는 직장에 돌아간 후 변화의 성공 빈도를 두 배 이상 높여준다.

코칭 세션에서 변화가 일어나지 않으면 일터로 돌아가서도 변화가 일어나지 않을 것이다.

빠른 예행 연습을 통해 방 안에서 전환을 만들어내는 메커니즘을 명확하게 했다(아래 참조).

변혁의 프로세스

변혁적 코칭의 초점은 코치 받는 사람이 원하는 결과를 더 쉽게 얻게 하는 '다른 방식으로 일하는 경험'을 하게 돕는 것이다. 이는 이해당사자들과 세계가 본인에게 요청하는 그 무엇에 응답하도록 돕는 일이다. 변화해도 큰 도움이 안 된다면 상황을 더 근본적으로 검토해봐야 한다. 근본적 상황은 변혁적 코칭 접근법을 필요로 한다. 원하는 것에 맞게 행동 방식을 취하지 않거나, 행동으로부터 배우지 않으면 우리가 원하는 근본적 변화는 만들어낼 수 없다.

경영자 코칭은 점차 교정적인 초점에서 성공을 위한 강화와 구축의 초점으로 이동하고 있다. 이는 엘리트 스포츠 코칭과 유사하다. 숙련된 선수들이 더 경쟁력 있게 경기를 하도록 성과 코칭을 하고, 나아가 괜찮은 아마추어에서 최고 수준의 선수로 발전시키는 것으로 이동하는 것과 비슷하다. 우리는 최고의 선수가 세계 최고가 되기를 원하는 공간에 있다. 이는 1980년대 중반 닉 팔도 경(Sir Nick Faldo) 같은 골퍼가 지향했던 변혁적 공간 같은 것이다. 그때까지 그는 주요 토너먼트에서 승리하지 못했고 자신의 상당한 잠재력을 쓰지 못하고 있었다. 대단한 재능에도 불구하고 큰 대회에서 압박감 때문에 무너지는 그를 영국 언론은 닉 폴드-오(Nick Fold-o)라 부를 정도였다. 관찰자들은 경기 결과가 들쑥날쑥한 건 골프 스윙 때문이라고 지적했다. 1985년 그는 스윙을 완벽하게 만들기 위해 비교적 덜 알려진 코치 데이빗 리드베터(David Leadbetter)와 함께 작업했다. 골프 스윙 교정에 거의 2년이나 걸릴 수 있다는 말을 들었는데, 그 기간에도 계속 프로 순회경기에 출전했다. 첫 해에 팔도의 폼은 걱정스러울 정도로 망가졌다. 이 기간에 자신감이 떨어졌지만 경기를 분석하고 다시 보았다. 1987년 3월 극적으로 새로운 스윙을 선보였는데 여전히 새로운 동작을 취하는 긴장 때문에 스윙은 최대치로 작동되지 못했다. 그는 자기가 사용하는 테크닉에 대한 생각을 멈출 수 없었다. 머리에서 전체 과정을 계속 의식하다 보니 스윙에 힘을 온전히 집중할 수 없었다. 왜냐하면 신피질은 스윙을 잘 할 정도로 빠르게 모든 걸 생각할 수 없기 때문이다. 진짜 효과를 보려면 무의식적이거나 암묵 기억 수준으로 몰입해야 한다. 1987년 7월 마침

내 그런 프로세스가 완성되자 그는 PGA 6개 메이저 중 하나에서 첫 우승을 거두었다. 좀 더 최근의 사례로 2011년의 앤디 머레이를 들 수 있다. 그는 영국인 최초 그랜드 슬램 우승을 간절히 바라는 언론과 대중의 쏟아지는 스포트라이트에 상당한 압박감을 느꼈다. 그는 그랜드 슬램 결승전을 앞두고 테니스 기술 향상이 아니라 정서적 정신적 역량을 키우기 위해 코칭 팀에 이반 렌들(Ivan Lendl)을 데려왔다. 이후 2012년 올림픽 금메달을 따고 같은 해 뉴욕에서 첫 번째 메이저 그랜드 슬램을 달성했는데 이는 닉 팔도가 경험한 성공과 같은 희망적인 신호였다.

이 사례들은 최상위 몇 퍼센트 전문가에게도 코칭이 유용하게 쓰인다는 걸 보여준다.

우리는 과거의 습관 덕분에 현재 있는 곳에 도달했다. 이런 습관들은 현 시점에 이르는 성공적인 전략으로 유효했다. 하지만 새로운 미지의 바다로 나아가는 데는 전환점이 있다. 거기서 '당신을 여기까지 오게 한 성공요인이 다음 단계로 데려다 주지는 않는다'는 걸 알게 된다. 골드 스미스(Goldsmith, 2008)의 책 제목이기도 한 이 문장에는 고위 임원과 리더들이 잠재력을 성취하는 데 따르는 공통적인 도전이 요약되어 있다. 우리는 현재의 전략이 허용하는 수준만큼 올라간다. 그 이상 더 나아가기 위해서는 평소 반응 방식들을 근본적으로 재고해야 한다. 이해당사자들이 미래에 요구할 것에 더 적절히 응답하려면 어떻게 새로운 방식으로 대응할지를 고민해야 한다.

최근 아주 도전적인 3년 수익목표를 세워놓은 글로벌 회사와 함께 일한 적이 있다. 목표를 달성해내야 하는 고위 임원들에게 임원 코칭을 제안했다. CEO는 매우 뛰어난 시장주의자 한 사람을 부서장으로 승진시켰다. 그 기간에 수익을 두 배로 올려야 하는 부서였다. 마리아는 그 역할에 이상적인 후보였지만 한 가지 중요한 점에선 아니었다. 그녀는 모든 사람들—직속 부하, 동료, 상사—에게 가끔 화를 내고 가혹하게 대하는 걸로 유명했고 사람들은 그런 그녀를 두려워했다. 이사회 일부 멤버들은 마리아가 협력을 얻어야 하는 관련 부서들을 소외시켜서는 그렇게 높은 목표를 달성할 수 있겠느냐고 우려했다. 마리아는 보통 때는 사회적 스킬이 있어서 대체로 관계를 잘 맺었으며 직원들에 대해서도 개인적으로나 업무면에서 동기부여도 하고 있었다.

마리아는 처음 만났을 때 이렇게 말을 시작했다. "아, 정말 제 성질을 다스리는 게 너무 힘들어요! 계속 화가 폭발하거든요." 다른 사람들이 볼 때도 그건 진실이었다. 하지만 코칭 과정에서 그녀가 전혀 분노를 폭발시키지 않는 상황도 많다는 걸 알게 되었다. 그녀가 폭발하는 데는 몇 가지 중요한 의미가 있었다. 그녀가 '폭발'할 때는 자신이 일을 통제하지 못하고 다른 사람들이 자신과 상관없이 중요한 의사결정을 한다고 느낄 때, 그들의 결정대로 자신이 판단을 받게 될 때였다.

그녀로 하여금 어떤 상황에서 감정의 방아쇠가 당겨지는지를 인식하도록 했다. 한편으로는 그렇게 깐깐하게 잘 끊는 대응 방식 덕분에 지금까지 성공할 수 있었다는 점도 인정을 해주었다. 그제서야 그녀는 변화가 필요하다는 걸 이해하기 시작했다. 이렇게 욱하면서 화를 잘 내면 승진의 기회는 날아가 버릴 것이다. 지금은 모든 임원들이 서로 신뢰하고 타인의 의견에 '공격'이 아닌 정중한 도전을 하라고 요구받고 있기 때문이다.

마리아가 변화의 필요성을 보고 느끼도록 하면서, 과거에 만들어진 방어적 행동을 지금 바꾸지 않으면 경력에 큰 타격을 받을 수 있다는 걸 인식하게 하였다.

화가 치밀어 오르게 했던 상황이 어떤 때였는지 탐색하는 과정에서 그녀는 과거의 두 가지 사건을 기억해냈다. 둘 다 이 이슈와 연결된 것이었고 자신에게 깊이 영향을 끼친 일들이었다. 첫 번째 사건은 10살 때 학교에서 집에 돌아왔을 때 본 일이었다. 의사와 사회복지사가 강제로 아버지를 정신병원으로 데려간 것이다. 어린 그녀는 누군가 아버지를 빼앗아가는 상황에서 마치 세계가 무너지는데 아무것도 할 수 없는 것 같은 무력감을 느꼈다. 그 순간 다시는 그렇게 당하지 않겠다고 마음속으로 맹세했다. 이 기억은 무척 감정적인 것이었다. 이제 그녀는 10살 때에 옳고 정당했던 전략이 40대에도 맞는지 재평가해야 한다는 걸 깨달았다. 마리아가 기억하는 두 번째 사건은 새 학교로 전학 갔을 때였다. 가족 사정상 거의 정기적으로 이사를 해야 했고, 그때마다 마리아도 새로운 학교에서 모든 걸 다시 시작해야 했다. 그녀는 어려운 상황에 대응하기 위해서 '혀'에 의존했다. 친구들이 괴롭히거나 마음대로 하지 못하게 주도적으로 취한 전술이었다. 그녀는 그걸 잘 해냈고 생존하는 데 도움이 되었다. 매우 힘들고 위협적인 환경에서 통제권을 갖는 방법을 그렇게 터득했다.

이런 상황에서 어떻게 마리아가 행동을 다르게 하도록 도왔는지, 조직의 기대에 맞는 행동을 개발해냈는지 설명할 것이다. 그것은 그녀가 느끼고 반응한 것이 적절한 행동인지를 성인 마리아의 관점에 정렬시키는 것이었다.

변혁적 코칭 이론

우리의 경험으로 볼 때 대부분의 경영자 코칭은 변혁적 접근이 필요하다. 변혁적 코칭의 스타일과 스킬을 이해하기 위해 이론뿐만 아니라 몇 가지 핵심 실행을 자세히 설명할 것이다.

변혁적 코칭의 핵심 결과는 하나다. 고객의 의미 체계 또는 행동 논리의 전환. 이 부분에 대한 서술은 성인들이 학습하고 행동을 변화시키는 심리적 프로세스를 명확하게 한 잭 메지로우(1991)의 작업에 기초한 것이다. 메지로우가 말한 '의미 체계'란 삶의 어떤 상황에서 반사적인 감정적인 반응을 일으키는 특정한 믿음, 태도, 가정을 말한다. 의미 체계의 전환은 코치 받는 사람의 가정 근거에서 전환을 만들어낸다는 베잇슨(1985: 283-306)의 2단계 학습(Level II learning) 개념의 한 예이기도 하다(p. 43 참조).

이 장 뒷부분에서 왜 이 작업을 하는지를 살펴볼 것이다. 여기서는 우선 암묵적인 믿음과 기억을 만들면 명시적 '학습 해소를 촉발시키고 구체적으로 존재하는 신경회로망을 없애 신경 가소성 변화를 가능하게 한다'고만 언급해둔다.

코칭에서 다음 세 가지 실행을 통해서 의미 체계 전환이라는 핵심 결과를 만들어낸다.

1. **동시에 여러 수준에서 일하기**
   의미 체계의 전환을 이끌어내기 위해서 코치는 동시에 여러 수준에서 일할 수 있어야 한다(신체적, 심리적, 정서적, 목적적 요소를 다루면서 현재 상황에서 어떻게 한방향 될 수 있는지를 다루는 것이다). 변화는 지속되고 체화되어서 진실로 변혁적이 되어야 한다(고객이 생각하고 느끼고 행동하는 게 달라져야 한다).

2. **방 안에서 전환시키기**
   고객의 고착된 시각에 새로운 시각이 들어오려면 코치는 그 순간에 방 안에서 고객 시각이 통합적으로 전환되도록 초점을 맞춰야 한다. '방 안에서 전환'시키기 위해서 코치 받는 사람과의 조화 그 다음 부조화 방법론이 사용되며, 클리어(CLEAR) 모델을 사용해 전환을 더 촉진시킨다. 이 장 뒷부분에서 '전환'이 어떤 것인지 설명할 것이다.

3. 4단계 참여 다루기

코치가 어떻게 가정을 변화시키는지 이해하는 데 도움이 되는 또 다른 도구는 '참여의 4단계' 모델인데, 닉이 몇 년에 걸쳐 개발한 것이다(Hawkins and Smith, 2010: 16장). 이 모델이 중요한 이유는 가정에 대해 코칭하는 것과 가정에 의해 발생된 현상에 대해 코칭하는 것을 구별하는 데 도움이 되기 때문이다.

변혁적 코칭 아래 깔린 근본적인 사고는 여러 기원에서 만들어졌다. 사이코드라마(Moreno, 1972)는 감정 표현의 '카타르시스 순간'의 중요성을 보여준다. 게슈탈트 심리학(Polster, 1973; Clarkson and Mackewn, 1993)은 고객이 스스로에 대한, 그리고 코치와의 관계에 대한 인식을 전환하는 데 초점을 두고 있다. 코칭 세션에서 만들어지는 활력적인 전환에는 게슈탈트 에너지 사이클(Zinker, 1978)의 단계를 차용했다. 그 단계는 다음과 같다.

1. 변화 필요성에 대한 인식 높이기(계약/경청)
2. 변화의 에너지와 의지 만들어내기(경청/탐구)
3. 변화의 대안 만들기(탐구)
4. 변화 시도(행동)
5. 변화 구현(행동)
6. 검토
7. 완료

젠틀린의 '집중'(1976)은 지속적인 심리적 변화에 필요한 '느껴진 전환(felt shift)'의 개념과 그 중요성을 설명한다. 시스템적 가족 치료는 시스템의 한 부분의 변화가 나머지에 변화를 주는 것의 중요성을 설명한다. 또한 상호 연결된 관계에서 시스템적인 전환이 만들어지는 과정을 명확히 했다(Minuchin and Fishman, 1981). 베이슨은 학습의 단계를(Argyris and Schön, 1978; Bateson, 1985: 283-306) 4가지 학습 유형으로 구별하여 코칭 상황에 필요한 학습 단계를 명확히 이해하는 데 도움을 주었다.

1. **제로 학습**: 학습을 단지 데이터를 받는 것으로 설명한다. 이는 학습으로 이어질 수 있지만 그 자체가 학습은 아니다.
2. **1단계 학습**: 스킬 학습을 말한다. 여러 선택지 중에서 선택하는 것이다. 알지리스와 숀(1978)은 이를 '단일고리 학습'이라고 불렀다.
3. **2단계 학습**: 1단계 학습의 과정에서 가정이 도전 받을 때 일어난다. 알지리스와 숀은 이를 '이중고리 학습'이라 불렀다.
4. **3단계 학습**: '인간 존재에서 매우 드문'(Bateson, 1985) 것으로, 세계를 자신이 원하는 방식이 아니라 있는 그대로 보는 것을 포함한다.

대뇌변연계의 공명(Lewis et al, 2001: 63-5)은 다른 포유동물의 내적 상태를 감지하고 분석할 수 있는 포유류의 능력이다. 이 능력은 코칭 작업에 핵심적으로 중요하며, 코칭의 방 안의 생생한 데이터로 코칭하는 능력이다.

변혁적 코칭의 실행 요소

앞에서 기본적인 CLEAR 프로세스 모델에 대한 설명을 보면 클리어(CLEAR)가 변혁적 코칭을 실행하는 데 필요하기는 하지만 그걸로 충분하지 않다는 걸 알 수 있다. 코치들에게는 문제의 요점을 파악하고 데이터의 정글을 관통해서 변화의 핵심 부분으로 들어가게 하는 '나침반'이 필요하다.

고객이 가져온 초기 데이터에서 이슈에 대한 고객 관점의 전환, 즉 존재와 행동이 달라지는 전환으로 나아가기 위해서, 코치들에겐 일종의 지도가 필요하다. 이슈가 어떻게 형성되어 있고 그들이 어디에 집중해야 하는지를 보여주며, 새로운 시각이 창출되는지를 보여주는 지도 말이다.

참여의 4단계 탐구: 이슈의 근원에 도달하기

변혁적 코칭은 '황금 총알'이 아니고 코칭의 모든 순간에 쓸 수 있는 변화의 레시피다. 또한 코칭에서 다루어야 할 기초를 가리켜 준다. 이는 과학이라기보다는 예술이라고 할 수 있다. 처음에 가정을 드러나게 하고 그 다음 새로운 가정, 새롭고 더 효과적인 가정을 만들도록 돕고 예행 연습과 훈련을 통하여 강화해 나가는 예술이다〈그림 2.3〉 참조).

⤴ 그림 2.3   4단계 참여 모델(Four levels of engagement model)

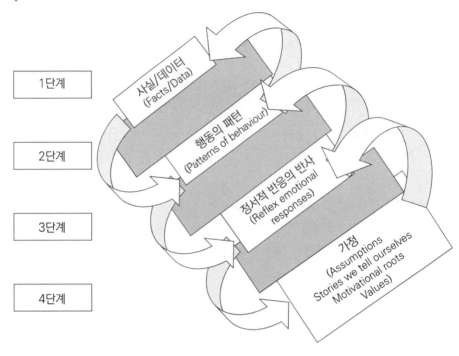

- 1단계: 사실/데이터

　처음 고객을 만나면 코치들은 고객 상황의 세부내용들, 즉 고객이 현재 있는 곳과 성취한 것에 대해 깊게 캐내려는 강한 유혹을 느끼게 된다. 대부분의 코치들은 예를 들어 '이슈가 어떻게 보이나요? 일어난 지 얼마나 되었습니까?', '결과는 어떻겠습니까?', '누가 관련되어 있나요?'와 같은 질문들을 하면서 데이터를 모으는 데 빠진다.

　코치가 경험이 많을수록 코치 받는 사람이 앞으로 나아가도록 하는 데 그렇게 상세한 내용이 덜 필요하다. 1단계는 진행되는 사건의 구체적인 세부사항에 초점을 맞춘다. 사실들의 목록이 생겨난다(이 일은 저 사람 때문에 일어났고, 이날 이런 일이 벌어졌다 등).

　하지만 상세한 내용은 혼란을 줄 수 있다. 코치가 어떤 명확한 연결도 없이 임의적인 사건들만 듣는다면 코치는 어떤 일이 벌어지고 있는지 코치 받는 사람이 이해하도록 도울 수 없다. 만약 정말 무작위적으로 일어나는 일이라면 코치나 고객이나 거기에선 배울 게 없다. 이런 사실들이 무작위적인 것인지 습관적인 반응인지를 이해하기 위해서는 2단계에서 이러한 행동에 반복되는 패턴이 있는지를 살펴볼 필요가 있다.

- 2단계: 행동의 패턴

코치 받는 사람은 비슷한 일이 예전부터 있었다는 걸 인식하는가? 예를 들어 높은 사람과 늘 분쟁을 일으킨다는 걸 아는가?(사람이 다르고 권위의 성격이 달라도 어떻든 높은 사람)

비슷한 상황에서 연속적 행동이 되풀이되며 나타날 수도 있다. 만약 고객이 패턴을 인식한다면 코치는 이를 더 잘 이해하도록 도울 수 있고, 고객이 원한다면 반복되는 결과에 휘말리지 않기 위해 반응을 완전히 달리하도록 도울 수 있다.

하지만 반복되는 행동을 약간 인식하게 되었다고 해서, 그 자체로 '고착된' 행동을 전환하는 것은 아니라는 점을 분명히 알아야 한다. 통찰만으로는 변혁을 만들어내지 못한다. 그러려면 다른 뭔가가 더 필요하다.

- 3단계: 정서적 반응의 반사

비슷한 자극에 계속 똑같은 방식으로 반응하고 있다면 자신이 무엇 때문에 그런 선택과 그런 반응을 하게 되는지 이해해야 한다. 습관 패턴이 튀어나오는 것을 보면서 감정에 의해 그것이 나온다는 것을 이해해야 한다. 대부분 감정은 의식적인 인식 아래에 존재한다. 어떤 상황이 위협적으로 느껴질 때 작동하는 변연계(감정) 반응이 있는데, 변연계 뇌는 파충류 뇌를 통해 무의식적인 행동 반응을 만들어내는 것이다. 이런 감정은 특정 행동 반응이 나오는 연료 역할을 하고, 지겹도록 반복할 힘을 제공한다. 감정은 왜 사람들이 그렇게 행동하는지에 대한 뿌리 같은 것으로, '항상성'을 유지하는 메커니즘의 부분이다. 항상성이란 예측되는 잠재적으로 위험한 변화에 맞서 스스로를 보호하려는 신체적 반응이다. 우리 몸은 특정한 범위 안에서 체온과 심장 박동수를 유지하도록 '연결'되어 있고 이 범위를 벗어나면 '최상의 컨디션으로' 돌아가기 위해 매우 다양한 '신체적' '정서적' 수단을 이용한다. 사람들은 불안감을 진정시키려고 어떤 습관(예: 도피나 과식, 흡연 등)에 의존하게 되는데, 그 습관을 부정당하면 새로운 대안에 대한 강력한 감정적 혐오감을 발동시켜서 과거의 습관으로 돌아가게 해 버린다.

3단계 감정적 반응의 반사는 코치에게 '끈끈이' 효과와 같다. 이런 반사적 반응에 강렬하게 몰입하는 것은 코치와 고객에게 덫이 될 수 있다. 행동 패턴을 반복하게 만드는 밑에 깔린 감정을 드러내게 해야 하는데, 그것만으로는 원하는 변화에 가까이 간 것이라고 할 수 없다.

감정에 초점을 맞춘다고 해서 그 감정을 변화시킬 수는 없는 것이다. 그건 단지 감정일 뿐 어떤 타당성이 있는 게 아니다. 청중 앞에서 떠는 게 별 도움이 안된다면 떨 필요가 없다. 그것은 어느 정도는 우리의 선택이다. 오직 '왜?'라고 물음으로써 감정을 바꿀 수 있다.

- 4단계: 가정

반사적인 감정 반응을 바꾸려면 그 상황에 대한 우리의 가정을 살펴볼 필요가 있다. 세상이 어떻다는 이야기와 그래서 자신을 보호하고 위험에서 벗어나려면 어떠해야 한다는 식의 이야기를 끊임없이 반복하는 게 가정이기 때문이다. 이런 이야기들이 감정적 반응의 원인이다. 우리가 변화시키고자 하는 행동을 촉발하는 감정적 반응 말이다(Rogers, 2012 참조). 4단계에서는 특정한 사건에 직면했을 때 고객이 말하는 이야기가 어떤 것인지 드러내고 분명히 표현할 수 있다.

예를 들어, 내가 학벌이 뛰어나지 않으면 '똑똑한 사람'들과 마주칠 때 '나도 저들만큼 괜찮은 사람이라는 걸 끊임없이 증명해야 해'라고 스스로에게 말할 수 있다. 그러면 동료 고객들 앞에서 경쟁적이고 과장된 태도를 취하게 되는 것이다. 이런 역기능적 반응은 나와 회사의 신뢰성에 흠을 낼 수 있다. 4단계는 다음과 같은 가정들에 존재한다.

- 개인적 현실('금전적 사정이 아주 어렵다')
- 강력한 가치('나를 대하듯 다른 사람을 소중하게 대한다')
- 지배적 신념('복수가 먼저다')

이런 것들이 드러나도록 얘기를 들으면서 코치는 고객으로 하여금 그게 단지 선사시대 화석 유물인지(예: 청소년기에 강력하게 의견을 말했다가 공개적으로 망신을 당했던 트라우마에서 오는 역기능적 반응) 또는 현재에도 타당한 것인지를 체크해보도록 도울 수 있다. 고객의 신념이 무엇인지 빛을 비추어 보기 위해서 이런 단순한 질문을 할 수 있다. '이런 상황에 대해 당신이 가지고 있는 가정은 무엇입니까?' 만약 이런 질문으로 아무런 반응을 얻지 못한다면 창조적인 능력을 이끌어내는 질문을 할 수도 있다. '이 상황에서 이런 감정을 느끼려면 어떤 가정을 해야 합니까?' 이게 너무 앞서 나간 질문 같지만 말이다.

밑바닥에 깔려 있는 가정에 도달하는 또 다른 방법은 고객이 좋아하는 방식으로 그 상황을 묘사해보게 하는 것이다. '좋은' 것이 어떤 것인지 상세하게 그리도록 질문하라. 그들이 할 수만 있다면 무엇을 하고 있겠는지 행동적인 용어를 상세하게 설명하게 하는 것이다. 예를 들어 만약 상사에게 자신감 있게 주장하는 것이 문제라면, 코치가 이렇게 질문할 수 있다. '그렇게 행동하려면 자신에 대해, 혹은 관련된 다른 사람들에 대해 어떻게 느껴야 하겠는가?'

이것이 3단계의 초점이다. 고객이 어떤 감정을 느낄 필요가 있는지 탐구하고서야(예: 내가 강하다고 느끼기, 권한이 있다고, 편안하다고, 자신감 있게 느끼기 등) 코치는 4단계 공간으로 가서 질문할 수 있다. '그런 감정을 느끼려면 당신 자신에 대해 혹은 다른 사람이나 그 상황에 대해 어떻게 가정해야 하겠습니까?' 여기서 고객은 '내가 하는 말에 남들도 관심이 있다고 가정할 필요가 있네요.'라고 대답할 수도 있다. 혹은 '그들 못지않게 나도 괜찮은 사람'이라는 가정, '이건 기회이지 시험이 아니다'라는 가정이 필요하다고 할지도 모른다. 이 시점에 이렇게 물을 수도 있을 것이다. '그럼 그 순간 당신은 어떤 가정을 하고 있다고 생각합니까?' 대부분의 경우 고객들은 필요한 가정의 정반대 생각을 하고 있다. 일이 잘 되는 좋은 상황과 대조해 봄으로써 과거에 가졌던 감춰진 생각들이 무엇이었는지에 접근할 수도 있다.

만약 스킬 코칭을 한다면 데이터(1단계)와 행동(2단계)에 초점을 맞추는 것도 도움이 될 수 있다. 그렇지만 그것 자체로는 변혁적인 변화를 견인하지 못한다. 성과 코칭(예: 현재 역할에서 성과를 향상시키는 데 초점)에서는 현재 행동을 유지시키는 강점을 이해하기 위해 감정(3단계)을 살펴 볼 필요가 있을 것이다. 개발적 코칭과 변혁적 코칭에서는 코치들이 4단계 전부를 포함해야 한다. 그 둘의 차이는 변혁적 코칭에서는 코치가 '방 안에서' 직접적으로 이슈를 4단계로 다루며, 탐구된 전환과 변화를 즉각 연습한다는 데 있다.

■ 4단계를 클리어(CLEAR) 프로세스에 위치시키기

전형적인 변혁적 코칭 세션에서 4단계는 CLEAR 프로세스에 접목될 수 있다. 규범은 아니지만 코칭 세션에서 일반적인 목적과 흐름을 보여준다. 방 안에서 전환을 만들어내기 위해 코칭 세션의 초점을 명확히 해야 하고, 코치는 코치 받는 사람과 코칭에서 얻을 최선의 결과가 무엇인지 분명하게 설정해야 한다. 변혁적 코칭에서 코치는 광범위한 목표에 초점을 맞추기 보다는 코칭 세션이 끝났을 때 무엇이 바뀌기를 원하는지를 구체적으로 생각하도록 격려해야 한다. '이 세션이 진정으로 성공적이라면 그건 어떤 모습인가요?', '우리가 함께 할 40분 동안 상황이 진전되려면 당신이 진짜 노력해야 할 것이 무엇인가요?'

다음 단계가 성공적이려면 무엇을 해야 하는지 고객이 깨닫도록 코칭하면서, 코치는 고객이 목표를 상상하며 그리고/또는 예행 연습함으로써 더 잘 성취하도록 돕는다.

- 계약(1단계와 2단계)

효과적인 경영자 코칭에는 코치와 코치 받는 사람, 조직 고객 3자 사이의 계약이 요구된다. 코치 받는 사람의 스폰서는 보통 직속 상사이다. 조직이 경영자 코칭을 지원할 때 우리는 스폰서에게 고객이 변화해야 할 것이 무엇인지와, 변화를 지원하기 위해 그들이 할 수 있는 것이 무엇인지도 논의하도록 한다. 생각해 볼 세 번째 초점은 '조직은 이 코칭 계약으로부터 어떻게 배울 수 있을까?'이다. 분명 코칭의 세부사항은 코치와 코치 받는 사람 사이에 남겨질 것이지만, 어떻게 하면 회사가 이 코칭 경험을 통해 자기 시스템에 대해 더 잘 인식할 수 있을지를 고민해야 한다.

CLEAR에서 계약 단계는 GROW 모델과는 중요한 차이가 있는데, 왜냐하면 코칭이 행해지는 방 안에서 지금 필요로 한 전환에 초점을 맞추며, 코칭 프로세스의 더 넓은 목표를 인정하기 때문이다. 코치가 세션이 진행되는 동안 어떤 전환이 일어났다는 걸 느끼면 언제든지 남은 세션의 초점을 다시 합의할 필요가 있다. 계약은 세션과 세션 사이뿐만 아니라 세션 내에서도 반복되는 과정이다.

- 경청(2단계와 3단계)

경청 단계는 코칭 상황의 중요한 세부사항들을 파악하는 단계이다. 코치 받는 사람이 얘기를 끝낼 때까지 코치가 '공손한' 모드로 기다리지 않는 것이 중요하다. 늘 하던 방식으로 스토리를 재생하는 것은 뭔가 다르게 보는 데에 도움이 안 되며, 새로운 가능성을 만들어내지 못한다. 그러므로 초기 단계에서 습관적인 반응을 차단하고, 코치 받는 사람이 다르게 생각하고 행동할 수 있는 유연성을 실험해보는 것이 중요하다. 코치 받는 사람이 문제를 설명하는 게 마치 자동조절장치처럼 보이면 코치는 거기에 전제된 가정에 대해 다른 관점을 제기하거나 혹은 질문을 던짐으로써 개입할 수 있다(예: '그게 원인이 아니라면 다른 어떤 것이 작용할 수 있었을까요?').

코치는 그 상황에서 어떤 일이 일어났는지 뿐만 아니라 말하지 않은 것도 들어야 한다. 무엇을 시도해 보았는지, 효과가 있는 것은 무엇이고 없는 것은 무엇이었는지를 들어야 한다. 또한 코치 받는 사람과 관련된 사람들이 그 상황 때문에 어떤 대가를 치르고 있는지, 긴급성의 정도는 어떤지를 잘 들어야 한다. 효과적인 경청은 신뢰를 구축하고 코치 받는 사람이 자기 상황에 대해 더 잘 이해하고 자각하도록 도와준다. 그것이 변화를 만들어내는 핵심적인 측면이다. 암묵적이던 기억은 이 과정을 통해 명료하게 된다. 코칭의 아주 초기부터 경청을 통해 이런 과정이 시작된다.

4단계 모델 위에 CLEAR 경청 단계를 위치시킴으로써 사실(1단계)과 행동 패턴(2단계)을 볼 수 있게 되고 반사적 감정 반응(3단계)이 어떤 역할을 하는지 명확히 하게 된다.

- 탐구(3단계와 4단계)

귀 기울여 들으면 중요한 주제가 나온다. 숙련된 코치는 이런 중요한 사실과 패턴들을 뒤로 밀어두지 않고 주제가 떠오를 때 탐구하기 위해 개입할 수 있다. 그 다음 스토리의 다른 부분으로 돌아가서 듣는다. 코치 받는 사람이 설명하는 패턴을 방해한다는 점을 빼면 이는 대화에 더 많은 에너지를 일으킨다.

탐구 단계는 이미 논의한 것을 기반으로 변화의 새로운 가능성을 찾는다. 코칭 관계에서 이런 단계는 능숙한 질문 프로세스와 코치 받는 사람이 간과했을 수 있는 것을 끄집어냄으로써 풍부해진다. 이 때 강력한 질문이 핵심이다. 코치 받는 사람이 다른 관점에서 보도록 하여 새로운 관점과 가능성을 만들어내기 때문이다. 우리의 관점은 일이 어떻게 되어 가는지에 대한 가정에 기초가 된다. 상황을 다르게 설명하거나 다른 프레임으로 이슈를 다룸으로써 암묵적인 가정이 드러나도록 도와준다.

코칭 질문의 유형에는 이런 것들이 있다.

- **닫힌 질문** – 데이터 찾기('사과를 몇 개 가지고 있습니까?')
- **열린 질문** – 정보 탐색('당신의 사과나무에 대해 말해주시겠어요?')
- **이끄는 질문** – 정보를 탐색하고 간접적으로 답을 형성함('사과를 왜 가장 좋아합니까?')
- **질의(inquiry)** – 적극적으로 생각하게 요청('최고의 사과를 판별하는 기준은 무엇입니까?')
- **변혁적 또는 돌연변이적인 질문** – 적극적인 질의는 코치 받는 사람이 현재 프레임과 사고방식을 벗어나게 도와주고 감정적 전환을 만들어냄('당신이 사과를 좋아하려면 무엇이 필요할까요?')

지금 벌어지는 일에 대한 고정된 인식을 유연하게 하기 위해서 우리는 종종 헤론(Heron)의 직면과 촉매 그리고 카타르시스 개입을 사용한다(7장 참조). 목적은 코치 받는 사람이 과거의 관점에서 벗어나서 폭 넓은 선택을 하도록 돕는 것이다. 코치 받는 사람은 폭 넓은 대안을 통해 더 나은 방법을 선택할 수 있다.

클리어(CLEAR)의 탐구 단계는 4단계 모델의 3단계(반사적 감정 반응)와 4단계(가정)를 주로 사용한다. 코치 받는 사람이 자신의 가정을 볼 수 있는 포인트에 이르면, 물론 그들이 하고 싶어야 하지만, 새롭고 더 효과적인 해결책을 만드는 데 아주 가까워진 것이다. 이것이 어떻게 작동되는지 신경 과학 측면에서 이해하는 것은 아래에서 설명할 것이다. 하지만 일단 코치 받는 사람이 갖고 있는 현재의 가정과 원하는 결과를 실현하기 위해 필요한 가정을 탐구하는 것이 신경망에서 가소성을 만들어낸다는 것, 그것이 깊이 있는 변화라는 정도만 언급해둔다.

- 행동(단계 4, 3과 2)

변혁적 코치는 고객이 실행하겠다고 한 것을 예행 연습할 시간과 공간을 만들어 내는 것이 매우 중요하다. 예행 연습은 해결책에 다가가는 새로운 방법을 '구현'하는 데 도움이 된다. 고객은 대화의 단어와 톤을 연습할 뿐만 아니라 다른 사람들과 신뢰 있게 대화할 수 있도록 스스로를 적절하게 통제할 수 있어야 한다.

코치 받는 사람이 원하는 변화 행동을 예행 연습하지 않고 실행도 하지 않으면 코칭 세션 이후 실생활에서 변화된 행동을 할 가능성이 적다. 그래서 행동 단계는 코치 받는 사람을 코칭 방 안에서 라이브로 변화하도록 이끌어내는 관계 기술이 요구된다.

'다음 주 화요일 미팅할 때 동료와의 이슈에 직면하게 될 겁니다. 그때 당신이 어떻게 할 지 보여주십시오. 제가 동료라고 생각하고 얘기해보세요.' 이걸 하면 코치로부터 직접적인 피드백과 격려가 뒤따르게 되고 두 번째와 세 번째 예행 연습으로 이어진다. 코치는 고객이 다른 사람과 관계를 맺는 방법에서 진정성 있고 체화된 전환을 만들어 내는 데 초점을 맞춘다. 언어와 은유가 달라질 뿐 아니라 호흡이나 자세, 눈 맞춤, 다른 에너지가 나오는 식으로 새로운 방식을 보여주는 징후가 나온다.

이 지점에서 경청과 탐험을 통하여 슈퍼비전의 4단계로 '내려가면서' 다른 결과를 만들어 내는데 초점을 맞추는 것을 볼 수 있다.

코치 받는 고객은 마음속에 새롭고 효과적인 가정을 갖고, 새로운 가정과 행동을 지지해줄 감정적 경험 또는 '앵커링'을 삶에서 발견해야 한다. 이 과정은 신경 언어학 프로그램(NLP) 동료들이 '감정적 앵커링'이라 부르는 것인데, 사람들의 마음 상태에 특별한 자극을 주는 것을 말한다. 과거의 반사적 감정 반응이 아직 남아 있게 되면 새로운 가정을 도로 뒤엎고 과거 행동 패턴으로 돌아가기 쉽다. 적절하고 강력한 새로운 감정적 기억에 앵커링시킨 새로운 가정(4단계)이 새로운 행동으로 연결되면서, 코치 받는 사람은 새로운 반응을 예행 연습할 준비가 된다(2단계). 이제 코치와 코치 받는 사람은 다음 단계의 시간과 날짜 그리고 초점을 확정하면서 마무리할 수 있다.

- 리뷰(1~4단계)

세션 마무리의 목적은 코치 받는 사람이 무엇을 했고 다음에 무엇이 더 효과적일지를 리뷰하도록 하는 것이다. 그것은 프로세스 각 부분의 연결망을 보게 하고 질문들이 어떻게 초점을 맞춰갔는지 알게 해준다. 피드백은 코치와 고객 둘 다에게 학습을 위한 커다란 혜택이자 새로운 방법을 '저장'하고 세션에서 자신감을 갖게 해줌으로써 미래 새로운 환경에서 다르게 행동할 수 있는 기회를 가지게 된다.

간단한 변혁적 질문 세 가지

근저에 있는 모델이 처음에는 꽤 복잡해 보이지만 변혁적 코칭은 다음 세 가지의 간단한 질문에 초점을 맞춘다.

- 연결되기 위해 분리해야 하는 것은 무엇인가?
- 말해져야 할 진실은 무엇인가?
- 어떤 전환이 일어나야 하는가?

코치는 시스템의 모든 부분에 이런 질문을 적용한다.

'고객 조직 내에서 무엇이 분리되어 있는가?'
'코칭이 이뤄지는 바로 이 방에서 당장 일어나야 할 전환은 무엇인가?'
'조직 내에 내가, 혹은 코치 받는 고객이 말해야 할 진실은 무엇인가?'

■ 방 안에서의 전환

방 안에서의 전환이 어떤 것인지는 코치 받는 사람이 코치와 함께 하는 4단계의 깊이에 따라 매우 다르다. 고객이 기존 사고방식이 유일한 방법이 아님을 깨닫는 순간이 오면 이는 다른 모든 단계에 일련의 반응들을 촉발시킨다. 의미 스키마가 전환되는 것이다. 서로 독립적이었던 확실한 증거의 조각들은 이제 하나의 방향으로 코치를 지원한다.

4단계 각각에서 그러한 전환이 어떻게 보일지 살펴보자.

- **1단계 전환**

  신체적 모습이 바뀐다. 더 밝고 개방적이며 더 열심이다. 활기 넘친다. 자세와 호흡, 목소리 톤이 더 안정된다.

- **2단계 전환**

  세션에서 새로운 행동을 적용한다. 덜 추측하고 더 실험적이며 '머리로'만 생각하는 것이 줄어든다.

- **3단계 전환**

  느끼는 톤이 바뀐다. 종종 놀랍다는 반응을 보인다. ─오랫동안 실제로 믿어왔던 이야기를 믿지 못하게 되면서 웃으며 손바닥으로 이마를 때린다. 톤이 밝아지고 웃는 것은 전환이 일어나고 있다는 강력한 신호이다.

4단계 전환

과거의 가정을 알아채고, 낡은 사고방식으로 퇴행하려고 할 때 스스로 제어할 수 있다.

코치로서 우리는 전환의 이러한 미묘한 지표에 민감해질 필요가 있다.

인간 뇌의 본질

변혁적 코칭 과정에서 언급했듯이 신경 과학의 최근 연구들을 통해 코칭 실행의 타당성을 탐구해보고자 한다. 이런 연구들은 변혁적 코칭이 작동하는 메커니즘을 명확히 하고 개인과 그룹의 변화의 도전사항을 어떻게 이해할지에 대해 도움을 준다. 변혁적 코칭을 이해하는 데 과학적 기초라고 생각되는 세 가지 발견이 있다. 뇌의 삼위일체 구조, 뇌의 신경 가소성, 대뇌 변연계의 소통이다. 이 세 가지를 살펴보면서 코칭에 적용해 나가고자 한다.

‘삼위일체’의 뇌

뇌 과학은 이제 코칭이론으로 통합되고 있다(Rock and Page, 2009; Brown and Brown, 2012; Rogers, 2012). 1960년대에 인간의 기능이 세 가지 아주 다른 두뇌에서 온다는 것이 구체적으로 발견되었고, 이것이 이 접근법의 기반이다. 그 세 가지는 두뇌의 신피질, 대뇌 변연계, 파충류 뇌(MacLean, 1990)이다. 세 가지 뇌는 상호 연결되어 있고 서로 돕긴 하지만 각각 다른 소통 스타일을 가지고 있다.

이 이론은 고객의 반응을 이해하는 데 있어 어느 ‘두뇌’가 그런 반응을 나오게 했는지 알게 해주고 따라서 고객에 맞게 혹은 맞지 않게 더 잘 입장을 취하게 도와준다. 이제 세 개의 뇌 중심부가 어떻게 반응하는지 대강의 윤곽을 그려보겠다(〈그림 2.4〉 참조).

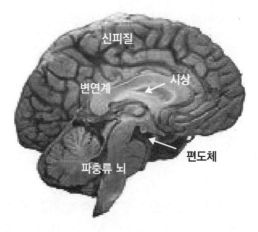
그림 2.4 삼위일체의 뇌

신피질

변연계   시상

파충류 뇌   편도체

파충류 뇌

파충류 뇌는 단 하나의 원시적 초점만 있다. 바로 생존이다. 이 뇌는 호흡을 하고 심장박동을 수용 가능 한계 내로 조정하며, 혈액 속 화학적 균형을 바로잡는 신경세포처럼 우리 몸을 어떤 외부적 또는 내부적 위험에 굴복하지 않고 유지하는 여러 필수적인 통제센터로 이루어져 있다. 이 뇌는 또한 가장 기본적인 상호작용, 예를 들어 공격성과 구애행동, 짝짓기와 영역 지키기 같은 상호작용을 관장한다.

> 도시의 갱들이 영역을 표시하고 누군가 남의 구역에 들어오면 괴롭히는 것을 보면 그건 바로 과거 반사회적인 육식동물에 적합한 태고적 두뇌(파충류의 뇌)가 작동한 결과이다.   (Lewis *et al*, 2001)

이 뇌는 '행동 논리'로 접근한다 해도 뉘앙스도 없고 인간적 온기도 없고 오직 신경에 의지해 생존하는 삭막한 세계를 보게 될 것이다. 파충류 뇌의 가장 잘 알려진 반응은 '편도체 장악', 즉 싸우거나, 도망가거나, 혹은 얼어붙음이다.

뇌의 파충류 영역은 충격 상태에 있을 때 효과를 나타낸다. 이 두뇌가 모든 행동의 원인은 아니며, 트라우마를 극복하기 위해 신체의 주변부를 차단할 수 있는 기능이 있다는 것을 알아야 한다. 신체적인 면과 감정적인 면 모두에서 차단할 수 있다.

　예를 들어, 회사를 그만두라는 말을 들은 임원을 바로 그 날 만난다면, 그 임원은 파충류 뇌의 반응을 주로 쓰고 다른 기능은 거의 쓰지 못할 것이다. 그 사람이 상실을 처리하는 시간을 가질 때까지는 상실에 대해 어떤 이야기를 해도 전혀 도움이 되지 않는다.

⦁ 변연계 뇌

　변연계 뇌는 포유류 뇌로 알려졌는데, 2~3백년 동안 서구사회에서 평가 절하되어 왔던 부분이지만, 대부분의 인간적 반응으로 알려진 부분이다. 파충류의 뇌가 생존과 자기보호에 초점 맞추는 데 반하여 이 뇌는 집단에 소속되고자 하고 타인을 걱정하는 데 초점을 맞춘다. 집단의 이익을 더 크게 만드는 것이 강력한 동기 요인이 되고, 친족을 보호하기 위해 자신의 이익을 희생하기조차 한다.

　변연계 뇌는 '소속감을 느끼는' 포유류의 유대를 통하여 가족 집단을 보호하고 향상시키는 데 초점을 맞춘다.

　감정은 존재하는, 머무르는, 함께하는 '언어'인 반면 개인적 반사 반응은 개인적 생존의 '언어'이다. 변연계 세계는 거의 완전히 말이 없는 느낌의 세계이다. 우리는 누군가와 얼마나 가까운지를 느낄 수 있으며, 다양한 행동 또는 근육 수축을 사용해서 우리의 의도를 표시하거나 오해 가능성을 줄이기도 한다. 끊임없이 사인과 신호를 세심히 살피며 제대로 알아듣고 있는지 주의를 기울인다.

　모든 인류는 놀란 감정, 부러운 감정, 행복한 감정을 변연계적으로 소통하는 데 얼굴에서 정확히 같은 근육을 동일한 순서로 사용한다. 이 공통의 변연계 '언어'는 인류 어느 문화에서나 사용된다. 변연계 뇌를 사용하기 때문에 우리는 감정을 느낄 때 자신(신피질에게서 인수 받은)을 어떻게 표현해야 할지 고민하지 않는다. 단지 반응하고 얼굴 자체로 감정을 표현할 뿐이다. 이런 면에서 우리는 행복하면 미소 짓고 슬플 때 입을 삐죽거리며 우는 아기와 같다. 이런 신호의 표현은 선천적이라서 문화와 인종의 공간을 가로질러 존재할 뿐 아니라 엄마와 유아 사이의 발달 격차에도 상관없이 모두 존재한다. 이런 신호들은 전 세계 포유동물에게 핵심적인 요소이기 때문에 한 포유동물이 다른 포유동물의 내적 상태와 기본적 동기를 변연계적으로 감지하는 것이 가능하다. 심지어 다른 종의 포유동물에 대해서도 그렇다.

⦂ 신피질

모든 종 중에 인간은 전체 뇌에서 신피질 비중이 가장 높은 종이며, 세 가지 뇌 중심에서 가장 큰 부분이 신피질이다. 감정은 변연계 뇌에 의해 규정되는 반면 감정을 동사화하는 것은 신피질에 속한다. 말하기, 쓰기, 계획하기, 판단하기 이 모든 것은 신피질에서 생성된다. 우리 감각의 경험은 우리가 아는 것을 인식으로, 의식적으로 통제하는 것을 '의지'로 받아들인다(Lewis *et al*, 2001: 27).

'더 오래된' 뇌는 무의식적으로 기능하는 반면 신피질은 단순 '누름 단추' 메커니즘은 아니지만 의식적인 행동을 시작하도록 영향을 주는 식으로 작동한다. 신피질은 자아 인식을 관장할 뿐만 아니라 '존재하는 세계'를 벗어나 새로운 정신적 추상의 세계로 나아가는 또 다른 단계를 만들어 낼 수 있다. 가상의 땅으로 여행하는 능력, 그래서 이전에 알려지거나 맞닥뜨린 적이 없는 새로운 가능성을 창출하는 능력은 인간 종이 이렇게나 지배적으로 되는 데 결정적으로 중요한 역할을 했다.

우리는 새로운 미래를 사실처럼 받아들일 뿐 아니라 그것을 평가할 수도 있다. 열성적인 운동선수들이 잘 활용하는 기술인 실제 슛을 하기 전에 슛을 넣는 걸 상상하는 능력도 신피질의 기능 중 일부다. 스포츠 행동의 정신적 예행 연습은 정신적인 변화만이 아니라 생리학적인 근육과 힘줄 변화도 일으킨다. 아주 뛰어나게 경기하는 걸 상상하고 나면 그걸 통해 마치 실제 신체적 행동을 수행한 것처럼 근육에 어떻게 하라고 말해주는 신경회로에 저장된다. 뇌는 실제 벌어진 것과 상상한 것의 차이를 알지 못한다. 그래서 몸의 일부를 움직이는 걸 상상하면 그 부분을 관장하는 뇌의 영역이 활성화되는 것이다.

⦂ 뇌 경로의 가소성

우리는 뇌 안에 '연결'되어 있는 것은 쉽게 분리되지 않을 것으로 믿는다. 그러나 최근 몇 년 사이에 신경과학자들은 뇌 속에 엄청난 '신경가소성'이 있으며, 그것이 언제든지 생각과 인식의 변화를 만들어낼 수 있다는 걸 발견했다(Doidge, 2010). 변화는 신경학적 삶의 지극히 정상적인 사실이다. 그러나 늘 똑같은 순서로 계속 반복하며 살다보면 그런 변화와 진화도 멈출 수 있다. 기억이 '암묵적인'(예: 일반적으로 무의식적인) 것일 때는 뇌의 배선을 바꿀 수 없다.

암묵적인 기억들을 '명시적으로' 만들면 현존하는 연결을 해체하지 않고 [두뇌] 패턴을 변경하게 된다.

우리가 [낡고 암시적인 행동과 반응의 패턴들]을 긍정적으로 바라보면서 그것을 바꾸기 [시작]할 때, [이런] 긍정적인 협력은 학습해소(과거의 학습 내용을 폐기하는 것-옮긴이)를 유발하고 현재의 신경 네트워크를 해체함으로써 신경가소성 변화를 촉진시키고 그것으로 [고객]이 [그의/그녀의] 기존의 의도를 바꾸게 되는 것이다.   (Doidge, 2010: 230-3)

어떤 행동을 야기하는 구체적인 무의식적 가정이 무엇인지 드러나도록 하는 것은 신경 가소성 변화가 일어나게 만들어준다. 이런 가능성은 언제나 있으며, 이것은 경영자 코칭이 효과가 있다는 근본적인 낙관주의의 토대이다.

⁝ 변연계의 공명과 수정

변연계 뇌는 다른 사람의 내적 상태를 감지하는 능력이 있다. 그래서 변연계 공명이라는 관계적인 현상이 일어난다. 이는 다른 포유류의 내적 상태에 맞추는 걸 말한다. '공명'은 사회적인 유대감과 조화를 만드는 데 도움을 주는데, 말이나 의식, 명시적인 인식(신피질의 영역) 없이도 일어난다. 변연계 뇌는 외부 세계의 정보가 내부 신체 환경에 관한 정보와 만나는 지점이고 그래서 그 둘을 조화시키는 게 변연계 뇌의 과제이다.

변연계 뇌는 이런 두 가지 정보 흐름의 융합지점에 서 있다. 그래서 그것들을 조율하고 외부 세계에 대비하도록 신체를 준비시키기 위해 생리적으로 미세 조정 한다(Lewis et al, 2001: 52). 변연계 뇌는 다른 두 개의 뇌에 자신의 반응을 백업시킨 다(예: 파충류 뇌로 순환기능을 변화시키고, 신피질로 그 사건이 발생한 이유를 생각한다). '"대뇌변연계 개정"을 필요로 하는 사람에겐 병리학적 인자(attractors)가 있다.'(Lewis et al, 2001: 63, 176, 181) 이 말은 '거친' 사람이 조화로운 사람에 대해 미치는 강력한 영향을 강조하는데 그 반대 방향에 대해서도 마찬가지다. 여기 우리에게 병리학적 인자가 있는데 '조화로운' 인자는 아니다. 고객이 가장 자기다운 행동과 감정의 나침반을 가지고서 다른 방식으로 일을 한다면 어떤 느낌일지를 감지하게 한다.

마음은 변연계 공명을 통하여 또 다른 존재를 탐구하며, 생리적 리듬은 변연계의 통제에 따르기 때문에, 변연계 개정을 통하여 다른 두뇌를 바꾸기 때문에 - 우리가 내적 관계에서 하는 일은 인간 삶의 다른 어느 측면보다 더 중요하다.   (Lewis *et al.* 2001)

코칭의 시사점

마지막으로 위에서 언급했던 신경과학 물질로 인해 제기된 몇 가지 실행 이슈를 다루고자 한다.

⦂ 변화의 구현

변혁적 코칭의 핵심 포인트는 코치와 고객 둘 다 원하는 변화를 구현하도록 격려 받는 데 있다. 훌륭한 변혁적 코치는 단지 아는 것에 그치지 않고 이를 구현할 재능이 있다. 즉 고객과 상호작용하는 방법에 있어서 토버트의 논리(Torbert *et al.* 2004)나 sentic 상태의 리듬(12장), 권위, 존재와 영향(13장) 같은 주요 모델들을 사용할 수 있고 모델의 각 단계를 아주 부드럽게 이동해가는 재능 말이다. 간디가 말한 '당신 스스로가 당신이 바라는 변화가 되어라!'는 말은 바로 이 코칭 스타일의 강력한 부적이며, 헌신적인 코치가 따를 발전 경로를 보여준다.

⦂ 뇌 사용의 선호

삼위일체 뇌를 구성하는 세 가지 다른 신경 구조가 있다는 사실은 중요하고 유의미하다. 각각의 뇌는 환경 속에서 심오하게 다른 방식으로 소통하고 있기 때문이다. 코치로서 우리는 세 가지 뇌의 어느 부분과 상호작용해야 하는지에 대해, 그리고 어느 뇌가 주어진 상황을 이끌어가기에 더 적합한지에 민감할 필요가 있다.

사람들은 자신을 찾는 맥락에 따라 자연스럽게 이 뇌에서 다른 뇌로 주의를 옮길 수 있다. 위험이 다가온다고 느껴서 즉각 반응하는 것이 요구될 때는 IQ의 현명함이 필요하고 EQ 측면은 쉽게 할 수도 있다. 코치로서 삼위일체 뇌 모델을 사용하다 보면 사람들이 대부분 하나의 뇌를 다른 뇌보다 더 지배적으로 사용한다는 걸 알게 된다. 코치 받는 사람은 세계와 상호작용하는 더 편하고 습관적이며 기본적인 방식이 있을 수 있다. 우리는 보통의 사회적 언어로 '유형'을 파악하여 다른 두 뇌보다 '지배적인 하나의 뇌'에 대한 선호도를 분류해보았다. 보통의 일상 언어로 사람들을 지배적인 뇌 센터가 무엇이냐에 따라 알아볼 수 있다. 어떤 사람은 인상이 '이지적'이고, 다른 사람은 '정서적' 또는 '사교적'이다. 또 어떤 사람은 '초조하고' '과민한' 사람으로 분류될 수 있다.

신피질을 과대평가 하지 않기

각각의 뇌가 독특하게 기능하며, 이는 복잡해지고 변화하는 세계에서 우리가 생존하는 데 필수적이다. 그런데도 현재 문화는 신피질 영역을 우선시하고 중시하는 경향이 있고 그 결과 다른 뇌에 따른 행동과 반응, 표현보다 논리적 마음을 더 우수하게 취급한다.

흥미롭게도 가장 축복받은 신피질 기능을 가졌던 사람인 알버트 아인슈타인 (Albert Einstein)은 '지적 능력을 신으로 섬기지 않도록 주의해야 한다. 그건 강력한 근육이긴 하지만 인격은 아니기 때문이다.'라고 말했다. 그것은 이끌 수 없다. 오직 도울 뿐이다(Lewis et al, 2001: 32). 세 개의 뇌는 삼각대 의자일 때 최상으로 기능한다. 거기에 기대어 우리는 세계에서 작용하는 능력을 발휘하고 삶의 방식에서 긍정적인 차이를 만들고 직면한 도전을 해결해간다.

베잇슨(Bateson, 1984: 464)은 변연계 뇌의 활동의 가치를 주장하기 위해서, 시인과 철학자들이 끊임없이 전체 역사를 만들어왔다고 주장한다. 지성을 정서로부터 분리하려는 시도는 무도한 것이고, 마찬가지로 외부적 마인드를 내적인 것과 분리하는 것도 무도하고 위험한 것이라고 주장한다.

> 마음을 몸에서 분리하는 것에 대해서 … 블레이크(Blake)는 눈물이 지능적인 것이라고 지적했고, 파스칼(Pascal)은 '가슴(heart)엔 아무 이유도 모르는 그것만의 이유가 있다.'고 말했다. 가슴의 이유(또는 시상하부)가 기쁨이나 슬픔의 느낌과 함께 하는 걸 꺼려할 필요가 없다. 이런 계산은 포유류에게 필수적으로 중요한, 이른바 관계에서 중요한 것들, 사랑, 혐오, 존경, 의

존, 관객성, 성과, 지배 등에 관여한다. 이런 것이 포유동물의 삶에 중심이고 이런 계산을 '생각'이라고 부르는 데 어떤 반대도 없다. 물론 관계적인 계산의 단위는 고립된 사물에 쓰는 계산 단위와는 분명히 다르긴 하지만.

● 대뇌 변연계 변화의 덫

변연계의 공명은 변화 가능성의 세계를 열어젖힌다. 결론적으로 변연계 공명이 말해주는 것은 우리들 사이에서 변화를 창조할 수 있다는 것이다. 하지만 변연계의 변화는 양날의 칼이다. 실행할 때 그 영향을 이해하고 적절한 예방 조치를 취해야 한다. 코치로서 우리가 긍정적 영향을 줄 수 있는 것과 우리를 '변화시킬' 매우 강력한 것 사이의 경계를 완전하게 알아야 한다. 심리치료와 코칭의 구분선을 그리는 것이 적절하다. 비록 내가 심리치료를 할 수 있는 기술을 갖고 있더라도, 그건 다른 영역이다. 소요되는 시간 길이가 다르다. 초점을 맞추는 것도 다르다. 그들이 몰입하는 것에 그리고 타고난 불안감에 의해 경험하는 정서적 패턴에 초점을 맞춘다. 누군가와 한 공간에서 변연계의 공명을 통해 평소상태를 완전히 벗어나 보는 것은 비록 병리학적이라도 세상의 기초에 도전하고 세상을 경험하는 방식에 도전하는 것이다.

우리는 종종 깊이 들어가서 함께 일하기 전에는 겉으로 문제없어 보이는 사람들, 예를 들어 사람들과 멀어지고 자신이 한 일을 이해하지 못하는 세상에 있는 사람들을 만날 것이다. 만약 코치로서 정기적인 슈퍼비전을 받지 않고, 다른 사람들의 세계에 대한 치우친 관점을 갖기 쉬운 편의적 사고를 깨닫지 못한다면, 우리는 잘해야 능력 부족이고 최악의 경우에 환상 세계의 공범자가 될 수 있다. 그런 상황은 너무나 쉽게 슈퍼비전 세션에서 반복되는 '평행 프로세스'로 끝나게 된다 (9장 참조).

결론

코칭, 멘토링, 조직 컨설팅에서 슈퍼비전의 스킬을 구축하는 여정을 시작하면서 우리는 코칭 특히 시스템적인 변혁적 코칭의 주요 스킬에 대한 관점을 설명했고 실행의 주요 이슈들과 생각의 진화 과정을 보여 주었다. 지적 멘토들을 인용할 때는 참조 표시를 함으로써 그들의 유산임을 분명히 했다. 또한 모델을 실행에서 어떻게 사용하는지를 보여주었다. 마지막으로 한 걸음 뒤로 물러서서, 현재 신경 과학의 연구를 통해 나온 막대한 정보에서 몇 가지 의미 있는 통찰을 살펴보았다. 3장에서는 변혁적 코칭의 토대를 세우고 경영자 코칭과 조직 컨설팅에도 사용되고, 멘토링과 슈퍼비전의 멘토링적 프로세스에서 주요하게 사용되는 몇 가지 개념을 살펴 볼 것이다.

제3장 | 멘토링과 전환 다루기

소개

이 장에서는 코칭과 멘토링의 차이점에 대해 살펴보고자 한다. 먼저 멘토링이 장기적 경력 개발에 어떻게 초점을 맞추는지 보고 나서, 경력 진전에 관한 두 가지 모델을 소개할 것이다. 두 모델은 우리가 개발한 경력 단계 모델과 토버트(Torbert)의 리더십 성숙 단계 모델이다. 그리고 나서 멘티의 개인적 직업적 전환을 멘토가 어떻게 도울 수 있는지 알아보기로 한다.

멘토링이란 무엇인가?

'멘토'라는 말은 그리스 신화에서 유래했다. 율리시스는 긴 전쟁에 나가기에 앞서 믿을 수 있는 오랜 친구 '멘토'에게 아들 텔레마쿠스의 훈육을 부탁한다.

> "자네가 받아들이기만 한다면 도움이 될 만한 몇 가지 조언이 있다네…"
> 텔레마쿠스는 귀를 기울이며 대답했다. "오 선생님, 물론 그럴 것입니다.
> 당신은 지금까지 제게 아버지 같이 친절하게 조언해주셨습니다. 한 마디도
> 잊지 않도록 하겠습니다."   (Homer, from Roberts, 1999)

편지에 담긴 멘토의 조언에 따라, 텔레마쿠스는 부모를 위기에서 돕고 스스

로도 훌륭한 사람으로 성장한다.

시간이 지나면서, '멘토'라는 말은 어린 사람 그리고/또는 경험이 부족한 사람을 도와주는 연장자 그리고/또는 경험이 풍부한 사람의 의미로 발전하였다. 멘토는 일반적으로 멘티와 같은 직종에 종사하거나 동종 사업을 하는 경우가 많다. 또한 멘토는 코치에 비해 전반적으로 지도하는 영향력이 더 크다.

멘토링의 영역을 잘 설명하는 다양한 정의들이 있다. 그 중 클러터벅(Clutterbuck)과 메긴슨(Megginson)의 정의가 멘토링의 핵심을 설명하고 있다. '[멘토링은] 어떤 사람이 다른 누군가의 지식이나 업무, 사고에 중요한 전환이 일어나도록 돕는 오프라인 도움이다.' 멘토는 멘티가 '업무와 개인적 상황의 상자 밖으로 빠져나와, 함께 살펴보도록 돕는다. 그건 마치 누군가와 함께 거울 앞에 서서, 너무 익숙해서 알지 못하던 자신을 볼 수 있는 것과 같다.'(Clutterbuck and Megginson, 1999: 17)

CIPD(인사 및 개발 연구소, 2004)는 멘토링과 코칭 활동의 초점과 유형별 특징을 비교 대조하여 멘토링의 정의를 내리고 있다. 〈표 3.1〉이 그 내용이다.

〈표 3.1〉에 나오는 중요 요소를 통해 보면 CIPD가 내린 '멘토링'은

- 보다 넓은 영역에서 장기적인 대화를 수반한다.
- 멘티의 현재 직무의 특정 사안보다 미래 경력 개발을 위한 것이다.
- 멘토는 자신이 속한 산업이나 분야의 경험을 활용하여 멘티의 전문적 개발을 돕는다.

이는 멘토링의 역할이 집중된 행동 변화를 만들기보다는 멘티가 미래 경력에 대해 적절하고 큰 그림을 그리도록 돕는 데 있음을 의미한다. 〈표 3.1〉의 멘토링과 코칭의 서로 다른 과정과 결과를 살펴보면 멘토링과 코칭이 확연한 차이가 드러난다. 그럼에도 불구하고 경영자들의 니즈가 분명하게 범위가 정해지지 않을 때에는 멘토링과 코칭 중 어느 쪽이 적절한지 다시 모호해진다. 멘티가 앞으로 나아가도록 이끌어야 하는 상황이라면 그 분야의 경험자로서 멘토는 이를 어떻게 도와주는가? 현재 성과 문제를 다루어야 할까, 아니면 현재 사안에 초점을 맞춘 코칭을 통해 특정 행동과 사고의 원인을 생각하게 하고 그것이 장기적으로 어떤 가치를 지니는지에 대해 더 크고 중요한 질문을 해야 할까? 그런 상황에서 알아야 할 점은 멘토링과 코칭의 '경계'가 겹쳐지며, 고객도 이를 알아야 한다는 것이

다. 경영자는 그 경계를 넘나듦에 있어 생기는 이익과 불이익이 무엇인지를 멘토와 함께 살펴볼 필요가 있다. 코칭과 멘토링에서 몇 가지 기술은 비슷하지만 나머지는 뚜렷이 다르다. 코치 또는 멘토와 경영자는 모두 이를 인식하고 의도에 맞게 두 역할을 합치는 것이 합리적인지 의논하여 결정해야 한다.

📖 표 3.1 멘토링과 코칭의 차이점

멘토링	코칭
장기간 지속할 수 있는 맺어진 관계	일반적으로 기한이 정해져 있는 관계
멘티가 조언, 지도 및 지원을 필요로 할 때 만날 수 있는 좀 더 비공식적인 것이다.	일반적으로 좀 더 구조적이며 코칭 세션은 정규 스케줄을 기반으로 한다.
좀 더 장기적이며 폭 넓은 관점을 지닌다.	단기적(때로 기한이 있음)이며 특정 분야나 주제의 개발을 다룬다.
멘토는 멘티에 비해 경험이 풍부하고 자격을 필요로 한다. 종종 한 조직의 선임자로서 지식과 경험을 전해주고 기회를 열어준다.	고객의 구체적이고 전문 기술에 초점을 맞춘 코칭이 아닌 이상 코치는 일반적으로 고객의 공식적 업무 역할의 직접 경험을 필요로 하는 것을 기반으로 코칭을 수행하지 않는다.
경력과 개인 계발에 초점을 둔다.	일반적으로 업무에서의 개발과 문제에 초점을 둔다.
멘티의 의제에 따라 멘토는 미래에 그 역할을 잘 수행할 수 있도록 지원하고 이끌어준다.	의제는 구체적이고 즉각적인 목표 달성에 초점을 맞춘다.
멘티의 전문적인 개발을 좀 더 중심으로 한다.	코칭은 특정 개발 분야나 문제를 좀 더 중점적으로 다룬다.

슈퍼비전 업무를 수행하다 보면 막 창업한 스타트업 기업과 일하는 멘토를 슈퍼비전하는 경우도 있다. 그때 리더들이 당면한 문제는 해당 산업 분야에 대한 '노하우'와 지식 부족만이 아닌, 회사의 미래 생존을 위해 특정 행동 변화가 필요하기도 하다. 멘토들은 전문적인 경험을 토대로 사업적인 요구를 채워주지만 행동 변화의 필요성에 대해선 대부분 알아채지 못하거나 알더라도 어떻게 해줘야 하는지 모른다. 책의 뒷부분에서 이런 특정 상황의 슈퍼비전에 대해 다루겠지만, 많은 사람들이 기술과 경험이 있다는 이유로 코칭이나 멘토링, 컨설팅을 수행할 수 있다고 생각하는 건 의미가 없다는 걸 지적해둔다. 하지만 기술 부족 때문에

고객의 타당한 요구에 응하지 못한다면 궁극적으로 코치, 멘토, 전문가로서 고객을 충분히 돕지 못하는 것이다.

　우리는 경험을 통해 두 기술 사이에 겹치는 부분이 있으며 경영자를 코칭하는 데에는 코칭과 멘토링이 함께 필요하다는 것을 알 수 있었다〈그림 3.1〉 참조). 멘토와 코치에게는 고객의 역할에 대한 특정한 초점만이 아니라 변화가 필요한 개인적 사안에 주목하는 능력도 요구된다.

◢ 그림 3.1 **코칭과 멘토링의 혼합**

때로는 경력 변화의 시점에 개인은 멘토링을 원하며, 다음 단계로 성공적으로 항해해 나가기 위해 '연장자'의 도움을 필요로 한다. 여기서 개인은 최고경영자로서의 풀타임 고용계약이 마감되고 사외이사나 자문역으로 일하게 된 사람일 수 있다. 혹은 처음 팀장으로 임명되어 리더십 스타일을 개발하고 직원을 코치하고 싶어하는 젊은 관리자일 수도 있다. 가장 흔한 경우는 부서 관리자로서 성공적인 업적을 쌓아서 다음으로 전사적 책임을 지는 고위 임원이 되고자 하는 경우다. 그들은 한 분야에 국한된 기술적 능력을 넘어서 더 폭 넓은 사업적 리더십 능력을 개발해야 한다.

　만약 멘토가 자신의 업무 경력(산업 분야에 대한 지식과 사업 상 성취)만을 토대로 역할을 수행한다면, 멘티와 폭넓은 이슈를 다루기에는 부족하다. 사업 경험은 심화된 교육을 통해 성숙되어야 하며 멘토는 그런 교육을 통해서 멘티가 다음 단계로 가는 데 필요한 개인적 변화를 도와줄 능력을 갖추게 된다. 훈련되지 않은 멘토는 멘티의 전환을 다룰 때 과거 비슷한 전환을 겪었던 자기 경험을 토대로만 조언하는 경향이 있다. 과거 자신의 전환 당시 받았던 지원에 따라 멘토들은 다음과 같이 다양하게 대답해준다.

- '스스로를 믿고 자신감을 가지면 괜찮을 겁니다.'
- '도움이 될 동료와 친구를 찾아보세요.'
- '선임 후원자를 찾아보세요.'
- '경영대학원에서 리더십 코스를 밟으세요.'

위의 조언들은 도움이 될 수도 있으나, 가치는 제한적일 것이다. 그 이유는 다음과 같다.

- 멘티의 상황과 심리상태는 멘토와 확실히 다르다.
- 조언을 하는 것은 스스로 탐구하도록 잘 도와주는 것보다 거의 항상 덜 효과적이다.
- 성공적인 전환에는 거의 항상 새로운 것을 얻는 만큼 이전의 행동 및 사고 방식을 버리는 폐기 학습이 포함된다.
- 어느 한 단계에서 성공했던 사람은 종종 한 발 뒤로 물러서서 후배들을 도와주기가 어렵다.
- 장기적 여정이라는 맥락 안에서 현재의 전환을 보아야 한다.

따라서 관리자, 리더, 경영자로서 성공했던 사람이 아무리 의도가 좋고 경험이 있고 신뢰성이 있다 하더라도 그것만으로 효과적인 멘토가 되리란 보장은 없다.

인생의 전환점 그리기

멘토링에 대한 정의에서 알 수 있듯이, 멘토링은 전환(transition)이라는 측면에 집중한 기술이다. 전환은 삶의 단계나 역할 변화, 혹은 특정 분야에 관련될 수 있다. 성인 발달, 리더십 개발, 직업 경력 단계에 관한 모델들을 통해 삶의 전환을 살펴볼 수 있다. 이 단원에서는 직업 전환에 영향을 끼치는 요인을 다룬 호킨스(Hawkins, 1998)의 모델과 역할변화에 따른 개인의 전환을 다룬 토버트(Torbert, 2004)의 모델을 심도 있게 살펴보겠다. 호킨스와 토버트의 두 모델을 코치, 멘토, 컨설턴트는 물론 슈퍼바이저도 이해해야 한다고 믿는다. 이 모델들은 멘토의 임무 수행에 무척 중요하다. 모든 멘토는 다음에 대해 잘 이해해야 한다.

- 성인 개발
- 사람들이 거치는 전형적인 직업 경력 단계
- 리더십 개발 단계

7장에서 이 두 모델 및 다른 모델들이 슈퍼비전의 개발 단계와 어떻게 연관되는지 다룰 것이다.

직업 경력 단계 구분: 호킨스 모델

이 모델은 1998년 새로 합병된 프라이스워터하우스쿠퍼스(PricewaterhouseCoopers) 기업의 매니저들을 대상으로 처음 개발되었다. 이것은 '자신의 경력에 책임을 져라'라는 제목으로 발표되었다. 호킨스는 현대 기업들의 변화를 이렇게 기술했다. 그들은 더 이상

- 학교 졸업부터 은퇴까지 고용하지 않는다.
- 경력에 있어 직선적인 승진 사다리를 제공하지 않는다.
- 다음 단계로 나아가도록 개발을 지원하지 않는다.

최근 들어 직장 생활은 더욱 복잡해졌다. 앞으로 나아가기 위해서는 예전의 낡은 지원 시스템에 의존하지 말고 스스로 관리하는 것이 훨씬 중요해졌다. 이제는 스스로를 일인 기업으로 생각해야 하며, 아래의 것들을 스스로 가져야 한다.

- 전략
- 이해당사자
- 브랜드
- 다른 사람들과의 차별화
- 마케팅 접근

나날이 변화하는 지금과 같은 세상에서, 경력은 사다리를 타고 똑바로 오르지 않고 지그재그나 나선형으로 진행된다. 성공적인 기업 리더가 되기 위해서는 사업 부서의 일선 업무, 기업 서비스, 다기능 팀, 다양한 국가와 직업 문화에 대한 경험이 필요하다. 재무, 마케팅, 영업, 인사 등 독립된 분야의 기술 전문가로 있어서는 결국 막다른 골목에 다다르게 된다.

현대 사회에서 경력 과정은 모두 독특하게 전개되기도 하지만 진로를 그리는 데 참고할 지도와 윤곽이 필요하다. 그래서 전반적인 경력 단계 지도가 개발되었고, 이는 개인 진로 설정에 폭넓은 틀이 될 수 있다(〈표 3.2〉 참고).

호킨스는 남아프리카의 젊은 친구 한스(Hans)에게 쓴 편지에서 이 모델을 명료하게 설명했다. 한스는 그와 함께 지내면서 미래 경력 방향에 대해 조언을 구했다. 당시 한스는 갈림길에 서 있다고 느꼈다. 그는 지난 인생에 환멸을 느끼고 여행을 하던 중이었다. 사회 기득권층과 고위층이 더 나은 변화를 가로막고 있다고 느꼈다. 그는 환멸감 때문에 변화를 추진하지 않고 오히려 한발 물러서 비판했으며, 자기가 기여할 수 있는지조차 의심하고 있었다. 호킨스의 편지는 한스가 직장 생활 각 단계에 따라 무엇에 집중해야 하는지 현실을 보게 하면서 그가 집중할 이슈를 정리해보는 매개체가 되었다.

표 3.2 경력 단계

경력 단계	중요 관심사	공통 연령대
실험	일의 세계에서 나는 누구인가?	16–35
경험 축적	신뢰와 실적을 얻고 이력을 쌓는다.	20–40
완전한 리더십	세상에 차이를 만들어내고 유산을 남긴다.	30–60
원로	다른 사람을 성장시키고 역할과 지혜를 넘겨준다.	50–90

친애하는 한스에게,

'리더십을 발휘한다는 것은 다른 사람들을 비난하고 변명할 권리를 포기하는 것이다.' 리더십에 대한 몇 가지 생각을 자네와 공유하고 싶네. 왜 리더십이고 왜 자네이며, 왜 지금인가? 난 리더십에 대해 오랜 시간 동안 매료되었었네. 자네보다도 젊었을 적부터 시작되었지. 난 어떻게 개개인이 세상에 긍정적인 변화를 줄 수 있는지 궁금했네. 이미 물려받은 것을 이끌기보단 제도와 관습을 보다 새롭고 다른 무언가로 바꿔서 말이야. 우리 모두는 이 세상으로부터 물려받은 것이 있네. 이 '선물'은 짐이나 함정이 될 수도 있고, 디딤돌이나 토대가 될 수도 있다네. 내가 지금까지 만나온 많은 이들은 이 짐으로 인해 괴로워하고 불평해왔네. 동방으로 떠나 영적 스승이 된 미국의 학자 람 다스(Ram Dass)는 '배우고자 학교에 등록해놓고 교과과정에 대해 불평만 하는 사람이 이렇게 많다는 게 놀랍지 않은가'라는 기막힌 말을 남겼지. 리더십이 있다는 건 이런 '선물'에 대해 불평하고 신음하는 대신 올바른 의도와 다가올 시대에 맞춰 어떻게 변화시킬지 접근하는 거라고 보네.

리더십을 발견하기 위해 좋은 첫 질문은 '다가오는 세상이 요구하는 것에 맞춰 내가 할 수 있는 특별한 것은 무엇인가?'라네. 질문 속에 담긴 두 의미는 중요하고 서로 분리될 수 없네. 모두가 중요한 기여를 하며 각각의 기여가 모두 특별하다고 보는 나의 관점을 자네도 알아채겠지. 또한 그것은 그들만이 할 수 있는 것이네. 나를 비롯한 대부분의 사람들은 어떻게 이바지 할 수 있는지를 알기 위해 많은 생애를 할애하네. 누군가는 끝내 알지 못하고, 또 누군가는 스스로는 알지 못한 채 공헌을 하기도 하지. 일부 소수만이 어린 나이에 리더십의 단계를 밟기도 하네. 그러나 너무 부러워진 말게. 그 길은 지속하기엔 너무 가혹하며 대부분 이른 나이에 세상을 떠나기 때문일세. 모짜르트, 키츠, 존 레논, 예수 등이 지금 생각나는 좋은 예일세. 물론 이들 말고도 얼마든지 있겠지만.

그 대신 우리 대부분을 위한 더 길고 완만한 길이 존재한다네. 그 길의 패턴을 포착하고 전달하기 용이하도록 네 단계로 나누었지. 하지만 염두에 두어야 할 것은 이것은 하나의 정형화된 지도가 아니며 각자의 진로는 특별하므로 자신을 남의 틀에 끼워 맞출 수 없다는 것일세.

리더십 여정의 첫 단계는 **실험(experimentation)**이라네. 자신이 할 수 있는 특별한 것을 찾기 위해 많은 도전과 실패를 겪는 단계일세. 많은 것을 시도해보며 그것이 자신의 신념과 맞고 계속 전념할 수 있는지 맞추어보는 단계지.

두 번째 단계는 **경험 축적(experience accumulation)**이라네. 이 단계는 자네가 무언가에 비록 일시적일지라도 전념하기 시작했을 때 나타난다네. 그 분야의 지식을 넓히고 자신의 기량을 발견하고 역량을 끌어올려 마침내 분야에 기여하기 시작하면서 인지도와 명성을 얻게 되지. 과거 도제 같은 사람으로 이전에는 조합 가입이 요구되기도 했었다네. 근래에는 자신의 이력과 자신을 존중하는 사람들과 디지털 세계에서 관계를 충분히 쌓을 수 있지.

세 번째 단계는 **완전한 리더십(full leadership)**으로 대부분은 이르지 못하는 단계라네. '내가 이곳에 적응하기 위해서 할 건 무엇인가? 내가 인정받고 승진하기 위해선 무엇을 해야 하지?' 같은 질문보다, '내가 세상에서 바꾸고 싶은 건 무엇인가? 나의 길을 따르는 사람들에게 남겨주고 싶은 족적은 무엇인가?'를 질문하는 데서 시작되지. 코비(Covey)와 베니스

(Bennis)와 같은 리더십 저술가들은 실질적인 리더에 대해서 '일을 제대로 하기(Doing things right)'보다 '올바른 일을 하기(Do the right thing)'와 같이 투입(inputs)보다는 성과(outcomes)에 초점을 맞춰 저술했지. 나도 이런 투입에서 결과 또는 성과, 나아가 유산을 남기는 부분으로의 전환에 대해 말해보고 싶네.

분명한 건 완전한 리더십이 리더십 여정의 끝이 아니란 거지. 수많은 글귀들이 리더십을 영웅적이고 카리스마적으로 강조하지만 리더십은 홀로 하는 활동이 아니네. 리더십에는 최소한 리더, 추종자나 공동대표, 공동의 노력이란 세 가지 요소가 필요하며 이 중 하나라도 부족하면 리더십은 사라질 걸세.

마지막 단계는 **원로(eldership)**네. 어떤 변화를 만들지에 관심을 두기보다는 무엇이 요구되며, 어떤 방법으로 다른 이들이 이 요구를 인식할 수 있을지를 연마하는 시기지. 서방에선 이 단계에 대해 망각하고 이전 단계들에만 고착되었네. 우리는 겸손하게 덜 개인주의적인 더불어 사는 사회로부터 이 단계에 대해 배워야 하네.

그렇다면 왜 지금인가? 나는 지난 20년이 넘는 세월을 세계적인 대형 기업들과 일한 후, 공공 부문에서의 리더십 능력을 어떻게 발전시킬지 연구하려고 돌아왔다네. 오늘날 세계는 민간 부문보다는 공공 부문이 훨씬 복잡하게 이뤄져 있지. 공무원, 지방 정부의 관리, 병원 대표, 또는 학교 교장은 수많은 고객 혹은 이해당사자와 관계하며 때때로 갈등을 겪기도 하네. 또한 작업 과정을 기계적으로 통제할 수도 없지. 공공 서비스 대표와 정치가에 대해 대중들은 현실적이며 두드러진 혁신을 끊임없이 더 기대하는 중이고 말이야. 하지만 지금 세계가 이전과는 비교할 수 없을 만큼 복잡하고 뒤얽혀있기에 그런 변화를 불러오기 위해선 통찰력과 겸손함과 정교한 솜씨가 요구된다네.

왜 자네인가? 행운이나 우연일 수도 있지만 자네는 이전이나 이후가 아닌 바로 지금 우리의 문을 두들겼네. 짧은 만남이었으나 자네의 호기심과 탐구심, 그리고 주위 환경에 대한 신선한 관심에 호감이 생겼다네. 그래 자네는 실제 여행 중이지만 개인적인 탐구에 나선 것이기도 하다네. 자네처럼 쉬지 않고 여행하고 탐구하는 것은 나의 바람이기도 해. 앞서 설명한 틀에서 보자면 나는 스스로를 리더십에서 원로로 이전하는 단계라고 설명하겠네. 내가 보기에 자네의 경우엔 탐사와 실험 단계에 초점을 둘 시점인 것 같군. 우리 각자 주어진 '선물'을 껴안는 것 말고 다른 선택의 여지는 없는 것 같네. 따라서 우리의 도전이자 과제는 주어진 '선물'을 후대의 필요에 맞춰 어떻게 변화시킬 것인가라고 할 수 있겠지.

자네의 여정이 쉽기보다는 매력적이길 바라네.

그리고 목을 축였던 이 작은 쉼터를 좋게 기억해주길 바라네.

피터로부터

이 편지에는 실제 멘토링 대화에 나옴직한 토의와 도전이 반복적으로 등장한다. 멘토링에는 멘티의 구체적인 상황을 명확하게 할 뿐 아니라 나아갈 여정의 큰 그림을 그리는 것이 중요함을 이 편지를 통해 알 수 있다.

개인을 멘토링할 때 그 사람이 어느 단계에 있는지에 따라 초점을 달리할 필요가 있다. 한스의 경우 어떻게 의욕을 가지고 실험하며 전념할 길을 발견하려는 마인드를 가지게 할지, 그리고 어떻게 그걸 더 큰 맥락에서 보도록 할지에 초점을 두었다. 일반적으로 **실험 단계**에서는 도전한 직업이나 역할에서 무엇이 자신과 맞는지, 그 역할에는 어떤 다양한 활동들이 있는지, 그를 통해 무엇에 흥미를 가졌고 어떤 것을 배웠는지 성찰할 수 있게 도와줘야 한다. 무엇이 효과가 없었고 자신에게 맞지 않았는지, 어려움을 통해 무엇을 배웠는지를 살피는 것도 중요하다.

이 단계에 멘토의 효과적인 개입에는 다음 내용이 포함된다.

- '다음에는 무엇을 시도해보고 싶은가?'
- '이 일에서 무엇이 즐거웠고 자신과 통했나?'
- '어떤 부분이 자신을 사로잡았나?'
- '가장 즐기며 배운 것은 무엇인가?'

경험 축적 단계에서, 멘토나 코치는 고객이 관심을 둔 업무나 역할에서 무엇을 배웠는지 살펴볼 수 있게 한다. 특히 새로운 과업이나 역할이 어떻게 새로운 기술 역량과 개인 능력을 습득하는 기회가 되었는지를 살펴본다. 각 과업이나 역할의 변화는 현재 이해당사자들, 미래 고용주들이 멘티를 어떻게 인식할지 영향을 주기도 한다. 진로를 발견한 사람들에겐 그 분야 기술을 심화하여 단련하는 것이 더 큰 도전일 것이다. 하지만 또한 지금 시작하려는 일에 대해 큰 그림을 그릴 수 있도록 보다 넓은 맥락을 주목하고 관계망을 발전시키기 위해 무엇을 해야 하는지 '기상 위성'처럼 지켜봐야 한다.

이 단계에서 멘토의 효과적인 질문은 다음과 같은 것들이다.

- 어떤 경험을 하고 싶은가?
- 경험의 토대를 넓히기 위해 어떻게 할 수 있나?

● 승진하기 위해서 어떤 평가를 받고 싶고, 어떻게 그런 능력을 습득할 수 있겠는가?

경험 축적 단계에서 **완전한 리더십**으로 넘어가기 위해선 삶과 일의 관점에서 근본적인 변화 혹은 '사고의 전환'이 필요하다. 다른 이들에게 깊은 인상을 주고 인정을 받는 것에서 스스로 권한을 가지고 할 수 있는 최고의 기여를 하는 것으로의 변화다. 이 단계에서 핵심적으로 배워야 할 것은 '목적'에 대한 질문을 어떻게 삶에 통합할 것인가이다. 이곳에서 리더는 '왜? 무슨 목적을 향해서?'라는 의문에 맞닥뜨린다. 전문 분야 회사의 고위 간부들을 코칭한 적이 있는데, 그들은 무척 파트너급이 되고 싶어 했다. 그들은 파트너 위촉 기준을 충족시키려고 새로운 일을 따내고, 변화를 주도하고 새로운 방법론을 개발하는 등 온갖 노력을 쏟아부었지만, 결국 심사 과정에서 탈락했다. 우리는 그들을 멘토링 할 때 자신이 얼마나 괜찮은 사람인지를 증명하고 리더십을 인정해달라고 요청하는 식으로는 리더가 될 수 없음을 깨닫게 했다. 대신 리더십에 한 걸음 들어가 리더로서 행동한다면 사람들이 점차 그의 리더십을 인식하기 시작하고 거기에 응답할 것이다. 경험 축적 단계에서 더 열심히 한다고 해서 리더가 될 수는 없다. 또한 우리는 질적인 피드백을 개발하도록 도움으로써, 파트너 지원자들이 '더 노력하는' 모드를 깨고 영감을 받을 수 있게 했다.

리더십 단계에 도달한 이들을 멘토링하기 위해선 질문도 다음과 같이 변화가 필요하다.

● 세상에 어떤 긍정적인 변화를 만들고 싶은가?
● 어떤 방면에서 자신이 최선의, 가장 특별한 기여를 할 수 있나?
● 은퇴할 때 가장 자랑스럽게 여길 업적은 무엇인가?
● 임종의 순간 리더로서 하지 못했다고 후회할 일은 무엇인가?

리더에서 **원로**로 넘어가는 데는 내용은 다르지만 똑같이 근본적인 전환이 필요하다. 이 단계에선 '내가 무엇을 이룩할 것인가?'에서 '남들이 성취하는 데 내가 도울 것은 무엇인가?'로 초점이 변한다. 대부분 조직의 풀타임 리더로서 일하다가 위원, 고문, 컨설턴트, 코치 등 비상근 역할로 바뀌는 중년 후반의 경력을 시작하는 때이다. 점점 많은 사람들이 60세가 넘어서도 일을 하는데 리더에서 원로로 전환하는 것을 어려워한다. 이는 원로의 역할이 무엇인지 개념화할 만큼 문화적으로 롤 모델이 부족하기 때문이기도 하다. 우리는 리더가 죽거나 실패할 때까지 리더로 남으리라 기대한다. 또한 대부분의 사람들은 통제권과 자기주장을 포기하기가 쉽지 않다. 최고 경영자의 뒤에서 운전대를 조종하고 싶어 손이 근질거리는 비상임 이사들이 얼마나 많은가!

원로는 자신이 변화를 이끌기보다 다른 사람이 변화를 이끌 수 있도록 돕는데 집중해야 한다. 많은 면에서 원로의 자리는 다른 사람들의 멘토처럼 행동하도록 요구한다. 그러므로 원로를 멘토링 하는 것은 멘토를 멘토링하는 것이다.

이 단계에서 유용한 질문들은 다음과 같다.

- 당신이 가장 잘 지원할 수 있는 미래의 리더는 누구인가?
- 그 리더들이 발전할 수 있도록 하는 최선의 방법은 무엇인가?
- 그 리더들이 당신에게서 가장 많이 얻어야 할 지혜와 이해는 무엇인가?
- 어떻게 하면 그들이 당신에게서 그걸 가장 잘 물려받을 수 있는가?

호킨스 모델은 직장생활의 이와 같은 전환 단계들을 그려냈다. 각 단계는 훨씬 더 복잡한 인지를 필요로 한다. 라스케(Laske, 2003, 2006, 2008, 2009)는 호킨스의 단계 모델과 상응하는 성인의 인지 개발 4단계를 다음과 같이 기술했다.

- **상식**(common sense) – 관찰과 믿음에 근거
- **이해**(understanding) – 형식 논리에 근거
- **추론**(reason) – 문답의 사고 형식에 근거
- **실용적 지혜**(practical wisdom)

라스케는 코칭과 멘토링의 초점이 고객의 행동 변화를 넘어서 근본적인 '준거 틀'을 개발하는 것에 주목해야 한다고 기술했다. 그는 사회적 정서적 발달은 '의미 부여(meaning-making)'에 관한 것이고, 인지적 발달은 '의미 탐색(sense-making)'에 관한 것이라고 구별했다. 이 두 가지가 합쳐져서 개인이 생각하고 느끼고 행동하는 기반인 '준거 틀' 혹은 세계관을 형성한다.

토버트 모델: 리더십 발달 단계

라스케의 개인의 '준거 틀' 개념은 토버트의 '행동 논리'와 흡사하다. 하지만 토버트는 의미 부여와 의미 탐색이 어떻게 매일의 압박과 도전 속에 있는 행동과 행위로 나타나는지에 특히 관심을 가졌다. 라스케와 토버트 둘 모두 성인 발달에 대한 심리학적 이론, 특히 로빈저와 블라시(Loevinger and Blasi, 1976), 콜버그(Kohlberg, 1981)의 연구에 기반을 두었다. 그들은 특히 복잡한 도덕적 윤리적 선택을 활용하는 능력의 향상에 관심을 집중했다. 그들은 개인이 자신의 윤리적 선택을 어떻게 정당화하는지 알아보려고 몇 가지 윤리적 딜레마를 사용했다. 이를 통해 성인들이 자신과 자신이 한 선택을 되돌아보고 성찰함으로써 개인의 이익을 벗어나서 사회적 규범과 기준을 받아들이고, 더 큰 차원의 유익을 위해 노력하는 공리적인 관점을 취하고, 마침내 윤리적 복합성과 다양한 세계관을 받아들일 수 있다고 주장한다.

토버트 등(2004)은 로빈저와 콜버그의 연구 결과에 기반하여 이를 리더십에 적용했다. 토버트는 수년 동안 리더십 발달 단계 모델과 개인적 변화에 대한 이론을 연구하고 시험했다(Torbert et al, 2004; Rooke and Torbert, 2005). 발달 심리학자들은 리더가 혹독한 압박이나 도전이 있을 때 어떤 행동을 취하느냐에서 차별화된다고 말한다. 행동 방식은 그들이 처한 상황을 어떻게 자각하고 이해하는지 드러내보인다. 이런 압박에 대응하는 방식은 내면의 '행동 논리'로 이루어지며, 이에 따라 리더를 여러 유형으로 구분할 수 있다. 토버트는 리더가 일단 자신의 행동 논리를 파악해야 이를 변화시킬 수 있다고 강조했다. 그 변화는 토버트가 '개인적 이해와 발달의 여정'이라 부르는 과정을 통해 이루어진다.

토버트는 **정의 가능한 리더십 발달 일곱 단계**를 제안했다(〈표 3.3〉 참조).

수천 명을 대상으로 한 토버트의 연구는 지도력에 연관된 자신의 행동 논리를 이해하는 것의 긍정적 영향을 보여준다. 25년이 넘게 진행된 연구는 기업과 개인의 성과의 수준이 다음과 같은 리더들의 지배적 행동 논리의 범위에 따라 눈에 띄게 달랐음을 보여주고 있다.

> 토버트의 연구에서 55%에 해당하는 세 가지 유형의 리더들은 (기회주의자, 외교관, 전문가) 평균을 밑도는 기업 성과를 내었다. 그들은 30%에 해

당하는 성취자들에 비해 조직적 전략을 시행하는데 명백히 비효율적이었다. 15%에 해당하는 개인주의자, 전략가, 연금술사들만이 조직을 쇄신하고 성공적으로 변화시키는 지속적인 능력을 보여주었다.

(Rooke and Torbert, 2005: 68)

表 3.3 리더십 발달 7단계

행동 논리	샘플 내 비율(%)	예전 토버트의 정의
–	–	충동적
기회주의자	5	기회주의자
외교관	12	외교관
전문가	38	기술자
성취자	30	성취자
개인주의자	10	전략가
전략가	4	마술사
연금술사	1	풍자가

▪ 기회주의자

초점	개인의 성취 중심, 다른 사람을 이용 기회로 봄
특징	다른 사람 불신, 자기중심적 행동, 교묘하고 무자비한 행동

기회주의자 행동 논리는 '인정사정 없는' 삶의 방식을 따른다. 이들은 통제욕구가 강하고 다른 이들이 자신과 세계관이 같더라도 노리개나 경쟁상대로 대한다.

기회주의자들은 자신들의 나쁜 행동을 정당화하고 피드백을 거절하며 불만을 표출하고 가혹하게 보복한다. 래리 엘리슨(Larry Ellison, Oracle의 CEO)은 초창기 경영 방식을 '조롱 경영'으로 묘사했다. 그는 '지적 위협과 수사적 괴롭힘에 능해야 한다'고 이코노미스트지 매튜 사이몬즈(Matthew Symonds)에게 말한 적이 있다. '나의 행동을 "개방적이고 솔직한 토론"이라 부르겠네. 사실은 이보다 더 나은 방법을 모르는 거지.'(Rooke and Torbert, 2005: 68)

⦂ 관습적 행동 논리

(외교관, 전문가, 성취자의) 관습적 행동 논리는 사회적 범주와 규범, 권력 이동이 안정적인 현실 환경을 조성한다고 본다. 어느 한 영역에서 경험한 후 다른 영역으로 이동하며 기술과 통제력을 서서히 증가시키고 확보함으로써 어떻게 관련시킬 것인지 배웠다.

▪ 외교관

초점	소속감, 갈등 회피, 다른 사람이나 외부 요인에 맞서 자신의 행동을 스스로 통제함
특징	집단의 규범에 따르며, 일상의 역할을 잘 수행

외교관들은(연구 대상의 12%) 표면적 수준에서 기회주의자들에 비해 조직에 좀 더 유순한 영향을 미치지만, 리더십 개발 지원 없이 상위 단계에 도달하게 되면 똑같은 심각한 결과를 초래한다. 지원 역할이나 팀 맥락의 차원에서, 외교관 리더는 조직의 지속에 필수적인 사회적 결속력을 제공한다. 그들의 '남을 즐겁게 하는' 관점은 상대적으로 미숙한 것으로 경력 초기부터 사람 관계에 치중해있다(80%의 외교관들은 주니어 수준이다). 사람들에게 호감을 받고 조화를 중시하는 것은 그들이 자연적으로 갈등을 회피하는 것을 뜻한다. 그런 습관은 상위 단계의 리더의 경우 위험할 수 있다. '상냥함'을 추구하는 것은 곧 예의 바르고 친근함을 유지하느라 다른 이들에게 탄탄하고 도전적인 피드백을 줄 수 없다는 것을 뜻한다. 외교관 유형은 조직 변화를 일으키기 힘들어하는데, 그런 일은 어느 정도 갈등과 부딪힘 없이는 이루기 어렵기 때문이다.

어느 한 외교관형 리더는 자선단체에서 까다로운 부분을 진행할 때 자신의 행동 논리를 잘 이용했다. 여러 분야의 리더들과 이야기를 나누고 나서 그는 개인 각각의 독립성이 보장된 그룹을 만들었다. 그룹을 구성하는 단계는 잘 진행되었지만, 자선단체로서 개별적인 구호 활동에서 벗어나 더 집중되고 통합된 활동을 하려 했을 때 경영진은 서로 논의하기가 힘든 상황이 되었다. 외교관형 리더는 계속 의논하려 하지 않고, 팀으로 모이기보다는 개인 대 개인의 회합을 진행했다. 결국 회사는 외교관형 리더를 내치고 직원들과 직접 말하는 것에 능한 팀원을 대신 그 자리에 앉혔다.

▪ 전문가

초점	직업적 개인적 삶에 관한 지식을 완성하여 사고의 세계를 통제하는 것
특징	'확실한 근거'에 의존, 철두철미하게 생각함, 지속적인 개선, 효율성 추구, 자신이 옳다고 믿는 것을 실행함

전문가형 리더는 경영의 모든 단계에서 가장 공통으로 나타난다. 여기엔 간부나 임원 등이 포함되며 전체 경영자의 40% 가까이 차지한다. 어떤 전문 분야는 이 행동 논리를 기반으로 강한 조직 문화가 형성되기도 한다. 회계사, 투자 분석가, 시장 조사자, 소프트웨어 기술자 및 기술 컨설턴트들이 이에 해당한다. 전문가 개개인은 기술을 조직에 제공함으로써 뛰어난 종업원이 될 수 있다. 전문가형 리더는 특히 관료조직에서 상급자로 승진이 잘 되는 것 같다. 하지만, 어떤 조직이나 전문 분야의 문화가 기술적 능력만이 아닌 감성 지능을 요구할 경우 그들의 행동은 문제가 될 수 있다. 강력한 회계사가 조직 내 역할에서 어려움을 겪고 있다면 그것은 '전문가' 사고방식이 원인일 가능성이 있다.

문제와 '문제를 해결하는 올바른 방법'에 주목하는 전문가들은 주위의 모든 사람이 무엇을 해야 하는지에 대해 확신을 갖는 게 특징이다. 이로 인해 주위와의 협력은 물 건너 간다. 감성지능을 인정하지도 환영하지도 않는다. 선 마이크로 시스템즈 최고 경영자인 스콧 맥닐리(Scott McNealy)는 '나는 감정을 느끼지 않는다. 그런 건 베리 매닐로우(Barry Manilow)나 느끼라고 할 것'라고 말했다. 2001년과 2002년 닷컴 사업 실패로 인해 큰 손실이 나자 열 명이 넘는 맥닐리의 고위 경영진이 떠난 것은 어찌 보면 당연한 일이다(Rooke and Torbert, 2005: 70).

전문가들에게 문제는 변화의 시기에 찾아온다. 왜냐하면 그들은 '일을 올바르게 해내는 것을 중시−설령 옳지 않은 일이라 하더라도'−하기 때문이다. 전문가들은 조직 변화에 저항하는 경향이 있는데, 조직 변화가 시작되기 전에는 올바르기가 어렵기 때문이다.

⁚1단계부터 3단계 리뷰

이 세 가지 발달 단계들은 크고 복잡한 조직의 리더의 행동 논리로서는 살아남기가 어렵다. 하지만 일시적인 '성취'를 이루는 것은 가능하다. 세 가지 행동 논리들은 조직 변화를 회피하려고 하는데, 조직변화에는 다음과 같은 전제가 필요하기 때문이다.

- 자신이 무엇을 하고 있는지 질문하고 성찰할 수 있는 능력
- 개인 행동 변화에 대한 열린 태도
- 다른 사람의 진정한 필요에 대한 감수성

초반의 각 단계들은 이해당사자나 조직보다는 리더의 욕구에 초점이 맞추어졌다. 이 행동 논리를 사용하는 관리자들은 리더십 양식을 바꿈으로써 능력을 변화시킬 수는 있지만, 그런 개인적 변화의 필요성을 쉽게 '받아들이지' 못한다.

▪ 성취자

초점	목표를 달성하는 것, 긍정적 영향, 실현해내는 것
특징	긍정적 작업 환경 조성, 피드백에 개방적, 업무 관계의 요구에 민감

성취자 리더들은(경영진의 30%) 결과물과 목표에 초점을 두고 이를 달성하는데 집중한다. 그들은 직원들에게 도전과 지지를 둘 다 제공하며, 긍정적인 팀과 부서 분위기를 만드는 능력이 있다. 성취자 리더들은 믿음직하게 팀을 이끌어 일년에서 삼년에 걸친 새로운 전략을 시행하며, 단기 목표와 장기 목표의 균형을 맞출 줄 안다. 이런 이유로 성취자는 자주 전문가와 충돌한다. 종종 성취자가 전문가들이 일하는 방식과 기본 가정을 공격적으로 도전하는 역학관계가 나타난다. 전문가형 부하는 성취자형 상사와 어울리지는 않지만 그를 필요로 한다. 자신이 성취자보다 뛰어난 기본 지식을 가졌는데도, 사업적인 성공을 거두는 건 성취자임을 분명하게 알기 때문이다.

성취자는 한 분야의 경험에만 의존하지 않고, 전반적인 시스템 효과성을 높

이기 위해 세 요소(결과, 행동, 사고)를 통합하는 발달 단계의 첫 번째 수준이다. 그들은 아이디어와 행동과 결과의 세 가지 요소들이 일어나는 조직 풍토를 만들기 위해 노력한다. 성취자는 일을 시작해내고 피드백을 수용하는 능력이 있어서 자신들의 준거 틀 내에서는 매우 성공적이다. 아직 한 가지의 준거 틀로만 – 예를 들어 이해당사자의 가치나 상품 및 서비스의 품질 – 운용하는 경향이 있지만, 전문가보다는 다른 준거 틀로 전환할 수 있는 능력이 크다. 예를 들어 한 최고 경영자가 시장 점유율에만 집착하는 것이 도움이 되지 않음을 깨닫고 고객 만족도의 관점으로 바라보기 시작하는 것 같은 것이다. 토버트는 묘사할 때 '효과성과 결과 지향적, 생생하고 고무적인 미래, 끌려다니지 않고 앞장서는 느낌, 자신의 높은 기준에 맞추려는 노력, 자신의 '그림자'를 보지 못함, 윤리적 시스템을(만들지는 않지만) 선택하는 능력' 등으로 표현했다(Torbert et al, 2004: 86).

탈관습적 행동 논리

관습적 행동 논리를 사용하는 리더들이 유사성과 안정감을 선호하는 반면, 탈관습적 논리를 사용하는 리더들은 진행하는 일에 있어서 차이를 인식하고 기존 행동 논리의 변혁적 변화를 선호한다. 이 시점까지 리더십 스타일은 하나의 준거 틀이나 세계관 속에서 작동했다. 탈관습적 행동 논리는 선택을 제한하는 암묵적 틀이 줄어들면서, 점차 행동 논리의 다양성을 강조하고 상황에서 행동 논리를 선택할 수 있는 자유와 '대응 능력'을 개발하는 명시적 틀이 되었다.

개인주의자

초점	다른 행동 논리로 인식하고 소통함, 현재와 역사적 맥락 둘 다를 포괄함, 모순된 정서와 딜레마를 자각, 유사성과 안정보다는 차이와 변화
특징	독립적, 창의적 작업, 경청 및 패턴 파악에 집중, 자신의 '그림자'를 알아채기 시작함, 아주 특별한 경험을 함

개인주의자(리더들 중 10%)들은 모든 논리가 신이 내린 것도, 진리도 아닌 우리가 만들어낸 것임을 인식한다. 그들은 자신과 세상을 구성하는 어느 한 부분이다. 개인주의자들은 개인 또는 조직이 직면한 딜레마의 양 측면을 자각한다는 점에서

성취자와 차이가 있다. 누군가의 원칙과 행동 간의 딜레마, 조직의 가치와 이행 간의 딜레마 등을 예로 들 수 있다. 이러한 자각은 긴장감을 불러일으키며, 미래 창조성의 자원과 더욱 발전하고자 하는 욕망으로 변한다. 개인주의자들은 상관없다고 생각하는 규칙을 무시할 가능성이 크므로, 관습적 행동 논리를 가진 동료들에게 짜증을 불러일으키기도 한다. 개인주의자는 개성과 관계 방식에 초점을 맞추고 다른 행동 논리를 가진 사람들과 효과적으로 소통하는 것으로 전환시킨다.

■ **전략가**

초점	좋은 결정을 내리고 유지하기 위한 원칙, 계약, 이론과 판단(규칙만이 아닌 관습과 예외)의 중요성, '단기 목표'와 '장기 개발 과정'의 균형 병행, 인식이 행동 논리에 의해 만들어진다는 자각, 다양한 역할 수행
특징	갈등 해결에 창의성 발휘, 재치, 존재론적 유머, 이중 순환 학습 사용, 조직 및 리더의 제약을 시험해봄

전략가에 속한 리더는 4% 밖에 안 될 정도로 희소하다. 개인주의자들은 서로 다른 가정과 신념을 가지고 자기 방식대로 행동하는 사람들과의 소통을 숙련되게 할 수 있다는 것, 그리하여 1차 변화 즉, 일이 완수되는 정도에서 변화를 일으킬 수 있다. 전략가는 한 걸음 더 나아가 다른 행동 논리들과 교차하여 흥미를 유발함으로써 공통 비전을 창출하고, 개인과 조직의 변혁적 변화를 고무시킨다. 그리하여 2차 변화 즉, 어떤 유형의 일을 해야 하는가에 대한 변화를 일으킨다.

토버트(2004) 등은 전략가의 스킬을 '사명, 전략과 타이밍에 대한 자의식적 재구성, 이해당사자들과 고객들의 다양한 소리를 경청하는 것'으로 묘사한다. 이는 멘토링에 참가한 사람이 사고의 틀을 획일적으로 강제하려 하지 않고 전략적인 변화의 필요성을 더 깊게 배우는 첫 단계이다. 전략가들은 세상을 보는 모든 관점과 준거 틀을 잠재적으로 유효한 것으로 볼 수 있고, 더 깊은 학습을 위해 존중할 수 있다. 전략가 리더들은 다양한 이해당사자들의 서로 다른 관점이 통합될 수 있는 가능성을 항상 열어놓고 있다. 또한 의도에 관계없이 어떤 피드백도 환영한다. 그들은 항상 사람들을 함께 끌어 어렵고 도전적인 문제들을 함께 검토하게 할 것이다.

상황과 문제를 재구성하는 능력 즉, 다른 관점에서 바라보게 하는 것은 전략가를 신뢰할 수 없게 보이도록 할 수 있다. 만약 어떤 의도에 불충분하게 연결될 경우 전략가는 마키아벨리처럼 교묘하게 조정하는 사람으로 보일 수 있다. 따라서 효과적으로 일하는 전략가는 목적의식을 개발하고 강화할 충분한 지지 근거를 확보하려는 경향이 있다. 그와 같은 지원은 종종 조직 외부의 코치, 멘토 또는 유사한 수준의 조직에 있는 리더들로부터 받을 수 있다.

■ 연금술사

초점	상황의 진실, 많은 상황이 다층적인 활동과 의미가 있음, 하루의 과정에 성격의 다층적인 측면 표현
특징	카리스마적 성격, 높은 도덕 기준의 삶을 살며 극단적으로 자신을 자각, 조직의 역사에서 특정 순간을 포착하는 능력, 느긋함과 치열한 효율성을 둘 다 포용, 사람의 마음과 생각을 나타내는 상징 및 비유 창안, 종종 다양한 조직에 참여하며 모두를 위한 시간을 찾음

연금술사들은(리더의 1%) 자신과 조직을 역사적으로 의미 있는 방법으로 갱신하고 혁신하는 능력을 가졌다는 점에서 전략가와 구분된다. 전략가 단계 이상으로 이행하는 리더는 토버트가 사례로 인용한 교황 요한(John) 13세와 간디(Gandhi)처럼 극소수이다. 이 수준에서 리더는 자기 본위와 결과물이나 자신이 '옳다'는 것에 대한 집착을 버리기 시작한다. 연금술사 리더는 결과를 달성하기 위해 상황을 의식적으로 많이 재구성하기보다는, 새로 떠오르는 준거 틀을 지속적으로 주목하고 다시 놓아주며 현재 순간의 고요함에서 드러나는 춤사위의 에너지와 함께 한다. '재구성되는 영혼은 지속적으로 스스로를 극복하며 스스로의 예측을 일깨운다. 재구성되는 마음은 유아적 경험의 어두운 면에 지속적으로 귀 기울인다.'(Torbert et al, 2004: 86)

자신에 대한 애착을 줄이는 것은 명상적이고 영적인 전통의 한 요소이며, 이 단계의 학습에는 큰 비용이 든다. 대부분 죽음에 가까운 경험이나 극도의 개인적 위기를 통해야만 이 단계 리더십에 이르는 문을 열 수 있다.

넬슨 만델라가 1995년에 요하네스버그에서 열린 럭비 월드컵 결승에서 한 행동은 이 단계의 리더십에서 온 것으로, 연금술사 리더가 변혁적 변화의 상징을 강력하게 만들어내는 능력이 어떤 것인지를 명료하게 보여주었다. 남아프리카 공화국 럭비 국가대표팀인 스프링복스는 결승에 올랐지만 결승전은 백인 우월주의의 보루인 장소에서 진행되었다. 만델라는 경기에 참가했다. 그는 흑인 남아프리카 공화국 사람들이 증오하던 스프링복스 운동복을 입고 경기장에 입장하면서, 에이엔씨(ANC, African National Congress: 남아프리카공화국 정당)의 주먹을 내미는 항의의 몸짓을 보였다. 거의 불가능한 일이지만, 그렇게 남아프리카 공화국의 백인과 흑인에게 호소했다. 에이엔씨(ANC)의 운동가이자 남아프리카 공화국의 가우텡주의 주지사인 도쿄 섹스웨일(Tokyo Sexwale)은 만델라에 대해 이렇게 말했다. '오직 만델라만이 적의 운동복을 입을 수 있었다. 오직 만델라만이 운동장으로 내려가 스프링복스와 함께 했다. … 지하, 저항, 금욕, 집에서 격리, 교도소의 모든 날이 다 가치가 있었다. 우리 모두가 보고 싶어 하던 그런 장면이었다.'(Rooke and Torbert, 2005: 72)

몇 가지 중요한 변화 원칙

이런 행동 논리의 범주에 따라, 누군가의 개발 여정을 도울 때 명심해야 할 몇 가지 원칙이 있다.

- **리더는 한 행동 논리에서 다른 논리로 옮겨갈 수 있다.** 이는 멘토, 코치, 슈퍼바이저에게 신조가 되어야 한다. 멘토와 슈퍼바이저로서 우리가 돕는 사람의 사고방식이 무엇이든 간에, 누구든지 현재보다 더 높은 수준의 행동 논리로 변화하길 바라기만 하면 그것이 가능함을 믿어야 한다. 유일하게 요구되는 것은 이루고자 하는 의지와 참여이며, 폐기 학습에 대한 열린 생각이다.
- **새로운 관점에 관한 탐색은 종종 개인의 변혁적 변화로 나타난다.** 자신의 모든 것을 쏟아 붓지 않고, 단지 일을 조금 더 하거나 덜 하는 1차 변화로는 한 행동 논리에서 다른 논리로의 전환이 불가능하다. 2차 변화는 차이를 만들기 위한 태도 변화를 요구하고, 토버트가 말한 변혁적 변화의 종류는 오직 3차 변화 또는 삼중 순환 학습을 통해서야 이룰 수 있다(Hawkins, 1991). 그러한 변화는 세상을 보는 관점만이 아닌 전반적인 패턴에 대한 도

전의 결과물이다. 엘리어트(T.S. Eliot)의 말에 따르면, 새로운 행동 논리로의 전환은 '최소한 우리의 모든 것'을 요구한다(Eliot, 1936: 223). 그런 변화를 만드는 과정에서 세상을 다르게 보고, 결과적으로 근본적으로 다른 방식의 행동을 할 수 있게 된다.

* **외부 사건이 변혁적 변화를 촉발하고 지원할 수 있다.** 멘토, 코치, 슈퍼바이저들은 변화가 자신의 스킬에 달려있지 않음을 알아야 한다. 개인들은 멘토, 코치, 슈퍼바이저 개념이 생기기 전부터 이런 개인적 변화를 관리해왔다. 우리가 하는 일은 다른 방법으로 일어날 수 있도록 과정을 돕는 것뿐이다. 변혁적 변화를 촉발하는 가장 중요한 방법은 현재 행동 방식의 효과성에 대해 다시 생각하게 하는 계기를 만드는 것이다. 예를 들어 리더가 승진을 하고 새로운 역할을 맡으면 자신의 능력을 확장하고, 무엇이 진정으로 중요하고 어떻게 달성할 수 있는지를 깊이 생각하게 된다. 직장에서의 위기나 갈등 또한 숙련된 멘토링의 지원을 받으면 새로운 학습을 불러일으키는 뜨거운 열기가 될 수 있다.

전환을 통한 멘토링

경력과 개발의 변화를 이해하는 것도 중요하지만 이것을 멘토, 코치, 컨설턴트가 어떻게 지원하는지를 아는 것도 또한 중요하다. 변화 과정의 공통된 3단계를 설명하기 위해, 우리는 반 지네프(Van Gennep, 1960)의 '통과 의례(rites de passage)' 연구와 쿠블러 로스(Kubler-Ross, 1991)의 변화 곡선 연구(〈그림 3.2〉 참조)를 선택했다.

첫 단계인 **폐기 학습(unlearning)**은 멘티가 현재 방식의 한계를 맞닥뜨리는 순간 시작된다. 어떤 역할이나 상황에서 과거의 방식이 더 이상 도움이 되지 않음을 깨닫게 된다. 어떤 사람들에겐 과거 매우 성공적이었는데 부정적인 피드백을 받고 좌절을 하고 자신감을 잃는 상황이다. 또 어떤 사람들은 예전 기술과 습관에 필사적으로 집착을 한다. 멘토의 임무는 멘티가 과거의 것을 놓아 보내고 현재 삶이 보내오는 도전과 가르침에 용기 있게 마주하도록 지원하는 것이다.

두 번째인 **경계(liminal)** 단계는 이전 방식을 버리긴 했지만 완전히 다음 단계로 넘어가지 못한 단계를 말한다. 멘티들은 새로운 방식을 시험하며 이를 배우고 성찰하기 위한 시간적 공간이 필요하게 된다. 그들은 방향을 잃고 혼란스러움을 느낄 가능성이 있다. 이 때는 누구나 통과하게 되는 자연스러운 과정이라며 안심 시켜주며 많은 지원을 해주어야 한다. 이 단계에서 사람들은 불확실한 데서 모호 하게 머물러있기 보다는, 예전 방식으로 되돌아가려 하거나 무모하게 포장하거나 거짓된 자신감을 보이는 경향이 있다.

🖉 그림 3.2 **변화 곡선**

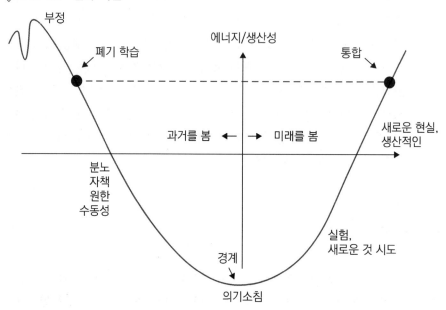

마지막 단계는 **통합**(incorporation)이다. 멘티는 새로운 사고방식, 행동, 활동을 받아들이고 그것들을 지속 가능한 자기 것으로 만들기 시작한다. 멘토가 인정과 감사를 해주는 것이 대단히 유용하다.

이제부터 토버트와 호킨스의 단계에서 어떻게 이것이 변화에 적용될 수 있는 지 좀 더 구체적으로 알아보겠다. 탈관습적 행동 논리를 가지고 일할 수 있는 사 람만이 관습적 행동 논리를 가진 사람의 변혁적 변화를 도울 수 있다는 게 명확 하다. 이미 언급했듯이 관습적 행동 논리를 가진 사람은 쉽게 자신을 다른 사람의 입장에 놓고 생각하지 못한다.

전문가에서 성취자로

이는 사업가들과 관리 및 경영자 교육을 받은 사람들이 가장 자주 시도하는 행동 논리 변화이다. 가장 성공적이기도 하다. 조직 개발의 가장 큰 병목현상을 해결하려면 자기 분야에서 성공을 거둔 전문가들을 변화시켜야 한다. 이들을 승진시키고 경영과 리더십 책임을 부여함으로써 자신이 좋아하는 전문 업무로부터 분리시킨다. 성취자 논리로의 변화에 대한 전형적인 예로는 스티븐 코비(Stephen Covey, 1989)가 '성공한 사람들의 7가지 습관(Seven Habits of Highly Effective People)'에서 언급한 '끝을 생각하고 시작하라'이다. 이루고자 하는 목표를 명확히 하고, 이를 달성하기 위해 단계에 따라 노력하라는 조언이다. 멘토들은 이 단계 사람들이 현재의 초점이 문제 해결에 맞춰 있는데 미래의 목표와 목표를 성취하기 위한 방법에 초점을 맞추도록 전환을 도와준다.

성취자에서 개인주의자로

멘토와 코치들은 리더가 성취자에서 개인주의자 행동 논리로 변화하도록 확실하게 지원해야 한다. 그렇게 하기 위해서는 미지의 것에 대해 개방적이고 탐구적이고 실험적인 자세로 일할 수 있는 능력을 키워가야 한다. 성취자 단계로 갈때까지는 결과에 집중하도록 성장시킨다면, 개인주의자를 개발할 때는 자기 인식과 다른 세계관에 대한 더 큰 자각을 갖게 격려해야 한다. 미리 규정되고 연습해 온 대로 하던 소통 방식에서 벗어나, 답을 모르는 질문을 할 수 있는 수준으로 변해야 한다. 변혁적 변화가 성공하려면, 리더는 바로 그 방에서부터 새로운 생각과 업무 방식을 실험할 필요가 있다.

전략가 및 그 이상으로

개인주의자로 변화하려면 높은 자아성찰의 능력과 조직 내 서로 다른 시각이 모두 연결되어 있음을 인지하는 능력이 있어야 한다. 그러나 리더의 전략가 또는 연금술사 행동 논리로의 변혁적 변화를 지원하기 위해서는, 현재의 모든 사고 체계를 깨뜨릴 준비가 필요하다. 도전을 지속하기 위하여 공동체에 있는 동료의 지원을 필요로 한다. 경력 또는 실존적인 위기, 신혼 등과 같은 생활을 바꾸는 사건들은 가끔씩 변혁적 변화의 힘을 펼치게 하여 이 힘과 연결을 가능하게 하고 전략적 행동 논리로의 문을 열어준다.

변화를 촉진하기 위한 행동 논리

가르치는 사람의 발달 단계 수준보다 높은 단계의 의식을 이해할 수 있게 어떤 사람을 인지적으로 가르치는 것은 불가능하다. 즉 현재의 행동 논리로는 상위 논리의 핵심을 볼 수 없다. 한 사람의 의식 수준의 변화를 돕기 위해서, 중요하거나 흥미롭지만 현재 방식으로는 달성할 수 없는 것에 도전하게 해서 그의 현재 생각과 모습의 수준이 틀렸음을 입증해야 한다. 이런 도전은 창의적이면서도 역설적인 딜레마와 같다. 이것은 예전의 사고회로를 융해시키고 새로운 연결을 촉진하는 '역설적 발작'을 불러일으킨다(Hawkins, 1999). 이런 유형의 '발작'을 불러일으키는 좋은 예로 앞에 인용했던 만델라의 1995년 럭비월드컵 도착을 들 수 있다.

멘토 또는 코치로서 우리가 나와 같은 수준의 행동 논리를 지닌 사람을 그 이상으로 변화하도록 돕는 것은 불가능하다. 우리의 경험에 비추어보면, 그런 변화를 촉진하도록 돕기 위해서는 멘토 또는 코치의 행동 논리가 지원하려는 리더의 행동 논리보다 두 단계는 높아야 가능하다. 바로 윗 단계에 있게 되면 두 논리 사이의 고유의 긴장이 있으며 이는 두 사람 모두에게 저항을 유발할 수 있다. 이런 맥락에서 전문가를 멘토링하는 성취자를 슈퍼비전할 때, 성취자가 멘티의 성공을 열렬히 바라는 마음에서 전문가에게 일을 잘 해내는 것에 초점을 맞추라고 하고 일을 빨리 진행하도록 재촉하고 조바심을 내는 모습을 본 적도 있다. 전문가는 이런 반응을 받으면 '기술적 어려움을 이해하지 못하는' 것처럼 그리고 심지어 따돌림을 당하는 것처럼 느낄 수도 있다.

토버트의 리더십 발달 모델은 멘토, 경영자 코치, 슈퍼바이저들에게 많은 것을 제공한다. 이것은 한 행동 논리에서 다음 단계로 변화할 때의 핵심 요소가 무엇인지를 명확하게 보여준다. 이 모델은 우리가 유전적 코드와 습관 패턴에 갇혀 있지 않으며, 충분한 시간과 노력을 쏟을 준비가 되어 있다면, 일하는 방식과 세상을 보는 관점을 바꿀 수 있다는 가정에서 작용한다. 이것이 바로 멘토와 코치,

그리고 슈퍼바이저가 참여하는 영역이다. 이러한 변화들이 실제로 일어나도록 돕기 위하여 지원과 도전을 제공할 수 있다.

결론

인생을 살면서 다양한 개발의 여정을 만들 수 있다는 강력한 자각은 멘토의 마음 속에 자리잡는다. 멘토는 기본적인 감성적 심리학적 기질이 생성되는 인생 초기와 발달 심리학을 알아야 한다(Erickson, 1950). 하지만 더 중요한 것은 멘토는 성인의 성숙 및 발달 단계를 이해하고, 어떻게 하면 사람들이 어느 한 단계에서 다음 단계로 변하게 할 수 있을지 이해하는 것이다. 이 장에서는 멘토가 멘티의 개발 여정을 돕는 데 있어서 변화 과정의 단계들을 이해할 수 있도록 두 개의 모델을 연결하여 지도를 만들어 제공했다.

멘토들에게는 코칭을 할 수 있는 역량 및 수행능력과 능력이 많이 요구된다. 또한 코치들에게는 멘토링이 하는 일에 대한 이해가 필요하다. 12장부터 15장까지 이에 대해 좀 더 자세히 다룰 것이다. 또한 토버트(2004) 등과 셍게(Senge, 2005) 등의 모델에 따라 자신과 다른 사람의 리더십을 함양하는 것이 살면서 해야 하는 가장 중요한 일의 하나라고 믿는다. 어쨌든 리더십은 리더들에게만 머무는 것이 아닌, 팀과 조직에서 다른 사람들과 공동 노력을 하는 관계의 활동이다. 다음 두 개의 장에서 팀과 조직을 코칭하고 멘토링하는 방법에 대해 알아보기로 한다.

제4장 | 팀 코칭

■ 다른 방향

언젠가 나스루딘(Nasrudin)은 고위 경영진이 엄청난 노력을 하는데도 불구하고 왜 모든 부서들이 서로 다른 방향으로 가는지에 대한 질문을 받았다. 그는 대답했다. "음, 그건 쉬운 문제죠. 만약 부서들이 모두 같은 방향을 향한다면 균형을 잃고 넘어질 듯 흔들거릴 테니까요."

(Hawkins, 2005: 90)

소개

지금까지 지난 30년 동안 기하급수적으로 성장해 온 개인 코칭과 멘토링 영역의 관행을 살펴보았다. 팀 코칭과 조직 및 전체 시스템에 대한 코칭은 개인 코칭보다 문헌이 훨씬 적긴 하지만 그에 못지않게 중요하다. 이 장에서는 팀 코칭을 살펴볼 것이다. 팀이란 구성원들이 따로 일해서는 할 수 없는 공동의 노력을 하는 멤버들이라고 정의한다. 따라서 코칭도 팀과 팀 구성원들이 함께 하는 목적에 초점을 맞춘다.

먼저 팀의 도전에 대해 살펴보자.

팀이 직면한 도전

피터 셍게는 다음과 같은 도전적인 관찰 결과를 털어놓았다. '평균 지능이 120을 넘는데 집단지능은 60 정도(개인적 커뮤니케이션)에 불과한 팀을 얼마나 많이 보았는지 놀랍다. 이는 BBC, PwC, SOLACE, 영국 국무조정실을 대상으로 한 리더십 개발 연구 벤처에 참여하면서 알게 된 진실이다.' 다른 조직 분야 연구에서 가져온 몇 개의 인용을 보자.

> '우리는 지방 정부 성과의 3분의 1은 지방 관료의 집단적 리더십 역량, 즉 구성원과 고위간부 둘 다의 리더십 역량에서 나온다는 걸 알고 있다. 하지만 그 역량을 평가할 방법이 없지 않은가?' '개별 리더를 어떻게 평가하는 지는 알고 있지만, 집단적 리더십 그룹을 평가할 방법은 모른다.'
>
> (감사위원회의 위원)

> 내가 고위 임원으로 재직했던 세 회사에서 인재 개발의 가장 큰 어려움은 계속 사람들이 들어오고 나가는 최고 경영진 팀을 어떻게 개발할 것이냐 였다.
>
> (FTSE 100 최고 경영자)

> 우리는 개별 리더들을 개발하는 일은 많이 해왔다. 하지만 많은 부서에서 최고위 팀은 부분의 합보다 기능이 떨어진다.
>
> (행정 서비스국 간부, 국무조정실)

> 경영진의 질은 성장하는 비즈니스의 가장 중요한 성공요소 세 가지 중 하 나이다.
>
> (벤처 투자가)

우리는 오랫동안 팀이 부분의 합보다 더 우수하게 기능하도록 하는 요인은 무엇이고, 부분의 합보다 훨씬 덜 기능하게 하는 요인은 무엇인지에 관심을 가져 왔다. 이 장에서 우리가 발견한 내용을 공유하고, 집단적인 성과를 높이기 위해 어떻게 팀을 개발할 수 있는지/그리고 나서 어떻게 팀의 개발을 슈퍼비전할 수 있는지에 관한 몇 가지 지침을 제공한다.

군중의 지혜와 팀의 어리석음

　　제임스 수로위키(James Surowiecki)는 〈군중의 지혜〉(2005)라는 멋진 책에서 다양한 그룹의 평균 점수가 개별 전문가의 점수보다 더 정확하다는 걸 많은 사례로 보여준다. 많은 연구를 통해 그는 이런 결론을 얻었다.

> 백 명에게 질문하거나 문제 해결을 요청해 보라. 그러면 그들이 한 대답의 평균은 가장 똑똑한 개인의 답변과 같거나 더 나았다. … 대부분 평균은 평범하다. 하지만 의사결정에서 평균은 종종 탁월하다. 마치 우리가 집단적으로 똑똑해지도록 프로그램 된 것 같다고 할 수 있다.
>
> (Surowiecki, 2005: 11)

> 중요한 의사결정을 똑똑한 한두 사람의 손에 맡겨두는 것보다, 지식과 통찰력에서 서로 다른 전문성을 가진 다양한 사람들이 참여하는 그룹이 내리는 결정이 훨씬 더 신뢰할 만하다.

　　한편 그는 '집단 사고'와 사회적 순응, 팀이 합의를 추구하느라 어떻게 어리석어지는지에 대해서도 연구해 나갔다. 그는 팀 혹은 군중이 어리석어지지 않고 현명해지는데 필요한 조건을 탐구하여, 다음과 같은 네 가지 기본 조건이 있다고 결론을 내렸다.

- **의견의 다양성**(알려진 사실에 대한 다른 해석이라도 각자 약간의 개인적인 정보를 알고 있음)
- **독립**(사람들의 의견이 주위 사람들 의견에 의해 결정되지 않음)
- **분권화**(사람들이 전문화할 수 있고 국지적인 지식에서 이끌어낼 수 있음)
- **집합**(개인의 판단을 집단 의사결정에 집어넣을 수 있는 메커니즘)

　　조직이나 기업에 이런 기본 조건을 충족한 팀이 왜 그렇게 드문지를 이해하기 위해서는 지배적 주장에 맞서게 하는 요인, 팀에 대한 순종과 어리석음으로 이끄는 요인들을 볼 필요가 있다. 약 20개국에서 많은 분야의 팀과 일한 경험을 통해 다음과 같은 행동의 패턴을 알 수 있었다.

- 조직 및 팀은 기존 멤버와 가장 비슷한 사람을 모집하고 승진시킴으로써 점점 다양성을 감소시키는 경향이 있다. 우리는 조직 문화를 '어딘가에서 석 달 동안 일하다 보면 더 이상 특이해보이지 않게 되는 것'으로 정의한다. 조직 문화의 기능 중 하나가 '사회적 통합의 창출'인데, 그것 때문에 독립성과 다양성은 줄어들게 된다.
- 팀의 결합을 지향하고 '팀의 연대감'을 증대시키기 위해 수많은 팀 빌딩 이벤트가 준비된다. 어떤 팀에는 높은 사람을 기쁘게 하고 싶어 하는 멤버들이 있다. 보너스와 승진에 영향을 미치기 때문이다. 이 두 가지 요소가 더욱 사고의 독립성과 다양성을 감소시킨다.
- 팀은 집단적 토의를 통해 의사결정을 하는데, 이는 합의를 이루는 데는 좋지만 한편으로는 독립적이고 분산된 사고를 통합해내는 메커니즘의 없기 때문에 '집단 사고'를 낳게 된다.

어떻게 하면 팀 코치와 조직 컨설턴트가 부분의 합 이상이 되도록 리더십 팀의 개발을 도울 수 있을까? 팀과 팀 개발에 대해 가졌던 제한적인 가정을 살펴보고 나서 가장 효과적인 팀의 특성에 대한 연구로 들어가 보자.

팀 개발에 대한 제한적인 가정

지금까지 팀 코칭이 관심을 받지 못한 이유 중 하나는 그에 대한 잘못된 가정이 있기 때문이다. 〈표 4.1〉은 바뀌어야 하는 사고방식과 깨달음을 주는 전환을 보여준다. 제한적인 사고방식의 영향에서 벗어나면 효과적인 팀 개발을 할 준비가 된 것이다.

表 4.1 **팀 개발 작업에 있어서 10가지 제한적 사고방식: 자극**

제한적 사고방식	처방
1. 팀 빌딩은 팀이 처음 형성될 때만 필요하다.	최고의 팀은 평생 학습과 개발에 참여한다.

제한적 사고방식	처방
2. 팀 개발은 관계에 문제가 생겨서 해결이 필요한 때에만 필요하다.	관계 문제를 해결하기 위해 이혼 법정에 왔다면 너무 늦은 것이다!
3. 팀의 성과는 팀 구성원 개개인의 성과의 합이다.	팀은 부분의 합보다 크게 이룰 수도 있고 부분의 합보다 작은 결과를 낼 수도 있다. 팀이 가치를 더하는 것에 집중하는 것이 중요하다.
4. 팀 개발은 서로의 관계에 관한 것이다.	팀 개발은 팀의 모든 이해관계자와 폭넓은 조직의 목표를 정렬하는 방법을 포함한다.
5. 팀 개발은 회의 개선에 관한 것이다.	팀 또는 팀의 하위 부분, 팀의 이해관계자들이 결합할 때 팀 성과가 발생한다. 팀 회의는 경기가 아니라 훈련장이다.
6. 팀 개발은 사무실 밖으로 나가서 진행하는 워크숍에서만 일어난다.	팀 개발에는 사무실 밖에서 진행되는 워크숍이 도움이 될 수 있지만 핵심적인 개발은 함께 협력하여 일하는 동안에 이뤄진다.
7. 팀 개발은 서로를 신뢰하는 팀에 관한 것이다.	특히 업무 팀에서 서로 간의 절대적인 신뢰란 불가능한 목표다. 불신을 공개적으로 거론할 정도로 신뢰하는 팀을 목표로 하는 게 더 유용하다.
8. 갈등은 나쁜 일이다.	갈등이 너무 많거나 아주 없는 건 팀에 도움이 되지 않는다. 위대한 팀은 더 큰 시스템의 요구에 부응하기 위해 창조적으로 갈등을 활용한다.
9. '함께 같은 일을 하지 않으면 우리는 팀이 아니다.'	팀이란 구성원들이 함께 적극적으로 일함으로써 성공적으로 완수되는 공유된 기업이라고 정의된다.
10. 팀 개발은 그 자체가 목적이다.	팀의 비즈니스 성과 향상에 연결되는 팀 개발만이 가치가 있다.

고성과 팀

카제바흐와 스미스(Katzenbach and Smith, 1993a)의 연구는 효과적인 팀에 대한 최고의 연구 중 하나이다. 그들은 팀을 '공동의 목적과 성과 목표를 위해 헌신하는 서로 보완적인 스킬을 가진 적은 수의 사람들로서 서로에게 상호 책임을 지닌다.'고 정의한다.

팀은 단지 팀 리더에게 진행 상황을 보고하기 위해 함께 하는 '작업 그룹'이 아니다. 팀은 특정한 목적을 가지고 공동으로 과업을 수행하며 상층을 향해서만이 아니라 서로에게 상호적으로 책임을 진다. 카제바흐와 스미스의 발견에 따르면 고성과 팀은 다음과 같은 공통된 특징을 보인다.

- 목적과 목표의 공유와 소유
- 특정한 성과 목표의 공유
- 접근 방식의 공유
- 상호 책임
- 상호보완적인 기술
  - 기술적/기능적
  - 문제 해결/의사결정
  - 대인관계

우리는 BCG의 효과적인 팀들과 연구를 수행하는 과정에서 시스템적 팀 코칭을 개발했다. 그 결과 카제바흐와 스미스의 정의에 더해서, 집단이 팀이 되는 것만이 아니라 더 나아가 효과적인 팀이 되는데 필요한 네 가지 주요 요인을 제안하게 되었다. 그건 다음과 같다.

- 효과적인 회의 및 내부 소통을 할 수 있는 능력
- 팀의 주요 이해관계자에게 팀을 대표하여 개별적 및 집단적으로 일할 수 있는 능력으로, 그들을 참여하도록 강력하게 이끈다.
- '학습 시스템'으로서의 팀은 지속적으로 성과와 집합적 수행능력과 능력을 개발할 뿐만 아니라, 구성원 각자의 수행능력과 능력을 향상시킨다.
- 팀에서는 갈등의 견제와 해결, 한 방향 정렬, 지지의 제공, 사기와 몰입의 고양 등 정서적인 작동이 이루어진다.

그래서 우리는 카제바흐와 스미스의 정의를 다음과 같이 확대했다.

'공동의 목적과 성과 목표를 위해 헌신하는 서로 보완적인 스킬을 가진 소수의 사람들로서 서로에게 상호 책임을 지닌다. 공유된 접근법으로 개인과 팀이 지속적으로 배우고 발전할 수 있도록 효과적인 미팅 방식, 사기 진작과 한방향 정렬을 위한 의사소통, 모든 주요 이해관계자 그룹의 효과적인 참여 등이 포함된다.　　　　　　　　　　　　　　　　　(Hawkins, 2011a)

이 짧은 정의 안에는 효과적인 팀의 10가지 측면이 포함되어 있다.

1. **소수의 사람들**: 상한 숫자는 없지만 팀 구성원이 다른 구성원과 관계를 맺지 않게 될 때, 일부 구성원이 방관자가 되거나, 하위 그룹이 생겨날 때가 한계라고 할 수 있다. 어떤 팀은 최대 20명 내에서도 매우 효율적으로 기능하지만 보통 구성원이 10명 이상이 되면 이런 한계가 발생한다.
2. **상호 보완적인 기술**: 차이 있는 사람을 모아라. 팀은 차이가 있는 구성원을 모집하기 위해 의식적으로 노력해야 하고 때로는 서로 보완적인 기술을 어떻게 잘 활용할지에 대해 도움을 받을 필요가 있다. 차이에는 다음의 것들이 포함된다. 다른 기술 및 기능적인 전문 지식, 문제 해결 및 의사결정 능력 등 다양한 팀의 기술, 서로 다른 대인관계 스타일(Belbin, 2004 참조. 12장. 팀 역할)
3. **헌신하는**: '동의'와 '함께 가려는 의지'를 혼동하지 말라. 헌신은 집단적 노력에 대해 능동적이고 하나가 되고자 하는 참여이다.
4. **공동의 목적**: 팀은 각자 분리되어 행동하는 개인들의 집단으로는 이룰 수 없는 집단적 노력을 할 수 있을 때만 존재할 수 있다. 하지만 공동의 목적과 공동의 노력에 대해 명확히 하고 이에 대해 동기를 부여하는 점을 명료하게 하는 팀은 매우 드물다.
5. **성과 목표**: 공동의 목적은 구체적이고 측정 가능하고 실행 가능한 성과 목표로 전환된다. 이러한 목표가 없다면 목적은 좋은 의도와 높은 포부에 머물게 된다. 팀의 성과 목표는 팀을 구성하는 개인 목표의 합보다 더 커야 하며, 팀이 함께 일해야만 달성될 수 있는 목표라야 한다.
6. **공유된 접근법**: 공동의 목적 달성과 성과 목표의 달성을 위해 함께 일하는 최선의 방법에 동의하는 것이다. 공유된 접근법에는 팀이 채택하는 원칙과 프로세스, 프로토콜, 이를 점검하고 검토하는 방법이 포함된다.

7. **서로에게 상호 책임지기**: 팀에 대한 책임이 명목상의 팀 리더에게만 있지 않고, 모든 팀 구성원에게 집단적으로 책임이 유지되고 있는지 확실히 한다.

8. **사기를 높이고 한방향으로 정렬하는 효과적인 회의와 의사소통**: 토론과 효과적인 의사결정 등의 팀 프로세스는 사람들을 한 방향으로 정렬하고 사기와 에너지를 높인다.

9. **모든 주요 이해관계자의 효과적인 참여**: 구성원은 팀을 대표하며, 다른 사람을 통해 성과를 창출하는 방식으로 팀의 다양한 이해관계자들이 참여하게 한다.

10. **지속적인 학습과 개발**: 고성과 팀은 지속적으로 스스로의 집단 능력을 키워갈 뿐 아니라 팀 구성원 모두에게 개인의 학습과 개발을 제공한다.

카제바흐와 스미스(1993b)는 효과적인 팀이 어떻게 고성과 팀으로 발전할 수 있는지에 관한 독창적인 연구를 내놓았다. 그들은 고성과 팀을(작업 그룹과 다르게) 팀의 모든 조건을 충족하고 그에 더해 '다른 개인의 성장과 성공을 위해 깊이 헌신'하는 팀으로 정의하였다(1993b: 92). 그들의 연구는 서로의 성장과 성공을 위한 노력을 더 하는 것이 고성과 팀의 고유한 특성의 하나라는 것을 보여주는 것으로 진전되었다.

● 예외적인 성과 – '팀 구성원 자신들을 포함해서 그룹의 합리적인 기대를 능가하는 성과를 냄'(p. 128)
● 높은 수준의 열정과 에너지
● 기꺼이 추가 업무를 하는 개인적 헌신
● '활력을 불어넣는 사건들'에 대한 대단한 이야기 – 그들의 역사에서 역경을 극복했던 전환점
● 일반적인 팀보다 더 재미있고 유머가 넘침

마지막으로 저자는 에필로그에서 고성과 팀을 '거부할 수 없는, 자신보다 큰 무언가에 헌신하는 사람들의 소규모 집단'(p. 309)이라고 단순하게 정의했다.

간단하지만 강력한 이 진술은 고성과 팀을 코칭하거나 이끌려는 모든 사람들에게 도발적인 도전을 준다. 팀이 열정과 헌신을 쏟아낼 강력한 목적을 발견하도록 어떻게 도울 것인가?

팀 코칭이란 무엇인가?

2006년, 이 책의 초판에서 우리는 팀 코칭을 이렇게 정의했다.

'팀의 사명을 명확히 하고 외부 및 내부 관계를 개선함으로써 팀이 부분의
합보다 더 나은 기능을 하게 하는 것'

팀 코칭은 리더가 팀을 이끄는 방법에 대해 코칭하는 것 혹은 그룹 환경에서
개인을 코칭하는 것과는 다르다. 여기서 그와 관련된 걸 다루긴 하지만.

피터는 팀 퍼실리테이션, 팀 빌딩, 팀 개발 및 팀 코칭 사이의 차이를 명확히
하기 위해 많은 연구와 작업을 해왔다(Hawkins, 2011a: 53–62). 그는 팀 코칭은 시간
에 걸친 관계로서, 주된 고객이 전체로서의 팀이며 초점은 집단적 성과와 팀의 프
로세스, 팀의 내부 관계 및 넓은 이해관계자와의 관계 모두에 있다고 했다. 그는
다음과 같이 정의를 내린다.

시스템적인 팀 코칭은 팀 코치가, 함께 일하는 팀이든 떨어져 일하는 팀이
든 전체 팀과 일하면서 집단적인 성과와 작업 방식 모두를 향상시키도록
돕는 프로세스로서, 모든 주요 이해관계자 그룹과 함께 더 큰 사업의 변혁
에 보다 효과적으로 참여하기 위해서 집단적 리더십을 개발하는 프로세스
이다.
(Hawkins, 2011a: 60)

이 정의의 각 측면을 보면 각각의 요소들이 어떻게 결합되는지 알 수 있다.

- **팀 전체와 함께**: 팀 코칭은 팀 구성원을 연달아 코칭하는 것과 다르며, 팀
  을 이끄는 방법에 대해 팀 리더를 코칭하는 것과도 다르다.
- **함께 일하는 팀이든 떨어져 일하는 팀이든**: 어떤 팀은 함께 있을 때에만
  팀인 것처럼 행동한다. 그러나 팀은 미팅 사이에도 기능하며, 팀원이 팀을
  대신하여 활동을 수행할 때에도 기능한다. 마치 축구팀이 훈련장에서 연습
  하는 것처럼 팀원이 외부에 나가 담당 사업에 대해 팀을 대표하고 나서 복
  귀하는 것이다.

- **집단적인 성과와 작업 방식 모두를 향상시키기**: 클러터벅(Clutterbuck, 2007), 핵크맨과 웨이지맨(Hackman and Wageman, 2005), 호킨스와 스미스(2006)가 공통적으로 지적하는 점은 팀 코칭이 프로세스를 개선할 뿐만 아니라 팀의 집단적 성과에 영향을 미칠 수 있다는 점이다.
- **집단적 리더십의 개발**: 고성과 리더십 팀은 집단적인 능력을 개발하기 위해서 팀으로서 함께 시간을 쓴다. 사업의 모든 측면에서의 일치성과 참여를 높이는 방식으로.
- **모든 주요 이해관계자 그룹과 함께 보다 효과적으로 참여**: 집단적 리더십을 발휘할 대상은 사업의 내부적 실행과 변화만이 아니라 다양한 이해관계자들과 일치, 한방향 정렬, 변혁의 방법 등이다. 이해관계자에는 고객, 공급 업체, 파트너 조직, 직원, 투자자, 규제자, 이사회 및 조직이 속한 지역 사회가 포함된다.
- **함께 더 큰 사업의 변혁을 이루기**: 이를 위해서는 단지 변화하는 상황에 대응하거나 팀의 명백한 책임을 지는 것만으로는 충분하지 않다. 팀은 또한 더 큰 비즈니스와 더 넓은 시스템 맥락을 개발하기 위해 영향력을 미치는 방법에 대해 책임을 져야 한다. 이는 다른 사람(직원, 고객, 공급 업체, 투자자 등)의 리더십을 이끌어내는 데 초점을 맞춤으로써 이루어진다.

5가지 원칙 모델

초판에서 피터는 팀 코칭을 다루면서 고성과 팀과 팀 코칭 둘 다를 목적으로 호킨스 5가지 원칙 모델을 개발했다(〈그림 4.1〉 참조). 이 모델은 현재 많은 나라에서 시스템적 팀 코칭 훈련 프로그램에 사용되고 있다.

수임(Commissioning)

팀이 성공하려면 팀을 있게 만든 사람들로부터 부여받은 임무를 명확히 해야 한다. 분명한 목적과 나중에 팀이 평가 받을 성공 기준도 있어야 한다. 이사회의 역할은 (리더십팀 혹은 고위경영자팀의 경우) 이 미션을 이루어낼 수 있다고 믿는 바람직

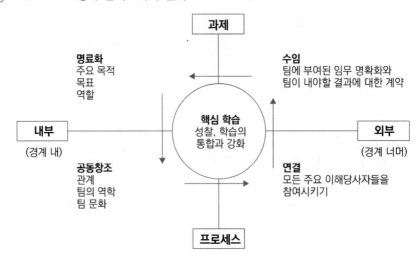

☞ 그림 4.1 고성과 팀의 5가지 원칙

한 팀 리더를 임명하는 것이다.

명료화(Clarifying)

새로운 팀이 외부의 위임에 따라 구성되고 나면 팀이 해야 할 첫 번째 과업은 스스로의 임무를 내부적으로 명료하게 하고 미션을 개발하는 것이다. 아래에서 보겠지만 미션을 함께 만드는 과정은 팀 전체에 주인의식과 명료성을 높여준다. 미션에는 팀의 다음 사항들을 포함한다.

- 목적
- 전략적 목표와 목적
- 핵심 가치
- 규약 및 일하는 방식
- 역할과 기대
- 성공을 위한 강력한 비전

공동 창조(Co-creating)

모든 사람이 사인을 한 명확한 목적과 전략, 프로세스 및 비전을 가지는 것과 이걸 실행하는 것은 전혀 다른 일이자 도전이다. 미션이 성과에 도움이 되고 효과적인 영향을 주려면 팀은 끊임없이 어떻게 창조적이고 생산적으로 함께 일할지에 대해 관심을 가져야 한다. 이는 팀이 부분의 합을 뛰어 넘어 잘 기능할 때는 물론이고 부정적 패턴과 자기 제한적인 신념과 가정이 팀을 방해할 때도 잘 인식해야 함을 의미한다.

연결(Connecting)

미션이 정립되어 무엇을 할지, 함께 어떻게 공동 창조를 할지가 명확해졌다 해도 그건 필수조건이지 충분조건은 아니다. 팀과 조직의 성과 향상을 이끌어내는 이해관계자 관계를 새롭게 변화시키는 방법에 어떻게 팀이 참여하느냐를 통해서 가능해진다.

핵심 학습(Core learning)

이 다섯 번째 원칙은 다른 네 개의 중앙, 위에 있다. 여기서 팀은 뒤로 물러서서, 팀의 성과와 다중적 프로세스를 돌아보면서 다음 사이클을 준비하는 학습을 통합해낸다. 이 원칙은 성과만이 아닌 모든 팀 구성원의 학습을 지원 개발하는 것과 관련이 있다. 모든 고성과 팀은 두 프로세스에 대한 높은 의지를 가지고 있다.

고성과 리더십 팀은 다섯 개의 모든 원칙을 효과적으로 수행해야 한다. 이러한 원칙은 암묵적이지만 지속적인 사이클이다. 팀이 변화를 일구어 냈다면 팀과 특히 리더는 새로운 임무를 **다시 부여 받아** 운영할 정당성을 부여받는다. 정치인이 유권자로부터 다시 권한을 부여받기 위해 노력하는 것과 같다. 리더십 팀은 다음 변혁적 변화 등을 위하여 다시 이사회와 이해관계자로부터 지지를 얻어야 한다. 이는 팀으로서 다시 방향을 정렬하고 변화를 가져와야 할 이해관계자와 **다시 연결되는 한편,** 내부 미션을 **재명확화**하고 새로운 의제의 실행을 위해 효과적으로 함께 일하는 새로운 방식을 **공동으로 창조할 것을** 요구 받는 것이다.

팀 코칭: CID-CLEAR 프로세스

피터는 팀 코칭 관계에 필요한 과정 단계를 정의하기 위해 CLEAR 코칭 모델 (제2장 참조)을 적용하였다. 이는 팀 코칭에 필요한 다음과 같은 사전 단계를 포함한다.

- 초기의 탐색적 토론. 보통 팀의 게이트 키퍼와 팀 리더와 하며, 팀 스폰서 와 함께 할 수도 있다.
- 팀의 현재 기능 프로세스와 바라는 것, 코칭 필요성 등에 대한 몇 가지 형태의 질문
- 팀의 현재 상태와 개발 목표, 가능한 코칭 과정 설계에 대해 팀과 함께 공동 창조된 몇 가지 형태의 진단

이는 CID-CLEAR 모델(Hawkins, 2011a)로 이어졌다.

- Contracting 1(계약 1)
- Inquiry(질의)
- Diagnosis, discovery and design(진단, 발견 및 설계)
- Contracting 2(계약 2)
- Listening(경청)
- Exploring(탐색)
- Action(행동)
- Review(검토)

개별 코칭에서 이 흐름은 절대 선형적이지 않다. 경청 단계의 전이나 후에 다시 계약 단계로 돌아가기도 하고 탐색과 행동의 사이클을 여러 번 반복한다. 검토 단계에서 때로는 재계약이 일어날 수도 있다.

계약 1: 초기의 탐색적 논의

코칭 프로세스는 초기 논의로부터 시작하지만, 팀 구성원과의 이러한 초기

대화를 전체 팀과의 전체 계약 프로세스와 혼동하지 않아야 한다. 이 단계에서 유용한 질문은 다음과 같다.

- 당신은 왜 지금 팀 개발의 도움을 원하는가? 그 배경을 알 수 있는 역사에 대해 조금 말해 달라.
- 왜 나/우리인가? 또 누구와 의논하고 있는가?
- 누구의 아이디어였나? 모든 사람들이 이에 대해 동의하는가?
- 이전에 팀 개발에 도움을 받은 적이 있는가? 무엇이 효과적이었고 효과가 없었던 것은 무엇인가?
- 당신은 팀 코칭을 어떻게 이해하고 있는가?
- 이 팀 내에서 이야기할 수 없는 것은 무엇인가?
- 팀에게, 팀 구성원과 팀의 이해관계자 입장에서는 팀 코칭이 성공적이라는 걸 어떻게 알겠는가?

질의 과정

질의 단계는 다양한 형태로 진행되지만, 가장 핵심적인 것은 팀과 팀의 성과, 기능과 역동에 대해 알 수 있는 관련 자료를 수집하는 것이다. 팀 구성원들과 그들간의 관계 및 집단으로서의 팀과 그들에 대한 위임자와 이해관계자와의 관계도 포함한다. 팀 코치는 다음 중 하나 이상을 수행할 수 있다.

- 팀의 각 구성원과 개별적으로 반 구조화된 미팅을 한다.
- 각자에게 팀에 대한 인식과 무엇을 필요로 하는지에 대해 묻는 설문지를 보낸다.
- 팀이 상호작용하는 모든 주요 이해관계자들에게 팀에 대한 360도 피드백 설문지를 보낸다.
- 가장 중요한 이해관계자와 추가적인 대화를 한다. 고위 경영팀과 작업을 할 때 피터는 이사회 의장을 인터뷰하고 그들에게 보고하는 직속 부하들의 피드백을 수집한다.

반 구조화된 인터뷰는 여러 가지 기능을 하기 때문에 주의 깊게 균형을 유지해야 한다.

- 팀 구성원 각자와 관계를 구축하고 작업에 합의하는 것으로서, 그들은 당신이 들어준다고 느끼고 당신은 그들의 현실을 이해하게 된다. 이는 당신이 팀 코치로서 신뢰를 구축하는 데 도움이 된다.
- 비교 가능한 질 좋은 데이터를 수집한다. 이를 위해서는 모든 인터뷰에서 동일한 구체적인 질문을 해야 한다.
- 우뇌가 아는 것뿐만 아니라 분석적인 좌뇌의 대답을 이끌어내는 질문을 한다.
- 놀라운 긴급 이슈와 데이터에 대해 개방적인 태도를 갖는다.
- 인터뷰 대상자들이 왜 당신이 여기에 와 있는지, 어떻게 작업을 하려고 하는지를 보다 잘 이해하게 된다.

각 인터뷰의 시작부터 인터뷰의 목적과 경계를 명시하고 양 당사자에게 이것이 얼마나 가치 있는지 동의하게 하고, 데이터가 어떤 개인에게서 나왔는지 알리지 않을 것임을 분명히 해야 한다. 대신 한 명 이상에게서 나오는 패턴과 이슈를 팀 전체에 공유할 것이라는 점도 분명히 한다. CLEAR 단계는 이러한 초기 인터뷰에 적용된다. 계약을 맺은 다음 적극적으로 잘 경청하고, 떠오르는 이슈를 탐색하고, 개인과 코치가 다음 인터뷰와 마지막 리뷰를 하는 것에 동의하는 것이다. 이렇게 해서 이것이 코칭의 서막이자 실제 코칭의 시작이라는 걸 알게 해준다.

개별적인 인터뷰 이외에 하나 이상의 설문을 사용할 수 있다. 호킨스(ZOlla: 71)는 질문 목록과 각각이 언제 유용한지를 〈표 4.2〉와 같이 제안한다.

팀의 기능에 대한 데이터를 수집함과 동시에 팀의 성과에 대한 데이터를 수집하는 것이 핵심이다. 많은 팀에서 이는 이미 존재하고 팀 코치에게 제공할 수 있다. 아래의 것들이 포함될 수 있다.

- 팀의 균형성과기록표(balanced scorecard)와 목표에 대한 팀의 실적 또는
- 팀의 우선순위 목표와 현재 진행 상태

* 고객, 공급자, 파트너, 투자자 피드백
* 이 팀이 직원들에게 어떻게 보이고 있는지, 팀이 가치를 주는지, 팀이 어떻게 달라지길 바라는지를 보여주는 직원 태도 조사
* 이전에 행해진 팀 360도 피드백

☞ 표 4.2 **질문지**

질문	사용 시점
'당신 팀은 어떤 팀인가' 설문지	팀이 헌신하는 팀이 될지 또는 단지 작업 집단에 머무를지 기로에서 갈등 중인 경우
BCG의 고성과 팀 설문지	팀이 실제 팀이고 고성과 팀이 되기 위한 방법을 모색하고 코치 받기를 원하는 경우
Lencioni(2005)의 다섯 가지 역기능 설문 조사	팀이 내부 팀 역학에 어려움을 겪고 있을 때
기술 분석을 포함한 팀 360도 피드백	위임자 및 이해관계자가 팀을 어떻게 보고 있는지에 대한 믿을만한 데이터가 부족할 때
Belbin의 팀 역할 분석	팀이 잘 기능하지 못하는 게 명백하거나 내부 자원이 제대로 활용되지 못하는 경우
팀 MBTI 성격유형 설문 조사	팀 구성원이 몰입과 의사소통, 협력에 어려움을 겪고 있고 내부의 오해의 수준이 높을 때

진단, 발견, 설계

괜찮은 팀에서 고성과 팀으로 변화하려는 팀을 대상으로 성과 데이터와 설문지, 인터뷰를 분석해야 할 때, 다섯 가지 원칙 모델을 사용하면 팀이 잘 기능하는 곳은 어디고 어려움을 겪는 곳이 어디인지를 알게 된다. 다섯 가지 원칙 모델로 분석하면 팀 코칭을 해나갈 순서를 결정하는 데도 도움이 된다.

초기 발견과 진단을 하고 나면, 팀 코치는 막 발견한 것에 기반해서 몇 가지 가능한 코칭 여정의 스케치를 시작할 수 있다. 이것은 초안 스케치여야 하는데 왜냐하면 진짜 여정은 팀과 공동으로 설계해야 하기 때문이다.

계약 2: 팀 전체와 작업의 결과와 방법에 대해 계약

초기 계약과 조사 및 진단이 수행되고 나면 전체 팀과 만나 전체 팀 코칭의 목표, 프로세스 및 프로그램을 계약하면 된다. 이 초기 미팅에서 팀 코치는 팀과 다음과 같은 목표를 공유할 수 있다.

- 팀의 현재 상태를 모두의 눈으로 보기 위해서
- 코칭 프로세스가 끝날 때 팀이 되기 바라는 모습이 어떤 것인지에 모두가 합의하기 위해서
- 코칭에서 집중해서 다루어야 할 필요가 있는 것이 무엇인지 결정하기 위해
- 최고의 가치를 달성하기 위해서는 어떻게 함께 일할지를 결정하기 위해서
- 코칭 여정 지도가 어떻게 되어야 할지

몇 가지 형태의 질의와 초반 의미 형성 과정을 수행했다면 이제는 이를 전체 팀에 돌려주는 방법을 찾아야 한다. 팀이 참여하는 방식으로, 무조건 수용하는 것도 아니고 피드백을 거부하는 것도 아닌, 집단적인 진단이 갖는 의미를 전달하는 것이다. 그러므로 의미를 확실하게 파악하기 어려울 정도로 화려하게 치장된 리포트를 만들기 보다는, 그들이 관심을 가질 흥미로운 점을 보여주는 데 초점을 맞춰야 한다. 목적은 '있는 그대로 말'(비록 필요하다고 해도)하는 것이 아니고 참여와 공동 질의의 실제적인 에너지를 생성하는 것이다.

팀을 참여시키는 한 가지 간단한 방법은, 데이터들을 늘어놓은 다음 팀원들이 이를 우선순위로 분류하게 하는 것이다. 팀 코치로서 팀이 성과를 내는 데 있어서 주요 촉진 요소와 장애 요소를 작성하였다면, 전체 결과에 우선순위를 매기기 전에 팀을 소그룹으로 나누어 그들이 추가하거나 수정할 사항이 있다면 공유해달라고 요청할 수 있다.

팀의 현재 상태와 원하는 변화를 위해 요구되는 게 무엇인지에 대한 공유된 시각을 갖게 되면, 그 다음으로 코치는 팀을 팀 코칭 과정에서 구성원들이 얻고자 하는 것과 팀과 팀 구성원 개개인, 조직, 이해관계자들에게 성공이란 무엇인지 구체적으로 합의할 필요가 있다. 이는 다음 질문에 대한 대답을 팀이 함께 문장으로 완성하도록 요청하여 수행할 수 있다.

- 이 팀 코칭이 … 면 개인으로서 우리에게 성공이다.
- 이 팀 코칭이 … 면 팀으로서 우리에게 성공이다.
- 이 팀 코칭이 … 면 우리 조직에게 성공이다.
- 이 팀 코칭이 … 면 의뢰인/고객/이해관계자에게 성공이다.

그 다음 팀 구성원에게 팀 코칭 성공을 위해 각자에게 필요한 것은 무엇이고 팀 코치인 우리에게 필요한 것이 무엇인지 묻는다. 이 과정은 팀과 코치가 함께 일하는 관계에 대한 합의를 포함한 계약의 두 번째 영역이다. 다음 사항들이 포함되어야 한다.

- **실제적 사항들**: 코칭의 시간, 빈도, 장소, 세션에 개입하거나 연기할 수 있는 조건, 포함된 비용 등에 관한 설명 등
- **경계**: 비밀유지를 포함한 경계 설정. 코치는 관계의 경계를 넘어서 얻어야 하는 정보가 무엇인지 명확히 해야 한다. 어떤 상황에서, 어떤 방법으로, 누구로부터 정보를 얻을 것인지. 모든 상황을 다 예상할 수는 없지만 이렇게 전반적인 논의를 하고 나면 나중에 배신감을 느낄 가능성도 낮아진다. 또한 팀 코치로서 스스로의 슈퍼비전에 대해 명확히 하는 데도 유용하다.
- **윤리**: 쌍방이 서로에게 직업적인 윤리 강령을 분명히 하는 것이 중요하다.
- **업무 협약**: 상호 기대를 공유하고 양 당사자 사이의 신뢰, 존중과 선의의 성장을 위한 기반이 되는 간단한 기본 규칙을 개발함으로써 업무 협약이 시작된다.
- **코칭 여정과 다양한 종류의 일 속에서 코칭 관계가 작동하는 방식**: 팀 코치가 초기 스케치 또는 팀 코칭 진행지도의 스케치를 공유하거나 혹은 팀 구성원에 의해 내용을 추가하는 단계다. 일하는 관계에서 도움이 되는 것은 무엇이고 도움이 안 되는 것은 무엇인지 논의함으로써 팀 코치가 이벤트를 진행하거나 정규 회의에 참석하는 일 혹은 다른 주요 이해관계자와 함께 참여하여 진행하면 어떨지 등에 대한 규칙을 정하는 데 도움이 된다. 예를 들어 언제 어떻게 코치가 개입할 것인지, 회의 사이에 어떤 접촉을 할지, 팀 코치가 팀 리더나 HR 디렉터와 회의를 할지, 그에 따라 무엇이 공유되고 논의될지에 대해서 규칙을 정하는 것이다.

- **더 큰 조직과의 계약**: 팀 코칭은 개인 코칭에서의 3자간 혹은 4자간의 계약과 같다. 이 계약은 팀 코치가 조직의 주요 이해관계자 인터뷰 및 팀에 대한 360도 피드백에서 나오는 내용을 요약해서 공유하는 것과 팀 구성원들에게 이해관계자들의 합당한 기대를 어떻게 충족시킬 수 있는지를 코칭 프로세스 안에서 질문하는 것으로 이루어질 수 있다. 또 다른 방식으로는 팀 구성원이 직접 나가서 주요 이해관계자들을 인터뷰한 후 팀이 지금 성과가 어떻고 앞으로 어떤 변화와 발전이 요구되는지에 대한 그들의 기대를 공유할 수도 있다.

어떤 경우에는 주요 이해당사자들과 2차적인 계약 미팅을 하여 주문사항을 반영하고 그들의 원칙과 연결시키기도 했다.

명확한 계약은 팀 코칭의 성공을 위해서뿐만 아니라 팀 구성원들 간에 계약을 맺는 방식의 모델이 되기 때문에 중요하다.

경청

팀 개발과 팀 코칭에 대한 명확한 계약이 성립되면, 이제는 CLEAR 모델의 경청 단계로 이동해서 계약 단계에서 이슈를 관찰하고 경청할 수 있게 된다. 참여의 4단계 모델을 사용하여(2장 참조) 팀 코치가 경청을 하도록 격려하고 훈련시킨다.

- 보고/토의된 자료 내용과 합의된 팀 사명과의 관계(5장, p. 128)
- 팀의 행동 패턴
- 감정 표현과 관계성(은유와 비언어적 소통을 통한)
- 팀의 가정, 사고방식과 동기 및 구성원들이 말하는 내용과 방식

이 경청의 과정은 능동적이라야 하며, 팀 코치는 언어적 비언어적 의사소통에서 들은 핵심 내용을 되돌려 주되, 팀이 막혀 있는 곳과 방해 패턴을 알 수 있도록 지원하고 증폭하는 두 가지 방식으로 한다. 이 단계에서 팀 코치는 새로 왔고 외부 사람이라는 특권을 이용하여 의도적으로 다음과 같은 순진한 질문을 할 수 있다.

- 회의의 목적은 무엇인가?
- 서로에게서 무엇을 기대하는가?
- 회의가 당신과 이해관계자에게 진정한 가치를 창조하였는지 어떻게 알 수 있는가?
- 당신 팀이 기대한 대로 기능을 한다면 구체적으로 무엇이 달라질 것인가?

탐색과 실험

이 단계는 질의와 경청 단계를 통해 나타난 이슈, 계약을 통해 합의된 이슈들을 탐구하고 팀이 어떻게 이를 새로운 방식으로 운영할지 살펴보는 단계이다. 이 부문에서 호킨스 모델의 다섯 원칙의 각각에 대해 탐색적 개입의 예를 제시한다. 특정 팀의 필요에 맞게 선별해서 제시할 것이다.

만약 계약, 질의, 진단, 설계 단계에서 팀의 기본적 미션이 명료하지 않은 상태라면, 팀에 워크숍을 제안하고 팀의 목적을 규정하는 책임 부서와의 합동 회의를 통해 상호간의 기대를 명확히 하도록 해야 한다(원칙 1). 만약 팀이 더 큰 조직으로부터 확실히 부여 받았는데도 목표, 목적과 계획이 불명확하다면 탐색 단계에서는 미션을 분명히 하여 팀의 전략적 계획이 명확해지게 조정하는 데 초점을 두어야 할 것이다(원칙 2).

어떤 팀은 내부적 관계와 팀 역학을 포함해서 어떻게 서로 공동 창조(co-create)할 것인지에 집중할 것이며(원칙 3), 다른 팀은 어떻게 핵심 이해당사자들과 연결을 강화할지에 집중할 것이다(원칙 4). 마지막으로, 대부분의 팀은 구성원들에게 배움과 개발 기회를 제공할 뿐 아니라 집단 독립체로서 팀이 어떻게 배우고 집단 능력을 발전시키는지 한 발 물러서서 바라볼 시간이 필요하다(원칙 5).

이제 팀 코칭이 어떻게 다섯 원칙의 적용을 '탐색'하는지 간단히 예를 들어 보자.

탐색: 원칙 1 개입(수임; Comissioning)

'탐색' 개입이 어떤 것인지 보여주기 위해서 팀의 미션을 어떻게 명확히 하는지 살펴보자.

우리는 남아프리카 공화국에서 Outspan과 Unifruco(Cape Fruit)가 Capespan으로 통합하는 과정을 함께 할 당시, 조직의 미션을 함께 공동 창조하기 위해 이사진과 고위경영진의 팀 워크숍을 열었다. 이렇게 하자 이전 회사 각각에서 임원과 임원 아닌 사람들, 과수업자 즉 공급자들, 남아프리카 공화국의 핵심 사업 책임자들, 국제 마케팅 책임자들을 포함해 그야말로 다양한 관점을 확실히 포괄할 수 있었다. 이렇게 광범위하게 참여가 이루어지니 논의 결과에 대해서도 주인의식을 더 크게 갖게 되었다.

그런 후 선언서를 완성하기 위해 이사진과 경영진 양쪽에서 팀원을 내도록 했다.

1. '우리 조직의 **주요 목적**은 …'
2. '일을 어떻게 해나갈지에 대한 지침이 되는 조직의 **핵심 가치**는 …'
3. **전략**: '우리 조직이 중점을 두는 것은 …'; '이 분야에서 다른 조직과 차별화되는 우리의 독특한 능력은 …'
4. **비전**: '만약 우리 조직이 기적처럼 목적을 달성하고, 전략을 이행하고, 핵심 가치를 실현하는 데 성공한다면, 우리가 2년 동안 보고 듣고 느낄 것은 …'

팀 구성원들이 만들어낸 답변이 중요한 이유는 이를 통해 관점의 다양성이 극대화되고, 각 관점이 다른 아이디어를 만들어내는 토대가 되며, 결국 함께 창작한 문서로 남기 때문이다.

어떤 이사회는 경영진이 사명선언서 초안을 먼저 만들고 직원들이 여기에 비판이나 의견을 더할 수 있도록 해서, 효과를 증폭시켰다. 이와 달리 어떤 경우에는 경영진 팀과 이사회가 각각 사명선언서를 만들고, 상대 그룹에 대한 기대사항과 피드백을 주고 받기도 했다. 이렇게 평행 프로세스로 탐구를 하면 두 그룹이 대화를 하는 것과 같아서 둘을 합친 것 이상의 의미를 가진 세 번째 사명선언서를 만들어내게 된다. 양쪽 그룹 모두에게 좋은 학습의 기회였다.

● 탐색: 원칙 2 개입(명료화; Clarifying)

이 단계에서는 사명을 로드맵(road map)으로 만드는 데 초점을 둔다. 명확하고 완전히 합의된 사명이 나오고 나자, Capespan의 경영팀은 이를 명확한 실행 계획으로 만들어야 했다. 팀 코치로서 우리가 이 단계에서 제기한 핵심 질문들은 다음과 같다.

- 우리는 어떻게 목적을 달성해 나가는가? 전략적 초점을 유지하는 범위에서 핵심 가치를 지키면서, 어떻게 비전으로 다가갈 수 있는가?
- 목표를 향해 나아가는 걸 보여주는 이정표(milestone)와 평가지표(score card)는 무엇인가?
- 다음 핵심 전략적 행동은 무엇인가?
    - 하나의 전체 팀으로서 일하기 위한
    - 하위 그룹이나 프로젝트 팀에 할당해야 하는
    - 개별 팀원에게 할당해야 하는
- 어떻게 팀이 평소처럼 사업에 집중하면서 동시에, 성공적 합병을 위한 핵심 활동에도 집중하게 할 것인가?

탐색: 원칙 3 개입(공동 창조; Co-creating)

공동 창조 원칙을 적용하는 것으로서, 여기서는 팀이 서로 관계하는 방식과, 합의된 목표로 가는 데 있어서 방해요소와 지원요소를 설명하겠다. 정기적이고 집중적으로 함께 일하는 팀들은 정기적으로 일에서 벗어나서 어떻게 자신들이 개별적으로 집합적으로 일하고 있는지, 그들이 속한 더 큰 시스템과 어떻게 연관돼 있는지 살펴볼 필요가 있다. 이건 여행이나 팀 개발 워크숍, 외부 팀 코치와의 세션 형태일 수도 있고 더 큰 조직 차원의 변화와 개발 프로그램의 일부로 행해질 수도 있다.

팀이나 그룹이 자체 역동을 관리하는 방식이 어떤 것이든, 무엇이 일어나는지 조명하기 시작하는 시기는 팀이나 그룹이 위기에 처한 시점이 아니라 상황이 좋을 때 해야 한다. 갈등의 정도와 상처와 두려움이 커지면 무슨 일이 일어나는지 바라보고 변화를 위해 위험을 감수하기가 힘들어진다. 그러나 때로는 '위기가 새로운 학습을 벼릴 수 있는 열기를 창조하듯'(Hawkins, 1986), 어떤 팀의 경우엔 위기의 순간에야 실제 벌어지는 일을 직면할 동기가 부여된다.

⦿ 탐색: 원칙 4 개입(연결; Connecting)

원칙 4를 적용하는 면에서 어떻게 팀이 여러 조직 경계를 가로지르는 이해당사자들과 관계하는지 살펴보겠다. 개인 슈퍼비전의 7 모드에서 더 넓은 사회적 조직적 맥락에 집중했듯이, 팀의 경계를 둘러싼 관계에 집중하는 것 또한 중요하다.

대형 벤처 자금 및 사모투자펀드 회사와 일하면서 우리는 각 팀에게 중요한 이해 당사자들을 명확히 하라고 했다. 그 후 팀원이 개별적으로 혹은 짝을 이뤄 가장 중요한 이해당사자 대표와 인터뷰를 하도록 주서했다. 팀원들은 인터뷰에서 파악한 내용을 교외 워크숍에 가져왔고, 나머지 팀원들과 롤 플레이를 할 때 이해당사자 대표들의 역할을 맡아 피드백을 주었다. 이렇게 롤 플레이를 통해 얻은 피드백은 기존에 준비했던 발표 자료보다 훨씬 풍부한 내용을 제공했다.

이 시점에서 놀라운 두 번째 파트를 진행했다. 방금 롤 플레이했던 회의에 대해 사람들이 복도에서 남몰래 어떤 얘기를 나눌 것 같은지를 물어보았고, 일반 팀원들에게도 같은 질문을 했다. 이를 통해 양측의 역학관계에 대한 2차 피드백을 주었다. 이해 당사자 역할을 수행한 사람들은 다음과 같은 코멘트를 했다.

- '저 친구들은 공손하긴 했지. 하지만 실제론 우리가 하라는 걸 전혀 하지 않을 거야.'
- '저 친구들 얼마나 방어적인지 봤어?'
- '저 사람들은 완전 다른 세상에 사는 거 같아.'
- '시간 낭비였어, 제대로 알아듣지 못하는 것 같아.'

원래 자신의 역할을 연기한 사람들은 알기리스와 숀(Argyris and Schön, 1978)이 '방어적 습관(defensive routines)'이라 부른 것을 다음 코멘트로 보여줬다.

- '뭐 저 사람들 말은 다 뻔하지.'
- '분명히 불만 고객에게 들은 얘기일 거야, 다른 고객들은 그렇지 않다고 확신해.'
- '그 직원 이름을 똑바로 알아둬야겠어. 사고뭉치들이야.'

이 과정을 통해 피드백을 통한 핵심 메시지들과 상호작용에서 중요한 역학 관계들을 파악할 수 있었다.

탐색: 원칙 5 개입(핵심 학습; Core learning)

원칙 5를 적용함으로써 팀 코치는 각자가 배우고 성장한 것을 함께 리뷰하고 어떻게 그게 이루어졌는지 혹은 이루어지지 못했는지, 팀이 어떻게 개인의 학습과 개발을 더욱 촉진할 수 있는지 정리할 수 있다. 그 다음 코치는 팀이 집단 학습에 초점을 두고, 팀의 성공이 무엇이고, 어떤 과정과 행동이 성공을 돕는지, 이 패턴이 어떻게 다른 곳에도 쓰일 수 있는지 검토하게 도울 수 있다. 코치는 또한 팀이 실패한 것을 살펴보고 팀이 실패에서 배운 것이 집단적으로 팀의 수확이 될 수 있도록 도울 수 있다.

행동(Action)

새로운 운영 방식을 탐색하고 실험하였으니, 이제 팀 코치는 팀이 의식에서 행동으로 나아갈 수 있게 도와야 한다. 어떻게 다르게 행동하고 더 잘 수행할 것인가?

팀 코칭 워크숍은 많은 통찰과 에너지를 만들어내지만 이것이 구체적이고 우선순위가 정해진 실행과 행동에 집중되지 않으면 그 에너지는 곧 사라져버린다. 따라서 코치로서는 그룹이 빠르고 분명하게 행동을 취하도록 에너지를 다루는 것이 도전이다. 이전에 한 것처럼, 소그룹 상호 작업을 몇 번 반복하면서 우선순위를 정함으로써, 다음에 관한 의견 일치를 만들어 낼 수 있을 것이다.

- '우리가 고수하고 지켜야 할 것은…'
- '우리가 중단해야 할 것은…'
- '우리가 시작해야 할 것은…'

팀의 전체적인 우선순위에 대해 합의가 이루어지면, 변화를 일으키기 위한 고된 작업이 시작된다. 우리는 주로 간단한 계획을 세우는 '6P' 모델(Hawkins and Smith, 2006)을 사용한다.

- **목적(Purpose)**: 문제 해결을 성공하게 하는 요인들과 성공을 평가하는 기준
- **원칙(Principles)**: 팀의 핵심 가치를 지키는 방법으로 어떻게 변화하는지, 메시지를 담을 매체는 어디인지
- **한도(Parameters)**: 변화 활동의 경계―시간과 인적 한계 및 다루지 않을 것들
- **프로그램(Programme)**: 필요 활동에 대한 시간표
- **사람(People)**: 팀 문제에 주인의식을 가지고 변화를 일으킬 사람
- **과정(Process)**: 사람들이 어떻게 일을 진행시키고 나머지 팀을 참여시킬지

'지옥으로 가는 길은 선의로 포장되어 있다'는 말이 있는 것처럼, 우리는 팀 이벤트에서 새로운 행동을 다짐하는 선의만으로는 불충분하다는 걸 점점 더 절감하게 되었다. 따라서 '지금 이 팀 이벤트에 있는 상태에서부터 어떻게 이 변화를 시작할 수 있습니까?'를 묻는 방식으로 '빨리 감기 예행 연습(fast-forward rehearsal)' 개념을 개발했다.

피터가 정부의 주요 부처 고위 관리 팀과 일할 때 그들이 가장 환영한 것은 실제 사안에 대해 새로운 행동을 시도한 것이었다. 그는 완벽하게 하는 것이 목적이 아니라 빠르고 유용한 실패를 얻는 것이 목적이라고 건강한 주의를 주었다. 실제로 그는 앞으로 40분 동안 그들이 하려는 행동을 하는데 적어도 여섯 번 실패하지 않으면, 빠른 학습이라 할 수 없다고 했다! 실제 40분 동안 피터가 진행을 멈추고 팀원들이 무엇을 알아채고 경험하고 느꼈는지를 공유하게 하는 네 번의 '타임아웃'이 있었다. 그리고 나서 새로운 행동을 지속하는 데 효과적인 것은 무엇인지, 또 더 좋은 것은 무엇일지 물었다.

⁛ 리뷰

합의, 경청, 진단, 탐색, 계획, 새 규칙 제정이 있은 후, 팀은 리뷰 과정에 들어가야 한다. 모든 학습과 변화의 주기처럼, 팀은 변화를 시도할 때 팀 문화와 시스템 역학관계에 대해 더 많이 발견할 것임을 대비해야 한다. 팀원들은 끊임없이 변화하는 업무 시스템으로 돌아와 팀 워크숍에서 세운 계획이 예상대로 되지 않았을 때 느낄 실망감에 대비해야 한다.

어떤 팀들은 진행 여부를 추적하는 이 과정을 정기 미팅에 몇 가지 방법으로

짜 넣었다.

- 사명선언서가 회의실에 확실히 걸려있도록 하며, 회의 결정과 회의 과정이 합의한 사명과 어떻게 한 방향으로 정렬되는지 확인
- 미팅 때 팀 평가표에 대해 빠른 업데이트를 함
- 각 팀 세션에서 리뷰할 핵심 우선순위 영역을 정할 것
- 팀 개선 계획의 관점에서 미팅을 리뷰하고 각자 생각을 공유함
  − 미팅에 대해 좋았던 점은 무엇인가
  − 다음에 개선할 것은 무엇인가
- 팀 코치가 정기적 내부 미팅 혹은 주요 이벤트에 참여하여 즉석 코칭을 제공할 것

개별 이벤트를 구조화하는 CLEAR 방법

이 다섯 단계는 개별적 미팅이나 워크숍을 진행하는 축소판으로 쓰일 수도 있고 실제로 팀 리더가 미팅을 구조화하는 데도 사용할 수 있다. 어떤 리더십 팀과 이사회는 이 모델을 사용하여 정기 미팅을 재구축했다.

1. 시작할 때 미팅의 산출물에 대해 **체크인**(check-in)과 **계약**(contract)**을 한다.**
2. 업데이트와 새로운 도전사상을 **경청**(listen)한다.
3. **탐색**(exploration)이 필요한 한 두 안건이 있고, 이때는 성과에 중요한 부분에 대해 새로운 사고를 내놓도록 팀 대화를 만드는 데 초점을 둔다.
4. 결정해서 **행동**(action)을 취해야 할 사항들이 있다. 또한 암묵적 동의 정도가 아닌 실행하겠다는 열성적인 헌신을 보여주어야 한다.
5. 미팅은 체크아웃 또는 **리뷰**(review)로 끝난다. 미팅에서 도움이 되었던 것에 대해 감사를 나누거나, 어떤 점을 빼고 바꿀 것인지에 대한 개인적 다짐을 포함할 수 있다.

이사회 코칭(Coaching boards)

　이사회 코칭에도 팀 코칭의 스킬과 프로세스가 동일하게 적용되는 부분이 많긴 하지만, 이사회 코치는 이사회의 서로 다른 역할과 구성 및 구조를 이해해야 하며, 지배구조에 대해서는 물론 이사회가 속한 국가와 부문의 베스트 프랙티스에 대해 제대로 이해하는 게 필요하다. 더 깊은 탐구를 위해선 Hawkins(2011a, 8장)를 참고하라.

프로젝트 팀

　데모라 안코나(Deborah Ancona)는 MIT 동료들과 함께(Ancona *et al*, 2002) 고성과(high-performing) 프로젝트 팀들에 관해 아주 유용한 연구를 진행했다. 연구에 따르면 이런 팀은 다음과 같은 공통적인 특징을 지니고 있다.

- 높은 수준의 외부 초점과 활동
- 조직과 더 넓은 맥락과 강한 연결
- 조직 내부의 확장 가능한 계층
- 유연한 멤버십 – 팀과 계층 간에서
- 계층 간의 협력

그들은 프로젝트 팀의 3단계 생애 모델을 개발했다.

- 탐사(exploration)
- 개발(exploitation)
- 수출(exportation)

　첫 단계 '탐사' 단계에서 팀은 목적에 부합하는 아이디어와 자원, 정보를 발굴하는 팀원들의 활동을 통해 그룹을 형성한다. 팀에 효과적인 후원과 지원을 받기 위해 중요 이해당사자들에게 홍보대사 역할을 한다. '개발' 단계는 프로젝트 팀의 창의적인 활동을 하는 단계로서, 업무에 대한 위임 수준이 높고 멤버십이 유연하며 협력이 이루어지는 것이 성공에 중요하다. 마지막으로 팀의 작업이 행동으로 나타나는 '수출' 단계가 있는데, 이때 홍보대사 역할은 아이디어를 설득하고 다른 사람들과 합의를 달성하여 앞으로 나아가도록 자극을 주는 것이다.

조직 변화나 설계를 위한 프로젝트 팀 혹은 새 제품이나 서비스를 만들어내는 혁신 팀들은 팀 코치와 함께 일하는 게 큰 도움이 될 수 있다. 그런 코치들은 다음 사항들을 다룰 수 있는 경험과 스킬이 필요하다.

- 빠르게 고성과 팀을 형성하는 방법(탐사)
- 최종 목표에 집중하도록 돕는 방법(탐사)
- 창의성을 자극하고 브레인스토밍하며 틀을 벗어난 사고를 격려하는 법(탐사)
- 시나리오 계획(탐사)
- 행동 연구 주기를 조사하고 이행하는 법(탐사)
- 진전시키기 위한 가능한 방법을 만들고 실험하는 법(개발)
- 재설계하는 법(탐사)
- 나온 산출물을 그것을 필요로 하는 사람들에게 전달하고 지지하고 다짐을 얻는 방법(수출)

가상 팀

우리는 팀 코치로서 세계적 기업의 프로젝트 팀과 회계 팀과 일한 적이 있는데 그들은 가상팀이었다. 립낵과 스탬스(Lipnack and Stamps, 1996)는 가상 팀에 대한 유용한 정의를 내렸다.

가상 팀은 다른 모든 팀처럼, 공통의 목적을 가지고 상호의존적 업무를 통해 상호작용하는 사람들의 그룹이다. 전통적인 팀과 달리 가상 팀은 커뮤니케이션 테크놀로지의 연결망으로 강한 연결을 가지고 공간과 시간, 문화, 조직적 경계를 뛰어넘어 활동한다.

가상 팀이 잘 작동하기 위해서는 집단 목적의식과 관계를 개발하는 능력을 구축하는 대면의 시간이 필요하다. 하지만 가상 환경에서는 팀 코치가 실시간으로 화상 회의, 웹 기반의 논의 그룹이나 작업실에 참여해 팀과 함께 일하는 것 또한 중요하다. 웹 기반 작업실과 다른 형태의 e-코칭 또한 그런 상황에서 유용할 수 있다.

전문 서비스 고객 담당 팀

우리는 여러 전문 서비스 분야를 통해서 같은 고객을 담당하는 팀들과 대규모 작업을 한 적이 있다. 이는 조직 컨설턴트, 변호사, 회계사, 회계 감사, 세무, 재정 고문과 때때로는 서로 다른 자문 회사에서 온 서로 다른 전문가들의 집합체로 이루어졌다. 이 작업에서 우리는 고객 담당팀이 공통 고객에게 부분의 단순 합을 넘어 그 이상의 서비스를 제공하고, 고객 조직보다 더 통합된 팀 작업을 해내도록 돕는 데 초점을 두었다.

필연적으로 고객담당 팀은 고객 조직의 역학관계의 일부를 차지하게 되며, 이에 대한 팀 코칭은 고객담당 팀과 고객의 요구, 역학관계 모두에 주목해야 한다는 점에서 팀 관리와 흡사하다. 11장에서 고객 팀 코칭과 시스템적 그림자 컨설팅(systemic shadow consultancy)을 살펴보며 이에 대해 더 논의할 것이다.

결론

팀이 부분의 단순 합 이상으로 기능하는 일은 자동적으로 일어나지 않는다. 정규적인 작업이 필요하다. 스포츠의 세계에서는 단순히 스타 플레이어를 모은다고 위대한 팀이 되지 않는다는 걸 잘 알고 있다. 이와 마찬가지로 팀이 성공하려면 고품질의 팀 코칭을 통해 연습하는 시간이 필요하다. 조직 세계에도 이런 인식이 늘어나고 있다. 비즈니스 세계에서는 최근에서야 좋은 팀 코치가 단순히 선수 경험을 해 본 사람이 아니라 팀 코칭에 관해 구체적인 훈련을 받은 사람이라야 함을 이해했다. 팀 코치들은 끊임없이 스킬을 개선하고 자신이 수행한 팀 코칭에 대해 정규적인 슈퍼비전을 받아야 한다.

팀 코칭에 대한 슈퍼비전은 다음의 면에서 특히 유용하다.

- 계약(contracting)
- 진단과 개입 설계
- 팀 워크숍 리뷰와 변화의 전기를 지속시키기 위한 계획
- 관계가 진척되는 방식에 대한 정기적인 리뷰

세븐 모드 슈퍼비전은 모든 단계에 적절하며 성찰을 깊이 하는 데도 반드시 필요하다(9장 참조). 10장에서는 팀 코칭에 대한 슈퍼비전의 구체적인 방법론을 설명할 것이다.

제5장 | 조직 코칭과 컨설팅

소개

4장에서는 팀 코칭, 즉 개인이 아닌 그룹의 공유된 목적에 초점을 맞추어 거기에 부응하도록 돕는 팀 코칭을 살펴보았다. 이 장에서는 팀이 아닌 전체 시스템에 초점을 두는 코칭을 살펴본다. 여기서의 초점은 개인과 팀이 조직의 더 큰 목적에 기여하도록 하는 데 있다. 이는 조직 내 개인이나 팀, 부서 단위의 코칭과 혼동되어서는 안 된다.

우리는 '시스템적 변혁적 컨설팅(systemic transformational consultancy)'이라는 용어를 사용했다. 왜냐하면 시스템적 변혁적 코칭과 조직 코칭은 여러 면에서 목표가 같기 때문이다. 어느 한 사람이 실행하는 경우가 드물고 대부분 컨설팅 팀이 실행한다. 11장에서 컨설팅 팀에 필요한 슈퍼비전에 대해서 알아볼 것이다.

슈퍼비전으로 팀이 조직의 역학 속에 휘말리지 않게 하고, 조직이 자기 패턴을 잘 깨닫고 앞으로 나아가기 위해서 조직 경험을 진행시키고 활용할 수 있어야 한다.

조직 차원에서 일하는 건 쉽지 않은 일이지만 조직이 점점 발전과 변화라는 도전에 직면함에 따라 필요성은 더 커져간다. 대부분의 조직이 당면한 가장 큰 도전은 경쟁자보다 더 빨리 변화 발전하는 것, 적어도 환경 변화에 맞추어 변화 발전하는 것이다. 민간 영역이든 공적 영역이든 자원봉사 영역이든 조직의 변화 속도가 환경이 요구하는 변화 속도보다 느리면 결국 그 조직은 소멸해간다.

이와 동시에 가속화되는 외적 변화에 직면하면서 조직은 심오한 본질적인 변화를 경험하게 된다. 변화의 새로운 특징은 다음과 같다(Pettigrew and Massini, 2003: 6-7).

- 세계화의 영향으로 소비자가 여러 나라에 있는 것은 물론, 제품과 지원 기능 조직이 해외에 거점을 두는 경우가 많다.
- 조직은 주 7일, 24시간 작동되며 다른 나라, 다른 시간대의 팀 멤버들과 일한다.
- 세계는 더 긴밀하게 연결되고 복잡해지며 경제적, 정치적 변동성이 더 커진다.
- 고객과 서비스 이용자가 인터넷으로 정보를 비교하기 때문에 똑똑하고 강력해진다.
- 운영 단위별로 이익에 책임을 지는 급속한 분권화와 내부계약 메커니즘이 진행된다.
- 조직의 위계 구조가 수평화된다.
- 본사의 역할이 제한되고, 최고 경영진은 지식을 창조하고 전파하는 데 중점을 두게 된다.
- 지시 통제하는 경영 스타일에서 촉진하고 권한을 부여하는 경영 스타일로 전환된다.
- 매우 정교한 공식 비공식적인 내부 의사소통 시스템이 위계적 구조와 동시에 수평적 구조를 갖는다.
- 부서 간 경계가 경직되게 나눠지지 않고 부서 간, 기능 간 회의와 태스크 포스, 팀들이 활성화된다.

조직의 리더도 점점 더 큰 도전에 부딪히게 된다(Hawkins, 2011a).

- 서로 다른 이해당사자들의 기대를 관리해야 한다.
- 사업을 운영함과 동시에 그것을 변혁시켜야 한다.
- 여러 팀의 멤버가 되어야 한다.
- 시스템 갈등을 다루어야 한다.

중요한 도전은 각 부서 안에서가 아니라 부서 간 관계에서 일어난다.

전체 조직을 코칭하는 것은 개인이나 팀을 코칭하는 것보다 훨씬 드물다. 오늘날 대부분의 조직에 가장 큰 도전은 개인이나 팀에 있다기 보다 다양한 부서

간 관계에 존재한다. 예를 들어 이사회와 임원들, 경영진과 중간관리자처럼 수직적인 관계에 어려움이 있을 수도 있고 마케팅팀과 생산팀 사이 혹은 IT팀과 영업팀 사이처럼 수평적인 관계에서 갈등이 일어날 수도 있다.

이 장 앞에서는 최근의 조직 컨설팅의 세계에 대해서 살펴보고 조직 코칭과 컨설팅에 대한 접근법을 설명하려고 한다. 그걸 기초로 통합된 변화와 발전을 위해 꼭 필요한 세 가지 요소인 전략, 문화, 리더십을 어떻게 다루는지 살펴볼 것이다.

현재의 컨설팅 세계

누구나 재무, PR, 환경 등 어느 분야 컨설턴트가 될 수 있을 것처럼 생각하는 세상이다. 컨설팅을 꼬집는 농담이 컨설팅 숫자만큼이나 많다!

컨설팅 영역은 해결책을 파는 '전문가(expert)' 컨설턴트와 고객이 해결책을 찾는 걸 돕는 '촉진자(facilitator)' 컨설턴트로 나뉘게 되었다. 둘 다 많은 비난을 받고 있다. 전문가 컨설턴트는 맥락을 이해하지 않은 채 해결책을 끌어내어 처방하거나 깊은 이해가 없는 상태에서 고객이 일을 추진하게 하기도 한다. 그래서 종종 전문가 컨설턴트가 내놓는 해결책은 실행되지 못하고 실패한다. 컨설턴트는 이러한 실패를 조직 관리자들이 해결책을 제대로 실행하지 못한 탓으로 돌리는 반면, 조직 관리자들은 컨설턴트를 비난한다. 조직원들이 스스로 해결책을 찾도록 돕는 촉진자 컨설턴트는 '누군가가 시간을 물으면 물어본 사람의 시계를 빌려 대답한 뒤 대답했다고 돈을 청구하는 사람'으로 희화화된다. 요컨대, 이런 컨설턴트는 조직이 컨설턴트에게 말했던 것을 단순히 조직에 되돌려주는 역할밖에 못한다는 것이다.

이런 농담과 희화화의 이면에는 조직이 기존 유형의 컨설팅이 제공하지 못한 조직화된 도움을 필요로 한다는 의미가 있다. 물론 전문가 컨설턴트와 촉진자 컨설턴트가 고객이 필요로 하는 것을 정확하게 제공할 때도 있다. 그러나 점점 고객들은 보다 총체적인 도움을 요청하며, 부분적인 해결책은 점점 더 쓸모가 없어지고 있다.

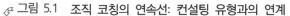
그림 5.1 조직 코칭의 연속선: 컨설팅 유형과의 연계

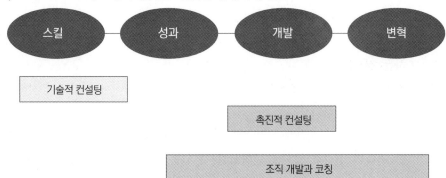

앞에서 언급했던(2장) 지속적인 코칭의 모델을 세우기 위해서, 두 유형의 컨설팅이 어떻게 서로 다른 조직의 욕구에 초점을 맞추고 있는지 설명하려고 한다〈그림 5.1〉 참조). 기술적 컨설팅은 점점 증가하는 업무에 필요한 기술과 경쟁력을 개발하도록 돕는다. 새로운 IT 시스템이나 HR 프로세스, 회계감사, 회계와 세금 절차 등이 그런 것이다.

촉진자 컨설턴트는 개발에 초점을 맞춘다. 조직이 스스로 성장하도록 돕는 워크숍이나 회의, 동기 부여 이벤트 등을 진행한다. 하지만 때로 고객은 '변혁적 파트너'나 '조직의 코치'를 원한다. 이미 알고 있는 것을 말하거나 패키지화된 해결책을 파는 컨설턴트가 아니라 함께 하면서 잠재력을 실현하도록 돕고 안내자이자 도전자로서, 지원자로서 다양한 경험을 나누어주는 존재를 원하는 것이다.

변혁적 컨설턴트는 장기에 걸쳐 조직의 파트너가 되어주며, 단지 문서상 청사진이 아니라 모든 주요 이해관계자와의 관계와 업무 안에 살아 있는 전략과 문화, 리더십을 개발할 수 있도록 돕는다.

기술적 컨설턴트나 촉진적 컨설턴트가 할 수 있는 영역을 넘어서서, 변혁적 컨설팅은 조직 전체의 중요한 도전을 다룬다.

* 전문가나 촉진자로 고용되는 것에서 변혁적 파트너 혹은 조직의 코치로 일하는 것으로
* 일시적인 프로젝트를 파는 것에서 몇 년간 진행되는 컨설팅 파트너가 되는 것으로

- 한 부서나 영역에서 일하는 것에서 조직 최전선에서 통제본부에 이르는 모든 부서 사이에서 일하는 것으로
- 한 조직에서 일하는 것에서 복잡한 시스템 안에 있는 조직들 사이에서 일하는 것으로
- 개인이나 팀, 전체 조직과 함께 더 넓은 시스템 속에서 연결을 유지하며 깊이 있게 일하기
- 더 큰 시스템이 변화해야 할 방향으로 코칭 방에서부터 변화를 이루어내기
- 한 조직의 정신과 영혼을 변화시킬 수 있는 신념과 사고방식을 가지고 일하기
- 개념적으로 혹은 경험적으로 일하는 것에서 이들을 겸비해서 둘 사이를 연결시키며 일하는 것으로
- 혼자서 일하는 것에서 팀의 일원으로 일하는 것으로

여기서는 변혁적 컨설팅에 집중할 것이며, 이 때 컨설턴트는 코치나 멘토처럼 실시간으로 배우는 촉진자이다. 컨설턴트는 기술적 전문성을 가지고 고객의 문제를 해결하거나 기술적인 조언을 하는 사람이라는 정의를 배제할 것이다. 또한 단순히 조직 내부의 프로세스를 진행시키는 '촉진자' 컨설턴트도 의도적으로 무시할 것이다. 왜냐하면 변혁적 컨설팅은 본질적으로 컨설턴트와 조직 양방향이 배우는 것에 초점을 두며 단순히 정보와 지식을 교환하는 것만으로는 부족하다고 보기 때문이다.

변혁적 컨설팅은 미국의 르윈(Lewin, 1952), 셴(Schein, 1985), 버크(Burke, 2002), 백하드와 해리스(Beckhard and Harris, 1977), 알지리스와 숀(Argyris and Schön, 1978), 영국의 트리스트와 머레이(Trist and Murray, 1990), 밀러(Miller, 1993)와 같은 저자들이 개척했던 조직개발의 전통을 이어받는 동시에 발전시키고 있다.

셴(Schein, 1985)은 조직개발을 '전체 시스템으로서 조직의 건강을 세우고 지키는 관리자와 직원, 조력자들이 참여하는 모든 활동'이라고 정의했다. 레딘(Reddin, 1985)은 이 개념을 이렇게 발전시켰다. '조직개발(organizational development)은 시스템을 최적화하기 위한 상호작용 안에서 작동한다.' 이러한 정의는 유용한데 왜냐하면 이는 조직 개발을 개인의 변화를 목표로 삼는 관리자 개발과 확실히 구분 짓기 때문이다. 워너 버크(Warner Burke, 2002)는 조직개발에 대한 정의에서 파트너적인

측면을 강조했다. '조직개발은 고객 쪽의 절실한 욕구에 반응하여, 직접적으로 참여하고, 고객과 협력해서 중재를 계획하고 실행하여 조직의 문화 안에서 변화를 이끄는 것이다.'

우리는 변혁적 컨설팅과 조직 코칭을 다음과 같이 정의한다.

> 한 조직을 변혁시키기 위한 파트너가 되는 것으로서, 모든 이해관계자들을 위해 조직의 리더십과 문화, 전략을 한 방향으로 정렬함으로써 조직을 구성하는 본질과 성과, 가치를 변화시킬 수 있다.

전환을 통한 조직 멘토링과 코칭

조직개발 컨설턴트는 '더 높은 성과를 위해 어떻게 조직을 재구조화할 수 있을까'와 같은 조직이 당면한 도전에 대응하도록 도움으로써, 코칭 역할을 담당할 수 있다. 종종 조직은 변화를 도와주거나 멘토해줄 사람으로서 개발 컨설턴트를 초빙한다. 조직이 부딪히는 변화의 예는 다음과 같다.

- 개인 소유 회사에서 파이낸셜 타임 선정 100대 기업으로 커질 때
- 한 국가 내의 기업에서 국제적인 기업으로 변할 때
- 조직을 구성하는 파트너가 5명에서 14명으로 늘어나게 될 때
- 대학에서 창업한 과학 사업이 분사해서 독립사업이 되었을 때
- 지방정부 부서가 중앙 통제를 받는 서비스 공급자에서 전략적 직권을 가진 조직으로 변할 때
- 두 개의 큰 회사가 합병할 때
- 거대한 공영 방송이 그 문화를 쇄신할 때

이러한 모든 변화에서 조직개발 컨설턴트의 역할은 장기적인 발전 과정이라는 맥락 안에서 변화 과정을 통과하도록 코칭하는 것이다. 과거의 전환과 변화과정이 어떻게 현재의 변화에 영향을 주고 해석되는지를 탐색하는 것이다. 이런 탐색이 없다면 조직은 의식하지 못한 채 과거 패턴을 반복 반응하게 되고, 그래서는

원하는 결과를 얻을 수 없다.

그레그 다이크(Greg Dyke, 2004: 210)는 BBC에서 일어난 변화의 과정에 대해서 이렇게 기록했다.

> 우리가 BBC에서 중요한 문화적 전환을 도왔는데, 그 프로세스에서 코칭과 멘토링이 한 첫 번째 일은 과거의 변화에 대해 반추해보게 한 것이었다. 문화 변화 프로그램을 지원하기로 결정했을 때, 문제는 어떻게 그것을 진행할 것인가였다. 몇 년에 걸쳐 BBC는 계속해서 변화 프로그램을 시도했지만 실패했기 때문이다. 때문에 직원들은 새로운 문화 변화 프로그램에 냉소적이었고 저항을 했다. 텔레비전 디렉터인 마크 톰슨(Mark Thompson)과 파트너이자 라디오 디렉터인 제니 아브람스키(Jenny Abramsky)는 전에 시도되었던 변화 프로그램을 모두 겪은 사람들이었기 때문에 과거를 돌아보고 거기서 교훈을 얻자고 제안했다. 과거 변화 프로그램들은 대부분 외부 컨설턴트에 의해서 운영되었고 경영진이 프로그램을 채택하고, 위에서 아래로 내렸다는 사실을 발견했다. 프로그램은 경영진들이 늘 하는 뻔한 말로 받아들여졌다. 결과적으로 이 프로그램들은 오래 갈 수 없었다. 똑똑하고 계산적이며 회의적인 직원들은 아주 효과적으로 프로그램에 저항했다. 그래서 무엇을 해서는 안 되는지 알게 되었다. 특히 변화 프로그램을 시작한다면 적어도 몇 년에 걸쳐서 진행을 지켜봐야 한다는 것이다.

개발의 삼위일체: 전략, 문화, 리더십

위에서 간략하게 설명했던 BBC 사례처럼, 조직을 변화시키기 위해 컨설팅할 때 〈그림 5.2〉에서 보여주는 것처럼 세 가지 중요한 변화와 발달 과정을 통합하고 연결시키는 것이 중요하다. 세 가지 측면은 각각의 개발 논리와 과정을 필요로 한다. 그러나 효과적인 변화를 위해서는 그 세 가지가 서로 연결되어 작동하는 것이 중요하다. 이제 세 가지 변화의 과정 각각을 살펴보고 어떻게 가장 효과적으로 연계할 수 있는지를 살펴보고자 한다.

전략

　성공적인 조직의 변화를 이루는 데 전략이 얼마나 중요한지 살펴보기 전에, 그리고 전략이 변혁적 조직 컨설팅에서 어떤 역할을 하는지 살펴보기 전에 요즘 전략이 어떠한 개념으로 쓰이는지를 검토해 보자. 전략이라는 개념은 관련된 많은 책에서 리더십 다음으로 중요한 개념으로 취급된다. 오랫동안 전략을 잘못 이해한 이론들이 지배하고 있었다. 그 예는 다음과 같다.

- 전략 이론가들은 적자생존이라는 사이비 다윈주의 관점에서 조직을 보고 파트너십과 협동, 연대의 가치를 무시해왔다.
- 전략 이론가들은 경쟁을 제한함으로써 이윤을 유지하고 증가시키는 가치 전유(value appropriation)에 초점을 맞춰 왔다.
- 전략 이론가들은 주주 가치 창조에 너무 집중한 나머지 다른 주요 이해관계자들을 위한 '공유가치(shared value) 창출'(Porter and Kramer, 2011)에는 초점을 두지 않았다.

🖍 그림 5.2 **개발의 삼위일체**

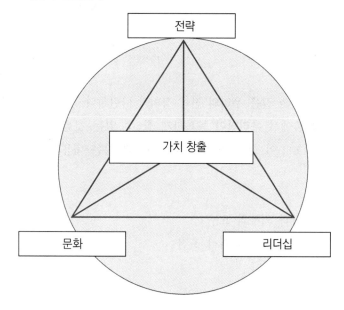

- 전략 이론가들은 장기적인 지속가능성에 대한 고려 없이 단기적으로 이윤을 극대화하는 것을 강조해 왔다.
- 전략 이론가들은 자연 환경과 삶의 질 같은 측정되지 않은 중요한 비용과 외부 요인을 무시해 왔다.

우리의 전략에 대한 연구는 하멜과 프랄라드(Hamel and Prahalad, 1996), 패티그루(Pettigrew, 2003), 포터와 크레이머(Porter and Kramer, 2011) 및 나중에 나왔지만 위대한 수난트라 고샬(Suinantra Ghosha)과 그의 동료 바틀렛과 모간(Bartlett and Moran) 등 중요 저자들의 영향을 받았다. 고샬과 모간(Ghoshal and Moran, 2005)은 뛰어난 논문 "Towards a good theory of management"에서 새로운 전략의 관점을 제기했다. 그 핵심 내용의 일부를 여기서 인용할까 한다.

전략의 목표는 가치를 창조하는 것이지 가치를 전유하는 것이 아니다.

새로운 전략의 관점은 전략을 프로세스의 안내에 따라 관리자들과 함께 이루는 진화의 과정으로 본다.
전략은 조직적 통합의 틀 안에서 기업가적인 판단을 확장하고 적응시키는 과정으로서, 새로운 가치 창조의 기회를 추구하기 위해 개인에게 회사의 축적된 자원을 사용하게 허용하는 것이다.

(Ghoshal and Moran, 2005: 15-16)

이 인용은 다음과 같은 우리의 전략 정의와 나란하다. '전략은 내일의 세계가 필요로 하는 일 중에서 우리만이 독특하게 할 수 있는 것을 발견하고 추구하는 것이다.'(Hawkins, 1995) 이 한 줄짜리 정의는 다음과 같은 내용과 연결된다.

- 전략과 목적
- 조직의 역량과 외부의 요구
- 현재의 능력과 미래의 외적 조건
- 발견과 행동

이는 전략을 역동적인 관계 속에 머물게 하는 데 필요한 중요한 측면들이다. 이는 또한 전략이 전략 선언문을 만드는 것이 아니라는 걸 보여준다는 점에서 중요하다. 전략 선언문은 의사결정한 것을 명료화한 것을 말한다. 전략을 세우는 것은 일회적인 이벤트라기보다 안내자인 관리자들과 함께 진행되는 '안내되는 진화(guided evolution)' 과정이라 할 수 있다. 조직의 코치와 컨설턴트의 역할은 '안내자들을 안내'하는 것이다. 그들의 임무는 조직이 보다 효과적으로 중요 이해관계자를 위해 새로운 가치를 창조할 수 있도록 조직이 더 많은 잠재력을 깨닫고 끌어낼 수 있는 전략을 세우도록 돕는 것이다.

고샬과 모란(Ghoshal and Moran's, 2005)은 가치 전유보다 가치 창조를 강조했다. 그것은 사회적 책임에 대한 좋은 이론의 초석이 되었다. 그들은 좋은 이론이란 다음과 같은 것이라고 설명한다.

> 하나의 이론이 다른 어떤 이론과 동등하게 혹은 더 잘 설명하며, 동시에 사람들로 하여금 더 나은 경제, 사회, 도덕적 결과로 이끄는 행위와 행동을 일으키게 하는 것이다.

조직이 누구를 위해 가치를 창조하는지를 분명히 하는 것은 중요하다. 시작 시점의 틀로서, 회사에 여섯 주요 이해관계자 집단을 위해 어떻게 가치를 창조할지 또 어떻게 그 가치를 측정할지를 질문한다.

- 투자자와 규제 당국
- 고객
- 공급자와 파트너
- 직원
- 지역사회
- 자연 환경

회사에서 각 이해관계자 집단은 투자 자원으로 볼 수 있다. 이해관계자들은 합법적으로 투자에 대한 수익을 기대하며, 그게 없으면 투자를 철회할 것이다. 투자는 각기 다른 순서로 이루어진다. 투자자는 경제적 자본을 투자한다. 고객은 돈과 충성도와 신뢰를 투자한다. 공급자와 파트너는 물품과 서비스뿐만 아니라, 지식과 명성과 충성을 투자한다. 직원은 시간과 개인적 지식과 자원을 투자한다. 지역사회는 사회 기반 시설을 투자한다. 이러한 사회 기반 시설에서 회사가 운영되며, 사회적 합법성을 갖게 된다. 자연 환경은 회사가 사용할 천연자원을 제공한다.

고샬과 모간(Ghoshal and Moran, 2005: 16)은 직원을 투자자로 생각하는 것이 중요하다고 말한다. 새로운 고용 관계에 대해서 설명하면서 종업원들을 생산의 요소 혹은 전략적 자원이 아니라 '자발적인 투자자'로 봐야 한다고 주장한다.

> 마치 주주들이 재정적 자본을 회사에 투자하면서 수입과 동시에 원금의 증가를 기대하듯이, 직원은 자신의 인적 자본을 회사에 투자하면서 똑같은 기대를 한다. 직원에 대한 회사의 책임은 경쟁력 있는 보상을 보장하고 계속해서 유용한 지식과 기술을 키워줌으로써, 그의 가치를 키워주는 것이다. 회사와의 관계에서 직원의 책임은 자신의 인적 자원을 지키고 개선시키기 위해서 계속적으로 배우고 전문성과 기업가적인 능력을 새로운 가치를 창조하는 데 사용해서 회사의 경쟁력과 성과를 높이는 것이다.

(자본 투자와 혁신, 개발, 사용가능한 자원이라는 측면에서) 이해관계자들을 조직에 참여시킴으로써 더 장기적인 지속가능성을 유지하기 위해서, 현대 조직은 임원들이 전략을 개발하고 이사회가 사인하고, 직원은 실행하고, 고객이 그걸 좋아할지 아닐지를 판단하는 식의 방식에서 벗어나야 한다. 그러기 위해서는 기획 부서에서 전략 기회를 짜는 것이 아니라 보다 많은 사람들이 함께 전략을 수립하는 쪽으로 바뀌어야 한다.

많은 사람들이 참여해서 전략을 짜는 과정은 성인 학습의 사이클과 일치한다. 그 사이클에는 〈그림 5.3〉이 설명하는 것과 같은 일곱 단계가 있다.

이러한 반복 과정을 보다 가까이에서 들여다보기 위해서 2장에서 논의했던 CLEAR 모델에 비추어 볼 필요가 있다.

1. **사명, 목적, 비전을 명확히 하기.** 마음 속에 끝을 그리고 시작할 필요가 있다. 이 부분은 모든 이해관계자가 참여하여 사업의 핵심 목표와 포부, 그것을 미래의 성공과 연결시키는 방법을 만들어내는 것이다.

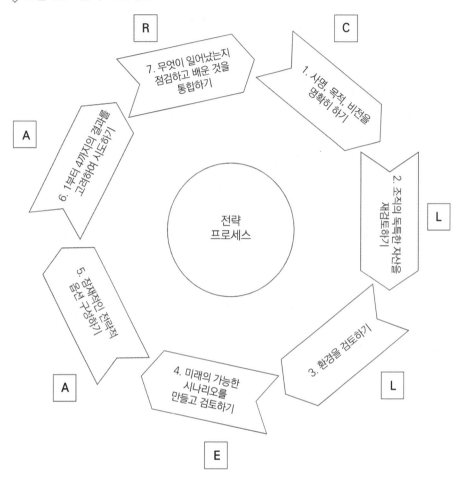

그림 5.3 전략 프로세스

R

7. 무엇이 일어났는지 점검하고 배운 것을 통합하기

C

1. 사명, 목적, 비전을 명확히 하기

A

6. 1부터 4까지의 결과를 고려하여 시도하기

L

2. 조직의 독특한 자산을 재검토하기

전략
프로세스

A

5. 잠재적인 전략적 옵션 구성하기

4. 미래의 가능한 시나리오를 만들고 검토하기

3. 환경을 검토하기

L

E

2. **조직의 독특한 자산을 재검토하기.** 조직 내부의 소리에 귀 기울인다. 최근 조직이 성취한 것이 무엇인지, 어디에 아직 사용되지 않은 잠재된 자원이나 기술이 있는지, 미처 인식하지 못해 사용하지 못한 것이 있나 찾아본다. 조직의 어느 부분에서 바라는 미래가 이미 시작되었는지 제대로 탐색하는 과정이라고 할 수 있다.

3. **환경을 검토하기.** 조직 외부에 귀 기울이는 것이다. 업종에서, 사업 일반에서 무엇이 일어나고 있는지 살펴본다. 정치적, 경제적, 사회적, 기술적, 법률적, 환경적 주요 트랜드(PESTLE)가 미래에 조직에 어떤 영향을 미치는

지 알아본다. 고객의 욕구가 어떻게 변하는지 알아본다.

4. **미래의 가능한 시나리오를 만들고 검토하기.** 트랜드와 조직의 가능한 대응책을 모두 탐색하고, 그 결과 발견한 주요 주제들에 우선순위를 매겨라. 더 많은 사람들과 이러한 대화를 나눌수록 더 좋다.

5. **잠재적인 전략적 옵션 구성하기.** 앞으로 나갈 길을 탐색하라. 다시 말해 넓은 범위의 가능 시나리오들을 조직을 위한 견실한 전략적 방침으로 통합하라. 전략을 짜는 과정을 생생하게 유지하기 위해, 사람들의 평가를 받는 피드백 메커니즘을 만들라.

6. **1부터 4까지의 결과를 고려하여 시도하기.** 실행하겠다는 다짐을 획득하고 동의를 얻은 전략적 방안을 실행할 방법을 개발하라.

7. **무엇이 일어났는지 점검하고 배운 것을 통합하기.** 이 단계는 한 사이클의 끝이자 다른 사이클의 시작이다.

모든 이해관계자 집단을 전략을 수립하는 과정에 포함시키면, 조직의 성공에 필수적인 중요 집단들이 적극적으로 참여하게 된다. 도달할 목적지가 어디인지 명확해지기 시작한다. 그것은 즉시 다음과 같은 도전을 낳는다. '여기서 우리가 하는 방식이 우리가 가고자 하는 곳으로 이끌어줄까?'

만약 이해관계자 집단 중 하나라도 이 도전적인 질문에 '아니오'라고 대답한다면, 그것은 조직이 관계를 맺는 방식이 적절한지를 검토해야 한다는 강력한 지표이다. 변혁적 컨설턴트로서 우리는 조직을 앞으로 이끌기 위해 조직이 생각하고 말하고 관계 맺고 배우는 데에서 부딪히는 도전을 더 나은 방식으로 풀려고 한다.

전략 수립 과정이 시작되면 직원과 이해관계자의 관계 맺고 연결되는 습성(예: 조직 문화가 실행되는 것)이 생생한 전략 수립 과정에 어디서 도움이 되며 어디서 막히는지가 분명해진다. 피터 드러커는 '문화는 당신의 전략을 아침으로 먹는다.'는 말을 처음 썼다. 이 말은 왜 문화가 조직 변혁에 두 번째로 중요한 요소인지를 잘 보여준다. 조직 문화로 들어가면, 현재 매일 매일 작동하는 행동과 사고방식, 선입견, 가치들이 무엇인지 보게 된다. 현재 조직 문화가 어떠한지를 분명히 함으로써, 변혁적 컨설턴트는 이해관계자들에게 조직을 위해서 어떤 문화적 변화가 필요한지 깨닫게 만들 뿐만 아니라, 그 시점부터 일관되게 변화된 행동을 할 수 있게끔 돕는다.

░ 문화

문화에 대해 논의하기 전에 문화라는 '손에 잘 잡히지 않는 동물'에 대한 몇 인용문을 언급하고 싶다.

> 언제 IBM을 들여다봐도 이곳의 문화는 게임의 한 측면이 아니라 게임 그 자체이다. 결론적으로 조직이란 가치를 창조하는 사람들의 집합적인 능력에 다름 아니다.
> (Gerstner, 2002)

> 나는 직원들에게 BBC 문화를 바꾸는 것이 나의 의제라는 사실을 첫날부터 분명히 했다.
> (Dyke, 2004: 208)

> 문화란 어디서 3개월 이상 일하고 나면 더 이상 신경 쓰지 않고 당연히 받아들이는 것을 말한다.
> (Hawkins, 1997)

> 문화는 조직이 반복하는 연결의 습관화된 방식에 있다. (Hawkins, 1997)

문화는 광범위하게 사용되는 개념이며 대부분의 사람들이 그 의미를 잘 이해하고 있다고 여긴다. 그러나 문화라는 개념은 미묘하며 모호하다. 아마 문화가 측정할 수 있는 물건이 아니기 때문일 것이다. 문화는 한 조직의 모든 측면에 퍼져 있는 연결의 패턴이다. 또한 그 문화에 속해 있는 한, 그것을 인식하기란 매우 어렵다. 중국에는 이러한 속담이 있다. '물고기들이 바다에 대해 제일 잘 모른다.' 문화는 너무나 당연하게 여겨지고 자신이 세상을 보는 방식(세계관)의 일부가 된다. 수년 동안 우리는 우리의 조직 문화 모델을 사용했다. 그것은 일찍이 셴(Schein, 1985)과 다른 사람이 작업한 모델이다(Hawkins, 1997). 이 모델은 모든 조직 안에 있는 문화적 차원들을 설명한다.

░ BCG(Bath Consultancy Group)문화 모델

직장에서 적절하게 관계 맺고 배우는 법을 개발시킴으로써 조직의 업무 능력을 변화시키도록 돕는 방식을 살펴보기 전에, 간략하게 모델의 요소들을 설명하고자 한다. 조직 문화에 영향을 미치는 다섯 개의 차원을 살펴보자〈〈그림 5.4〉 참조).

🖋 그림 5.4 베스 컨설팅그룹의 문화 모델

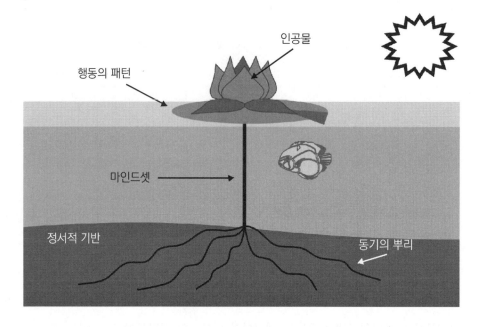

■ 인공물

인공물은 날마다 보는 대상, 환경, 상징, 문서들이다. 조직이 세상에 내보이는 모습이다. 개인과 달리, 인공물 중 어떤 것은 의식적으로 만들어낸 이미지이고, 어떤 것은 조직이 무엇을 중시하는지를 보여준다. 물리적으로 표현하는 방식은 더 깊은 차원의 행동과 사고방식, 가치와 연결되어야 한다. 그러나 그렇지 않은 경우도 흔하다. 조직 문화를 이해하는 시작은 다음과 같은 단서를 살피는 것이다.

- 힘과 권위의 상징
- 옷차림
- 사명 선언문, 가치 선언문, 전략 문서 등
- 전시물, 사진, 자격증, 예술품, 보여지는 다른 지표들
- 건물, 작업장, 사무실 배치

■ 행동

인공물 아래 있는 다음 차원은 새로운 조직에서 처음 일할 때 관찰하게 되는 것들이다. 그 시기가 지나면, 우리의 행동 방식은 조직의 일반적인 행동 방식에 동조되어버린다. 처음 주목하게 되는 조직의 일반적인 행동 패턴은 조직 안에서 행해지는 다음과 같은 것들이다.

- 사람들이 참여하는 방식
- 갈등을 다루는 방식
- 자원을 분배하는 방식
- 실수를 다루는 방식
- 보상을 받거나 주목을 받는 일

만약 이러한 행동 방식이 지속된다면, 새로운 목표를 이루는 방향으로 정렬된 관계 방식을 만들 수 있을까?

■ 사고방식

행동이란 무엇이 좋고 나쁜지에 대한, 혹은 무엇이 옳고 효율적인 것인지에 대한 우리의 전제이자 문제를 프레임하는 방식을 말한다. 사고방식은 업무를 하는 최상의 방법이 무엇일까를 매번 고민하지 않고 하던 대로 계속 일하게 만든다. 이런 전제들은 분명히 드러나지 않기 때문에 다양한 기법을 통해 표면으로 끌어낼 필요가 있다. 이러한 질문을 던져 보아야 한다. '어떠한 전제가 나로 하여금 이러한 방식으로 일을 하게 만들었을까?' 조직의 습관화된 심리적 성향은 일반적으로 조직의 세계관을 담고 있고 세계관은 생각하고 행동하는 특정한 방식을 이끌어낸다.

- 사고의 습관적인 방식들—보통 조직의 일상 업무를 하는 데 유효함
- 당연하게 받아들이는 가정과 인식의 방식
- 현재 통용되고 있는 조직 가치 등

▪ 정서적 기반

한 조직의 정서적 기반은 조직의 삶의 중요한 사건들에 의해 창조되며, 직원과 이해관계자의 기억 속에 남아 정서적인 영향을 준다. 대부분 매일 매일 의식하지 못하는 정서적인 반응이다. 예를 들어, 임금 인상을 시도했다가 생각대로 안 된 직원을 가정해보라. 그 자리에서는 직원이 받은 충격이 대화나 생각으로 드러나지 않는다. 그러나 관리자가 긴급 주문에 맞추기 위해 초과 근무를 요구했을 때, 초과 근무 자체는 늘 있는 일이지만, 이 직원은 평소보다 훨씬 더 부정적인 반응을 나타낸다. 보이지 않고 해소되지 않은 이러한 반응들과 연결된 사건들은 긍정적일 수도 있고 부정적일 수 있다. 예를 들어,

- 조직의 주요 변화 때문에 생긴 해소되지 않은 반응들
- (예: 거래처 고객이나 다른 이해관계자들과 일하면서 생기는) 조직의 경계로부터 조직 내부에 들어오는 정서

이러한 정서적 기반은 조직의 정서적인 분위기이며 조직 문화 안에서 사용되는 고유한 정서 표현의 패턴이라고 할 수 있다.

▪ 동기의 뿌리

조직과 그 관계 맺는 방식에 가장 심오하고 깊은 차원에서 영향을 미치는 것은 바로 조직이 설립되고 유지되어 온 동기와 가치, 이상적인 목적이다. 동기의 뿌리는 조직을 통해서 개인적 욕구를 충족시키지 못해도 그 조직을 아끼는 심층적인 이유를 설명해준다. 이러한 뿌리를 다음과 같은 데서 발견할 수 있다.

- 조직을 탄생시키고 발전시키는 데 영감을 주었던 종종 잊혀진 열정
- 어떻게 사람들이 일에서 의미를 발견하는가?
- 조직의 목적이 개인의 목적 및 동기와 어떻게 연결되는가?

이 문화 모델은 조직 문화에 영향을 다양한 층 혹은 수준이 있다는 걸 인정한다. 마치 라자냐처럼 겹겹이 쌓여 있는 모습이다. 이 모델에서 문화는 서로 더 잘

맞는 단계에서 조직에 더 잘 통하게 기능한다. 시간이 지나면 이렇게 형성된 방향에서 쉽게 벗어나기도 한다. 예를 들어 창업자가 '인간을 중시한다'는 원래 가치(동기의 뿌리)를 가지고 "사람이 먼저"라는 연수기관을 설립했다고 가정해 보자. 그런데 2년 전 창업자가 팀 리더를 해고했다면 직원의 반응은 그 방향에 맞지 않다고 느끼는 것이다. 일하는 사업 환경은 늘 변해왔다. 요즘 사업 환경에서는 짧고 날카로운 개입이 필요하다. 고객과 지속적으로 상호작용을 하며 일하는 기회는 줄어들었다. 이는 사람들이 일상적인 일을 하는 방식(마인드)에, 특히 상품을 파는 방식에 변화가 일어났다는 것을 의미한다. 생각과 태도의 이러한 변화는 창업자가 내세웠던 기업 원리와 잘 들어맞지 않는다. 사업은 변화를 요구함에도 불구하고, 회사가 사람들과 관계하는 방식은 표면상(행동 패턴) 변하지 않았다. 회사엔 여전히 친목을 위한 직원 모임이 있고 금요일 점심엔 함께 식사를 한다. 최근에 처음 사업을 시작했던 오래된 학교 건물에서 벗어나 새로운 도시 사무실로 이사했고 로고와 브랜드(인공물)도 친기업적인 형태로 바꾸면서 이전과 완전히 달라진 이미지를 내보였음에도 말이다.

이 단순한 사례는 모든 사람에게 좋게 보이는 의도도 문화의 다른 단계와 상충될 때는 쉽게 끝나 버릴 수 있음을 보여준다. 조직이 새로운 기업 전략을 실행하기 위해 크게 바뀌어야 할 때, 다른 문화 단계들과 방향이 제대로 맞지 않으면, 전략은 실행되지 못하고 좌절되고 만다.

보다 복잡한 사례로는, 우리가 컨설팅했던 것으로, 1980년대 브리스톨시 필턴에 있는 브리티시 에어로스페이스(British Aerospace) 지사를 들 수 있다. 이 사례는 동기의 뿌리와 마인드, 행동 방식 사이에 연결을 분명히 보여준다. 회사는 기업 문화를 변화시키기 위해 노력하고 있었다. 새로운 방식으로 일하기 위해서는 기존에 알던 것을 폐기 학습을 통해 지울 필요가 있었다.

필턴에 있는 브리티시 에어로스페이스 지사는 영국의 많은 비행기 제조사들처럼 2차 세계 대전 이전이나 그 와중에 형성된 문화가 자리잡고 있었다. 1950년대와 1960년대 비행기 제조업계에는 새롭고 더 나은 비행기를 만들라는 요구가 강했다. 당시 비행기 제조사들은 최신 비행기 제조 경쟁에서 앞서 나가야만 성공할 수 있었다. 그래서 항공기 설계사와 제조 기술자, 비행기를 시험하는 비행기 조종사가 영웅 대접을 받았다. 1980년 대 후반에 브리티시 에어로스페이스 필턴 지사에서 일하는 대부분의 관리자들은 평생 그곳에서 일해 왔던 사람들이었다. 그들은 비글스, 진저, 에어픽스 키트들을 가지고 놀며 자랐고, 혁신적인 비행기 전체를 설계하고 만드는 데 열정을 가지고 있었다. 또한 노동조합과 사용자 측의 갈등이 있음에도 불구하고 단단히 결속된 조직이었다. 이러한 문화는 콩코드기를 제작할 때 정점에 이르렀다. 콩코드기는 최고의 생산물이었고, 문화적 신이었다.

그 회사는 동시에 지역사회와 매우 긴밀한 관계를 유지했다. 필턴은 브리스턴시에서 가장 노동자가 밀집한 지역이다. 지역의 노동자 비중은 매우 높았다. 필턴 지사는 다른 브리티시 에어로스페이스 지사가 있는 지역과 달랐고 경쟁자인 보잉사가 있는 곳과도 달랐다.

1980년대 후반 그들은 도전에 직면했다. 높은 기술의 기능이 필요한 비행기 전체 생산에서 벗어나서 가격 경쟁이 가능한 타당하고 효율적인 생산으로, 말하자면 비행기 전체를 만드는 것이 아니라 날개와 같은 부품을 생산하는 것으로 바뀌어야 했다. 필턴은 여러 지역과 나라에 있는 더 큰 조직인 에어버스 협력업체와 항공기 협회의 일원이었다. 이곳에 속한 회원 기업들은 비행기를 생산하기 위해 다른 기업들에 의지하고 있었다. 필턴은 내적 문화와 내면화된 문제들 때문에 경쟁 회사들과 협력하면서 보다 효율적인 공정을 창조하는 것은 매우 어려웠다.

필턴이 맞이한 도전은 번쩍이는 기술 혁신에 대한 열광에서 빠져나와 이윤을 추구하는 다른 세계에서 열정적으로 경쟁하는 것이었다. 자 이제, 오래된 문화 안에서 새로운 문화를 추구하고 창조할 때, 어떤 일이 일어나는지 살펴보자.

필턴은 만약에 비용 절감, 다른 회사와의 협업, 효율적인 공정이라는 새로운 개념을 가지고 경쟁하지 않으면 멸망으로 갈 수밖에 없다는 것을 설명하는 비디오를 제작했다. 그 비디오는 크리스마스 날 모든 직원의 집으로 보내졌다. 직원들이 회사로 돌아온 신년 초에 그들이 보인 반응은 크게 세 가지였다.

1. **숙명론**: 경영진은 회사를 문 닫을 비밀 계획이 있다. 우리가 그걸 막을 방법은 없다.
2. **의심**: 노동조합이 많은 걸 요구하지 못하도록 겁주기 위해서 경영진이 회사에 대한 끔찍한 미래를 말하고 있는 것이다.
3. **부정**: 브리스톨시는 필턴을 문 닫게 하지 않을 것이다. 왜냐하면 지역주민 다수가 이 회사에서 일하고 있기 때문이다. 여기엔 세계 최고의 디자이너와 기술자들이 있다. 브리티시 에어로스페이스는 절대 이런 능력을 포기하지 않을 것이다.

새로운 지식은 절대로 낡은 병에 들어가지 않는다. 새로운 문화를 창조하거나 배우기 위해서 먼저 오래된 문화를 폐기하는 작업을 해야 한다. 새로운 경험을 평가하고 낡은 틀을 깨는 작업이기도 하다. BCG에서 왜 새로운 변화 시도가 자주 실패하는가에 대한 연구를 실행했을 때, 발견한 가장 큰 실패의 원인은 '지도자, 변화 주도자, 컨설턴트는 해결책을 단계적으로 진행하려고 하지만, 조직의 대다수는 아직 무엇이 문제인지도 모르고 있다.'는 것이었다. 그래서 우리는 이러한 표어를 기획했다.

"만약 문제라고 느끼지 않는다면, 해결책은 설득력이 없을 것이다."

사람들이 이를 깨달으려면 직접 경험해야 한다. 우리는 브리티시 에어로스페이스 필턴 지사에서 사람들이 기존의 학습을 폐기하는 것을 두 번 목격했다. 폐기 학습의 첫 번째 순간은 부서 간 고립주의를 깨고 부서 사이의 더 많은 학습과 관계를 창조하려고 했던 때였다. 최고 경영자의 당부와 우리의 워크숍은 아무것도 변화시키지 못했다. 피터는 최고 경영자에게 이렇게 말했다.

'문제는 이곳 전체 기능을 고민하며 잠 못 자는 사람은 당신밖에 없다는 것입니다. 그들은 열심히 일하면서 부서의 문제를 해결하고 있어요. 그들은 당신과 내가 너무 많은 것을 요구한다고 느낍니다. 그 사고의 틀을 고치기 위해서는 그들도 당신처럼 잠 못 드는 밤을 경험하게 해야 합니다.'

다음 임원 회의에서 최고 경영자는 모든 사람들의 눈을 마주치며 2주 동안 업무 시간의 절반을 자기 업무가 아닌 회사 발전을 위해 쓰기 바란다고 말했다. 첫 일주일에 그들은 업무를 이틀 반 안에 모두 처리하려면 어떻게 해야 하는지 보았다. 초과 근무를 가장 많이 한 사람은 업무에서 부딪히는 문제를 해결하는 감독들이었다. 그들은 "이걸 어떻게 할 수 있습니까?"라고 질문을 던지며 즉시 반격을 했다. 최고 경영자는 그건 우리 모두가 직면한 문제라며 답변했다. 문제는 여러 곳에서 발생하지만 해결책은 항상 경영진에서 나와야 한다는 과거의 문화가 깨어지는 순간이었다.

두 번째로 폐기 학습이 일어난 순간을 우리는 "시애틀의 잠 못 이루는 밤"이라고 부를 것이다. 최고 경영자가 생각의 틀을 바꾸고 더 협력적으로 일했을 때였다. 그는 노조 대표와 함께 보잉사를 방문해서 견학했다. 그들은 함께 여행하고 함께 호텔에 머물고 함께 식사하며 며칠을 보냈다. 그 자체가 전에 없던 경험이었다. 하지만 가장 효과적으로 폐기 학습을 이룬 순간은 문제가 나오면 항상 답을 주던 최고 경영자가 이렇게 말했을 때였다. "필턴을 시애틀보다 더 나은 곳으로 만들 방법을 찾으려면 당신 도움이 필요합니다. 어떻게 해야 할 수 있는지 제가 모르기 때문입니다."

이러한 변화를 이루기 위해서는 필턴은 위에서 결정하고 아래는 따르기만 하던 기업 문화를 체계적으로 변화시켜야만 했다. 전에 필턴은 위에서 비디오(인공물의 차원)를 만들어 직원들에게 배포함으로써 이런 변화를 이루려고 했다. 하지만 기업 문화를 바꾸는 작업은 콩코드기를 만들던 과거에 대해 거기서 나왔던 단결과 열정, 자부심이 이제 다했음을 알고 애도함으로써 목적과 동기의 뿌리 차원에서부터 변화가 시작되었다. 이를 잘 자각해야만 보잉사를 능가하는 세계 최고 수준의 비행기 조립 회사라는 자부심과 목적을 찾을 수 있었다. 경영진들은 새로운 사고방식을 개발해야만 했다. 직원들의 문제를 해결해주는 식이 아니라, 팀이나 직원들이 스스로 문제를 해결할 수 있도록 코치하는 사고방식이었다. 직원들에게는 다른 부서와의 연대를 개선하는 데 필요한 자유 시간을 주었다.

리더십

우리는 '전략을 개발'하는 것에서 시선을 돌려 '전략화하는 것', 즉 대화를 지원하고 체화하고 실험하고, 배운 것을 검토 하는 과정의 중요성을 살펴보았다. 그런 다음 조직 문화를 만드는 데 영향을 미치는 서로 중첩되는 다양한 계층에 대해서 살펴보았다. 기업 문화를 바꾸기 위해서는 오래된 패턴을 폐기 학습하고 새로운 문화를 배우는 작업이 필요하다. 또한 브리티시 에어로스페이스 사례는 조직 문화를 변화시키는 데 '리딩'이 '명령'보다 더 큰 역할을 한다는 것을 보여주었다. 문화를 바꾸려면 리더십 문화를 바꾸는 데서 시작해야 한다. 우리가 좋아하는 또 다른 인용구를 사용하자면, "리더는 그가 행동하는 문화를 가지고 있다."가 있다. 리더십 문화를 바꾸는 것은 조직 변화를 가져오는 세 번째 요소이다. 섹스와 정원 가꾸기 다음으로 잘 팔리는 책의 주제는 리더십이라는 말이 있다. 미국에서 출판

된 책들은 개인과 영웅과 개척자에 열광하는 미국 문화에 물들어 있다. 많은 인기 도서들은 리더십에 대한 최근 관점을 반영하지 못하고, 리더십에 대해 이런 관점을 보여준다.

- 한 개인에게 존재하는 것
- 조직의 가장 높은 자리에 홀로 있는 것
- 영웅적이며 강하다.
- 명령하고 통제한다는 남성적 모델에 대한 편향
- 가차 없는 전환에 초점

이는 유명한 CEO들을 추앙하는 문화의 일부다. 미국 GE의 잭 웰치나 리 아이오코카, 던롭이나 앤디 그로브 같은 CEO의 무자비함과 가혹한 결단력을 찬양하는 식이다. 이러한 가차없는 리더의 이미지는 오늘날에도 리얼리티 TV 프로그램에서 이어지고 있다. 그러나 엔론과 월드컴의 스캔들, BP와 바클레이의 감독 실패, 리먼 브라더스 사태 등은 강인한 영웅에 대한 대중의 신뢰를 떨어뜨려왔다.

최근에는 리더십에 대한 다른 접근법이 커지고 있다. 서번트 리더십과 겸손, 여성적인 접근, 조용함, 사람들에 대한 돌봄, 집단적이고 분산된, 문화적 경계를 초월한 리더십이 강조된다. 대부분 코치와 멘토, 컨설턴트들은 조만간 리더를 발굴하는 일에 참여하게 된다. 그렇기 때문에 리더가 잠재력을 더 잘 완성하도록 돕기 위해서 무엇이 필요한지를 잘 이해할 필요가 있다.

리더십이란 무엇인가?

역사적으로 리더십에 대한 대부분의 연구들은 리더의 성격 측면이나 행동을 다루고 있다. 리더십은 리더가 무엇을 하느냐로 드러나는 것처럼 보인다. 그러나 최근에 쓰여진 연구들은 리더십을 리더와 구성원(팔로워) 사이의 관계적인 행위로 보고 있으며 리더십 팀과 이사회에 의한 집단적 리더십을 더 크게 강조하고 있다 (Hawkins, 2011a).

리더십이 발생하는 데는 적어도 세 가지 요소가 필요하다고 주장하고 싶다. 그것은 리더와 팔로워, 함께하는 노력이다. 노력은 있지만 구성원이 없는 리더는 황야에서 외치는 소리와 같다. 노력과 구성원은 있지만 리더가 없는 것은 열정적이지만 갈 방향을 모르는 군중과 같다. 리더와 구성원은 있지만 둘이 함께 노력하는 일이 없으면 스토킹 형태가 된다.

리더십을 관계적이고 맥락적인 관점에서 보면 리더가 '타고나는가 길러지는가'라는 오랜 논쟁은 불필요한 것이 된다. 리더는 구성원에게 영감을 주고 동기를 부여하고 노력을 집중시키는 사람이다. 리더는 원하는 결과를 성취하기 위해서 활동을 조율하고 자원을 한방향으로 정렬한다. 리더가 노력에 의해서 생겨나는 것만큼이나 노력 역시 리더에 의해서 만들어진다.

많은 영역과 나라에서 실시한 연구를 바탕으로 우리는 통합적인 리더십의 중요한 측면을 담은 모델을 제시한다. 이 모델을 공식적으로 공공 영역, 민간 영역, 자원봉사 영역에서 사용한다. 그러나 리더의 모든 기능들을 다 갖춘 개인은 없다는 것을 인식해야 한다. 통합적인 리더십은 나누어졌던 이사회와 임원팀을 통합하는, 본사와 지사를 아우르는, 조직과 조직의 더 큰 이해당사자들을 포괄하는 효과적인 리더십 팀 작업을 요구한다〈그림 5.5〉 참조).

✍ 그림 5.5 **통합적인 리더십의 측면**

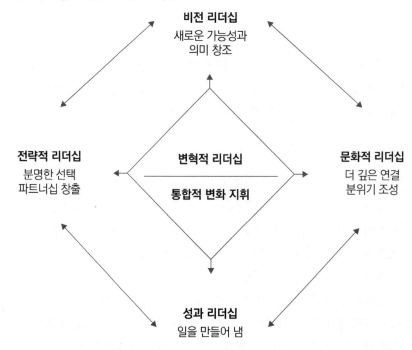

▪ 전략적으로 가치를 창조하는 리더십

개발의 삼각형 안에서 리더와 리더십을 개발하는 것은 그 자체로 리더를 개발한다는 뜻이라기보다 조직의 전략적 진화를 이끌고 조직 문화를 꾸준히 재생산하기 위한 리더십의 집단적 능력을 개발한다는 뜻이다.

리더십은 그것이 생산한 결과와 혜택에서 생겨나며, 모든 이해당사자 그룹을 위해 가치를 창조하는 방식에서 생겨난다고 볼 수 있다. 영국의 SOLACE(Society of Local Authority Chief Executives)에 제출한 리더와 리더십 개발 연구 보고서에서, 결과라는 관점에서 공공부분의 리더십에 대해서 다음과 같이 썼다.

> "당신이 어떤 관점을 갖든 다음과 같은 조건으로 성공적인 리더십을 규정할 수 있을 것이다.
> **시민들**은 자신이 원하는 공동체를 창조하라는 임무를 받았다고 느낀다.
> **납세자**는 제공 받는 공공 서비스 수준이 자신이 내는 돈 값어치를 한다고 느낀다.
> **서비스 사용자**는 선택할 서비스가 충분히 다양하고 질이 기대를 만족시킨다고 느낀다.
> 이익 집단과 **다양한 이해관계자**들은 자신의 목소리가 제대로 반영되고 있다고 느낀다.
> **관련 기관**은 개인과 집단의 목적 모두를 추구하는 데 생산적으로 협력하고 있다.
> **지역 경찰관**은 지역 정부가 민주주의를 꽃피우기 위해 개인과 집단의 이익을 잘 조율하고 있다고 느낀다.
> **지역 정부와 중앙 정부**는 다양한 지역과 국가/광역 행정구 사이의 전략이 잘 맞도록 보증한다.
> **감시 위원과 조사관**은 이런 관점에 대한 증거들을 연결하고 보여주는 가치 사슬을 발견한다."

이 모델은 책임자와 후원자가 복잡하게 얽혀져 있어서, 사람들은 보다 단순한 리더십 모델을 자동적으로 선택하는 경향이 있다. 그러나 단순한 모델은 리더십에서 생기는 도전들을 리더 개인의 행동으로 축소시킨다. 단순한 모델이 쓸모가 없다고 주장하는 것은 아니다. 그 모델은 쓸모가 있다. 그러나 개인은 결코 전능하지 않다. 만약 개인이 전능할 수 있는 것처럼 생각한다면 하나의 환상이다.

윌리엄스 등(Williams *et al*, 2004)은 다음과 같이 썼다.

> 가치 있는 리더십은 특별한 사람에게서 나오는 것이 아니라, 자신이 아는 것을 기억하고 변화 압력 속에서 기지를 발휘하면서 미래의 일과 현재 일을 다루는 보통 사람들에게서 나온다. 가치 있는 리더십은 사람들을 모으고 그들에게 가치를 부여하고 상부나 주변의 압력에서 그들을 보호하는 일상적인 일로 구성되어 있다. 이러한 발견은 새로운 리더들이, 자신이 원하는 대로 미래를 형성한다는 생각을 버리고 삶을 있는 그대로 대면할 때 가장 성공할 수 있다는 것을 보여준다. 리더는 이래야 한다는 어떤 이상화된 그림에 맞추어 살려는 대신, 자기 앞에 있는 것을 가장 잘 이용해야 한다. 리더는 그렇게 평범한 영웅이 된다.

■ 문화 변화를 조율하는 리더

로버츠(Roberts, 2004)는 전략가로서 리더의 역할은 너무 오랫동안 강조해 온 반면 조직 설계자로서의 역할은 무시해왔다고 쓰고 있다. 로버츠는 리더가 계속해서 조직을 설계하는 작업을 도와줄 매우 유용한 모델을 제공한다. 이 모델은 네 가지 요소들을 포함하고 있다.

- 사람
- 구조
- 일상, 프로세스, 절차
- 문화

그는 성과가 어떻게 전략, 조직, 환경, 조직의 네 요소(사람, 구조, 일상, 문화)가 한 방향 정렬되는 데서 나오는지를 설명했다(〈그림 5.6〉 참조).

리더가 직면하는 핵심적인 도전은 갈등을 일으키는 어떤 요소를 변화시키는

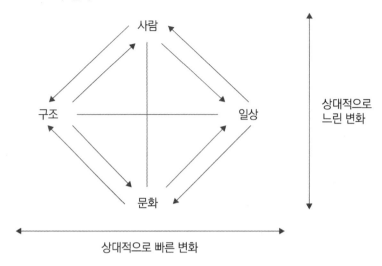

♪ 그림 5.6 **조직 변화**

사람

상대적으로
느린 변화

구조 ─── 일상

문화

상대적으로 빠른 변화

속도와 통제 정도에 있다. 조직의 구조는 강력한 통제만 있으면 상당히 빠르게 변할 수 있다. 반면 사람과 문화는 상당히 느리게 변할 뿐만 아니라, 상부에서 변화를 통제하는 데는 한계가 있다. 그렇기 때문에 변화의 과정은 조직의 계획과 어긋나기 쉽다. 조직의 구조와 업무 과정은 문화와 사람들보다 앞서서 변한다. 이러한 간극을 메우기 위한 행동이 쇠퇴하면 응급처방책이 쏟아져 나온다.

그 좋은 예가 영국의 국립보건원(National Health Service, NHS) 사례이다. 이 조직은 지난 20년간 조직의 구조와 일상 업무를 바꾸는 데 경험 많은 전문가 같았다. 대규모의 조직 개편이 수없이 있었다. 조금만 언급해 보더라도, 전략적 보건 당국, 일차적 위탁 간호, 임상 위원회 집단, 위탁 병원뿐만 아니라, 성과 타겟팅 안에서 새로운 일과의 도입, 국가 기록 보관, 지역 위원회, 시장 기구들이 재편되었다. 그러나 이 시스템 안의 문화나 사람을 개발하는 능력은 뒤쳐져 있었다. 그래서 대다수의 변화는 시행 당시의 기대에 못 미치고 실패로 돌아갔다. 사람들은 새로운 변화의 물결이 치고 올라올 때도 여전히 그전에 있었던 변화에 적응하느라 애써야 했다.

■ 리더십 개발

정부와 공공 단체, 큰 조직들은 리더십 역량을 키우는 데 엄청난 돈과 시간을 투자한다. 그러나 이런 투자가 규모나 속도 면에서 기대만큼의 이익을 가져다주지 못한다는 증거들이 있다. 미국 하버드 대학의 교수 바바라 캘러만(Barbara Kellerman, 2012)은 다음과 같이 쓰고 있다.

> 평행적인 진실이 있다. 어떤 타입의 리더도 평판이 나쁘다. 끊임없이 이뤄지는 리더십 교육도 리더십의 열반으로 데려다 주지 못했다. 어떻게 좋은 리더로 성장하는지 혹은 어떻게 나쁜 리더가 되지 않을 수 있는지, 혹은 적어도 나쁜 리더가 되는 걸 늦출 수 있는지에 대해 수백 년 전 혹은 천년 전보다 더 잘 안다고 할 수가 없다. 리딩하는 법을 가르치기 위해 엄청난 양의 돈과 시간을 쏟아 부었음에도 불구하고, 지난 40년의 역사에서 리더십 산업은 인간의 조건을 개선하는 중요하고 의미 있고, 측정 가능한 방법을 거의 찾지 못했다.

미국 DDI의 최근 연구(Boatman and Wellins, 2011)는 다음과 같은 자료로 그녀의 주장을 지지하고 있다.

> 지난 4년간 전 세계적으로 140억 달러가 리더십 개발에 쓰였다. 그러나 리더 3명 중 1명만이 자신이 받은 리더십 개발이 가치 있다고 본다. 리더십 능력이 그 어느 때보다 중요한 문제로 대두되고 있는데도 그렇다.

- 최상의 자질을 지닌 리더가 있는 조직은 주요 지표에서 다른 경쟁자들보다 13배 많은 성과를 낸다.
- 벤처 캐피탈리스들은 경영진의 자질이 성장하는 사업을 성공시키는 가장 중요한 세 가지 요소 중 하나라고 말한다.
- 분석가의 관점에서는 최고 경영팀이 주가의 35% 차이를 가져온다고 본다.
- 연구 결과 조직 내에서 리더를 기르는 것이 외부에서 리더를 영입하는 것보다 효과적이라고 본다.
- 단지 18%의 HR 전문가만이 앞으로 3년 내지 5년 동안 회사를 경영할 수 있는 리더가 양과 질 면에서 준비되어 있다고 봤다.

리더십 개발이 갖는 이런 문제점은 시대에 뒤쳐지거나 부적절한 리더십 패러

다임과 리더십 개발을 바탕으로 한 데서 일어났다고 본다. 여러 리더십 개발 계획
에서 보여지는 리더십 개발은

- 개인을 위한 것이다.
- 직무 맥락에서 벗어난 것이다.
- 강의실에서 가르칠 수 있는 것이다.
- 정해진 단기 과정에서 가르칠 수 있다.
- 각기 분리된 분야에서 배울 수 있다(예: 학교에서 보건이나 지역 정부 심지어 심화 과
  정이나 고등 교육과도 분리되어 배울 수 있다고 생각한다).

그렇다면 어떻게 한 조직이 잠재된 리더십 재능을 충분히 성장시키고, 복잡
하고 빠르게 변화하는 세상에서 효과적인 리더십 팀을 세울 것인가? BCG는 '리
더십 베스트 프랙티스'와 '리더십 개발'에 대한 수많은 연구를 수행했다. 민간 영
역에서, BCG는 PWC(Pricewater house Coopers)를 위해 '조직이 리더십 개발에 대한
투자에서 어떻게 최상의 결과를 얻을 것인가'에 대해 연구를 수행했다. 그리고 세
계적인 선도적 회사들에서 리더십 베스트 프랙티스를 찾아보았다. BBC에서도 이
와 비슷한 연구가 진행되었다. 2003년에는 행정기관에서 개인과 집단을 보다 잘
이끌기 위한 계획들을 검토했다. SOLACE에서는 지속적인 학습 계획을 재검토하
고 어떻게 지역 정부에서 리더십 능력을 개발할지에 대해서 연구했다.

이런 연구들을 통해서 우리는 리더와 리더십 베스트 프랙티스 개발이 무엇인
지에 대한 그림을 세울 수 있었다. 모든 측면에서 리더십 베스트 프랙티스를 실행
하는 조직은 없었다. 그러나 한 조직 혹은 몇 조직은 효과적이고 학습 가능한 측
면을 실행하고 있었다. 그러한 리더십 훈련의 측면은 매우 효율적이기 때문에 배
울 점이 많았다. 이런 측면들을 통합한 이상적인 조직에서 하는 리더십 개발은,

- 리더십 문화와 미래의 성공에 필요한 능력에 대한 확실한 비전을 바탕으
  로 한다.
- 리더십 팀을 개발하는 데 초점을 두며, 리더 개인을 개발하는 데 초점을
  두지 않는다.
- 통합적인 전략과 문화 변화라는 맥락 안에서 개인과 팀의 개발을 통합한다.

- 행동, 성찰, 새로운 사고, 새로운 계획 알리기, 리허설, 새로운 행동을 이 끌어내기라는 전체 행동 학습 사이클이 포함된다.
- 리더십을 배우는 집단과 팀들에게 실시간으로 전략적 도전을 제공한다. 이러한 도전은 그들에게 새로운 방식을 배우고 조직 내부에서 벗어나 생각해 보게 만든다.
- 리더에게 다른 영역 사람과 파트너 관계를 맺고, 영역 경계를 넘어서 일할 것을 요구한다. 그리고 파트너와 이런 방식으로 일하는 것에 대해 숙고하게 만든다.
- 배우려는 욕구가 일어나는 곳에서 즉시 학습을 제공한다.
- 현재 그리고 미래에 실제로 있을 도전을 바탕으로 한다.
- 조직 개발과 리더십 개발을 연결시킨다.
- 리더십이 관계적인 것임을 이해하고 개인만이 아니라 관계를 개발한다.
- EQ와 행동을 개발한다. 단지 지적 능력과 지식을 개발하는 데 그치지 않는다.
- 연합을 이용하고 팀 교육을 한다.
- 사람들이 학습 목표가 아니라 조직의 도전을 이루도록 만든다.
- 실시간 피드백과 실험을 활용한다.

이러한 연구조사를 바탕으로 BCG는 리더십 훈련을 조직적으로 진단하고 검토할 수 있는 과정을 개발하고 시험했다. 이 과정은 미래에 조직을 이끄는 데 필요한 것이 무엇인지 재검토하고 조직이 이러한 주제와 관련된 전략을 개발하는 데 도움을 주었다. 이 과정은 미래에 무엇이 필요한가라는 관점에서 조직이 리더십을 전체적으로 점검할 수 있게 도왔다. 그리고 조직이 집단적인 리더십 문화와 개인의 능력 모두에 초점을 둘 수 있게 도왔다.

여기서 세부사항을 다루지는 않지만, 이 과정은 우리에게 다음과 같은 사실을 부각시켰다. 조직 전체를 대상으로 하는 컨설팅, 코칭은 단지 개인과 개인의 경력 변화(2장 참조)를 이해하는 것이 아니라, 집단의 조직적인 변화를 이해하는 것이어야 한다. 조직에서 효과적인 변화를 일으키는 데 있어서 핵심은 전략 수립, 연결, 리딩 활동을 통합하는 것이다. 변화 과정에서 조직 시스템의 내부와 외부를 연결시켜야 한다. 현재 리더십과 잠재적인 리더 모두에 대한 지원이 필요하다. 리더십 개발은 조직의 컨설턴트/코치의 레이더에서 확실한 주제가 되어야 한다. 더 큰 개선을 이끌고 조직과 사람들의 가치를 높이기 위해서, 조직에 찾아온 모든 기회를 향해 나아가야 한다. 조직의 일상 업무와 도전을 리더십 개발의 인큐베이터로 보아야 한다.

통합과 변화 구조

앞서 이야기 한 것처럼 더 큰 시스템에 변화를 일으키는 변혁적 코칭은 기업이든, 조직이든, 파트너 관계이든 단 한번 코칭으로 성취될 수 있는 것이 아니다. 코치하는 입장에서 하나의 팀이 필요한 것처럼 고객의 입장에서는 그와 동등한 팀(혹은 팀들)이 필요하다. 시스템의 핵심 영역이나 부서 사람을 한데 모아야, 광범위한 이해관계자들의 이해와 욕구를 들을 수 있고 통합된 방식으로 이야기할 수 있다.

코칭 팀의 첫 번째 임무는 중요 후원자(들)에게 앞으로 이 팀이 어떠한 변화를 겪게 될 것인지, 팀이 어떤 사람으로 구성될지, 그 팀이 전체 시스템과 어떻게 연결될지에 대해 동의를 구하는 것이다. 고객측 팀과 코칭 팀 사이의 관계도 여기서 매우 중요하다. 둘 사이의 연결과 통합은 적어도 양쪽 모두가 서로가 서로에게 속해 있다고 느낄 정도로 충분해야 한다. 그리고 변화 과정의 중요한 결정이나 방향을 서로 공유해야 한다.

성공의 중요한 지표 중 하나는 서로의 뜻이 들어맞으면서도 과정 안에서 양쪽 모두에게 뭔가 새로운 면이 나타나고, 팀 전체의 성공과 프로젝트 전체의 성공을 위해서, 양 측이 독특한 지식과 기술, 관점으로 기여한다는 것에 서로에 대해 존경심을 품게 될 때이다. 하나 또는 여러 개의 팀이 만들어지는데 눈여겨봐야 할 기능들이 있다. 그 중 몇 개를 언급하자면 다음과 같다.

- **후원**: 자원과 권력을 가진 이해당사자들에게 제대로 알리고 지지를 받아서, 변화의 물결이 일어날 때 조직 문화 변화를 방해하는 사람들을 충분히 배제시킬 수 있도록 만들어라.
- **설계**: 변화 과정에 대한 로드맵을 제공하라. 어떠한 방향으로 변화의 과정을 거치게 될지, 어떻게 각 조각들이 합쳐질지에 대해서 확실히 알려줘라.

하지만 변화 과정 중에 나오는 피드백에 따라 계획을 수정할 수 있을 만큼 유연해져라.

- **조정**: 설계가 새로운 전략과 문화, 리더십을 구현하는 통합된 행동으로 해석되도록 이끌어라.
- **시도와 실험**: 진전 상황을 파악하고 피드백되는 내용을 설계와 조정에 반영하라.

컨설팅 팀은 전체적 변화 구조에 관심을 갖는다. 그것이 조직 코칭이 개인이나 팀 코칭과 구분되는 중요한 특징이다.

결론

이 장 앞부분에서 기업, 정부, 비영리 영역의 조직 세계가 어떻게 극적으로 변화될 수 있는지 설명했다. 조직 개발 컨설팅은 1970년대와 1980년대에는 선구적인 작업을 했지만 이제 이러한 급격한 변화를 따라가지 못하고 있다. 지난 10년 동안 개인 코칭과 멘토링에 대한 책과 훈련이 엄청나게 늘어났다. 이와 마찬가지로 이제는 조직 코칭과 조직 개발 컨설팅이라는 더욱 도전적인 영역이 활성화될 필요가 있다.

또한 조직이 변화를 거치는 전 과정에 대한 코칭은 개인 혼자 감당할 일이 아니다. 함께 효과적으로 일할 수 있는 코칭 팀이 필요하다. 또한 정규적으로 그림자 컨설팅(shadow consultancy)을 받거나, 고객 시스템 속에서 얼굴을 맞대는 작업에서 한 발 물러선 사람에게서 슈퍼비전을 받아야 한다. 이 사람은 훈련된 슈퍼바이저이자 경험 많은 조직 개발 컨설턴트로서, 적응적이며 복잡한 시스템인 조직을 이해하는 체계적인 접근법을 가지고 있어야 한다. 복잡한 시스템인 조직 안에서 전략 수립과 문화 변화, 리더 개발은 서로 얽혀있는 지속적인 과정이다. 이 주제는 11장에서 다시 다루며, 체계적인 그림자 컨설팅에 대해서 살펴볼 것이다.

제6장 | 코칭 문화 창조

■ 그래서 결국 무엇이?

대기업 이사회 임원들이 사명선언서 작업을 하고 있었다.

"여러분의 근본적인 목적은 무엇입니까?" 나스루딘이 물었다.

"주주들에게 지속적으로 높은 배당을 주는 겁니다." 라고 임원들이 말했다.

"그게 되면 무엇이 좋죠?" 나스루딘이 물었다.

"그럼 주주들이 회사에 재투자하여 이익을 증가시키게 되죠."

"그럼 무엇이 좋죠?" 나스루딘이 물었다.

"더 많은 이익을 내는 거죠." 그들은 조금 짜증나는 투로 대답했다.

"그게 되면 무엇이 좋죠?" 나스루딘이 태연하게 다시 물었다.

"주주들이 재투자를 하고 더 많은 이익을 만든다니까요."

몇 주 후 임원들이 사명선언서 작업을 위해 나스루딘의 집을 방문했었다.

나스루딘이 헛간에서 당나귀에게 귀리를 먹이고 있었다.

"무엇을 하고 계신 거죠? 불쌍한 당나귀에게 먹이를 많이 줘서 어디 못 가게 만드시네요." 임원들이 물었다.

"어디로 가려고 먹이는 것이 아닙니다. 목적은 거름을 생산하는 거죠." 나스루딘이 대답했다.

"그럼 무엇이 좋죠?" 임원들이 물었다.

"거름이 없으면 이 작은 농장에서 먹성 좋은 이 녀석을 먹일 귀리를 키울 수 없거든요"

(Hawkins, 2005: 5)

소개

조직이 코칭으로 방향을 전환하게 되는 이유는 무엇인가? 종종 기업에서 코칭은 고위 임원의 개인 성과 이슈 혹은 특정 리더의 빠른 개발을 위한 니즈에서 시작된다. 그 다음 모든 임원들 대상으로 회사 전체를 이끄는 역할을 지원하거나 잠재력이 큰 구성원을 개발하는 것으로 확대되기도 한다. 이 단계에서 HR, 교육 부서나 조직개발 부서가 코칭을 제안하기도 한다. 이들은 사람 관리와 리더십 스킬 개발을 하는 데는 코칭이 집합교육보다 더 효과가 높다고 생각한다.

하지만 조직이 리더십과 관리에서 코칭의 비중을 늘리려면 중요한 비용을 계산해야 한다. 투자대비 효용(ROI, Return On Investment)에 관한 전략적 질문이 필요하다. 다음과 같은 중요한 질문들이 제기되는 것이다.

- 이 투자로 인한 수익을 어떻게 평가할 것인가?
- 이 투자는 개인에게 유익한가? 또는 조직에도 유익한가?
- 어떻게 코칭을 별도로 분리된 활동이 아닌 일상 업무에 기반한 관리 및 리딩의 일부로 만들 것인가?
- 코칭을 하면 결국 무엇이 좋아지는가?

연구들을 살펴보면 대부분의 조직이 경영자 코칭에서 최대한의 효과를 뽑아내지 못하고 있다고 믿고 있다(Jarvis et al, 2006; McDermott et al, 2007; Blessing White, 2008; Peterson, 2010b; Hawkins, 2012) 그리고 이는 경기 쇠퇴 국면에서 코칭에 대한 투자를 줄이는 원인이 되곤 한다. 보여 줄만한 효과가 부족한 이유는 다음과 같다.

- 조직에서 코칭의 목적이 분명하지 않음
- 코칭으로 가장 큰 차이를 만들 수 있는 대상을 표적으로 삼지 않음
- 결과적 효과에 대한 평가 부족
- 코치의 질의 일관성 부족
- 코치와 코칭 대상자, 현업관리자간의 충분한 합의가 없음

코칭은 조직에서 다양한 방식으로 발전한다. 코칭은 리더십 개발 프로그램과

연관되거나, 현재 리더의 개발이나 미래 리더십을 위한 잠재력 있는 인재 개발에 사용된다. 어떤 기업은 인재 개발과 전 경영진의 관계 관리를 원하며, 코칭이 이를 위한 효과적인 방법이라 여긴다. 어떤 사람들은 코칭을 변화의 시기에 새로운 미션 그리고/또는 전략을 달성을 위해 조직 전체를 개발하는 문화 변화와 연계한다.

많은 회사들이 별로 전략적이지 않게 코칭을 시작하였다가 입소문에 의해 확산시키는 형태를 보인다. 코칭에서 개인적으로 효과를 본 경영진 몇 사람이 코칭을 다른 사람들에게 추천하거나 사업가적인 코칭 챔피언의 열정에 의해 전파되는 식이다. 이렇게 입소문으로 퍼지는 방식이 매우 효과적일 수는 있지만 이건 조직이 코칭에 막대한 비용을 쓰게 만든다. 재정 통제나 품질에 대한 모니터링 없이 부서 예산으로 지불되곤 한다. 맥신 돌란(Maxine Dolan)은 테스코에서 코칭 업무를 담당했는데, 그녀는 매년 백만 파운드 이상의 돈이 코칭에 사용되고 있고 그 금액을 쓰는 데 대한 적합성과 효과성 점검이 없다는 사실에 깜짝 놀랐다(Hawkins, 2012: 23).

피터슨(Peterson, 2010b)은 북미의 맥락에서, 나이츠와 포플레톤(Knights and Poppleton 2008)은 유럽의 맥락에서 코칭이 우연히 시작되고 임시변통적으로 제공되는 것의 이점과 위험을 지적했다. 어떤 조직은 코칭 개발의 초기 단계였고 다른 조직은 좀 더 의식적으로 접근했다. 저자들은 이를 좀 더 전략적이고 집중화된 접근, 즉 더 표적이 분명하고 품질이 통제되며, 비즈니스 성과에 연결되는 코칭 방식과 비교했다.

피터슨은 코칭을 하는 조직에 일련의 발달 단계가 있다고 했다. 처음엔 혼란 단계에서 시작되어 코칭 챔피언에 의해 운영되고, 비즈니스 성과에 연결되며, 전략적으로 연계되는 코칭 접근으로 성숙되어간다. 나이츠와 포플레톤은 이런 단계들이 꼭 연속적이지는 않는다면서, 조직과 조직 문화에 기반해야 한다고 주장하였다.

코칭 서비스를 조직하는 데 한 가지 만능 해법이 있는 것은 아니다. 중요한 것은 조직의 맥락에 대해 분명하게 이해를 하고 상층과 중심부 사람들이 조직 전체와 더 큰 시스템에서 진화해가는 모든 코칭 활동에서 무엇이 일어나고 있는지를 잘 알아야 한다는 것이다.

호킨스(2012: 24)는 피터슨(2010b), 호킨스와 스미스(2006), 클러터벅과 매기슨(2006)이 취한 발달적인 관점과 나이츠와 포플레톤(2008)이 주장하는 유동적이고 맥락적인 관점 둘 다를 통합하는 입장을 개발했다. 그는 코칭의 발달에서 맥락이나 성숙 단계가 어떻든지 간에 조직은 세 가지의 기본 기둥을 다루어야 한다고 했다.

이 세 가지 기둥이 함께 갖춰질 때 기업에 맞춘 코칭 활동의 독특한 접근법이 자연스럽게 통합적으로 개발된다고 주장했다(〈그림 6.1〉 참조). 그가 제시한 세 가지 기둥은 다음과 같다.

- 사명과 현재 사업 전략과 연계된, 분명하고 통합적인 코칭 전략. 코칭 접근법이 사업 분야에 따라 유연하게 제공되어야 하며 계속 진화, 개발, 학습되는 과정이면서 동시에 명료한 하나의 전략이 있어야 한다.
- 코칭을 더 넓은 조직 문화 변화와 연계(시키기). 조직 문화를 개발하는 것은 A지점에서 B지점으로 가는 선형적인 여정은 결코 아니다. 오히려 변화시키려고 시도하는 만큼 조직 문화에 대해서 더 알게 되고, 바뀌어야 될 것이 무엇인지를 더 발견해 나가는 여정이다.
- 통합적 인프라. 조직의 최상층과 중심부가 분명한 방향과 자원에 대한 의사결정을 내려주면서, 동시에 코칭의 진화에 따라 조직 전체와 더 큰 시스템에 어떤 일이 일어나고 있는지 지속적으로 파악하고 알 수 있는 인프라가 필요하다(Hawkins, 2012: 24).

호킨스는 만약 위의 세 가지 기둥 중 하나라도 없다면 '코칭은 주변부에 머물게 되며, 다음 회기에 예산 삭감이나 구조 조정, 새로운 이슈에 의해서 없어질 위험이 있다고 했다.

조직에서 이 세 가지 기둥이 코칭 활동이 진행되기 전에 제대로 갖춰지는 경우는 거의 없다. 실제로 호킨스가 연구한 많은 조직들은 효과적인 통합과 평가 없이 코칭 활동을 해왔음을 깨닫고 나서 이러한 기반들의 필요성에 대해 얘기하기 시작했다.

점차적으로 조직들은 코칭이 비즈니스에 어떻게 가치를 더하는지 전략적으로 많은 생각을 하게 되었다. 리더와 관리자들이 다음 질문들을 한다는 뜻이다.

- 주요한 전략적 우선순위는 무엇인가?
- 조직 문화에서 어떠한 점을 개발해야 하는가?
- 이렇게 개발하기 위해서 개인적 조직적 리더십과 관리 스타일과 역량을 어떻게 바꿔야하는가?
- 코칭이 어떻게 차이를 만들어 내는가?

코칭 문화란 무엇인가?

코칭 문화를 어떻게 창조할 것인가라는 주제는 많은 컨퍼런스와 워크숍, 논문과 사례연구, 도서 등에서 지속적으로 더 많이 다루어왔다. 하지만 이러한 담론들은 명확한 정의와 참조 프레임이 부족하다.

☞ 그림 6.1　세 개의 기둥

코칭 전략

조직 문화 변화와의 한방향 정렬

코칭 인프라

피터는 2012년 책 〈코칭 문화의 창조(Creating a Coaching Culture)〉에서 광범위한 연구와 선도적인 기업들의 베스트 프랙티스에 기초하여 다음과 같이 정의를 내렸다.

> 코칭 문화란 리더와 관리자, 구성원을 몰입시키고 사람을 개발하고 이해관계자를 참여시키는 데 코칭 접근법이 핵심 방식이 되는 것을 말한다. 코칭 문화는 개인, 팀, 조직의 성과와 모든 이해당사자를 위한 공유가치를 창출하는 방식으로 존재한다.　　　　　　　　　　　(Hawkins, 2012)

그는 이 정의를 풍부하게 하기 위해 앞 장에서 언급한 조직 문화 5단계를 사용하여 코칭 문화가 잘 개발된 모습이 어떤 것인지에 대한 비전을 설명한다.

- **인공물**: 조직이 핵심 전략과 사명서에서 코칭의 중요성을 선언한다. 모든 리더와 관리자의 주요 역량과 능력으로 코칭이 언급된다.

- **행동**: 코칭 스타일로 사람을 대하는 것이 일대일만이 아니라 팀 미팅에서 쓰이며, 문제 해결과 팀과 개인의 지속적인 개발을 장려하는 방법으로 사용된다. 팀과 조직, 이해당사자들의 집단적인 노력에 포커스를 맞춘다.
- **마인드**: 무엇을 하라고 굳이 지시하거나 지원, 설명을 하지 않아도 대부분의 사람들이 이슈와 도전에 몰입하거나 대안을 생각하고 선택할 때 코칭의 지배적인 믿음을 갖고 있다. 그건 누구도 모든 답을 갖고 있지 않으며, 혼자의 생각보다는 다 같이 탐구할 때 새로운 도전에 대해 더 좋은 답에 이를 수 있다는 믿음이다.
- **정서적 기반**: 개인적으로 몰입하고 책임감과 에너지가 높은 조직 분위기이다. 여기서는 모든 도전은 새로운 배움에 대한 기회로 보며, 결속된 관계 속에서 문제를 해결해 나간다. 모든 구성원 개인과 팀에게 개인 및 집단 차원의 잠재력을 깨달을 수 있도록 도와주는 높은 수준의 도전과 지원을 제공한다.
- **동기의 뿌리**: 이러한 문화의 샘에서 사람들은 평생 학습과 개발에 헌신한다. 다른 사람을 신뢰하고 지속적으로 학습하는 그들의 잠재력을 믿는다. 집단의 성과는 학습과 개발에 의해 향상된다는 믿음이 있다. 이러한 동기의 뿌리는 대화와 집단적 탐구의 힘에 대한 믿음을 통해 충전된다. 함께 하면 어떤 개인이 하는 것보다 더 나은 결과로 나아간다는 믿음이 있다 (Hawkins, 2012: 22).

호킨스의 작업은 클러터벅과 매긴슨(Clutterbuck and Megginson, 2005), 호킨스와 스미스(Hawkins and Smith, 2006), 하딩엄 등(Hardingham *et al*, 2004), 캐플란(Caplan, 2003) 등 다른 연구자들의 작업에 기초해서 쓴 것이다.

코칭 문화 개발의 단계

어떤 조직이든 코칭 문화 개발의 길에 나서려면 시작하기 전에 다음 질문들을 해야 한다.

- 코칭과 코칭 문화가 답해야 하는 요구는 무엇인가?
- 코칭 문화가 된다면 어떤 유익이 있는가?
- 우리가 가고자 하는 방향으로 나아가는 데 코칭 문화가 필수 요소인가?
- 코칭 문화에서 성공이란 어떤 모습이며, 투자 대비 수익은 어떻게 평가할 것인가?

이 장 후반부에서 코칭 문화의 가치 사슬과 최종 목표를 기준으로 평가하는 프로세스를 탐구하면서 이 질문들에 대한 가능한 답변을 설명하려고 한다.

코칭 문화 개발의 단계적 모델은 문헌 연구와 함께 일했던 기업 리뷰를 통해 확장되었다. 피터의 2009년, 2011년 연구에 더해 나름의 방법으로 코칭 문화를 개발해온 다른 분야 및 다른 나라에서 30개의 회사들을 연구하였다. 이 모델은 처방적이라기보다 서술적이다. 즉, 조직이 코칭 문화를 만드는데 이 순서대로 발전해야 한다는 처방이라기보다는 모든 조직이 반드시 거치는 발전 단계를 서술하고 있다.

7단계

이 책의 초판(Hawkins and Smith, 2006)에서 완전한 코칭 문화를 형성하는 데 필요한 7단계를 제안하였는데, 이걸 모두 성공적으로 이룬 조직은 극소수이거나 거의 없었다. 이 책을 저술한 이래로 피터는 여러 지역과 나라에서 코칭 문화를 만드는 다양한 기업들을 인터뷰하고 계속 연구해왔다. 또한 여러 조직이 코칭 문화를 개발하는 것을 지속적으로 도와왔다. 이런 조직과의 만남을 통해 관점들을 갖게 되면서 단계의 이름을 조금씩 수정해왔고, 7단계의 중요성과 접근 방법의 타당성을 발견해 왔다.

이 책을 처음 쓴 후 6년 동안 많은 변화들이 있었고, 특히 팀 코칭(4장 참조)과 많은 풍부하고 다양한 코칭대화를 통해 조직 학습을 수확하는 방법들을 보게 되었다. 이 두 가지는 이제 4단계에 강력하게 표현되었다. 아울러 각 단계 내에서도 많은 발전이 있었다. 그건 여러 기업에서 사내와 사외 코칭 커뮤니티를 통해 어떻게 일하는가, 관리자들이 코칭 스킬을 사용하도록 어떻게 교육할 것인가, 어떻게 코칭을 다양한 이해관계자를 참여시키는 수단으로 사용하는가 등에서 이룬 혁신들이다.

▪ 1단계: 외부 코칭을 제공하기

대부분의 조직은 현장 관리자나 HR이 제공할 수 없는 임원들의 개발 요구가 대두될 때 처음 코칭과 멘토링을 시작했다. 그래서 조직 내의 다른 부문이나 외부에 있는 누군가의 코칭과 멘토링으로 경영자들을 지원하였다. 이 단계는 임시변통의 방법으로 시작되기도 하지만 주요 전문가를 통해 개발할 수 있다. HSBC 같은 회사들은 국제적으로 인정된 전문 코치들의 리스트를 만들어서 그들을 평가한 다음, 신임장을 주고 지속적으로 지원을 했다. 모든 임원들이 특정 단계가 되면 코치에게 코칭을 받는 관행으로 받아들여졌다.

이렇게 고위 경영자를 코칭하는 단계는 관리자를 코치로 개발하는 것보다 먼저 이루어질 필요가 있다. 켈로그(Kellogg)의 조직 효과성 이사 케이트 하슬리(Kate Howsley)는 다음과 같이 말했다. '다른 사람을 개발하기 위해서는 코치들이 먼저 개발되어야 한다는 결론을 내렸습니다.'(Clutterbuck and Megginson, 2005: 135)

이 책 어디에선가 얘기한 것처럼 효과적인 코칭 대상자가 되어 보는 것이 효과적인 코치가 되기 위한 첫 단계이다. 호킨스(2012)는 효과적이고 몰입하는 외부 코치 풀을 개발하는 단순한 플로우 프로세스를 제안한다〈그림 6.2〉 참조).

𝄞 그림 6.2 **효과적인 외부 코치의 창출과 개발**

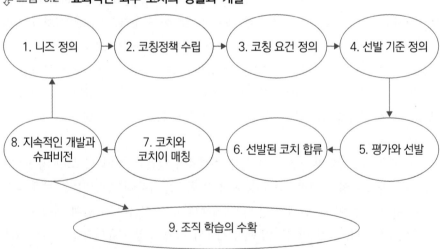

▪ 2단계: 조직 자체의 코칭과 멘토링 능력을 개발하기

많은 조직들 특히 공공과 비영리조직에 있어서 외부 전문 코치진을 폭넓게 유지하기란 재정적으로 거의 어렵다. 심지어 잘나가는 대기업들도 일단 최고 경영진 수준을 넘으면 보통 사내 코치를 개발하여 비용을 줄이려고 한다. 어떤 기업은 HR 스탭과 인재개발 담당자가 코칭 멘토링의 스킬과 훈련을 추가로 받도록 하는 걸로 시작하기도 한다. 다른 조직들은 현장 관리자를 개발하는 데 자기 팀과 부서의 코치를 활용하거나 다른 부서의 코칭과 멘토링을 제공하기도 한다. 후자의 방법을 쓴 경우 양측 모두가 부서를 넘어서 상호 이해를 높이는 이점이 있었고 또한 HR에서 실행하는 것이 비즈니스에서 벗어나 있다는 비난을 잠재우는 유익이 있었다. 호킨스는 BBC의 내부 코치 서비스와 성과에 대해 자세한 사례 연구를 제공했다. 이는 이전 책임자 리즈 맥카난(Liz Macann)에 의해서 쓰여진 것으로 조직 간 코칭과 멘토링 구조의 사례이기도 하다.

▪ 3단계: 코칭에 대한 리더들의 적극적 지지

첫 두 개의 발전 단계는 조직 리더십이나 분위기가 변화하면 쉽게 타격을 입을 수 있다. 새로운 리더가 코칭, 멘토링을 이해하지 못하거나 가치를 인정하지 못하면 비용 감축 시기에 쉽게 타겟이 되어 비용 절감 요구에 직면한다. 3단계는 코칭과 멘토링의 천막에 조직의 천을 덧대어 더 튼튼하게 만들기 시작하는 것으로, 변화의 바람이 강하게 불기 시작한다.

다음과 같은 지원이 따를 수 있다.

a. 최고 경영자가 코칭과 멘토링을 받고 그 사실을 공언함으로써 롤 모델이 됨
b. 코칭과 멘토링을 하는 사람들이 그에 대한 시간과 자원을 할당받음으로써 공개으로 인정받음
c. 사내 코칭 커뮤니티가 정기적 미팅을 하며 공통의 패턴으로 나타나는 것을 점검함
d. 코칭 커뮤니티가 지속적으로 슈퍼비전을 받으며 전문가로서 개발을 지속함(7장 참조)

덧붙여서 이 단계의 코칭 전략은 단순히 개별 리더의 육성뿐만 아니라 조직의 리더십 문화 개발을 도움으로써 조직의 비즈니스 전략과 더 확고하게 연결되어야 한다. 호킨스(2012: 85-7)는 언스트앤영과 유럽 회사들의 사례를 제공한다.

▪ 4단계: 팀 코칭과 조직 학습

기업에서는 개별 리더의 육성으로는 충분하지 않다는 것과 리더십 팀이 각 부분의 합보다도 적게 기능하는 현상이 보여지고 있다(4장 참조). 이로 인해 최근 몇 년 동안에 팀 코칭 작업이 크게 늘어났다. 팀 코칭의 초점은 단지 사내 기능뿐만 아니라 그들이 이해당사자 그룹과 어떻게 집단적으로 연결될 것인가에 집중된다.

개인적 학습에서 팀 학습으로, 그리고 더 넓게 조직 학습으로 나아가는 흐름이 생성되면 코칭이 무엇이고 어떤 혜택이 있는지가 더 크게 인정받게 된다. 코칭은 자체가 더 만들어지고 조직에 내재화 되어간다. 우리는 많은 고위 HR 임원들에게 조직에서 정기적으로 일어나는 수천 개의 코칭대화로부터 조직이 어떻게 배울 수 있는지 질문을 던져왔다. 대부분은 이 질문에 쉽게 대답하지 못했다. 그래서 우리는 '학습 수확'이라는 메커니즘 개발하도록 도와주었다. 학습 수확을 통해 사내 코치와 외부 코치가 함께 모여서 여러 코칭 관계에 걸쳐 나타나고 있는 집단적 패턴(비밀유지를 보장하는 방식으로)을 함께 탐구하게 하는 것이다. 그리고 나서 조직 내 고위 리더들과 코칭 커뮤니티 대표 간의 대화를 촉진하였다. 그건 조직이 나아가야 할 도전을 탐색하고 코칭에서 감지된 패턴들이 어떻게 필요한 변화를 가능하게 할지(혹은 방해할지)에 대한 내용이었다. 이는 코칭이 어떻게 조직 학습과 개발을 더 잘 일어나도록 만들 수 있는지로 이어진다.

▪ 5단계: 코칭이 HR과 성과관리 프로세스에 내재화 됨

이 단계에서 조직은 성과관리와 HR 프로세스에서 코칭과 멘토링을 주고받도록 구축한다. 이는 다음과 같이 다양한 방법으로 이루어진다.

- 모든 관리자들은 360도 피드백을 받으며, 거기엔 그들이 수행한 코칭과 코칭 스타일에 대한 피드백이 포함된다.
- 코칭 접근법이 성과관리와 (최소한) 매년 개발 면담에 사용된다.
- 코칭은 균형성과표(BSC)의 한 부분이며, 관리자는 부하의 잠재력을 어느 정도

로 개발했는가와 수행한 코칭의 질과 정규성에 대해 평정되고 보상 받는다.

- 팀은 정기적으로 팀 효과성을 리뷰하고, 그것은 팀 리더의 코칭 스타일만이 아니라 팀 코칭의 리뷰를 포함한다(4장 참조).

6단계: 코칭이 지배적인 관리 스타일이 됨

여기서부터 코칭은 일상 업무에서 분리된 독립된 활동에서 매일 일어나는 공식, 비공식 관리 방법의 일부가 되게 된다. 코칭을 관리의 일반적 방법으로 활용하는 방법이 많다.

- 팀 회의에 CLEAR 프로세스 또는 다른 코칭 모델(2장과 4장 참조)을 사용한다.
- 개인은 문제에 봉착할 때 동료에게 간단한 피어 코칭을 구한다.
- 성과 리뷰는 구성원과 관리자간의 일대일 코칭 구조가 된다.
- 갈등을 해결하는데 관계 코칭이 쓰인다.

호킨스(Hawkins, 2012: 12-123)는 서던 레일웨이(Southern Railways) 사례연구를 통해서 모든 계층의 관리자에게 코칭 스킬을 개발하는 것이 구성원 만족과 유지, 결근과 불만 감소에 얼마나 영향을 미치는지, 그리고 그것이 조직의 성과를 향상시키는지를 보여주었다. 그는 임원 크리스 버셸(Chris Burchell)이 2008년에 한 이야기를 인용했다.

> '우리는 지금 성공적인 비즈니스를 하고 있고 고객에게 환상적인 수준을제공하고 있습니다. 이렇게 될 수 있었던 것은 우리가 리더십 스타일과 관리 스타일을 변화시키는 데 집중한 덕분이었다고 생각합니다. 여기에 가장 크게 기여한 요소를 꼽는다면 코칭 프로그램과 관리자 교육에 적용된 코칭의 핵심과 학습이라고 생각합니다.'

7단계: 코칭 방식이 '모든 이해관계자들과 사업하는 방식'이 된다.

마지막으로 조직은 코칭 스타일을 내부적으로 어떻게 관리할지만이 아니라 어떻게 코칭 스타일을 주요 이해관계자들과 함께 공유할 것인가로 나아갈 수 있다. 이 단계에서는 조직이 주요 이해관계자들을 위해 어떻게 가치를 창조하며, 코칭과 코칭 문화가 어떻게 그 가치창출에 공헌하는지에 대한 모델을 명확히 한다.

- **고객 코칭**: 클러터벅과 맥기슨(Clutterbuck and Megginson, 2005)은 브리티시 에어웨이에서 새로운 셀프 체크인 기기를 사용하는 고객을 지원하기 위해 체크인 담당자들에게 코칭 스킬을 가르친 것을 사례로 언급하였다.

- **파트너와 공급자 코칭**: 우리는 글로벌 과일회사 카페스팬 인터내셔널 (Capespan International)과 일했는데, 회사가 과일 생산자와 품질 기준 목표 계약을 관리하는 것에서 벗어나 어떻게 더 효과적인 공급자가 될 것인가를 코칭하는 것을 도왔다. 또한 소매 고객과의 상호작용에서도 이런 관계를 만들어내도록 지원했다. 보잉은 모든 디자인 단계에 주요 항공기 고객들을 참여시켜서 성공적으로 777 에어라이너를 개발했다(Hawkins, 2012: 129).

- **서비스 이용자와 환자 코칭**: 이해관계자에 대한 코칭 접근 중 또 하나의 분야는 서비스 사용자들과 일하는 데 코칭을 활용하는 것이다. 호킨스는 옥스팜(Oxfam)이 코칭을 통해 어떻게 많은 커뮤니티들을 개발하였는지 설명하였다. 아울러 건강 조직들이 어떻게 건강 코칭을 인생 후반에 만성 질환으로 고통을 겪는 사람들과 예방적 건강 관리 작업으로 도입했는지 소개하였다. 건강 코칭은 다음과 같이 정의된다. '참여자들이 건강 증진 목표를 세우고 달성하는 데 있어 라이프 스타일 관련 행동을 변화시키도록 촉진하는 행동 개입이다. 목표에는 건강 위협요소 감소, 만성 질환에 대한 자기관리 향상, 건강과 관련된 삶의 질 향상 등이 있다(Van Ryn and Heaney, 1997). 호킨스는 2008년 미네소타의 메디카(Medica)에서 28명의 전화 코칭을 하는 코치들과 4000명의 멤버들과 함께 일한 사례를 제공하고 있다. 평가 결과 코치 받은 사람들의 삶의 질과 건강이 인상적으로 좋아졌고 건강 관련 비용이 크게 감소했음을 보여주었다(Hawkins, 2012: 132).

- **지역사회 코칭**: 우리는 자선 조직에서 잠재력이 큰 리더들을 조직하거나 격려하는 많은 조직들과 일해 왔다. 셸(Shell)과 센터포인트(Centrepoint) 사이에 성공적인 관계가 만들어졌다. 센터포인트는 런던 중심부에 있는 젊은 노숙자를 위한 에이전시였는데 그곳에서 기업의 관리자 몇 사람이 전과자를 코칭하였다. 또 몇 사람은 프린스 트러스트(Prince's Trust) 신탁회사를 통해

젊은 창업가와 조직을 멘토링하였다.

● **코칭 접근으로 투자자와의 대화:** 한 큰 금융회사와 일했는데, 회사는 1년에 두 번씩 주요 투자자와 애널리스트 대상으로 반년 또는 한 해의 결과를 공유하는 순회 설명회를 진행하고 있었다. 코칭 방식을 도입하면서 미팅 방식이 달라졌다. 과거에는 날카로운 질문과 잘 연습된 정치적 답변이 이어지는 멋진 프리젠테이션이었다면 이제는 초기 투자자들에게 감사를 표시하고 그들의 관심사에 대해 설명하는 대화에 집중하게 된 것이다.

이런 일곱 단계는 반드시 순서대로 진행되어야 하는 것은 아니다. 하지만 연구를 해보면 거의 이 순서대로 이루어지는 경우가 가장 많다.

코칭 문화를 만드는 여정을 해나가는 데 가장 큰 도전은 많은 인풋에 집중하느라 아웃풋과 성과를 잊어버리기가 너무 쉽다는 것이다. 다른 많은 장기 과제들처럼 코칭 문화 형성도 초기 단계에 투자비용이 집중되고 혜택은 다음 여정들을 지나갈 때 나타난다.

고위 임원 개별 코칭이나 사내 코치 커뮤니티를 개발하는 데 막대한 비용을 투자한 조직들이 성급하게 판단하면 그로 인한 비즈니스 성과를 볼 수 없었다. 7단계 모델을 보여줌으로써 인내심과 큰 그림을 개발하도록 도와주었다. 이것은 코칭의 결과로 이루어지는 혜택과 비즈니스 성과는 코칭 문화 여정에서 뒷 단계들에 대해 코칭 노력을 지원할 때 비로소 시작될 수 있음을 보여준다〈그림 6.3〉 참조).

▪ 기초의 깊이

7단계를 모두 거치고 3개의 기둥에 기초해서 세워졌다 하더라도 그것으로 코칭 문화를 완전히 갖기는 충분하지 않을 수 있다. 만약 조직이 여기서 멈춘다면 강한 인프라와 많은 코칭 활동과 방식은 만들어지겠지만 양적으로 많이 한 것이 질을 보장하지 못하는 위험이 있을 수 있다.

일단 코칭이 진행되면 스킬이 지속적으로 발전되고 코칭 관계가 깊어지는 것이 중요한데, 이는 코칭 슈퍼비전과 품질평가 프로세스 지원 같은 지속적인 지원이 있어야 한다. 그래야 3가지 기둥과 7단계가 놓일 기반이 되는 것이다〈그림 6.4〉 참조).

그림 6.3 코칭 문화의 개발-산출물

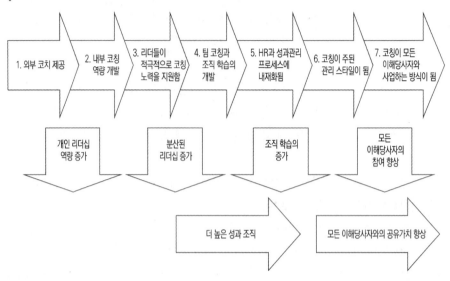

그림 6.3 코칭 문화의 개발-산출물

그림 6.4 코칭 전략: 코칭 문화 창조의 단계

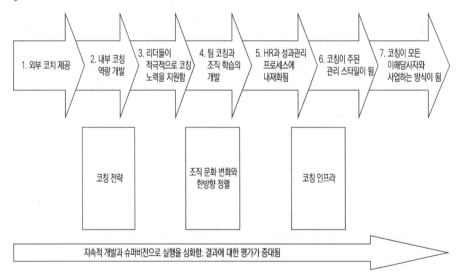

프레임워크를 함께 만들기

이 프레임워크는 조직의 코칭 전략과 코칭 문화 생성 단계에 대한 지도와 같다. 그러나 이 지도는 실제 지형이 아니며, 그 과정은 결코 단순한 선형이 아님을 늘 기억해야 한다. 피터는 조직의 개발은 한 단계 한 단계 올라가는 것이 아니라 빙빙 도는 접시 위에 코칭 문화를 올려놓는 것과 같다고 표현했다. 어느 요인도 정지되어 있지 않고 변화하지 않는 것이 없기 때문에 빠르게 변화하는 세계에 반응하고 적응해야 할 뿐이다. 하지만 많은 조직들이 그 지도를 갖는 것이 매우 유용하다고 말하고 있다. 이는 여정에서 어디쯤 있는지 보여주고, 보이지 않는 것을 보여주며, 가보지 못한 새로운 곳으로 방향을 가리켜 준다. 또 이전에 과거에 성취했던 모든 것을 자각하도록 도와준다. 그 프레임워크가 다른 활동들과 시도들이 서로 맞을 때 어떻게 전체가 부분의 합보다 커지는지를 보여주기 때문에 고위 관리자들을 교육하는 데 크게 도움이 되는 프레임워크라 할 수 있다.

다른 코칭 모델도 코칭 문화의 개발 단계에 최근 소개되었다. 클러터벅과 맥기슨은(2005) 상세하게 이를 설명했다. 그들은 조직이 전체 코칭 문화 목표를 향해 나아가는데 어디에 있는지 평가하는데 매우 유용한 설문을 구성하였다. 각 단계별 내용은 다음과 같다.

- **초기 단계**: 조직에 코칭 문화를 만들려는 다짐이 거의 또는 전혀 없다.
- **전술 단계**: 조직은 코칭 문화 수립의 가치를 알지만, 의미하는 바가 무엇이고 무엇이 더 포함되어야 하는지에 대한 이해가 거의 없다.
- **전략 단계**: 관리자와 구성원을 교육하는데 코칭의 가치 속에서 노력을 기울인다. 사람들에게 다양한 상황에서 코치할 수 있는 역량을 제공하고 자신감을 갖게 한다.
- **내재화 단계**: 모든 계층의 사람들이 코칭에 공식적 비공식적으로 동료들과 참여하고 있고 같은 부서 혹은 다른 부서와 계층 사람과도 참여한다.

우리의 모델은 뒷 단계에 더 집중하고 있으며, 다음과 같이 대략적인 지도가 그려진다.

- **초기 단계**: 우리 모델 1단계
- **전술 단계**: 우리 모델 1과 2단계
- **전략 단계**: 우리 모델 3과 4단계
- **내재화 단계**: 우리 모델 5와 6단계

코칭 문화 - 최종 목적지

> 코칭 문화를 만들면 결과가 직접 돈으로 측정되는 것은 아닐지 모른다. 그
> 러나 기업이 더 솔직하고 부정이 적어지고 소통이 풍부해지며 인재를 의
> 식적으로 개발하고 사람에 대한 열정을 가진 규율 있는 리더들이 있게 된
> 다면 이게 혜택이 아니라고 할 조직은 없을 것이다.
>
> (Sherman and Freas, 2004: 90)

이런 코칭 문화 생성을 향해 나아가는 데 존재하는 많은 논쟁들은 셔먼과 프
레아스(Sherman and Freas, 2004: 90)가 하버드 비즈니스 리뷰에 발표한 것과 유사하
다. 그들은 코칭 문화가 가져올 수 있는 혜택과 부작용에 대해 이야기하였다. 또
한 '도덕적 당위'라고 주장했다. 가령 당신이 반듯한 사람이라면 조직에 코칭 문
화를 원할 것이라는 것이다.

이 모든 논쟁은 매우 효과적이게 될 수 있고, 어떤 사람들을 여기 그려놓은
여정에 몰입하도록 설득할 수도 있다. 특히 코칭에 대한 긍정적인 경험을 한 사람
들 혹은 코칭 문화가 개인 비전과 가치, 조직의 열망과 잘 부합한다고 생각하는
사람들의 경우에 그러하다.

하지만, 우리는 30년 동안 문화 변화를 위해 일해 오면서, 그동안 많은 회사
들이 학습 조직, 전사적 품질관리, 임파워먼트 조직, 지식공유 조직 등 유사한 촉
진 노력을 하는 걸 봐 왔다. 이런 경험을 하다보니 조직개발에서 자기만족적 유행
은 단기적이고 곧 사라질 운명에 처하게 된다는 걸 알았다.

> 문화 변화 노력 그 자체가 목적이 된다면, 처음의 열광적인 창조자의 에너
> 지를 넘어서서 지속되지 않을 것이다.

그러므로 '그래서 코칭 문화가 의미하는 최종 결과가 무엇인가?'를 질문하는 것이 매우 중요하다. 여기에 명확한 대답을 할 수 있어야 코칭 문화가 가져올 결과에 잘 연결되고 그런 관점에서 평가된다는 것을 확신할 수 있었다.

〈그림 6.5〉는 코칭 문화 구축의 각 단계로부터 나올 수 있는 결과물을 보여준다. 초기에 외부 코치를 활용하고 사내 코치를 육성하는 단계에서 기대한 주요 결과물은 리더십 역량과 코칭을 받은 대상자들의 역량이 증가되는 것이었다. 부수적인 유익으로는 코칭을 수행하는 사람의 리더십 능력과 역량이 증가될 수 있다는 것이었다.

조직이 사내 코칭 커뮤니티를 구축하고 지원하게 되는 3, 4단계에서는 최고 경영자와 고위 관리자를 넘어서 구성원들 대다수의 코칭 수행 잠재력이 향상되었다. 이것은 낮은 계층에서도 과거보다 더 많은 리더십 책임을 가지게 된다는 점에서 분산된 리더십(distributed leadership)이 높아지게 됨을 확신하게 한다.

그림 6.5 **코칭 문화의 개발-산출물**

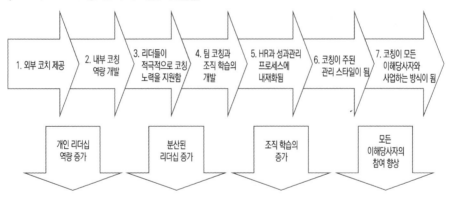

5, 6단계에서 조직은 코칭을 조직의 시스템과 프로세스로 구축하거나 문화의 일부로 만들어낸다. 이 단계에서는 개인, 팀, 부서와 조직 전체 리더십 역량의 증가가 기대 성과이다. 마지막 7단계에서는 이해관계자들과 더 강력한 연계와 파트너십을 경험하게 될 것이다.

지금까지 코칭의 성과가 아닌 인풋에서 나오는 결과들을 고려해 보았다〈그림 6.6〉 참조). 전형적으로 인풋과 아웃풋 사이에는 지연이 있고 가시적인 성과들을 목격하는 데까지 시간이 걸린다. 적어도 1에서 4단계로 조직이 발전하는 데에는 코칭 문화에 대한 주요 투자 후 2년까지 걸리지 않았다. 실제 성과, 즉 모든 이해관계자들을 위한 더 큰 가치를 창출하고 투자자에 대한 재무적 수익까지 증가시키는 것은 7단계 문화가 될 때 함께 이루어진다. 많은 영리, 비영리조직 모두 1년 단위로 ROI를 달성해야 하는 커다란 압박이 있기 때문에 이런 것이 어려울 수 있다. 이 때문에 지속가능한 가치를 창출할 바로 그 지점 직전에 투자를 잘라버리기도 한다. 개발 단계와 가능한 성과와 결과에 대한 이해를 할 때 조직은 더 합리적인 투자 결정을 하게 되고 투자에 대한 더 현실적인 기대를 할 수 있을 것이다. 이를 지원하려면 지속적 평가 양식이 필요하다. 그것은 중간 점검과 결과물의 평가, 이해관계자의 인식에 미치는 영향에 대한 바로미터를 제공한다.

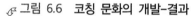

그림 6.6 **코칭 문화의 개발-결과**

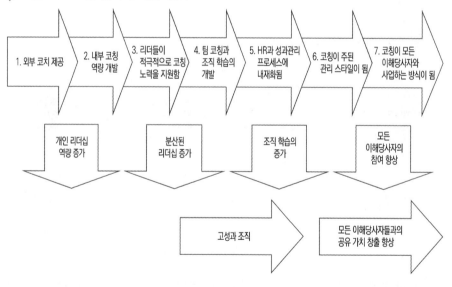

평가

조직이 코칭 문화를 평가하는 방법도 앞에 서술한 단계가 진전되는 것에 따라 변화할 것이다. 평가의 각 단계에서 인풋과 아웃풋, 성과를 측정할 필요가 있다.

클러터벅과 매긴슨의 저술을 포함해서 평가에 대한 많은 문헌은 5단계 평가에서 멈춘다. 5단계 평가의 포커스는 조직 구성원의 행동변화다. 보통 '선언된 행동'이 아니라 '실제 행동'을 측정한다. 여기에 회사의 핵심가치, 리더십, 관리자 역량 등에서 형성되기 때문이다. 문제는 '하면 좋은' 행동이라 하더라도 그 행동과 성과의 연결은 흐릿할 수 있다는 것이다. 그래서 이 단계에서 성과가 아닌 산출물을 평가한다. 이를 보여주는 자동차 판매 영역의 좋은 사례가 있다. 이 조직은 몇 년 동안 고객만족에 중점을 두었다.

판매점은 고객만족도 측정에 많은 노력을 기울였고 경쟁사보다 더 좋은 성과를 만들려고 노력하였다. 하지만 나중의 조사를 통해 보니 고객만족이 높은 것은 직접 판매 또는 같은 영업사원에게 재구매하는 고객 숫자와 거의 상관관계가 없었다. 결국 판매점들이 고객만족(산출물, output)보다 고객유지(성과, outcome)를 측정하는 것으로 바뀌어야 했고 오랜 기간에 걸쳐 다양한 이해관계자 그룹과 가치 창출을 지원할 수 있는 평가 시스템이 되었다.

평가의 또 다른 함정은 단기적 행동 변화와 장기적 재무 성과를 측정하고서 그들간의 인과 관계가 있다고 주장하는 것이다. 이 장의 시작에서 셔먼과 프레아스가 언급한 것과 같다.

이런 함정을 극복하기 위해서 호킨스는 코칭 문화 여정의 각 단계에서 광범위한 평가 방법을 주장해 왔다. 코칭 문화 생성 결과의 혜택에 대한 통합된 연구 모델뿐만 아니라 ROI를 계산하는 단순한 모델에 해당된다. 각 단계의 모델마다 평가 방법이 다르겠지만 그것은 통합된 그림을 만들어내는 서로 다른 단계일 뿐이다(〈표 6.1〉 참조).

⬡ 표 6.1 평가 방법

단계	평가 방법
1. 외부 코치 고용	3자 합의와 3자간 사후 피드백: 코칭 대상자, 코치, 코칭 대상자의 상사로부터 합의된 코칭 목표의 성취와 성과 변화를 포함
2. 사내 코치와 멘토링 능력 개발	위 내용에 더해서 사내 코칭에 대한 외부의 감사
3. 조직과 리더의 적극적인 코칭 지원 노력	학습 수확 프로세스, 고위관리자와 사내 및 외부 코치과 멘토링 커뮤니티

단계	평가 방법
4. 팀 코칭 개발과 스탭들을 다르게 몰입시키기	1. 고성과 팀 평가 2. 360도 팀 피드백 3. 몰입과 조직 에너지 평가
5. 코칭이 조직의 HR과 성과관리 과정에 내재화	코칭 및 멘토링 활동과 연계: 구성원 만족도 설문 결과, 구성원 유지, 내부 승진, 구성원 결근 수치, 구성원 불만
6. 코칭이 조직 전체에 주요한 관리 스타일이 됨	다음에 대한 직원 관점 반복 평가 • 조직의 리더십 • 직속 상사 • 조직 분위기 • 조직 문화
7. 코칭은 이해관계자들과 일하는 방식이자 가치를 창출하는 방식이 됨	1. 조직관점 360도 피드백 2. 서술 분석(Descriptor analysis)

BCG는 여기에 기초해 코칭 문화 360도 피드백 프로세스와 코칭 문화 감사 방법론을 개발했다(www.bathconsultancygroup.com 참조).

결론

코칭 문화를 개발하는 것은 신속하지도 쉽지도 않은 프로세스다. 그러나 코칭이 모든 관계의 일부가 되는 문화를 개발한다면 그 이익은 조직의 성과뿐 아니라 가치 창출에도 변혁을 가져올 수 있다. 그 여정은 시간과 비용 면에서 많은 투자를 수반할 것이다. 이런 몇 년간의 지속적인 투자는 성과와 역량 향상뿐 아니라 좀 더 가시적인 성과에 대한 측정과 평가 프로세스를 요구할 것이다. 많은 글로벌 선도기업들은 외부 코치 활용에서 사내 코치 육성으로, '코칭은 관리 방식'이며, 조직 프로세스와 시스템으로 구축되는 것으로 이동하는 여정 중에 있다.

책 〈코칭 문화의 창조(Creating a Coaching Culture)〉(Hawkins, 2012)에서 피터는 여러

나라와 부문에 걸쳐 다른 단계에 있는 30개의 사례연구를 제공하였다. 이 장에서는 개발 단계를 도표화하고, 평가 프로세스와 각 단계의 기대 성과와 결과물을 설명했다. 7단계를 모두 마치고, 조직 프로세스에 지속적인 피드백을 제공하는 평가 시스템을 통합한 조직은 거의 없었다. 아마도 지금 여정 중에 있을 것이며, 동료 여행자들로부터 아주 많이 배울 수 있을 것이다.

개발과 슈퍼비전

제2부 서문

이 책의 시작부분에서 우리는 코칭, 멘토링, 조직 컨설팅, 슈퍼비전 이 모두가 성인을 개발하는 통합된 기법이며, 특히 개인, 팀, 조직의 일을 동시에 변화시키는 실시간 학습 기법이라고 믿는다고 밝혔다.

코치, 멘토, 조직 컨설턴트들은 모두 근무자, 관리자, 리더의 개발에 종사한다. 또한 거기에 그치지 않고 그들의 고객의 고객과 직원들에 이르기까지 조직과 업무 노력이 더 효과적이도록 개발하는 것을 목적으로 한다. 관리자와 리더의 중요한 역할 중 하나는 직원을 개발하는 것이다. 따라서 코치, 멘토, 조직 컨설턴트의 역할은 '개발자를 개발(developing the developers)'하는 것이라고 할 수 있다.

2부에서는 슈퍼바이저의 역할과 기능, 실행을 살펴보고 코치, 멘토, 컨설턴트 대상의 슈퍼바이저의 훈련 내용을 살펴보고자 한다. 즉 '개발자를 개발하는 사람의 개발(developing the developers of the developers)'하는 것에 대한 것이다. 이 프로세스는 보이지 않는 앞의 단계, 즉 고객이나 고객의 조직에 영향을 미치려고 해야 할 뿐 아니라, 즉시 영향을 미쳐야 한다〈〈그림 1〉 참조〉.

슈퍼바이저는 (1) 자신이 변화해야 한다는 걸 깨닫는 역량이 있어야 한다. (2) 자신의 변화가 슈퍼비전 관계를 변화시키고 (3) 슈퍼바이지(코치 혹은 멘토)와 함께 변화함으로써 그들 자신의 변화를 가져오고 (4) 그 변화가 그들의 관계를 변화시키고 (5) 그들의 고객(코치이)과 함께 변화하고 (6) 고객의 관계를 변화시키고 조직에 영향을 줄 것이고 (7) 더 큰 세계에서 그 조직의 효과성이 변혁되는 것을 야기한다.

그래서 여기서는 개발의 통합적 기술과 함께 시스템적인 영향의 체인의 여러 단계를 다룬다. 그리고 이는 개발 실무의 맥락적 성격에 영향을 미친다.

7장에서 먼저 모든 성인 훈련 및 개발에 적용되는 핵심 원칙을 탐색하고 나서, 이것을 특히 코치, 멘토 및 조직 컨설턴트의 훈련과 지속적인 전문성 개발(CPD) 양쪽에 적용하는 방법을 설명할 것이다.

그 다음 코치, 멘토, 조직 컨설턴트에 대한 기본 훈련 및 평생 CPD 훈련 두

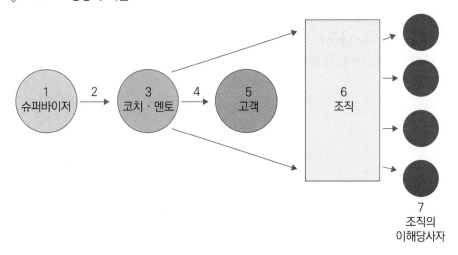

그림 1 영향의 사슬

측면 모두의 핵심 측면으로서 슈퍼비전에 대한 관점을 설정한다. 이후 교육생의 발달 상황과 수준에 따라 슈퍼비전 방법을 변경해야 하는 이유와 그 방법에 대해 더 설명해 나갈 것이다.

8장에서는 한 걸음 물러서서 슈퍼비전의 성격과 핵심 기능, 슈퍼바이저의 다양한 역할을 살펴보고 개발하는 역할을 어떻게 시작하는지 설명한다.

9장에서는 슈퍼비전의 '세븐 아이 프로세스' 모델에 대한 심층적인 설명을 제공한다. 지난 25년 동안 이 모델은 여러 나라에서 많은 전문가들이 슈퍼바이저를 훈련하는 데 성공적으로 사용되었다. 여기에서는 특별히 코칭, 멘토링, 조직 컨설팅의 분야에 적용된 모델을 제시한다(돕거나 치료하는 직업에 적용된 이 모델의 더 완전한 버전을 탐구하기를 원하는 사람들은 2012년판 호킨스와 쇼헷의 저서를 읽기 바란다).

10장에서는 일대일 상황에서부터 슈퍼비전 그룹 또는 피어 그룹에 이르기까지 다양한 상황에서 슈퍼비전 실무를 어떻게 적용할지 그 적용 방법을 모색한다. 그런 다음 11장에서는 동일한 고객 조직을 위해 일하는 조직 컨설팅 팀과 함께 하는 '시스템적 셰도우 컨설팅'이라는 특별한 슈퍼비전을 실행하는 방법을 설명한다.

제7장 | 코치의 개발

공부의 마무리

흥분한 아버지가 편지를 흔들며 나스루딘에게 뛰어왔다.
"제 아들이 드디어 MBA학위를 받고 모든 학업을 마무리했습니다!"
"위안이 되겠군요, 선생님" 나스루딘은 말했다. "지혜가 무한하신 하나님이
곧 아드님에게 더 많은 것을 보내주실 겁니다."　　　　(Hawkins, 2005: 43)

소개

최근까지도 많은 코치, 멘토, 조직 코치들은 정식 훈련 과정을 거의 또는 전혀 받지 않았다. 나이와 경험이 주된 자격이었다. 어떤 사람은 조직 심리학자로서 훈련받았거나 조직행동 석사나 박사학위를 이수했다. 하지만 이들도 일부 소수에 지나지 않았다. 대부분의 사람들은 고위 관리자 역할을 한 배경 또는 심리 전문직업(심리학, 상담 또는 심리치료)에서 예전에 훈련받은 것을 기반으로 일을 해왔다. 13장에서 거론하는 것처럼, 이 때문에 코치는 관리자의 배경이 있지만 심리적 세련미가 부족하거나, 개인주의 심리학의 배경이 있지만 조직 현실에 대한 깊이 있는 경험이 부족하다는 문제점이 있었다.

최근 몇 년 동안 점진적으로 이 분야에서 훈련이 늘어나고 있으며, 유럽에서는 코칭, 조직 개발 및 컨설팅 분야의 석사 및 박사 과정 프로그램이 떠오르고 있

다. 북미 지역에서는 이런 학위 과정이 더 오랫동안 진행되고 있다.

　이 장에서는 코치, 멘토, 컨설턴트를 위한 기본 훈련 및 CPD에 최적의 개발 프로세스는 무엇인지, 개발 프로세스의 각 단계에서 슈퍼비전의 역할은 무엇인지를 탐구한다.

훈련과 개발의 핵심 원리

　서로 다른 전통의 유산에 기초해서 다양한 전문직업에 대한 훈련을 설계 제공했던 우리의 경험을 바탕으로 코치, 멘토, 컨설턴트를 훈련할 때는 아래의 원칙을 기반으로 하기를 권고한다.

1. 자기 인식에 대한 초점으로 시작하라(그리고 마무리하라). 자기인식은 경험 학습 프로세스를 통해 개발된다.
2. 경험 학습이 이루어지고 있을 때만 이론을 가르쳐라.
3. '적시 학습(just-in-time learning)'을 사용하라. 학습은 학습자가 어떤 것에 대한 학습 필요성을 인식하고 학습 내용을 적용할 수 있을 때 가장 효과적이다.
4. API 모델(13장 참조)에서 설명한 것처럼 개인의 '권위, 존재, 영향'을 개발하라. 이는 코칭, 멘토링, 업무변화를 위해 교육 받는 소규모 연수생 동료 그룹에서 집중적인 피드백을 통해 개발된다.
5. 기본적인 기술과 기법을 가르쳐라. 교육장 안에서 생생한 시범을 보이고 사례와 스토리를 제시하며 연수생의 실제 경험을 반영하라. 연습하고 피드백을 받을 수 있는 기회를 충분히 제공하라.
6. 실시간 학습(real time learning). 학습자가 과거의 사례보다는 현재 시점의 해결되지 않은 실제 문제를 예기할 때 학습이 크게 향상된다. 이것을 롤 플레이(역할 놀이)와 반대로 리얼 플레이(실제 행동)라고 부른다.
7. 초기 훈련 후 학습자에게는 슈퍼비전을 받는 실습 기간이 필요하다. 이는 학습자가 돌아가서 자기 인식과 기술, 이론과 실무 경험을 자신의 것으로 통합하기에 앞서 이루어져야 한다.
8. 변혁적 학습에는 학습뿐만 아니라 폐기 학습을 필요로 한다는 인식. 현재

자신의 행동 패턴과 세계관을 뒤흔들고 세계를 새롭게 보고 새롭게 존재
하는 방법을 이해해야 한다.

9. 트레이너와 개발자가 진정한 믿음을 보여주고 학습자의 능력과 잠재력의
가치를 알아주며, 그들이 교사의 능력을 조만간에 넘어설 것임을 인정하
는 것이 결정적으로 중요하다.

학습자의 교육 진전에 관한 이런 원칙들은 인간 관계 관련 전문직업과 자신이
업무의 주요 도구인 분야에 적용된다. 초보자는 무엇보다 제일 먼저 역량을 습득
해야 하고 다음엔 프로세스를 통해 자신의 능력을 확대해나가는 진전 방식이다.

CPD가 정교화되는 것과 함께 코칭 등 전문직업에 필요한 핵심 역량을 도표
화하고 정의하는 것도 크게 발전했다. 이는 부분적으로 국가 또는 전문 자격으로
서 학습자의 기술을 평가할 필요에 의해 이루어졌다. 또한 기술을 사용하는 능력
이 아닌 이론을 기억하고 이해하는 능력만 볼 뿐인 필기시험으로 인식되어 왔다.

역량을 설명하는 문헌이 많지만 한계점도 있다. 우리는 브로신(Broussine, 1998)
이 정의한 3C(Competencies, Capabilities and Capacities) 즉 역량, 수행능력, 능력의 구별
에 영향을 받았다.

- **역량**(competencies)은 기술을 활용하거나 도구를 사용하는 능력이다.
- **수행능력**(capability)은 적절한 때에 적절한 장소에서 적절한 방법으로 도구
  나 기술을 사용할 수 있는 능력을 의미한다.
- **능력**(capacity)은 기술보다는 유연성, 따뜻함, 참여, 상상력 등의 인간의 특성이
  다. 이는 당신이 무엇을 하는가가 아니라 어떻게 하는가와 더 관련이 있다.

브로신(1998)은 지방 정부의 최고위직의 역할을 다룬 논문에서 이렇게 차이를
설명하고 있다.

역량 접근 방식은 역사가 있다. 그것은 '지나친 단순화'와 개별화하여 보는
의미를 함축하고 있다. '역량을 획득한다'는 개념은 미리 정해진 무언가를
학습하는 식의 선형적 관점을 암시한다. 내가 '능력(capacity)' 개념을 사용
하자고 주장하는 이유는 역량 개념의 한계 때문만이 아니다. 능력(capacity)'

의 어원은 라틴어 capax-로 '많이 보유할 수 있는'이라는 뜻이다. 복잡성과 모호성, 모순을 껴안아야 하는 관리자의 역할과 관련해서는 이를 포용할 수 있는 개념이 능력이기 때문이다.

역량, 수행능력, 능력 간의 중요한 차이는 코칭 전개 단계에 관한 우리의 초기 모델과 다시 연결된다〈그림 7.1〉참조).

코칭, 멘토링, 컨설팅, 슈퍼비전, 훈련을 통한 개발은 다음 각각에 초점을 맞출 수 있다.

- 기술—역량을 개발하려는 사람을 도와주기 위한 기술
- 성과—올바른 결정에 따라 기술을 적기에 효과적으로 사용하는 수행능력 (capability)을 개발하려는 사람들을 도와주는 성과
- 개발—현재의 행동 논리 또는 세계관 안에서 자신의 능력을 높이려는 사람을 도와주는 개발
- 변혁적 변화—좀 더 높은 차원의 행동 논리 또는 세계관으로 변화하려는 사람을 도와주는 변혁적 변화(3장 참조)

𝒸 그림 7.1 **코칭의 연속성: 역량, 수행능력, 능력과의 연계**

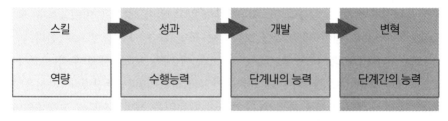

최초로 그레고리 베잇슨(Gregory Bateson, 1973)이 학습 수준과 연결하여 코칭 전개 단계를 설명한 이후로, 이는 알지리스와 숀(Argyris and Schon, 1978), 가렛트(Garratt, 1987)와 호킨스(Hawkins, 1991) 등 많은 사람에 의해 발전되었다. 기술과 성과 단계에서는 주로 1단계 수준 또는 단일 고리 학습에 초점을 맞춘다. 현재 하는 어떤 일을 더 많이 혹은 더 적게 하기 위해 배우는 것이다. 이에 비해 개발과 변혁적 변화에는 2단계 수준 또는 이중 고리 학습을 필요로 한다. 이중 고리 학습은 사물을

보는 프레임을 바꾸거나 다른 관점에서 바라보도록 변화를 요구한다. 예를 들어 기업에서 회계 절차를 변경하고자 하는 경우, 1단계 수준 학습은 현재 운영하는 방식 안에서 효율성을 더 높이기 위해 결정하는 것들이다. 2단계 수준 학습에서는 시스템의 효과성을 점검하면서 현재 사용하고 있는 회계 시스템을 새롭게 설계해야 한다는 걸 깨닫는 것이다. 높은 수준의 변혁적 변화를 위해서는 3단계 수준 또는 3중 고리 학습이 등장해야 한다. 이것은 회계 절차 및 서비스를 제공하는 목적이 무엇인지를 검토하는 것이다(Hawkins, 1991 참조).

3부에서 코칭, 멘토링, 컨설팅, 슈퍼비전의 기술에 필요한 역량, 수행능력 및 능력을 다시 다룰 것이다.

개인 개발 중심의 성인 전문성 개발

많은 전문가 훈련 과정은 여전히 근본적으로 교육학(예: 아동 교육/학습 과정)의 전통적인 교육 방식에 기반을 두고 있다. 이미 주장한 바처럼(Hawkins, 1986, 2004) 성인 교육학(andragogy, 성인 학습 과정 등)은 아동 학습 과정(pedagogy, 교육학)과 매우 다르다.

좋은 성인 학습 방식은 학생이 이미 많은 학습과 생활 경험이 있는 사람이라는 걸 전제로 한다. 삶의 경험과 관련이 있거나 뿌리를 두어 학습자에게 축적된 지식과 연결하면 성인 학습이 더 효과적임을 알고 있다. 성인은 아이들보다 교실에 앉아서 배우는 것이 더 힘들며 보다 능동적인 학습 과정을 필요로 한다.

교육이라는 직업(Hawkins and Chesterman, 2006)에 대한 보고서에서 우리는 교사를 위한 CPD의 핵심은 개인 개발의 규칙적인 심장박동이라고 주장했다. 자신을 개발함으로써 자신의 실행을 개발한다. 개인적인 능력을 개발함으로써 고객과의 관계도, 기술과 수행능력의 효과도 심화된다. CPD가 주로 기술과 기법을 업데이트하는 데 초점을 맞춘다면, 점점 더 거래적인 것으로 되어 우리의 일의 기반인 인간의 품성과 변혁적 변화의 관점을 잃을 수 있다(그림 7.2 참조).

이 책 뒷부분에서 개인 개발의 특성을 더 충분히 설명할 것이다. 우리는 그 일에는 영적인 차원이 있다고 믿는다. 16장에서 이 관점을 다루기로 한다.

그림 7.2　연속적인 개발

액션 러닝

　콜브 등(Kolbet *et al*, 1971) 유치(Juch, 1983) 레반스(Revans, 1982) 등은 몇 단계를 하나의 사이클로 통합하여 그에 따라 학습할 때 가장 학습이 풍부해진다는 점을 보여주는 성인 학습 방법을 개발하였다. 몇 단계란 행동, 행동에 대한 성찰, 새로운 생각 및 이론화, 새로운 행동 계획으로 이어진다(〈그림 7.3〉 참조).

그림 7.3　액션 러닝 사이클

　사람마다 가장 편하게 시작하는 학습 사이클의 시작점이 다르다. 학습 스타일이 서로 다름을 명심해야 한다. 어떤 사람은 먼저 실제적인 행동을 해서 어떤 것이 되고 어떤 것이 안 되는지를 확인한 다음에 생각하는 것을 선호한다. 어떤 사람은 행동에 적용할 모델을 계획하기 전에 이론과 설명을 좋아한다. 허니와 멈포드(Honey and Mumford, 1992)는 학습 스타일을 알 수 있는 여러 종류의 방법론을 개발했다. 이 방법론은 학습자가 자신의 주된 선호 스타일을 개발하는 방법과 또한 학습 가능성을 확장하는 방법을 모두 보여준다.

허니와 멈포드(Honey and Mumford, 1992)의 방법론을 사용하여, 코치이와 코치 훈련생, 컨설턴트들이 자신에게 고정된 제한적인 학습 패턴을 더 잘 이해할 수 있다. 새로운 걸 학습하기 전에 이 패턴부터 인식할 필요가 있다. 주요한 제한적 학습 스타일은 5가지이다(〈그림 7.4〉 참조).

1. **불끄기 또는 강압적 실용 행동.** '계획-실행-계획-실행' 트랩이다. 여기서 모토는 '계획이 잘 작동되지 않으면, 다른 일을 할 계획을 세워라'이다. 이 단계에서 학습이란 시행착오 수준에 머문다.
2. **사후 부검.** '실행-성찰-실행-성찰' 트랩이다. 여기서 모토는 '무엇이 잘못되었는지 성찰하고 그걸 수정하라'다. 여기서 학습이란 오류의 수정 정도로 제한된다.
3. **생각에 빠진 이론화.** '성찰-이론화-성찰-이론화' 트랩이다. 여기서 모토는 '일이 더 잘 될 수 있는 방법을 고민하라. 그러나 그 이론을 시험하는 리스크는 절대 감수하지 말라'이다.
4. **분석에 의한 마비.** '분석-계획-분석'이 이어지는 트랩이다. 여기서 모토는 '뛰어들기 전에 생각해라. 계획을 세운 다음 좀 더 생각해라'다. 잘못되거나 위험부담에 대한 두려움으로 학습이 제한된다.
5. **전체주의적 반응.** '이론화-실행' 트랩이다. 여기서 모토는 '이론상으로 작업하라. 그런 다음 이걸 강제하라'다.

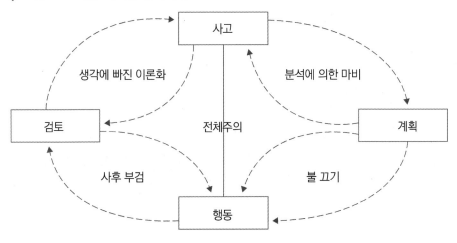

ᵞ 그림 7.4 학습 사이클 단기회로

- 사고
- 생각에 빠진 이론화
- 분석에 의한 마비
- 검토
- 전체주의
- 계획
- 사후 부검
- 불 끄기
- 행동

ᵇ 액션 러닝 그룹

액션 러닝의 첫 번째 주창자로 알려진 레그 레반스(Reg Revans)는 2차 세계 대전 이후 석탄청 관리자를 대상으로 이 기술을 적용했다. 레반스(Revan, 1982)는 제한된 학습 스타일에서 탈피하는 이 프로세스가 소위 전문가와 함께 할 때보다 동료 학습자와 함께 수행할 때 가장 효과적이란 것을 밝혀내었다. 동료끼리는 보다 쉽게 실험적 분위기가 만들어지고 질문하는 마인드가 더 허용되며 더 많은 지지와 도전을 통해 프로세스가 촉진되었다.

이런 발견은 액션 러닝의 개발로 이어졌다. 간트와 켄달(Gaunt and Kendal, 1985: 4)은 액션 러닝을 다음과 같이 정의하였다.

> 액션 러닝은 관리자를 위한 문제해결 방법이면서 동시에 개인 학습 및 자
> 기계발을 위한 기회로 활용된다. 관리자는 일에서 행동할 준비를 하면서
> 동시에 관리자로서 그리고 개인으로서 자신에 대해 배운다.

이후 액션 러닝은 관리자의 전문적 측면과 개인적 측면 모두를 개발하는 효과적인 방법으로 점점 더 많이 인식되고 있다. 마이크 페들러(Mike Pedler, 1996, 1997), 데이비드 케이시(David Casey, 1993), 호킨스와 맥클레인(Hawkins and Maclean, 1991) 등은

성인 및 관리자 학습에 대해 광범위하게 연구, 실행하고 기술하였다. 액션 러닝 그룹은 그룹 슈퍼비전의 한 형태로 제공될 수 있다(10장 및 차일드 등 2011 참조).

실행 연구(Action research)

액션 러닝과 함께 실행 연구도 발전해왔다. 예를 들어 리즌과 브래드베리 (Reason and Bradbury)의 실행 연구 핸드북(2000)이 그것이다. 실행 연구는 자신을 위한 학습뿐 아니라, 다른 사람을 위해 학습 결과를 창출하는 것을 더 강조하고 있다. 다음은 피터 리즌이 요약한 실행 연구에 대한 설명이다.

실행 연구는 유럽과 미국에서 사회과학자들이 전쟁 상황에서 실질적인 문제 해결을 돕기 위해 시도했던 것까지 거슬러 올라가는 긴 역사를 지니고 있다. 1940년대에 쿠르트 레빈(Kurt Lewin)은 자연적 환경에서 일어날 수 있는 사회적 실험을 설계했다. 이는 실행 연구에 많은 흔적을 남긴 기원적 연구였다. 그는 '좋은 이론만큼 실용적인 것은 없다'라는 말로 유명하다. 초기의 실행 연구에 사람들이 참여해서 진행될 때는 연구자들이 철저하게 권력을 행사하는 경우가 많았다. 최근에는 질의 프로젝트에 포함된 모든 사람들에게 행동과 성찰을 충분히 통합하도록 해야 하며 협력이 증대되어야 한다는 것이 더욱 강조되고 있다. 질의 프로세스에서 개발된 지식은 연구 문제와 직접적으로 관련이 있다. 따라서 실행 연구는 연구되는 상황과 연관된 사람들에 의해, 그들을 위해. 그들과 함께 수행된다.

실행 연구란 하나의 방법론이라기보다는 방향성을 지닌 질의로 이해하는 것이 중요하다. 최근에 실행 연구에 대해 설명하는 글을 보면 '… 가치 있는 인간의 목적을 추구하기 위해 실질적인 지식을 개발하는 것과 관련된 참여적이며 민주적 절차 …' 등으로 묘사하고 있다.
이는 실행과 성찰, 이론과 실천이 함께 있으며, 타인과 함께 참여하면서 우려되는 문제들에 대한 실제적인 해결책을 찾고, 더 넓게는 각 개인과 공동체의 번영을 추구한다.   (Reason and Bradbury, 2000: 1)

실행 연구 실무는 여러 가지 방법으로 설명된다. 질의에 대한 세 가지 상호의 존적인 전략이 도움이 될 것이다. 좋은 실행 연구는 각각의 수준에서 질의를 자극하고 각 수준 사이의 연결을 만들어내는 것이다.

- **첫 번째 사람 연구 실행**. 자신의 삶에 탐구적인 질문을 던지게 하고, 자각하고 행동을 선택하게 하며, 자신의 행동이 외부 세계에 미치는 영향을 평가하는 능력을 다룬다. 첫 번째 사람의 질의 기술은 성찰적인 실행의 기초이자, 모든 사회적 기관에서 리더십을 발휘하는 사람들에게 필수적이다.
- **두 번째 사람 연구 실행**. 협력에 관한 질의와 같이 타인과의 면대면 질의를 통해 서로 관심이 있는 이슈에 대해 질의할 수 있는 능력이며, 보통 작은 그룹에서 이루어진다.
- **세 번째 사람 연구 실행**. '전체 시스템'의 구성원 같은 큰 그룹 사람들의 견해를 함께 이끌어내는 질의를 포함하는 것으로서, 얼굴을 모르는 사람까지 포함된 더 큰 공동체의 대화를 만들어내는 것이다. 이 수준의 연구는 더 큰 정치 과정의 일부로서의 '사회 운동'을 야기하는 것을 목표로 한다고 할 수 있다.

실행 연구는 코치, 멘토 및 컨설턴트가 자신의 고유 업무 영역의 연구에 쓰일 수 있고 동시에 자신의 실행수준을 개발하는 데에도 유용하게 쓰일 수 있는 방법이다.

폐기 학습(Unlearning)

나이가 들수록 자기계발에는 학습만 필요한 게 아니라 '폐기 학습'과의 통합이 더욱 더 필요해진다(Hawkins, 1999, 2005). 시인이자 소설가 벤 오크리(Ben Okri)는 다음과 같이 썼다. '당신을 위대하게 만든 것은 당신이 경험한 것이 아니라 당신이 직면한 것, 초월한 것, 배움을 버린 것(unlearning)들이다.'(Okri, 1997: 61).

그렇다면 폐기 학습(unlearning)이란 무엇인가? 보 헤드버그(Bo Hedberg, 1981)는 다음과 같이 폐기 학습의 개념을 정의한다. '폐기 학습은 학습자가 지식을 폐기하는 과정이다.' 하지만 진정으로 '폐기 학습'을 이해하기 위해서는 수천 년 동안 '폐기 학습'이 이루어지고 성찰해 온 영적 교사와 전통을 돌아봐야 한다. 인도 철학자이며 영적 교사이자 데이비드 봄(David Bohm)의 멘토인 크리쉬나무르티(Krishnamurti)는 다음과 같이 적었다.

> 당신은 알 수 없는 무엇인가를 생각할 수 있는가? 당신은 오직 당신이 아는 것만 생각할 수 있다. 그러나 현재 세계에는 특별한 왜곡이 일어나고 있다. 더 많은 정보, 더 많은 책, 더 많은 사실, 더 많은 인쇄물 등이 있다면 이해할 수 있을 거라고 생각한다. 하지만 지식과 학습은 새롭고 시대를 초월하고, 영원한 것 등을 이해하는 데 장애물임이 명확하다. 우리 대부분은 지식과 학습을 탐닉하고 있으며, 지식을 통해 창조적이 될 거라고 생각한다. (Krishnamurti, 1954: 154-5)

인도의 음악가이자 수피 신비주의자인 하즈라트 이나야트 칸(Hazrat Inayat Khan)은 20세기 초에 보편적 수피즘의 한 형태를 서양에 소개했다.

> 그러나 어떻게 배운 것을 버리는가? 사람이 배워온 것은 자신 안에 있다. 현명해짐으로써 버릴 수 있다. 사람은 현명해질수록 자신의 생각을 더 부정할 수 있게 된다. 사람은 덜 현명할수록 자기 생각을 더 고집한다. 가장 현명한 사람은 다른 사람을 수용하려 한다. 가장 어리석은 사람은 항상 자신의 생각을 지지하기 위해 단호하게 저항하려 한다. (Khan, 1972: 108)

일의 어느 단계에서 다른 단계로 이동하려 할 때 폐기 학습이 특히 중요해진다. 3장에서 토버트(Torbert)의 리더십 성숙 모델을 구체적으로 설명했다. 빌 토버트(Bill Torbert)와의 논의에서 개인이 리더십의 한 단계에서 다른 단계로 이동하는 게 어려운 일이라는 것, 특히 현재의 스타일과 세계관을 통해 크게 성공했던 경우는 더욱 어렵다는 것을 알 수 있었다. 세계를 이해하는 주된 사고방식이 다음 단계로 나아가는 것은 다음 단계의 리더십에 대한 지적 이해를 통해서 가능하지 않다고 본다. 대신 현재의 관점 수준을 혼란스럽게 만듦으로써 그런 변화를 해내기를 제안한다. 전환(transition)은 전통적인 방식의 학습을 통해서가 아니라 폐기 학습 과정을 통해 더 효과적으로 성취할 수 있는 것이다.

2장에서 몰입의 4단계 모델을 탐구했다. 이 모델은 폐기 학습의 개념을 명료하게 그리도록 도움을 준다. 폐기 학습은 여러 다른 수준에서 일어날 수 있다. 이 모델은 신체적, 정신적 반응과 정서적 반응의 표면을 봐야할 뿐 아니라 그 모든 것의 이면에 있는 세상에 대한 가정을 바라봐야 한다는 걸 보여준다.

우리의 행동과 생각의 일반적인 패턴을 바라봄으로써 특정 행동과 생각 프로세스를 직면할 수 있다. 직접적인 피드백을 통해서도, 또는 도움이 되지 않는 패턴인 반복적이고 반사적인 습관을 더 이상 하지 못하게 함으로써도 자각을 할 수 있다.

초점을 생각의 패턴(즉 사고방식)에 더 맞출 경우, 폐기 학습은 이면의 이유에 대한 질의 과정을 통해 일어날 수 있다. 질의는 이 '양자택일적 프레임'(9장, 모드 2 참조)에 갇혀 있는 대안을 열어놓거나, 말한 것을 새롭게 프레이밍 하는 것, 예상치 못한 관점을 여는 것 등에 대해 할 수 있다. 이에 대한 응답에 따라 더 나아가며 가능성을 열 수 있다. 모순에 도전할 수도 있고 '당연하게 받아들이는' 사고방식을 탐색하도록 할 수도 있다.

정서적 반응의 단계에서 볼 때, 폐기 학습은 얼어붙은 감정의 사이클에서 일어날 수도 있고 카타르시스 또는 행동을 통해 일어날 수 있다. 감정이 깨달음과 수용으로 나갈 때 감정이 문을 열고 자신을 통과해 빠져나가는 걸 알아차릴 수도 있다. 상황을 다르게 볼 수 있으면 갑자기 슬픈 상황에서 웃는 것과 같은 다른 정서적 리듬으로 이동하기도 한다. 때로 억울함에 집착하던 감정에서 벗어나게 될 수도 있다. 12장에서 정서적 표현 범위를 어떻게 확대해갈 수 있을지 구체적인 방법을 자세하게 살펴 볼 것이다.

핵심 구성요소인 깊은 가정의 단계, 원칙과 가치 측면에서 폐기 학습은 어떤 한 방향에서 다른 방향으로 방향을 바꾸는 '전환(metanoia)'의 과정을 포함한다. 전환이란 밀폐된 방에서 열려있는 넓은 새로운 공간으로 나오는 것과 같은, 삶의 방향 재정렬, 전환 또는 깨달음의 순간을 의미한다. 전환이 일어나면 동시에 자기 자신과 자신의 현재 위치에 대한 연민의 감각을 갖기도 한다.

변혁적 학습이 폐기 학습의 측면을 포함하기 때문에 변혁적 코치 또는 컨설턴트는 지속적인 개발의 한 부분으로서 폐기 학습을 포용해야 한다.

기본 훈련에 원칙 적용하기

우리는 코치, 멘토, 컨설턴트, 슈퍼바이저에 대한 교육을 설계해왔다. 그 훈련 프로그램에 이러한 원칙을 적용하고 일련의 기준을 충족시키도록 했다. 그 기준은 다음과 같다.

1. 참가자들에게는 이미 폭넓은 선천적 능력이 있으며, 역량과 요구되는 수행능력을 배워왔다는 것을 인정한다.
2. 훈련은 참가자 자신의 강점과 개발 영역을 잘 인식하면서 현재의 기술과 수행능력의 범위를 확장하고 구축하는 것으로 보아야 한다.
3. 참가자들은 적어도 트레이너를 통해 배우는 만큼 혹은 그 이상으로 서로를 통해 학습해야 한다.
4. 참가자들은 세 가지 다른 위치(예: 코치, 고객, 관찰자)에서 서로 협력하면서 학습해야 한다.
5. 참가자들은 '고객 위치'에 있을 때, 현재적인 그리고 해결되지 않은 진짜 이슈를 가져와야 한다.
6. 프레임을 가르칠 때는 설명은 아주 짧게 하고 곧 바로 참가자들이 자신의 현실에 프레임을 적용할 수 있는 기회를 갖게 해야 한다.
7. 새로운 기술과 능력을 습득하고 능력 개발을 하도록 지원하고 격려하는 것은 폐기 학습을 해야 하는 과거 패턴에 대해 도전하고 극복하는 것과 균형을 이뤄야 한다.

실제로 어떻게 이런 일이 일어나는지를 보여주기 위해 우리의 훈련 프로그램에서 원칙을 적용했던 간단한 사례를 소개한다.

⦁ 실습 그룹(Practicum groups)

우리는 여러 해 동안 참가자들이 서로를 고객으로 삼아 액션 러닝 그룹을 촉진하고 또 코칭 기술을 연습하고 개발하도록 소그룹을 활용해왔다. 때로는 이러한 접근법과 학습 메커니즘을 개발하는 양쪽을 통합하기도 했다. 이는 참가자들이 시스템적인 변혁적 코칭의 본질(2장 참조)을 습득하게 하고, '파워, 존재와 영향'(API, 13장 참조)의 능력을 개발하는 데 도움을 주기 위한 것이다. 이 통합된 과정을 보여주기 위해서 대형 전문 서비스 회사에서 고위 파트너들을 훈련했던 실습 그룹의 활용을 들어보겠다(Hawkins and Wright, 2009 참조).

이 프로그램은 주로 경험 많은 퍼실리테이터 한 사람과 함께 하는 다섯 명의 작은 학습 그룹에서 사용하는 것으로 설계되었다. 그룹은 360도 피드백, 자신의 강점과 개발 과제에 대한 스스로의 평가를 공유했다. 우리는 그들이 실험해보고 싶은 것이 무엇인지를 물었고, 또한 그룹에 속해 있는 동안 좀 더 생생한 피드백을 원하는지를 물었다. 이러한 요소들로 그룹 계약의 기초를 만들었고 개인 학습 목표는 그 그룹 계약 내에서 만들어졌다.

다음 2일 동안 학습 그룹은 대부분의 시간을 참가자들이 가져온 실제 상황에 대한 '변혁적 코칭'의 구조화 단계에 전념했다. 우리는 이러한 것을 역할극(role play)과 구분하기 위하여, 그리고 실제로 힘든 업무 상황에서 어떻게 다룰지를 실험할 수 있는 감각을 강조하기 위하여 '실제 플레이(real play)'라고 불렀다.

다섯 명의 그룹 멤버 각각은 다음과 같은 역할을 할 기회가 주어졌다. 컨설턴트/고문 역할의 경우 실제적이고, 현재적이며 힘든 사례를 가져왔다. 코치 역할의 목표는 약 45분 안에 컨설턴트가 생각하고 느끼고 행동하는 것에서 변화를 만들어 내는 것이었다. 그림자 코치는 코칭 프로세스의 측면을 모니터링하는 책임이 주어지고(예: 2장과 8장의 CLEAR 모델, Heron 개입 등), 코칭 세션에서 '타임아웃'을 써서 중지시키기도 하면서 코칭의 효과성을 높이도록 돕는다(〈그림 7.5〉 참조).

변혁적 코칭에서 의도하는 것은 이슈나 사례를 가져온 사람이 새로운 통찰을 얻거나 '필수 실행 목록'을 만드는 것이 아니다. 그 사람이 세션에서 '느끼는 변화'를 실제 경험하는 것이다. 자신이 우려하는 상황에 대해 다르게 생각하고, 느끼고 다르게 행동하기 시작한다. 연구 결과 사람들이 단지 좋은 의도를 가지고 떠나는 것보다 변화를 실제 느낄 때 훨씬 더 크게 학습과 실제 상황의 변화로 이어진다는 걸 보여준다(논의를 확장하려면 2장 참조).

소그룹에서 작업할 때 '평행 프로세스'에 대한 시스템적 이해가 필요하다. 그림자 코치의 임무는 코치를 변화시키는 것이라는 뜻이다. 코치는 자신이 컨설턴트와 관계 맺는 방식을 변화시키고, 그래서 컨설턴트가 자신이 고객과 관계 맺는 방식을 변화시킴으로써, 고객 시스템이 유익하게 변화하게 될 수 있다고 확신할 수 있다.

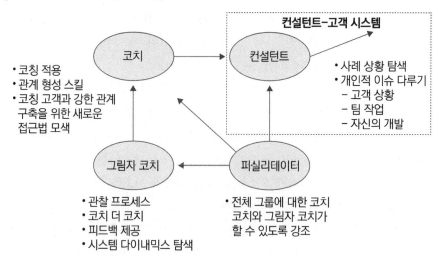

↳ 그림 7.5 실습 그룹의 역할들

'시스템 접근 방식'(Hawkins, 2011c)을 사용한다는 의미는 시스템의 어느 지점에서 변화를 위한 개입이 일어나든 이것이 전체로 물결처럼 확산된다는 것이다. 개입의 시작 포인트가 변화에 최대의 효과 또는 최소의 저항이 되도록 선택되는 것이다.

CPD에 원칙 적용하기

코치, 멘토, 컨설턴트의 양성은 정식 훈련을 마쳤다고 혹은 전문기관의 인증과정을 수료했다고 끝나는 것이 아니다. 학습은 생활이므로 학습을 중지한 전문가는 좋은 품질의 일도 정지된다는 것을 알고 있다. 자신이 일하는 방법을 안다고 생각하는 순간 호기심은 반복으로, 탐구는 도그마로, 적절한 겸손은 현학적인 자세로 대체된다. 지난 25년 동안 소위 CPD라는 것이 엄청나게 성장해왔다. 초기의 훈련이 곧 낡은 것이 될 정도로 모든 전문 직업에서의 급속한 변화와 발전을 북돋아 왔다. 전문직 사람들이 주요 실천 도구인 자신을 유지하고 강화하는 것이 얼마나 중요한지를 인식했기 때문에 CPD는 성장해 왔다.

어느 전문 피아니스트는 1시간 연주를 하려면 10시간 동안 리허설을 한다고 이야기했다. 그러면서 우리 직업에서는 리허설이 어느 정도 비율인지를 물었다! 우리에게 리허설 시간은 무시할 정도, 작업 시간에서 거의 측정할 수 없을 정도의 비율이었다. 다음 섹션에서 CPD에 대한 다른 접근 방법을 모색할 것이다.

CPD 정의와 모델

가장 널리 인용되는 CPD의 정의는 톰린슨(Tomlinson, 1993: 213)의 논문이다. 그는 CPD를 다음과 같이 정의했다. '지식과 기술의 체계적인 유지 보수와 개선 및 확장, 그리고 직업생활 전반에 걸친 전문적 관리적 기술적 의무의 실행에 필요한 개인 자질의 개발'. 이 정의는 여러 전문기관에 의해 채택되었으며, 매든과 미첼 (Madden and Mitchell, 1993: 12)에 의해 기반이 구축되었다. 그는 CPD의 맥락적 특성과 다수 이해관계자의 이익과의 관련성을 강조하였다. '전문가, 고용주, 직업 및 사회의 요구와 관련하여 형성된 계획에 따라 전문가들의 경력 전반에 걸쳐서 이루어지는 지식과 전문성, 역량의 유지 및 향상'

영국 CIPD는 CPD에 대한 다섯 가지 핵심 원칙을 설계했다. 이 원칙은 코칭, 멘토링 및 컨설팅 직업에 동일하게 적용된다.

1. 전문가 개발은 실행가의 직업 생활 전반에 걸쳐 적용되는 연속적인 과정이다.
2. 개인이 자신의 개발을 통제하고 관리할 책임을 진다.
3. 개인이 자신의 학습 욕구와 충족 방법을 스스로 결정해야 한다.
4. 학습 목표는 명확하게 구체화되어야 하고, 고용주와 고객의 요구만이 아니라 실행가의 개별적 목표를 반영해야 한다.
5. 학습이 추가적인 부담이 아닌 일의 통합적인 부분으로 인정될 때 가장 효과적이다.

(Hain *et al* 인용, 2011: 197-8)

CPD는 등록된 모든 전문 코치, 멘토 및 컨설턴트들에게 필수 요건이다. 헤인 (Hain, 2011) 등은 모든 코치와 멘토가 어떻게 자신들의 CPD에 참여할 수 있는지에 대한 좋은 프로세스를 제공한다. 슈퍼비전은 슈퍼바이지들의 CPD를 만들고 계획하는 걸 도와주는 중요한 역할을 한다. 또한 슈퍼바이지들이 지속해 나가고 새로 배운 것을 연습하고 실천에 적용하는 걸 지원해준다(Hawkins, 2011c 참조). 헤인(Hain, 2011: 203) 등은 다음과 같이 기술하였다. '코치가 CPD 활동에 참여하는 가장 효과적인 방법 중 하나는 자신을 위한 일대일 과정에 참여하는 것이다.'

기본 훈련 및 CPD에서 슈퍼비전의 역할

슈퍼비전 및 슈퍼비전 기술은 사람 전문가에게 모든 좋은 훈련의 핵심이다. 코칭, 멘토링, 컨설팅 훈련의 초기부터 훈련생들은 두 명, 세 명 또는 소규모의 학습 그룹을 형성하여 함께 해야 한다. 트레이너는 탐구와 실험을 격려하는 학습 분위기를 만들기 위해 슈퍼비전 기술을 활용해야 한다. 이는 트레이너도 피드백을 주고받는 모델이 필요하다는 것을 의미한다. 피드백은 명확하고 수용되며 균형 잡히고 구체적이어야 하며, 지지와 도전의 균형을 갖추고 개발의 관점에 서 있어야 한다(12장 참조).

트레이너는 슈퍼비전의 세븐 모드를 활용하고 균형을 가질 필요가 있다(9장 참조). 초점을 고객의 세계에서 코치의 개입 방법으로, 코칭 관계와 코치 자신의 프로세스로 이동하여 다루는 방법뿐만 아니라 자신의 프로세스 및 코치와 다른 연수생과의 생생한 관계를 만드는 방법을 보여주어야 한다.

연수생은 동료 연수생이 아닌 고객과 실습을 시작할 준비가 되면 바로 그 다음부터 슈퍼비전을 받아야 한다. 슈퍼비전은 일대일 또는 그룹으로 받을 수 있고, 이는 숙련된 슈퍼바이저/트레이너에 의해 제공되어야 한다. 그룹 대비 일대일 슈퍼비전의 장점과 단점은 10장에서 살펴본다.

연수생의 실습 초기에 슈퍼비전은 질적, 개발적 및 자원적 측면의 바람직한 균형이 필요하다. 또한 슈퍼바이저와 연수생 양쪽 모두가 학습을 위한 중요한 장이라고 받아들여야 한다.

어느 정신분석학자는 '자기 분석의 문제는 역전이'라고 말한 적이 있다. 자신을 스스로 다루는 과정에는 환상과 망상, 결탁 등이 만들어지기 때문에 자신을 개발하는 것은 많은 위험이 내포하고 있다는 것이다. 이러한 이유로 우리는 슈퍼비전이 전문가 실행의 전 기간에 걸쳐 CPD의 핵심 기능이 되어야 한다고 믿는다. 슈퍼비전도 슈퍼바이지의 변화하는 개발 요구에 맞게 변화해야 한다. 우리는 경력 초기에는 슈퍼비전을 경험이 풍부한 전문가 및 훈련받은 슈퍼바이저가 제공해야 한다고 믿는다. 이후에는 슈퍼비전이 동료 간에 진행될 수 있지만, 여기에도 일반적으로 전문가 개발의 초기 단계에는 갖추기 힘든 성숙도와 과정의 엄격함이 요구된다.

결론

슈퍼비전의 역할과 기능을 이해하기 위해서는 더 넓은 맥락에서 전문성 개발의 특성과 과정을 먼저 이해하는 것이 중요하다. 이 장에서는 전문성 개발은 성인학습 및 폐기 학습의 핵심 원칙이 기반이 된다는 점과 전문가의 현재의 학습 요구에 개발을 접목하고, 그들이 이미 알고 있는 것을 활용하고 실행, 성찰, 새로운 사고 및 계획의 사이클을 반복할 때 가장 효과적임을 설명했다.

또한 '학습은 삶을 위한 것'이며, 학습이 개발과 슈퍼비전 둘 다 기초 훈련에서부터 고급 전문 종사자가 될 때까지 경력 전체에 걸쳐 어떻게 변화해나가는지에 대한 이해를 제공했다. 우리가 자신을 개발하는 일을 중지할 때, 다른 사람을 개발하는 일의 효과성도 멈춰진다. 자신의 학습에 가장 생동적일 때가 다른 사람들에게 가장 큰 가치를 주는 때인 경우가 많다.

제8장 | 슈퍼비전: 왜, 무엇을, 어떻게

소개

지속적인 개인 개발은 CDP의 핵심이다. 개발은 우리가 행하는 모든 일의 면면을 통해 짜여진다. 모든 고객이 스승이며, 아주 작은 피드백조차 새로운 배움을 위한 기회로서, 행동과 성찰, 새로운 이해 그리고 새로운 실행이라는 사이클을 균형 있게 지지해준다. 슈퍼비전은 코치, 멘토, 컨설턴트의 지속적인 개인적, 직업적 개발의 기초이다. 이는 안전하고 규율 있는 공간을 제공하여 코치가 슈퍼비전 속에 생생하게 존재하면서 그 안에서 고객의 상황과 관계를 성찰하고 자신의 반응과 패턴을 되돌아보며 이를 변화시킴으로써 고객에게 큰 혜택을 줄 수 있다.

코칭 슈퍼비전의 시작과 성장

2006년 이 책의 초판을 쓸 때, 코칭에 슈퍼비전이 어떤 식으로 자리매김을 할 것인지에 대한 커다란 논쟁이 있었다. 영국에서 BCG가 영국 CIPD(Chartered Institute for People Development)를 위해 조사연구를 진행하면서, 120개 기관과 530명의 개인으로부터의 답을 분석했다. 연구결과 코칭기관의 88%, 코치의 86%가 코칭은 지속적인 슈퍼비전을 필요로 한다고 밝혔다.

하지만 현재 정기적 지속적 슈퍼비전을 받고 있다는 코치는 44%였고, 23%의 조직만이 정기적이고 지속적인 슈퍼비전을 제공한다고 응답했다. 슈퍼비전을 받고 있는 코치 중 58%는 지난 2년 사이에 슈퍼비전을 시작했다. 각종 연구자료들은 슈퍼비전의 중요성을 지지하고 강조하고 있다. 하지만 실천은 지연되고 있는 것이다. 2006년 이후로 슈퍼비전의 원칙이 영국뿐 아니라 다른 지역에서 기본 사항으로 채택되고 있다. 몇몇 영국기관들은 유럽, 미국, 아시아에서 슈퍼비전 교육 프로그램을 진행하고 있다. 예를 들면 닉은 2011년~2012년 사이에 싱가포르에서, 피터는 2011년에 스웨덴에서 슈퍼비전 과정을 실시했다.

2006년에 슈퍼비전의 필요성과 실행 사이의 차이가 큰 원인은 훈련 받은 실력 있는 슈퍼바이저의 부재다. 이는 2003년 12월에야 영국에서 코칭 슈퍼비전 훈련이 진행된 데서도 알 수 있다. 다른 요인으로는 비용, 전문가협회와 고용주로부터 슈퍼비전에 대한 요구사항이 투명하지 않은 것 등이었다.

그 후로 조직의 구매자들의 코칭 슈퍼비전에 대한 요구가 증가했고 이와 함께 참여하는 코치의 수도 급격히 늘어났다. 조직의 베스트 프랙티스 연구에서 인용된 코칭 책임자들의 표현을 보면,

> 누군가의 일을 오픈하여 면밀히 살펴보는 것은 최상의 결과를 가져오는 데 중요하다. 일터에서 코치들에게 투자를 할 예정이라면, 슈퍼비전은 필수이며, 절대 선택이 아니다.
>
> (바바라 피체타, 프라이스워터하우스쿠퍼스 영국)

> 코치들이 슈퍼비전을 지속적이고 전문적인 개발의 한 부분으로 삼기를 기대한다. 나는 슈퍼비전을 받아본 적 없는 코치를 고용하지 않을 것이다.
>
> (숀 링컨, 센터포엑셀런스 인 리더십)

전반적으로 최근 6년 간 영국을 포함한 전 세계적으로 코칭 슈퍼비전에 대한 훈련 교육이 각종 회의나 워크숍, 서적 등에서 주제로 다루어지기 시작했고 매우 빠르게 성장해 왔다. 자신의 일을 다른 전문가로부터 검토받는 것이 전문성의 품질을 보증하는 주요한 측면이며, 동시에 지속적인 직업적 개인적 개발의 핵심 요소라는 것이 널리 인식되고 있다.

슈퍼바이저 되기

슈퍼바이저가 되는 것은 유쾌한 동시에 매우 부담스러운 일이다. 훈련이나 지지 없이는 감당하기 어려운 과제일 수 있다. 슈퍼비전은 단순히 다른 코치를 코칭하는 것과는 다르다.

이 장과 이 섹션에서 슈퍼비전에 필수적인 프레임워크를 제공한다. 이는 슈퍼비전에만이 아니라 슈퍼바이저로서의 일을 검토·평가하기 위해서 그리고 양질의 피드백을 받기 위해서도 꼭 필요한 프레임워크다. 좋은 슈퍼바이저가 되는 가장 우선적인 조건은 양질의 슈퍼비전을 받는 것이라고 믿고 있다. 이 장의 내용이 당신이 하는 슈퍼비전만이 아니라 당신이 받고 있는 슈퍼비전을 평가하는 데도 도움이 되기 바란다.

당신이 머지않아 슈퍼바이저가 되어야 하는 이유 혹은 이미 슈퍼바이저가 된 이유가 여러 가지 있을 것이다. 코치나 컨설턴트들은 세월이 지남에 따라 분야에서 가장 오래된 시니어 경력자가 되어가며, 슈퍼비전이 필요한 사람들이 그들에게 다가오기 시작한다. 어떤 이는 남들보다 슈퍼바이저 역할이 더욱 잘 맞는다. 그러다 보면 스스로에게 개인 개발과 교육적 기술 두 가지 모두가 요구된다는 걸 깨닫게 된다.

어떤 이들은 고객을 직접 코칭하는 것과 다른 코치를 슈퍼비전하는 걸 함께 하려고 일을 재정리하기도 한다. 무엇을 가르치거나 슈퍼비전을 하려면 그게 무엇이든 반드시 스스로가 그것을 실행해 봐야 한다. 힘든 현실을 모르고서는 슈퍼바이저의 시각에서 보면 간단한 것을 슈퍼바이지가 그렇게 힘들게 접근하는지 이해하지 못하는 일이 쉽게 벌어지기 때문이다. 어떤 업무를 함께 하면 두 가지 모두의 장점을 취할 수 있다. 여러 신입 슈퍼바이저들은 타인을 슈퍼비전 하는 것이 자기 고객과의 일에도 새로운 시각과 생기를 불어넣었다고 말한다.

슈퍼바이저가 되는 것은 다른 사람들이 일하면서 배우고 스스로를 개발하도록 돕는 교육적 역량을 기르는 기회이다. 신입 슈퍼바이저들은 실습을 통해 기존의 방식을 중지하거나 성찰하고 또 분명히 표현하도록 요구받게 된다. 그걸 당연히 여기게 될 것이다. 그렇다면 도전은 어떻게 당신의 경험을 사용해서 슈퍼바이지들이 스스로 일하는 스타일을 개발하고 어려운 상황에서 스스로의 해결책을 찾도록 도울 수 있는가이다.

마지막으로, 양질의 슈퍼비전을 어떻게 얻을지 모르는 사람에게 그들이 필요로 하고 스스로에게 원하는 것을 줌으로써 보상받을 수 있다. 슈퍼비전이 마술처럼 이끌어 줄 것이라는 헛된 기대 속에 있는 경우도 있다.

시작하기

좋은 슈퍼바이저가 되기 위한 첫 번째 선행조건은 자신이 먼저 좋은 슈퍼비전을 받을 준비에 적극 나서는 것이다. 스스로에게 던져야 할 질문은, '나는 지금 하고 있는 일에 대해, 그리고 좋은 슈퍼바이저가 되기 위해 적절한 슈퍼비전을 받고 있는가?'이다.

차분히 앉아서 지금까지 경험한 긍정적 혹은 부정적이었던 슈퍼비전 경험을 적어 내려가는 것도 의미 있을 것이다. 긍정적인 롤 모델은 누구이며, 슈퍼바이지들에게 반복해주고 싶지 않은 슈퍼비전 경험은 무엇인가?

당신의 기대가 당신이 이끄는 슈퍼비전 세션의 분위기를 결정할 수 있다. 만약 갈등과 문제점으로 가득할 거라고 예상한다면, 결과는 그렇게 될 것이다. 만약 당신이 흥미롭고 참여적이며, 협조적인 세션을 기대한다면 그런 결과를 만들어낼 수 있는 분위기가 조성될 것이다.

좋은 슈퍼바이저에게 요구되는 자질

모든 코치, 멘토, 컨설턴트, 슈퍼바이저들에게 요구되는 핵심 역량과 수행능력, 능력에 대해서는 다른 장에서 설명할 것이다. 여기서는 특히 슈퍼바이저에게 해당되는 독특한 자질에 대해서 설명하고자 한다. 길버트와 에반스(Gilbert and Evans, 2000)는 레딕과 다이(Leddick and Dye, 1987)와 호킨스와 쇼헷(Hawkins and Shohet, 2012)의 연구에 기반하여 슈퍼바이저의 자질에 대한 유용한 리스트를 내놓았다. 그것은 다음과 같다.

1. **유연성**: 이론적 개념과 다양한 개입 및 방법 사용을 유연하게 오가는 유연성
2. **다층적인 시각**: 동일한 상황을 다양한 각도에서 볼 수 있는 다층적 시각
3. **슈퍼비전에서 적용되는 규율에 대한 안내도**(1~6장 참조)

4. **다문화적으로 일할 수 있는 능력**(15장 참조)

5. **불안을 관리하고 누르는 능력**: 자신과 슈퍼바이지들의 불안 관리

6. **배움에 대한 개방성**: 슈퍼바이저에게서, 그리고 새로운 상황으로부터 배우는 것(7장 참조)

7. **보다 넓은 맥락의 이슈에 대한 감수성**: 예를 들어 고객 일과 슈퍼비전 프로세스 둘 다에 영향을 주는 것들

8. **강압적 실행에 반대하는 데 훈련된** 그리고 권위를 적절히 다룰 수 있는(15장 참조)

9. **유머, 겸손, 인내**

당신은 이러한 자질과 기술을 이미 지니고 있을 수 있다. 코치, 멘토, 컨설턴트로서 유능한 실행가가 되기 위해 개발해왔을 수도 있다. 좋은 코칭과 멘토링 기술은 유능한 슈퍼바이저가 되기 위한 전제이다.

브리지드 프록토(Brigid Proctor, 1988a)는 다음과 같이 이를 강조한다.

> 슈퍼바이저의 임무는 슈퍼바이지와 그의 능력에 가치를 부여할 뿐 아니라, 그가 수용되고 가치를 인정받고 이해받고 있다고 느끼도록 돕는 것이다. 그럴 때만 슈퍼바이지는 충분히 안전하다고 느끼고 스스로를 되돌아보고 도전할 만큼 개방적이게 될 수 있다. 이런 분위기가 조성되지 않으면 비판적인 피드백에 개방적이게 되기도 좋은 의도로 대하기도 어려울 수 있다. 사람들은 슈퍼비전에 임할 때 이미 스트레스를 받고 불안하며 화가 나고 두려움을 갖고 오는 경우도 있다. 우리는 이러한 불편한 감정을 얘기하고 충분히 드러낼 만큼 안전하다고 느껴야 자신의 실행을 재평가할 수 있다고 가정한다.

슈퍼바이저라는 새로운 과업이 실행가로서 경험해 온 것에 가치를 더해준다. 신입 슈퍼바이저 일부는 자신이 잘 활용했던 기술을 새로운 맥락에 적용할 수 있게 되고, 일부는 자신의 코칭 기술을 고집함으로써 슈퍼바이지를 유사 코칭 클라이언트로 대하기도 한다.

슈퍼비전을 시작하려면 우선 슈퍼비전의 경계를 이해하고 상호 합의된 분명한 계약을 맺는 것이 중요하다. 두 번째로 슈퍼비전을 위한 프레임(틀)을 개발해야

하는데, 이는 자신이 일하는 환경에 적절한 것이어야 한다. 프레임은 슈퍼바이지에게 설명할 수 있을 정도로 명확하고, 다양한 배경과 수준을 지닌 슈퍼바이지들의 욕구를 만족시킬 수 있을 정도로 충분히 유연해야 한다.

가장 어려운 새 기술은 이른바 '헬리콥터 능력'이다. 이는 아래의 영역 사이에서 초점을 전환할 수 있는 능력이다.

- 슈퍼바이지가 설명하는 고객
- 슈퍼바이지와 그의 프로세스
- 당신 자신의 프로세스, 그리고 슈퍼바이지와 함께 하는 '지금 현재'의 관계
- 슈퍼비전의 프로세스, 즉 더 큰 맥락에 있는 고객을 슈퍼바이지가 잘 다루도록 돕는 프로세스
- 조직과 조직들 사이의 이슈에 대한 보다 넓은 맥락

이 기술은 시작하기 전에는 배울 수 없고 시간이 오래 걸리는 과정이다. 다양한 수준과 관점이 존재하며, 세션이 점차 진행되어감에 따라 당신의 초점이 넓어진다는 걸 아는 게 중요하다(9장 참조). 하지만 모든 세션에서 가능한 모든 시각을 가지고 시도하려고 하지는 말라. 슈퍼바이지가 소화불량에 걸리기 때문이다.

슈퍼비전이란 무엇인가?

마이클 캐롤(Michael Carroll, 2007)은 간단하고 짧게 슈퍼비전의 정의를 내린다. '슈퍼비전은 슈퍼바이지들이 자신의 일을 향상시키기 위해 그 일들을 검토하고 성찰하는 포럼이다.' 이 정의는 좋지만, 슈퍼바이저와 그 대상 사이의 공동의 노력이라든가 또는 이 일의 복잡성은 타당하게 다루어지지 않았다. 우리는 초판(Hawkins and Smith, 2006)에서 슈퍼비전을 이렇게 정의했다.

코치/멘토/컨설턴트가 고객과 직접적으로 일을 하지 않는 슈퍼바이저의 도움을 받는 프로세스로서, 고객 시스템과 고객-코치/멘토 시스템의 일부로서 자신을 더 잘 이해하도록 하고 그들의 일을 변혁시키는 것이다.

여기에 다음을 덧붙였다(Hawkins, 2010).

> 슈퍼비전은 또한 슈퍼바이저와 코치 관계의 변혁을 다룸으로써, 그리고 그
> 일이 발생하는 더 큰 맥락을 다룸으로써 그렇게 하는 것이다.

호킨스와 스미스(2012)의 논문에서는 여러 직업에 대한 슈퍼비전을 의미하는
보다 포괄적인 정의를 내렸다.

> 슈퍼비전이란 슈퍼바이저의 도움 하에 실행가가 자신의 고객과 고객-실행
> 가 관계의 한 부분이자 더 큰 시스템 맥락의 일부인 자신을 다루며, 그럼
> 으로써 업무의 질을 향상시키고, 고객 관계를 변혁시키며 지속적으로 자신
> 과 실행, 더 넓은 전문성을 개발해 가는 공동의 노력이다.

이것이 매우 길고 복잡한 정의라는 것을 안다. 하지만 슈퍼비전이 다수의 이
해당사자들을 섬겨야 하는 복잡한 임무임을 반드시 이해해야 한다. 최소한 슈퍼
비전은 다음을 지원해야 한다.

- 슈퍼바이지의 학습과 개발
- 슈퍼바이지의 고객과 그들이 받는 서비스의 질
- 슈퍼바이지를 고용하는 조직(들)과 조직 업무의 효과성과 효율성
- 슈퍼바이저를 포함할 수도 있는, 슈퍼바이지의 직업 분야에 대한 지속적
  학습과 개발

잘만 실행된다면 슈퍼비전은 위의 네 가지 혹은 그 이상을 숙련되게 해낼 수
있다.
이 정의의 이해를 돕기 위해 하나씩 살펴보자.

1. **슈퍼비전은 공동의 노력이다.** 슈퍼비전을 슈퍼바이저가 슈퍼바이지를 대
   상으로 하는 활동으로만 보지 않아야 한다. 슈퍼바이저와 슈퍼바이지가
   파트너십으로 일하면서, 함께 의지하며 위험요소에 맞서서 슈퍼바이지와

더 넓은 시스템을 섬기는 것이다.

2. **슈퍼바이저의 도움 하에, 실행가는 자신의 고객을 다룬다.** 슈퍼비전은 언제나 고객을 포함한다. 그렇지 않으면 업무의 카운슬링에 머물 뿐이다. 슈퍼비전은 슈퍼바이지가 고객으로부터 잠시 물러서 상황을 혹은 자신을 더 잘 파악한 후, 그들을 도울 최선의 방법을 이해하게 만든다.

3. **실행가와 고객 관계의 일부로서의 자신.** 고객에 대한 객관적인 이해가 가능하거나 바람직하다고 보지 않는다. 실행가는 직업적 관계라는 맥락에서 이해해야 하며, 이는 관계라는 상황의 일부로서 자신을 성찰해야 함을 의미한다.

4. **더 넓은 시스템적 맥락.** 고객과의 관계는 절대 홀로 존재하지 않고 언제나 시스템적인 상황 속에 존재한다. 이는 고객의 가족과 사회적 상황뿐만 아니라, 조직이 운영되고 있는 조직적이고 전문적인 상황, 보다 넓은 사회적 문화적 정치적 상황을 포함한다.

5. **그럼으로써 업무의 질을 향상시키고, 고객과의 관계를 변혁시키고, 지속적으로 그들 자신과 실행, 전문성까지 개발하는 공동의 노력이다.** 슈퍼비전은 단지 과정을 반영하는 것이 아니라 슈퍼비전 대상, 고객, 미래의 실행, 조직과 전문직을 위한 교육과 향상이라는 결과를 만들어내는 것이다. 14장에서 슈퍼비전이 중요한 이유는 단지 과정에서 경력 직원들이 신입 직원들을 개발시키는 것이 아니라 조직적이고 전문적인 학습의 원천이기 때문이라는 점을 설명했다.

슈퍼비전을 보다 넓은 시스템적 맥락에서 바라보는 것이 중요하다. 피터 호킨스(Peter Hawkins, 2011c)는 시스템적 슈퍼비전을 아래 네 개의 기둥을 기본으로 하는 것이라고 정의했다.

- 시스템적 관점에 의한 정보 제공
- 학습과 개발 시스템의 모든 부분에 대한 지원
- 시스템적 맥락에 관련된 고객을 다루기
- 시스템의 한 부분으로서 슈퍼바이지와 슈퍼바이저를 포함하고 반영한다.

그러나 이는 이야기의 시작에 불과하다. 슈퍼비전은 단순히 기술을 개발하고, 슈퍼비전 대상자의 능력을 이해하는 것뿐만 아니라, 환경에 따라서 또 다른 기능을 가질지도 모른다. 다중적 기능을 통합하는 것이 좋은 실행의 핵심이다.

카운슬링, 심리치료에서의 슈퍼비전과의 유사점과 차이점

'슈퍼비전'이라 부르든 '코칭에 대한 코칭'이라 하든, 실행 과정에 또 다른 이가 참여할 필요성은 점점 필수적이 된다. 코칭과 멘토링 분야에서 슈퍼비전은 생소했기 때문에 종종 카운슬링 슈퍼비전 분야의 모델이나 접근법을 사용하거나 심리치료 슈퍼비전 기법을 사용하기도 한다. 카운슬링이나 심리치료에서도 슈퍼비전은 1980년대 들어서야 개발되었다는 걸 기억해야 한다. 이 분야에서 이론과 방법들을 개발할 때, 상담심리나 사회사업 영역을 응용했으며 이는 1970년대에 만들고 개발시켰던 것들이다(Hawkins and Shohet, 2012 참조).

남을 돕는 전문직업들은 서로에게서 배울 수 있는 것이 많다. 그러나 각각의 기본적인 성격과 본질적 차이를 알아야 한다. 상대방 영역의 것을 필요 이상으로 지나치게 따라하는 것은 위험한 일이다. 코치가 카운슬러나 심리학자에게 슈퍼비전을 받을 때는 슈퍼바이저의 전문적 초점이 자연스럽게 고객의 심리를 파악하는 쪽으로 흐를 위험이 있다. 슈퍼바이저의 성향에 따라서는 코치와 고객의 관계에 초점을 맞추거나 건강성보다는 병리적인 것에 더 초점을 맞출지도 모른다. 가장 위험한 것은 조직보다 개인에 더욱 관심을 갖는 기본적인 성향 때문에 개인을 '나쁘거나' 혹은 '냉혹한' 조직의 희생양으로 보기 쉬운 무의식적 경향이다. 최악의 경우는 클래식 드라마 삼각 관계(Karpman, 1968) 같은 '박해자로서의 조직; 희생자로서의 코칭고객 구원자로서의 코치'라고 믿는 경우다.

슈퍼바이저의 역할

몇몇 저자는 슈퍼바이저 역할의 복잡성을 거론한다(Carroll, 1996; Clutterbuck, 2011; Munro-Turner, 2011; de Hahn, 2012; Hawkins and Shohet, 2012). 슈퍼바이저로서 역할에는 다음과 같은 많은 기능이 포함된다.

- 지지해주는 코치
- 슈퍼바이지의 학습과 개발을 돕는 교육자
- 슈퍼바이지가 고객과 무엇을 할지 또 고객에게 무엇을 줄지에 대해 책임지는 매니저
- 슈퍼비전에 비용을 지불하는 조직에 대해 책임지는 매니저 혹은 컨설턴트

슈퍼바이저는 교육자로서, 지지자로서, 가끔은 매니저로서의 역할을 적절한 방식으로 아우를 수 있어야 한다. 호트론(Hawthorne, 1975: 179)은 다음과 같이 강조했다. '이 모든 것을 편안하고 효과적인 정체성으로 잘 통합하려면 노력과 경험이 요구된다.'

적절한 권위와 파워를 갖추기

슈퍼바이저의 역할에 원래 존재하는 권위와 힘을 다루는 적절한 방법을 찾지 못하면 갈등이 발생한다. 13장에서서 '권위, 존재, 영향'이라는 모델을 설명하고 슈퍼바이저가 업무에서 세 가지 측면 모두를 개발하는 것이 얼마나 중요한지 설명한다.

릴리안 호쓰론(Lillian Hawthorne, 1975)은 어렵지만 중요한 이 과업을 이렇게 설명했다.

> 많은 슈퍼바이저들 특히 신입 슈퍼바이저들은 새로운 권위에 적응하는 데 어려움을 겪는다. 지배와 수용 사이에서 개인적으로 형성되어 온 균형감각은 새로운 책임으로 인해 뒤집어진다. 슈퍼비전을 주고받는 관계는 복잡하고, 강렬하고, 심오하다. … (권위를 가지려는) 노력은 역할을 생소하게 느끼는 슈퍼바이저에 의해 좌절되고, 권위에 대한 개인적 경험으로 인한 어려움 때문에 방해받으며, 일대일 관계에서의 불편함으로 인해 방해받는다.

그는 슈퍼바이저의 역할을 권력을 포기하거나 이용하는 게임으로 묘사한다. 베른(Berne, 1975)의 연구와 다른 연구자들은 카운슬링이나 심리치료를 거래적 관점

에서 분석한다.

'파워 포기 게임'은 이런 것들이다.

- '그들이 ~를 못하게 할 거야': 당신이 요청하는 것에 나는 동의하지만 경영진이 못하게 할 겁니다.
- '나는 불쌍해': 주간 미팅을 취소해서 미안해요. 하지만 내가 상사에게 제출할 월간 보고서를 만드느라 얼마나 바쁜지 당신은 모를 겁니다.
- '난 진짜로 좋은 사람이야': 지금 내가 당신에게 얼마나 협조적이고 상냥한지 보라구요.
- '좋은 질문은 또 다른 좋은 질문으로 대응': 당신이라면 그 질문에 어떻게 대답하시겠어요?

'파워 이용의 게임'은 아래와 같은 것들이다.

- '누가 보스인지 기억해': 역할의 파워를 인위적으로 주장한다.
- '당신에 대해서 말할 거야': 경영진에게 슈퍼바이지에 대한 정보를 흘리겠다고 위협한다.
- '아빠, 엄마가 제일 잘 알지': 부모처럼 혹은 은인처럼 행동한다
- '난 당신을 도와주려고 했을 뿐이에요': 슈퍼바이지의 비판을 이타주의를 가장해 방어한다.
- '당신도 나만큼 토스토예프스키를 알면 좋을 텐데': 슈퍼바이지가 열등감을 느끼게 필요 이상으로 지식을 내세운다.

15장에서는 다문화적 슈퍼비전에 대해 다루면서 개인적 파워, 문화적 파워, 역할 파워 사이의 상호작용을 탐색한다. 슈퍼바이저의 역할을 한다는 것은 당신이 세 영역에서 자신의 파워를 인식하고, 파워를 사용하는 방법을 배워야 할 책임이 있다는 것이다. 서로 다른 배경을 지닌 슈퍼바이지에게 적절하고, 억압적이지 않으며 민감한 방식으로 사용하는 방법을 말이다.

슈퍼비전의 기능

카두신(Kadushin, 1976)은 사회사업 슈퍼비전에 대해 저술하면서, 세 가지 주된 기능 혹은 역할이 있다고 했다. 그에 따르면 슈퍼비전은 교육적, 지지적, 관리적인 성격을 갖는다. 프록터(Protor, 1988b)는 카운슬링에 대한 슈퍼비전의 주요 프로세스를 설명하면서 비슷하게 구별했다. 그는 형성적, 회고적, 규범적이라는 용어로 구별했다.

그러나 이런 구별은 카두신의 경우 사회사업, 프록터는 카운슬링이라는 본인들의 전문 분야의 색을 입힌 것이다. 그래서 우리는 자체 모델을 개발했다. 여기서는 슈퍼비전의 기능을 개발적, 자원적, 질적이라는 세 가지 주된 기능으로 정의한다. 카두신은 슈퍼바이저의, 프록터는 슈퍼바이지의 역할에 초점을 맞춘 반면, 우리는 슈퍼바이저와 슈퍼바이지가 함께 협업하는 프로세스와 관계에 초점을 맞추었다. 이 세 가지 요소를 〈표 8.1〉에 보여준다.

표 8.1 **슈퍼비전의 기능**

호킨스	프록터	카두신
개발적	형성적	교육적
자원적	회고적	지지적
질적	규범적	관리적

개발적 기능은 슈퍼바이지의 수행능력을 이해하고 스킬을 개발하는 면이다. 이는 슈퍼바이지가 고객과 한 실행을 성찰하고 탐색하는 것을 통해 이루어진다. 탐색을 통해 슈퍼바이저는 다음과 같은 것에서 슈퍼바이지를 도울 수 있다.

- 고객을 더 잘 이해한다.
- 고객에 대한 자신의 반응과 응답을 더 잘 인식한다.
- 자신과 고객이 어떻게 상호작용을 하는지 그 역동을 이해한다.
- 자신의 개입하는 방식과 그로 인한 결과를 살펴본다.
- 이를 다루는 다른 방법, 비슷한 고객 상황에서 쓰는 다른 방법을 탐색한다.

슈퍼비전은 슈퍼바이지들이 지속적인 학습과 개발을 어떻게 자신들의 열망에 맞게 할지를 고려하게 하는 면에서 멘토링적 측면도 동시에 갖는다. 이 기능은 호킨스(Hawkins, 2011b) 연구에서 더 깊게 연구되었다.

자원적 기능은 고객의 감정에 의해 영향을 받을 수밖에 없는 직업의 사람에게 필요하다. 우리 자신이 지속가능하기 위해서는 일로 인해 어떤 영향을 받았는지, 어떻게 그런 반응에 대처했는지를 인식하는 시간이 필요하다. 이는 감정적인 반응을 하지 않아야 하는 직업인에게 필수적이다. 고객에 대한 감정이입으로 감정이 생겨날 수 있고, 고객에 의해 감정이 다시 자극될 수도 있다. 고객에 대한 반응으로 감정이 생길 수도 있다. 이러한 감정들에 주의를 기울이지 않으면 실행의 효과성이 떨어진다. 실행가가 지나치게 고객과 동일시할 수도 있고 고객에 의해 영향을 받는 것에 방어적인 자세를 취할 수도 있다.

질적 기능은 사람을 다루는 우리 일의 품질 관리 측면이다. 전문가로서의 일을 누군가와 함께 검토하는 것은 훈련과 경험이 부족하기 때문만이 아니다. 우리가 스스로의 상처와 편견에 의해 만들어지는 어쩔 수 없는 인간적 실패와 맹점, 취약점을 갖고 있기 때문이다. 슈퍼바이저는 슈퍼바이지와 고객의 작업에 대해, 슈퍼바이지가 고객과 일하는 방법에 대해 책임을 갖게 된다. 슈퍼바이저가 진행기관의 기준이 확실히 지켜지는지를 확인하는 책임을 질 수도 있다. 대부분의 슈퍼바이저들은 슈퍼바이지의 일이 적절하고 윤리적 기준에 맞는지를 확인할 책임이 있다(14장 참조).

슈퍼바이저에 대한 교육 훈련을 통해 코칭, 멘토링, 조직 컨설팅에 대한 슈퍼비전의 주요 결과를 리스트해 보면서 우리는 슈퍼비전의 기능이 무엇인지를 다듬어 왔다(〈표 8.2〉).

✐ 표 8.2 슈퍼비전의 핵심 산출물

- CPD의 핵심 제공 및 코치, 멘토의 액션 러닝**(개발적)**
- 코치, 멘토가 내부의 슈퍼바이저를 개발하고, 더 성찰적인 실행가가 되도록 돕기**(개발적)**
- 코치, 멘토가 자신의 고객 및 고객의 시스템에서 소진된 것을 회복하는 지지적인 공간을 제공하기**(자원적)**
- 코치, 멘토가 정직하고 용기를 발휘하도록 돕기-그들이 한 일, 보지 못했거나 듣지 못한 것, 스스로 느낌을 막은 것, 혹은 말하지 않은 것 등을 다루기**(질적)**
- 코치, 멘토가 필요시 고객을 다른 전문가에게 보내야 하는 지점과 어떻게 보내야 하는지를 검토하기**(질적)**

환경에 따라 어떤 한 측면이 다른 것들보다 더 중요해지기도 한다. 또 대부분의 슈퍼비전에는 세 가지 측면이 완전히 분리되지 않고 섞여있다. 결국 슈퍼비전은 개발적, 자원적, 질적인 구성요소를 갖는다. 이런 요소들이 함께 섞여 있는 지점에서 좋은 슈퍼비전이 이루어진다.

슈퍼비전 프로세스의 단계

1980년대 피터가 개발한 슈퍼비전 초기 모델은 5단계 코칭 모델 CLEAR (Contract 계약, Listen 경청, Explore 탐색, Action 실행, Review 검토)를 슈퍼비전 프로세스 모델로 적용한 것이었다.

이 모델에 따르면 슈퍼바이저가 슈퍼비전의 범위와 초점(방향)에 대해 슈퍼바이지와 **계약**을 하는 것에서 시작한다. 그 다음 슈퍼바이저는 코치가 다루고자 하는 이슈를 **경청**한다. 이때 슈퍼바이저는 단순히 내용을 듣는 것만이 아니라, 코치가 사용하는 이야기에 담겨진 감정이나 이야기가 만들어지는 프레임에 동시에 관심을 갖는다. 다음 단계로 진행하기 전에 슈퍼바이저는 코치로 하여금 단순히 이야기만 듣는 것이 아니라, 그 상황 속에서 어떤 느낌이었는지도 듣고 있음을 알게 해야 한다. 그 후에야 코칭 관계와 생생한 슈퍼비전 관계 둘 다의 역학 속에서 어떤 일들이 발생하는지를 코치와 함께 **탐색**하는 다음 단계로 이동하는 것이 의미 있게 된다. 그리고 이는 코치가 새로운 **행동**을 탐색하게 하기 전에 이루어져야 한다. 마지막으로 그 다음 단계에 하기로 한 것이 무엇인지를 **검토**하는 과정으로 이어진다. 이 단계들은 대부분은 코칭 과정과 흡사하지만, 계약 과정에서 크게 다른 점이 존재한다.

슈퍼비전 계약하기

모든 슈퍼비전 관계는 분명한 계약에서 시작되어야 한다. 이는 양측에 의해 만들어지고 형성되며, 또한 조직과 여기에 포함된 전문가들의 기대를 반영하기도 한다.

계약 단계에서 포함되어야 할 다섯 가지 핵심 요소를 제안한다.

- 실질적 요소
- 경계
- 협력 관계
- 세션 형식
- 조직과 전문가의 맥락

실질적 요소

계약 내용을 만드는 데 있어서, 횟수와 빈도, 장소, 세션이 중단 또는 연기 가능한 조건, 포함된 비용의 규정 등과 같은 실질적인 요소를 명확히 하는 것이 필요하다. 슈퍼비전이 어디까지 다루는지 영역의 범위를 명확히 하고 슈퍼바이저가 보고해야 하는 직원이나 전문가 협회 등에 대해서도 명확히 하는 것이 중요하다.

경계

코치 받는 사람과 새 코치 양측이 모두 신경써야 하는 것은 슈퍼비전과 카운슬링, 테라피 간의 경계이다. 이 영역에서 기본적인 경계는 슈퍼비전은 코칭의 이슈를 탐색하는 것으로 시작해서 코치 받는 사람이 다음 단계를 위해 어디로 가야 할지 살펴보는 것으로 마치는 것이다. 개인적 사항들은 그것이 일에 직접적으로 영향을 미치거나 영향을 받을 때, 혹은 코칭이나 슈퍼비전 관계에 영향을 미칠 때만 언급된다. 만약 슈퍼비전에서 적절히 다루어질 수 있는 정도 이상의 개인적 사안이 있음을 보게 되면 슈퍼바이저는 슈퍼바이지의 개인적 이슈들을 다루는 데 있어서 카운슬링이나 다른 형태의 도움을 제안할 수도 있다.

슈퍼비전 계약에는 비밀보장에 관한 분명한 경계가 포함되어야 한다. 많은 슈퍼바이저들은 슈퍼비전에서 언급된 모든 것이 비밀 보장된다고 말하거나 그런 암시를 했다가 어떤 예상치 못한 상황에서 세션의 경계를 넘어서 자료를 공유해야 할 때 덫에 빠지게 된다.

그렇기 때문에 슈퍼비전의 적절한 비밀보장 한계를 계약할 때, 언급되는 모든 내용의 비밀이 보장된다고 말하거나 혹은 아무 것도 비밀보장이 되지 않는다고 말하는 것은 적절치 않다. 그보다는 슈퍼바이저가 관계의 경계를 넘어 어떤 정보들을 넘겨받았는지, 어떤 환경에서, 어떻게 처리할지, 그리고 누구에게 그 정보를 넘기는지를 분명히 해야 한다. 가능한 상황을 전부 예상할 수는 없지만, 이렇게 전반적으로 논의해두면 갑자기 배신당하는 것 같은 상황은 별로 발생하지 않는다.

협력 관계

협력 관계를 만드는 것은 서로간의 기대사항을 나누는 데서 시작된다. 슈퍼바이지들이 슈퍼비전에 대한 기대사항과 학습 스타일, 예전 슈퍼비전에서 효과적이었던 것과 아닌 것이 무엇이었는지를 공유하는 것도 매우 유익하다. 슈퍼바이저 역시 선호하는 슈퍼비전 방식이나 슈퍼바이지에게 갖는 기대사항 등을 분명히 표현할 필요가 있다. 계약 단계에서는 의식적인 기대뿐 아니라 희망과 두려움을 나누는 것도 유용하다. 예를 들어 다음과 같이 문장을 완성해보는 것도 도움이 된다. '내가 성공적인 슈퍼비전이라고 그리는 이미지는⋯', '슈퍼비전에서 내가 불안한 것은⋯'.

좋은 협력 관계는 합의서나 규칙의 목록에서 나오는 것이 아니라 양측의 신뢰와 존경 그리고 선의가 자라면서 만들어진다. 계약은 관계가 발전해가게 하는 프레임을 제공하며, 계약 이행 과정에서 발생하는 실수는 비판이나 방어가 아닌 성찰과 학습, 관계형성의 기회로 보아야 한다.

세션 형식

희망과 불안, 기대사항을 나누고, 전형적인 세션 형식을 어떻게 할지 의논하는 것도 필요하다. 하나의 상황을 다루는 데 모든 시간을 쓸 것인가? 어떤 종류의 성찰 방법을 사용할 것인가?

조직과 전문가의 맥락

대부분의 슈퍼비전 상황에는 직접 당사자들 외에 이해당사자들이 존재한다. 작업이 이루어지는 조직의 기대도 있다. 조직은 슈퍼비전에 대한 조직의 기대가 명확하게 표시된 분명한 슈퍼비전 정책을 갖고 있을 수도 있다. 혹은 명확한 정책이 없다 해도 암묵적으로 존재하는 조직의 기대가 논의되어야 한다. 여기에는 조직이 기대하는 슈퍼바이저의 책임 범위를 정하는 것이 포함될 수 있는데, 코칭의 품질에 대한 보증과 슈퍼비전에 대해 보고할 내용을 분명히 하는 것이다. 또한 슈퍼바이저와 슈퍼바이지가 동의하는 직업적 윤리강령을 분명히 하는 것도 매우 중요하다.

대부분의 전문직 협회들은 행동강령이나 윤리강령을 제정하고 있고 거기에서 코치, 컨설턴트 그리고 고객에게 적절한 행동의 경계를 규정해두고 있으며, 혹시 발생할지도 모르는 어떤 부적절한 행동에 대처하여 항의할 수 있는 권리를 알리고 있다. 많은 전문직들에서 슈퍼비전에 대해서는 윤리규정은 그리 명확하지 않다. 그러나 우리는 모든 새 슈퍼바이저들은 윤리규정이 전문직 협회 혹은(그리고) 조직 내 슈퍼비전에도 적용되는지 여부를 반드시 확인해야 한다고 생각한다. 만약 그런 규정이 없다면, 고객과 함께 일하는데 요구되는 윤리적 기준을 검토해볼 것을 추천한다. 슈퍼바이저와 슈퍼비전 대상 모두에게 윤리적 경계를 명확히 기억하는 것은 매우 중요한 일이다(14장 참조).

다른 성찰과 선행성찰 방법

피터(Hawkins and Shohet, 2012: 75-7)는 에릭 드한(2012)의 작업의 토대 위에서 슈퍼바이지가 슈퍼비전에 사용할 수 있는 다른 프로세스로 사용할 수 있는 프레임을 다음과 같이 만들었다.

- **기억 흔적**: 자유 스토리텔링, 슈퍼바이지가 세션을 위해 미리 준비하지 않도록 하는, 고객의 경험에서 그들이 생각하는 걸 즉흥적으로 표현하게 하는 것. 슈퍼바이지가 기억 속에서 주요 요소들을 검열하거나 억누르거나

또는 내보이지 않을 위험도 있다. 반면에, 슈퍼바이지는 현 세션 이전까지 있었던 일들을 전달한다. 따라서 고객의 일에 대해 슈퍼바이지의 감정이나 의도를 파악하는 좋은 기회이다.

- **기억 포착**: 슈퍼바이지가 본인의 컨설팅이나 코칭 세션 바로 직후에, 슈퍼비전에서 다루었으면 하는 내용을 최대한 충실하고 완전하게 적는다. 그렇게 쓰여진 생각은 슈퍼바이지의 초기 과정을 반영하며, 흥미로운 기억의 소멸과 재구성을 보여준다. 세션 직후 얼마나 즉각적으로 이루어졌느냐를 보여주는 표시로서 1시간의 코칭 세션에 대한 기록이 기억이 생생하고 믿을만해도 4페이지를 넘기지 못하는 경우가 있는 반면, 총 25페이지 분량에 달하기도 한다.
- **녹음된 흔적**: 슈퍼바이지가 녹음이나 필사(혹은 둘 다)를 슈퍼비전에 가져온다. 이러면 우리는 코칭, 멘토링, 컨설팅에서 실제 언급된 모든 말을 다 보게 되는 것이고 특히 녹음의 경우엔 기억이나 시간의 경과에 영향을 받지 않은 비언어적 정보까지 알게 되는 것이다. 우리는 '글자' 그대로의 흔적을 갖게 되고 이것은 세션에서 슈퍼바이지들의 경험과 대비 혹은 비교될 수 있다. 이를 통해 슈퍼바이지에게 새로운 관찰이나 처음에 완전히 놓쳤던 원래의 부분을 통해 놀랄만한 풍부한 기회를 갖게 된다.
- 여기에 슈퍼바이저가 슈퍼바이지의 작업에 적용할 수 있는 **현재의 흔적**을 더할 수 있고, 그걸 통해 같은 사안에 대한 서로 다른 두 관점을 파악하게 되는 것이다.

드 한(De Hahn, 2012: 93)은 또한 슈퍼비전에서 앞으로의 행동을 위해 다양한 형태의 준비를 탐색한다. 이를 성찰의 반대 개념인 선행성찰이라고 부르겠다.

1. **선행성찰- 통찰력 기반**: 슈퍼비전 세션이 성찰한 다음 미래를 위한 새로운 관점, 통찰력과 아이디어를 이끌어내는 속성이 있다. 이러한 성찰을 새로운 행동으로 전환하는 것은 슈퍼바이지들의 몫으로 남게 된다.
2. **행동 계획이 있는 선행성찰**: 슈퍼비전 세션이 성찰이 주이긴 하지만 슈퍼바이지의 실행에서 무엇인가를 변화시키려는 행동계획이나 구체적이고 합의된 의도를 이끌어낸다. 슈퍼비전 과정이나 직후에 성찰이 일어나게 되

는데, 이는 미래의 행동을 만들어내기 위한 것이다.

3. **선행성찰-리허설 기반:** 우리는 새로운 인식과 의도만으로는 지속적인 변화를 만들어 내기에 부족하다고 주장하는데, 왜냐하면 변화가 그 방 안에서 일어나지 않는다면, 방 밖에서 발생할 가능성이 전혀 없기 때문이다. 우리는 '빨리 감기 리허설'(Hawkins and Smith, 2010; Hawkins, 2011c; Hawkins, 2012)을 주장한다. 슈퍼바이지가 슈퍼바이저와 함께 고객과 관계하는 새로운 방법과 해야 할 말을 해보는 것이다. 역할극, 사이코드라마, 조각, 조직자리 재배열 등이 그 예이다. 드 한은 이를 '미래를 생생하고 현실적으로 준비하는 풍부한 기회'라고 말했다.

4. **후속 행동에 대한 슈퍼바이저와의 선행성찰:** 4단계 성찰을 통해서 슈퍼바이저가 슈퍼바이지의 후속 행동을 다루고 어떻게 실제로 적용되는지 목격자 역할을 할 수도 있다. 그러한 경우에서 양측은 회의에 어떻게 동행할지에 대해 합의를 해야 한다.

슈퍼비전 발달 모델

슈퍼비전의 첫 번째 이론영역 중 하나는 발달 단계를 탐색한 미국 카운슬링 심리학에서 출발했다. 호킨스와 쇼헷(2012)은 월싱톤(1987)과 스톨텐버그와 델워스(1987) 같은 연구자들의 결과물 위에서 출발했고, 각종 연구에서 사용된 여러 가지 개념을 통합했으며, 네 개의 주요 단계를 사용하여 슈퍼바이지의 발달에 대한 결합된 발달 모델을 발표했다.

우리는 그 연구들을 요약 수정한 버전으로서 코칭, 멘토링, 컨설팅 분야의 교육생뿐 아니라 슈퍼바이저 교육생에게도 적용되는 단계들을 이렇게 제시한다.

⦂ 1단계: 자기 중심적

첫 번째 단계는 슈퍼바이저에 대한 교육생의 의존성이 특징이다. 슈퍼바이지는 자기 역할에 대해 불안해하고 불확실해하며 자신이 그걸 수행할 수 있을지 의심한다. 그들은 통찰력이 부족할 수도 있지만, 동기부여는 아주 큰 경우가 많다.

할레와 스톨레텐버그(Hale and Stoletenberg, 1987)의 연구는 신입 교육생이 불안해하는 주요 원인은 첫째 '평가 이해'이며 두 번째 '객관적 자아인식'이라고 한다. 객관적 자아 인식은 사회심리학에서 차용한 단어이고 '녹화되거나 녹음되는 과정 혹은 자신에게 초점을 맞추고 있는 … 자신이 한 것에 대한 부정적인 평가가 나올 수 있는 이런 과정은 불안감을 수반할 수 있다.'(Stoltenberg and Delworth, 1987: 61)

신입 교육생은 자신의 일을 평가할 기준을 만들어 본 적이 없고 그러니 슈퍼바이저가 평가하는 것에 매우 의존적으로 된다. 슈퍼바이저가 교육 과정이나 평가작업에 공식적인 진단 역할을 하는 것과 연관되어 나타난다. 슈퍼바이저가 자신의 일을 어떻게 평가할지에 대한 우려와 다른 슈퍼바이지와 어떻게 비교할지에 대한 걱정으로 매일매일 불안이 나타난다.

세션을 녹음해오거나 '축어록'을 작성해 오도록 요청을 하면 이런 우려가 발생한다. 그러나 슈퍼비전은 보통 슈퍼바이지가 스스로 성찰하도록 돕는 것이라야 하며, 그런 점에서 신입 교육생에게 이는 피할 수 없는 불안감이기도 하다.

1단계에 있는 사람은 고객에 대해 관련된 다른 정보들은 배제한 채 고객 역사의 특별한 측면이나 현재 상태, 성격 진단 데이터에 초점을 맞추는 경향을 갖는다. 조심스러운 정보 조각에서 엄청난 결론을 내리기도 한다(Stoltenberg and Delworth, 1987: 56).

이 단계의 코치, 멘토, 컨설턴트로서는 코칭이나 멘토링의 초기 단계에서 고객의 전체적인 발달 단계를 이해하는 것은 매우 어려운 일이다. 그러면 코칭이 현재의 정체상태에서 벗어날 수 없다는 생각으로 조급해하고 불안하게 될 수도 있다.

1단계 교육생의 전반적인 불안을 극복하기 위해서 슈퍼바이저는 명확히 구조화된 환경을 제공해야 한다. 이는 긍정적인 피드백을 주고, 고객과의 사이에서 나온 섣부른 판단을 한발짝 물러서서 보고 실제로 일어난 일에 주의를 기울이도록 격려하는 것 등이다. 초보 코치의 슈퍼바이저는 지지와 불확실성 사이에서 균형을 잡는 것이 큰 도전 사항이다.

⊙ 2단계: 고객 중심적

이 단계 슈퍼바이지들은 초기 불안감을 극복하고 의존성과 자율성 사이를, 지나친 자신감과 부담감 사이를 왔다 갔다 한다.

이 단계에 이르면 고객의 발달 단계와 자신의 훈련 둘 다에 대해 지나친 단순화나 단일 초점에서 벗어난다. '교육생들은 상담가가 되는 것은 매우 힘든 일이라는 것을 감정적으로 깨닫기 시작한다. 교육생은 어떤 때는 효과적이던 기술과 개입이 다른 상황에서는 그렇지 않다는 걸 깨닫게 된다(Stoltenberg and Delworth, 1987: 71).

교육생들이 초기의 자신감과 단순성을 내려놓게 되면서 이는 슈퍼바이저에 대한 분노로 이어지기도 한다. 자신이 느낀 환멸에 책임이 있어 보이는 대상으로 보인다. 그러면 슈퍼바이저는 '그들이 정말 필요할 때 있어주지 못한 무능하고 부적절한 인물'로 여겨진다(Loganbill *et al*, 1982: 19).

어떤 이들은 이 발달 단계를 인간의 발달 단계 중 청소년기에 비유한다. 1단계는 아동기, 3단계는 초기성인기, 4단계는 중장년기로 비유한다. 2단계 청소년기 해당자는 확실히 슈퍼바이저를 부모 같은 존재로 느낀다. 그래서 권위를 시험하려 들고 감정의 기복을 느낀다. 이때 교육생이 실수로부터 배울 수 있는 여지를 제공함과 동시에 일정한 지지와 억제를 제공하는 게 필요하다. 이 단계에서 교육생은 슈퍼바이저처럼 소란의 원인인 고객에 대해 더 대응적으로 반응하게 된다.

이 단계의 슈퍼바이저들은 1단계보다 덜 구조적이고 덜 교훈적이어야 한다. 교육생들이 흥분과 우울 사이를 왕복하며 극복을 힘들어하거나 어쩌면 잘 맞지 않는 직업이라고 느끼는 감정을 달래기 위해 충분한 정서적인 지지가 필요하다.

종종 슈퍼비전 프로그램 참가자들과 함께, 첫 2/3 정도가 진행되는 동안 경험 많은 코치조차도 슈퍼바이저로 일하면서 자신감을 상실하는 것을 지켜봐왔다. 코치로 일할 때는 그러지 않으면서 슈퍼비전에서는 뭔가 올바른 방법으로 바꿔놓겠다는 심각한 집착을 하는 경우가 많다. '당신이 코치라면 무엇을 하고 싶죠?'라고 묻는다면, 그들은 명료하고 확신에 차서 대답하지만, 슈퍼바이저로서 무엇을 할지에 대해서는 확실히 알지 못 한다. 우선 그런 방법을 중단하고 직관에 따라 반응할 때 돌파구가 열릴 수 있다. 이 시점이 3단계로 나아가는 지점이다.

⦂ 3단계: 과정 중심적

3단계의 교육생은 매우 향상된 전문적인 자신감을 보이며 슈퍼바이저에게는 조건적으로만 의존한다. 그 혹은 그녀는 통찰력을 지니고 보다 안정된 동기를 과시한다. 슈퍼비전은 전문적이고 개인적인 직면에 의해 공유 및 예시화와 더불어, 책임을 함께 나누는 성격을 띠게 된다.

(Stoltenberg and Del worth, 1987: 20)

이 단계의 교육생은 고객의 개별적이고 구체적인 요구에 맞게 자신의 접근법을 조정하기도 한다. 그들은 고객을 보다 넓은 맥락과 상황 속에서 보기 시작하고 '헬리콥터 기술'이라 부르는 것을 발달시킨다. 이 기술은 세션 과정에 존재하는 것이긴 하지만, 동시에 현재의 내용과 프로세스를 포함하여 아래와 같은 맥락에서 보는 것이 가능해진다.

- 고객 관계의 전체 프로세스
- 고객의 개인적 역사와 삶의 패턴
- 고객의 삶의 외적 환경
- 고객의 삶의 단계, 사회적 맥락과 민족적 배경

이제 슈퍼바이지가 어떤 이론적 경향을 교육받았는지가 덜 드러난다. 왜냐하면 이 단계에 이르면 배운 방법론을 사용하기 보다는 교육을 자신의 개성에 통합하기 때문이다.

4단계: 맥락 중심의 프로세스

이 단계에서 실행가는 마스터 수준에 도달하며, 개인적 혹은 직업적 문제에 맞서는 데 필요한 개인적 자율권과 통찰력 있는 의식, 개인적 안전, 안정적인 동기를 갖게 된다. (Stoltenberg and Delworth, 1987)

종종 이 단계에 이르러 슈퍼바이지는 자신이 슈퍼바이저가 되거나 혹은 자신의 학습결과를 잘 통합하고 심화시킨다. Stoltenberg와 Delworth은 동료의 말을 인용했다. '내가 슈퍼비전을 할 때는 다른 영역을 넘나들며 연결을 보다 명확하게 해야만 한다. 그게 결국 내가 더 쉽게 통합하도록 해주었다.' 가끔은 우리가 배워야할 내용을 슈퍼바이지들에게 말하는 경우도 있다.

분명히 이 단계는 지식을 더 습득하는 단계는 아니지만, 그것이 지혜가 될 때까지 더 심화되고 통합되도록 허용하는 단계이다. 수피1 선생님의 말처럼, '지혜 없는 지식은 불을 붙이지 않은 촛불과도 같다'.

슈퍼바이지의 발달 단계를 다른 발달 접근법과 비교할 수 있다. 우리는 이미 인간 발달 단계와의 유사성을 언급했다. 또한 중세 장인 길드와의 유사성도 추론해 볼 수 있다. 여기서 교육생은 초보자로 시작을 하고, 여행자가 되었다가, 독립적 장인, 마지막으로 마스터 장인으로 단계를 나아간다.

이 모델은 집단 발달 단계와도 유사하다. 슈츠(Schutz, 1973)는 집단이 어떻게 시작되는지에 대해 '포함 대 배제'의 문제에 초점을 맞춘 지배적 관점으로 설명한다. '내가 여기에 잘 들어맞을까?' 이 문제가 해결되고 나서, 집단은 리더에 도전하고, 경쟁력을 다루는 — 권위의 문제로 이동한다. 그런 다음에야 집단은 호의와 친밀의 문제로 옮겨간다. 이는 타인에게 어떻게 다가갈 것인가와 적절한 가까움의 정도에 대한 것이다. 이러한 주제의 진화는 슈퍼비전 — 발달적 접근에도 평행적으로 나타난다. 특히 슈퍼비전이 다른 교육생들과 함께 진행되는 교육의 일부일 때 그러하다.

마지막으로, 네 단계는 슈퍼바이지의 초점과 관심의 중심이 어디에 위치하느냐에 따라 특징지워진다(〈표 8.3〉).

표 8.3 **슈퍼바이지의 발달 단계**

단계	초점	핵심 관심
1	자기 중심적	내가 이 일을 할 수 있을까?
2	고객 중심적	고객이 이 일을 할 수 있도록 내가 도울 수 있을까?
3	프로세스 중심적	우리는 어떻게 함께 관계맺고 있는가?

---

1 **수피파**(아랍어: تصوّف – taṣawwuf, 페르시아어: صوفی‌گری sufigari, 터키어: tasavvuf, 우르두어: تصوف) 또는 **수피즘**(Sufism)은 이슬람교의 신비주의적 분파이다.[1] 수피즘은 전통적인 교리 학습이나 율법이 아니라 현실적인 방법을 통해 신과 합일되는 것을 최상의 가치로 여긴다. 수피즘의 유일한 목적은 신과 하나가 되는 것으로 이를 위해 춤과 노래로 구성된 독자적인 의식을 갖고 있었다.[2]
[1] Dr. Alan Godlas, University of Georgia, Sufism's Many Paths, 2000, University of Georgia
[2] 이희철, 터키: 신화와 성서의 무대 이슬람이 숨쉬는 땅, 리수, 2007, 222쪽

발달적 접근 리뷰

발달 모델은 슈퍼바이저가 슈퍼바이지의 욕구를 정확히 진단하도록 돕는 유용한 도구이며, 슈퍼비전의 과업은 슈퍼바이지의 발달을 돕는 것임을 깨닫게 해준다. 이 모델은 슈퍼바이지가 발달함에 따라 슈퍼비전의 속성 역시 발달해나간다는 것을 강조한다.

하지만 이 모델의 유용함에도 제한점이 있다는 걸 반드시 기억해야한다.

첫째, 개인의 특별한 욕구나 슈퍼바이저의 스타일, 그리고 슈퍼바이저-슈퍼바이지 관계의 독특성 등을 충분히 고려하지 않고 모든 슈퍼바이지가 다 특정 단계에 있는 것으로 취급하는 청사진으로 이 모델을 너무 엄격하게 사용할 위험이 있다.

둘째, 슈퍼바이저 역시 발달 단계를 지나게 되므로 둘 사이의 상호작용을 살펴보아야 한다. 이런 도전은 스톨레텐버그와 델워스(Stoltenberg and Delworth, 1987: 152-67)가 정리한 바 있다. 그들은 슈퍼바이저의 발전을 위한 평행 모델을 다음과 같이 제시한다.

- **1단계**: '올바른 일'을 해야 하고 효과적이어야 한다는 불안. 지나치게 기계적임. 전문가 역할을 하려는 시도
- **2단계**: 슈퍼비전 프로세스를 더 복잡하고 다층적인 차원으로 봄.—타인의 슈퍼비전 경험에서 지원을 받지 않고 자기만의 슈퍼바이저를 하려는 경향
- **3단계**: 슈퍼바이저 역할에 지속적인 동기를 보이고 사람들의 성과를 지속적으로 향상시키는 데 흥미를 가짐. 정직한 자기평가 가능(10장 참고)
- **4단계**: 슈퍼바이지가 어떤 발달 단계에 있든, 어떤 원칙을 갖든, 어떤 태도를 가졌든, 어떤 문화적 배경을 갖든, 같이 일하는 데 적절하도록 자신의 스타일을 바꿀 수 있음(14장). 그런 슈퍼바이저는 슈퍼비전 실행을 감독할 수 있고 슈퍼비전 교육도 시킬 수 있다.

3단계나 4단계에 도달하지 않았다면 슈퍼비전을 하지 않는 게 좋다. 그리고 나서 숙련된 실행가에서 초보 슈퍼바이저로 연결해 가야 한다. 스톨레텐버그와 델워스는 자신이 1단계 혹은 2단계에 도달한 슈퍼바이저는 오직 1단계 발달 단계에 있는 실행가에만 성공적으로 일할 수 있다고 했다. 그들은 또한 자신의 슈퍼비

전 실행에 대한 좋은 슈퍼비전을 받을 필요가 있다.

이런 단계별 진도를 가짐에도 불구하고, 코치, 멘토, 컨설턴트 혹은 슈퍼바이저 교육 맥락에서 일하는 모든 슈퍼바이저에게 이 모델을 습득하기를 권한다. 교육의 서로 다른 단계에 있는 교육생들에게 가장 적절한 슈퍼비전이 무엇인지 계획할 수 있기 때문이다.

슈퍼비전에 대한 슈퍼비전

슈퍼비전에 대한 슈퍼비전은 슈퍼바이저가 되는데 필요한 교육의 중요한 요소이다. 아래의 내용은 BCG 가이드라인을 인용한 것이다(www.bathconsultancygroup.com).

신입 슈퍼바이저에 대한 '슈퍼비전에 대한 슈퍼비전'의 목적은 슈퍼비전 교육에서 배운 것과 스스로 실행한 슈퍼비전으로부터 깨닫는 것들을 통합하는 것이다.

모든 슈퍼바이저 훈련의 가장 중요한 측면은 스스로 양질의 슈퍼비전을 받는 것이고 이를 통해 어떻게 효과적이고 주도적인 슈퍼바이저가 될 수 있는지를 발견하는 것이다. 중요한 것은 둘 이상으로부터 양질의 슈퍼비전을 받으라는 것이다. 하나의 슈퍼비전 스타일에 지나치게 의존하는 걸 방지하고 균형 잡힌 자세를 갖기 위해서이다. 자신만의 스타일을 개발하고 이 스타일을 서로 다른 상황 및 슈퍼바이지의 욕구와 발달 단계에 적절하게 적용하는 것을 배우려면 적절한 경험을 갖는 게 매우 중요하다.

하지만 양질의 슈퍼비전을 받고 슈퍼비전 교육 프로그램에 참석하는 것만으로는 좋은 슈퍼바이저가 되는 데 충분치 않으며, 당신의 슈퍼비전에 대한 슈퍼비전이 필수적인 구성요소이다. 도움을 제공하는 전문인으로서 기본적인 직업적 기술을 향상시킬 때 슈퍼비전이 이론적 학습과 실제적 학습 사이의 중요한 연결점이 되는 것처럼, 슈퍼비전에 대한 슈퍼비전은 이론적 과정상의 슈퍼비전과 실질적 슈퍼비전 사이에 연결점을 제공한다.

슈퍼비전에 대한 슈퍼비전은 슈퍼바이저로서 한발 물러나 자신이 제공한 슈퍼비전을 둘러싼 관계들을 바라보게 하는 여지를 제공한다. 슈퍼바이저의 슈퍼바이저는 7가지의 슈퍼비전 모드안과 서로 연결된 역학관계와 슈퍼바이저의 관계방식과 행동양식 그리고 개입 방식이 어떻게 슈퍼비전 과정에 영향을 미치는지는 물론이고 어떻게 슈퍼바이지에게 영향을 미치는지도 알아차리도록 돕는다.

슈퍼바이저의 슈퍼바이저는 진화 중인 슈퍼바이저가 지도와 모델, 프레임 같은 지금까지의 각종 교육들을 통해 습득한 여러 가지 패턴을 알아차리도록 돕는다. 이것은 슈퍼바이저로 하여금 현재의 수준을 뛰어넘어 스스로의 이론적 이해와 실질적인 이해를 발달시키도록 돕는다. 그렇기 때문에 슈퍼비전의 슈퍼바이저는 슈퍼바이저로 하여금 그들이 슈퍼바이저로서 제공한 슈퍼비전 세션을 성찰할 뿐만 아니라, 슈퍼바이지로서의 경험도 성찰하게 돕는다. 어떻게 그들의 실행에 영향을 주었는지, 참가했던 교육 프로그램과 배운 것들 그리고 이 배움이 실행에 어떻게 영향을 미치는지를 알아차리게 된다.

우리는 신입 슈퍼바이저의 경우 다섯 시간의 슈퍼비전 실행마다 한 시간 가량의 슈퍼비전이 가장 균형 잡힌 학습을 가져온다는 걸 발견했다. 또한 신입 슈퍼바이저가 세 명의 슈퍼바이지를 슈퍼비전한 경험을 재료로 할 때 가장 학습이 풍부하게 이루어진다.

슈퍼비전에 대한 슈퍼비전은 경험은 슈퍼바이저에게도 효과적이고, 누군가의 슈퍼비전에 대한 슈퍼비전과 함께 협업이 가능할 수도 있지만 그 경우 서로 동등한 시간과 관심이 지켜져야 한다는 것은 매우 중요하다.

결론

슈퍼바이저가 되는 것은 복잡하고도 풍부한 일이다. 고객에게 코칭, 멘토링, 그리고 컨설팅을 제공하는 것에는 사용되는 기술이 비슷하지만, 슈퍼바이저는 반드시 내용, 초점, 그리고 경계가 어떻게 다른가를 명확히 알고 있어야 한다. 또한 슈퍼바이저는 보다 복잡한 윤리적 민감성을 가져야 한다.

우리는 이 장과 앞 장이 독자들에게 아래의 것들을 선택하고/하거나 분명히 하는 도구가 되기를 바란다.

- 우리가 사용하기 바라는 슈퍼비전의 정의
- 어떻게 전문적 개발의 큰 그림의 일부가 되는지
- 어떻게 슈퍼비전의 질적, 발달적, 자원적 기능의 균형을 잡는지

- 슈퍼비전 프로세스에 CLEAR 모델을 어떻게 사용하는지
- 어떤 종류의 슈퍼비전 계약을 협상하게 되고 어떤 이슈들을 포함하게 되는지
- 어떻게 슈퍼바이지들의 업무, 욕구, 발달 단계에 맞춰서 기본적인 프레임을 조정할지
- 어떻게 자신의 슈퍼비전에 슈퍼비전을 사용할지

하지만 지도는 땅이 아니다. 새로운 영역으로 출발하기에 앞서 이 지도가 당신이 구할 수 있는 최선의 것인지 확인을 해야 하지만, 일단 여행을 일단 시작하면 지도에만 이끌려 다녀서는 안 될 것이다. 지도는 올바른 방향을 제시하거나 길을 잃었을 때 다시 방향을 설정하게 하고, 잘 진행하고 있는지 지속적으로 확인하기 위해 필요한 것이다.

결국 당신이 개발한 지도는 슈퍼바이지가 접근할 수 있어야 하며 이해하기 쉬워야 한다. 슈퍼비전은 다양한 모델과 프레임이 함께 하는 동행 여행이다. 슈퍼비전은 양측이 서로 지속적으로 배우는 곳이며, 좋은 슈퍼바이저로 계속 있기 위해 끊임없이 슈퍼비전 대상자의 일 뿐만 아니라, 슈퍼바이저로서 무엇을 하며, 어떻게 하는지에 대한 질문을 하는 곳이다. 다음 장에서 우리는 슈퍼비전 프로세스에 대해 더 자세한 지도를 제공할 것이며 슈퍼바이저가 초점 맞추고 개입할 가능한 지역을 폭넓게 제공할 것이다.

제9장 | 세븐 아이 슈퍼비전 프로세스 모델

소개

현재 사용 가능한 슈퍼비전의 지도 및 모델을 앞 장에서 제시했는데, 이제 슈퍼비전 프로세스에 대한 우리의 중점 모델을 살펴보기로 한다.

이 모델의 기원은 1980년대 중반 피터 호킨스가 만든 심리치료를 위한 조직적이고 통합적인 슈퍼비전 모델이다(Hawkins, 1985). 원래 그의 관심은 슈퍼바이저들의 슈퍼비전 스타일 상의 중요한 차이를 이해하려는 데서 시작되었다. 이 차이점은 슈퍼바이저의 발달 단계나 전문가로서 훈련 받는 직업인 방식, 혹은 슈퍼바이지의 요구에 의하여 설명될 수 있는 것이 아니었다. 우리는 연구를 거듭하면서 차이점이 슈퍼바이저로서 어디에 초점을 맞추느냐 하는 끊임없는 선택과 관련되어 있음을 알게 되었다.

피터는 돕는 직업을 위한 슈퍼비전과 팀개발센터(Centre for Supervision and Team Development)에서 동료들과 함께 모델을 개발했는데, 그것이 세븐 아이 슈퍼비전 모델이다(Hawkins and Shohet, 1989). 이 모델은 전 세계 다양한 사람들의 직업에 사용되었다(Hawkins and Shohet, 2012). 1995년 이후에는 동료들과 함께 BCG에서 코칭, 멘토링, 팀 코칭 그리고 조직 컨설팅 분야를 위한 모델을 더 개발하는 작업을 했다. 이는 코칭 슈퍼비전에서 전 세계에서 가장 많이 사용되는 세븐 아이 모델의 버전으로 이어졌다(Hawkins, 1995; Hawkins and Smith, 2006; Hawkins, 2010; Hawkins and Schwenk, 2011).

모델을 개발함에 있어 초점을 맞춰야 할 각 영역의 슈퍼비전과 슈퍼비전 상의 스타일 및 기술 상의 중점이 될 수 있는 모든 다양한 측면을 포함하고자 했다. 이는 정신역학뿐 아니라 연결과 상호관련성, 행동을 유발하는 방식에 대한 시스템적 이해에 기반을 두고 있다. 이 두 가지 모델을 망라하면서, 관계를 보는 상호주관적인(intersubjective) 측면과 통찰을 갖게 되었고(Stolorow and Atwood, 1992; de Hahn, 2008), 개인의 내적 삶과 관계적 삶 사이의 상호연관성에 중점을 둔다.

이 모델은 코치 받는 사람의 시스템적 맥락이 어떻게 코칭 관계에 반영되는지, 그리고 코칭 관계의 역학이 어떻게 슈퍼비전 관계와 평행적일 수 있는지를 강조한다. 초점을 맞추는 7개 분야는 슈퍼바이저와 슈퍼바이지 둘 다 코칭을 리뷰하는 데 유용하고 슈퍼비전 작업을 확대할 방안을 찾도록 도와준다. 보통 세븐 아이 혹은 세븐 모드라고 불리는 7개의 초점에 1~7 번호를 매겨서 쉽게 찾고 배울 수 있게 했다. 번호는 모델 설명의 편의성을 위한 것이지 그 순서대로 다루어야 한다는 뜻은 아니다. 여기서 모델은 코칭에 대한 개별 슈퍼비전이라는 맥락에서 제시된다. 제10장에서는 모델을 그룹 슈퍼비전에 활용하는 방법을 다루며, 제11장에서는 컨설턴트 및 컨설팅 팀에 대한 섀도우 컨설팅과 슈퍼비전에 적용하는 방법을 설명한다.

세븐 아이 슈퍼비전 모델

슈퍼비전에 항상 작용되는 여러 레벨이 있다. 모든 슈퍼비전 상황에는 최소한 다음 4개 요소가 포함된다.

- 슈퍼바이저
- 슈퍼바이지
- 고객
- 업무 맥락

라이브 슈퍼비전을 제외하면 보통 슈퍼비전 세션에는 4요소 중에서 슈퍼바이저와 슈퍼바이지만 존재한다. 하지만 실은 고객과 업무 맥락도 똑같이 생생하게 존재한다. 슈퍼바이지가 이야기하는 내용으로 표현되기도 하고, 슈퍼비전에서 코칭의 이슈를 무의식적으로 재생산하는 방식으로 존재하게 된다.

따라서 슈퍼비전 프로세스에는 다음의 두 개의 연쇄 시스템 혹은 매트릭스가 포함된다.

- 고객-코치/멘토 매트릭스
- 슈퍼바이지-슈퍼바이저 매트릭스

고객-코치 매트릭스의 일부만이 방 안에 보이기 때문에, 코치-고객 매트릭스에 주목하는 것은 슈퍼바이저 매트릭스의 과제이며, 또한 어떻게 이를 주목하느냐에 따라 슈퍼비전 스타일이 달라진다.

따라서 모델은 슈퍼비전 스타일을 다음 2가지의 범주로 나눈다.

- 고객 세션에 대한 보고서, 서면 기록 혹은 녹음, 녹화를 통해 검토하는 것으로서 코치-고객 매트릭스를 직접 다루는 슈퍼비전
- 그 시스템이 슈퍼비전 프로세스의 '지금-여기' 경험에 어떻게 반영되는지를 통해 슈퍼바이지-고객 매트릭스를 다루는 슈퍼비전

슈퍼비전 프로세스에서 다루는 이 두 가지 주된 스타일은 구체적인 초점에 따라 각각 3개의 범주로 세분될 수 있다. 이렇게 해서 6개 모드가 성립되고 여기에 더해 슈퍼비전과 고객 업무가 이루어지는 보다 넓은 맥락에 초점을 맞추는 제 7 모드가 있다〈그림 9.1〉 참조).

슈퍼바이저가 7가지 모드 각각에 어떻게 초점을 맞추는지(질문하는 유형, 거기에 표현되는 초점과 관심 등) 자세히 설명하기 전에, 이 모델에서는 슈퍼비전이 모든 영역의 안과 밖을 위에서 내려다보는 '헬리콥터링' 시각을 갖는다는 걸 언급해두고자 한다. 보통은 자연스럽게 이 중 몇 개에만 초점을 맞추기 때문에, 전체적인 상황에 대한 다른 관점과 가능성을 계속 인식할 수 있도록 세븐 아이 모델이 꼭 필요하다.

7가지 슈퍼비전 모드 중 하나에만 완전히 머무는 슈퍼바이저는 거의 없으며, 좋은 슈퍼비전은 모드 간 이동을 반드시 포함해야 한다. 우선 각 모드를 순수한 형태로 구별하는 것은 매우 유익하다. 이 모델을 통해 슈퍼바이저들은 자신의 스

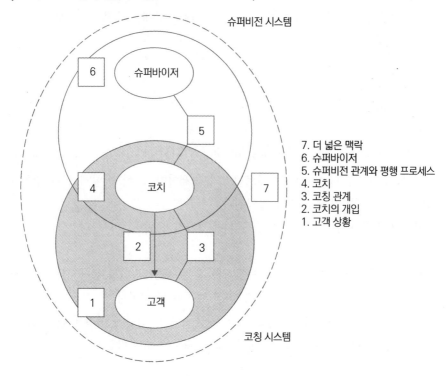

⤷ 그림 9.1 **슈퍼비전의 세븐 모드**

슈퍼비전 시스템

6 슈퍼바이저

5

4 코치 7

2 3

1 고객

7. 더 넓은 맥락
6. 슈퍼바이저
5. 슈퍼비전 관계와 평행 프로세스
4. 코치
3. 코칭 관계
2. 코치의 개입
1. 고객 상황

코칭 시스템

타일, 장점과 약점을 명료화할 수 있고, 자신이 습관적으로 어떤 모드를 회피하는지 혹은 익숙하게 실행하지 못하는지를 알게 된다.

이 모델은 슈퍼바이저의 대안을 다양화해주고, 슈퍼바이지가 슈퍼비전 스타일의 변화를 요청하는 지도로 사용할 수 있다. 또한 슈퍼비전에 대한 정기적인 쌍방향 리뷰와 평가에 적합한 도구이다.

또한 이 모델은 슈퍼비전 프로세스의 다양한 요소를 다뤄야 하는 슈퍼바이저 교육에도 도움이 된다. 각 초점의 상세사항을 별도로 배움으로써, 그들은 여러 프로세스를 조합하는 자신의 스타일과 방법을 개발하고 확대시킬 수 있다. 마치 콘서트 작품을 공연하기 위하여 매일 음계 연주를 계속하는 음악가에 비유될 수 있다. 그들처럼 복잡한 상황을 맞았을 때, 음계 같은 기본 원칙들로 돌아가면 당면한 복잡한 작품을 해결하는 방안이 되기도 한다.

이제 각 프로세스를 더욱 상세하게 들여다 보자.

모드 1: 고객 초점_고객이 무엇을 어떻게 표현하는가

위에서 설명한 것처럼 슈퍼비전 방에 두 가지의 연관된 시스템이 있다. 하지만 중요한 부분인 코치−고객 매트릭스에서 고객은 거기 실제로 존재하지 않는다! 모드 1은 코칭 고객과 조직의 맥락에 도움이 되기 위하여, '고객(들)을 방에 데려오는 일'이라고 말하고 싶다. 우리에게는 최소한 3인의 고객이 있는데, 즉, 코치이, 그들의 조직 그리고 그 둘 간의 관계이다. 모드 1에 세 고객이 다 있어야 한다.

모드 1의 목적은 고객에 대한 코치의 인식을 새롭게 함으로써, 슈퍼비전 방에서 코치이와 그의 조직적 맥락을 마치 '홀로그램'처럼 만들어내는 것이다. 여기서 코치이와 고객 조직에 대해, 이슈를 제기하고 프레이밍한 방식을 '가슴으로 (felt)' 이해할 수 있기를 바란다.

이 모드에서 슈퍼바이저의 스킬은 코치가 코치이와 함께했던 세션에서 실제로 일어난 것, 자신이 보고 들은 것으로 정확하게 되돌아가도록 돕는 것이며, 그래서 실제 이 데이터를 코치의 선입견, 가정 및 해석으로부터 분리시키는 것이다. 또한 그것은 코치가 코치이와 함께 했던 시간의 경계에서 발생한 것, 예를 들어 도착 및 출발 시에 있었던 일을 다루는 데 유용하다. 때론 경계에서 가장 풍부한 무의식적인 재료가 분명해진다.

분명한 초점을 찾아내려면 우리 자신과 슈퍼바이지가 해석으로 바로 들어가 섣부른 해결책을 만들어내선 안 된다. 슈퍼바이지가 '그녀는 슬펐다⋯.' 혹은 '그는 ~ 때문에 화났다⋯'라고 가정을 하면, 그런 해석을 진전시키도록 내버려 두지 말고 그들이 실제로 본 것 혹은 고객이 구체적으로 말한 것이 무엇이었는지로 초점을 두도록 요청해야 한다. 우리는 슈퍼바이지가 미가공 데이터로부터 떠나는 걸 경계함과 동시에 특정 장면에서 데이터를 삭제하는 내부 '편집자'를 살펴봐야 한다. 만일 슈퍼바이지가 감정 표현은 중요하지 않고 행동이 정말로 중요하다는 믿음을 가지고 있으면, 그들은 중요한 활동을 수반하는 신체적 표현을 보고하지 않는 경향이 있을 수 있다. 슈퍼바이지의 관점에서 그건 언급할 가치가 없기 때문이다. 따라서 슈퍼바이저는 실제로 발생한 것에 초점을 맞출 뿐 아니라, 말하지 않는 부분에 대하여 혹은 프레임 밖에 있어서 편집되어 버린 것에 대하여 민감해야 한다.

고객에게 다시 관심을 돌려 비유적으로 '그들을 방으로 데리고 오면서' 몇 가지 더 진전할 것이 있다.

- 세션 중 한 부분의 내용과 다른 부분의 자료 간의 관련성 탐구
- 각 부분 안에 들어있는 연결 패턴에 귀를 기울이기
- 한 세션의 자료가 이전 세션의 자료와 순차적으로 연결되는 것에 대한 이해. 처음 일하는 슈퍼바이지는 각 세션을 진행 프로세스의 일부가 아닌 단일 이벤트처럼 취급한다.
- 이 세션 외부 및 그 이전 세션을 포함해서, 세션 내용과 고객 삶 간의 연결 탐구. 여기에서 슈퍼바이지-고객 세션의 내용을 고객의 삶과 관계를 하나의 통합된 대우주와 소우주로서 볼 수 있다.

모드 1 개입에는 전형적으로 다음이 포함된다.

- 고객과의 가장 최근 세션을 회상하고 또한 세션이 본격 진행되기 전에 일어났던 것들에 대해 되새겨 봐라.
- 고객이 세션에 왔을 때 어떻게 보였고 어떤 것 같았는가?
- 세션은 어떻게 시작되었는가?
- 고객을 묘사해보라. 그 혹은 그녀를 생각하면 무엇이 마음에 떠오르는가?
- 코치이는 세션에서 자신을 어떻게 표현했는가? 내 앞에서 고객이 되어 그들이 어떻게 했는지를 보여 달라.
- 세션에서 무엇을 보았으며 들었는가?
- 고객이 코칭에서 당신과의 관계 방식은 그들이 말한 타인과의 관계와 비교해서 어떤가?
- 고객과의 코칭 계약은 무엇인가? 고객과 조직이 코칭에서 얻고자 하는 것은 무엇인가?

모드 2: 슈퍼바이지가 사용한 전략과 개입에 대한 탐구

모드 2는 코치가 일하는 방식을 보는 것이다. 코치가 코칭 프로세스의 각 단

계에서 어떻게 어떻게 일하는지, 코치가 하는 개입은 무엇인지, 사용하면 좋았을 대안적 선택은 무엇인지를 살펴본다. '가지고 있는 도구가 망치밖에 없으면 모든 걸 마치 못처럼 취급하려 든다'는 매슬로우(Abraham Maslow)의 경구를 마음에 새긴다. 그래서 슈퍼바이지가 툴 박스에 아주 넓은 범위의 개입 방법을 가지고 있어야 하고 도구를 적절하게 사용할 수 있게 하는 게 매우 중요하다. 그래서 끝을 가지고 형편없는 드라이버라고 비난하지 않아야 한다!

모드 2는 또한 그 상황에 가능한 옵션과 예상되는 영향을 탐구하면서 코치가 개입하려 하는 상황에 초점을 맞춘다. 종종 코칭 프로세스에서 딜레마나 난관을 봉착한 코치들이 모드 2를 요청하기도 한다. 그들은 다음과 같은 '양자택일' 딜레마 형식으로 이 난관을 표현한다.

- '그의 오만한 행동에 맞서든지 혹은 참아야 한다.'
- '좀 더 기다려야 할지 혹은 그의 침묵을 깨트려야 할지 알 수 없었다'.
- '그와 함께 계속 일을 해야 할지 말지를 몰랐다.'

이 문장들이 항상 '양자택일' 단어를 포함하지 않아도 항상 슈퍼바이지가 오직 상반되는 두 가지 옵션에 기초해 생각한다는 것을 알 수 있다. 슈퍼바이저의 기술은 양자택일 옵션 논쟁의 함정을 피하고, 대신 코치들이 자신이 어떻게 2개의 극단적 가능성으로 제한하고 있는지를 깨닫게 하고 함께 브레인스토밍을 하면서 에너지를 풀어주고 새로운 대안을 창출하도록 하는 것이다. 그리고 나서 대안들의 이득과 어려움을 탐구하고 가능한 몇몇 개입은 '빨리 감기 연습'을 해볼 수 있다(Hawkins and Smith, 2010).

새로운 대안을 만드는 것은 간단한 브레인스토밍 방법으로 가능하다. 브레인스토밍의 기본 규칙은 다음과 같다.

- 머리에 떠오르는 아무 것이나 말할 것
- 아이디어를 내뱉을 것. 평가 또는 판단하지 말 것
- 다른 사람의 아이디어를 발판으로 이용할 것
- 만들 수 있는 가장 담대한 대안을 포함시킬 것

브레인스토밍은 대안의 수에서 아주 높은 목표를 설정하는 것이 도움이 된다. 창의적인 생각은 합리적인 모든 선택들을 소진했을 때 움직이기 시작하기 때문이다. '상사에게 맞서는 걸 두려워하는 고객을 도울 수 있는 10가지 방안을 생각해 내시오!' 종종 창의적으로 나아가게 하는 핵심은 가장 미친 아이디어 안에 들어있다. 그룹 슈퍼비전에서 '슈퍼바이지의 난관을 다루하는 20가지 방법'을 다루는 것도 마찬가지이다. 슈퍼바이지들이 그룹으로서 다양한 스타일을 창안해 내며, 일대일 세션에 내재하는 잠재적 이원론 즉 슈퍼바이저의 혹은 슈퍼바이지의 접근 방법만 있는 위험을 피할 수 있기 때문이다.

만일 일대일 세션에서 슈퍼바이지가 고객을 도울 창조적 대안을 못 찾고 있다면, 슈퍼바이저는 이슈를 탐색하고 바라보는 주도적인 방안을 제시할 수 있다. 빈 의자 기법으로 고객의 자리에 앉아보면서 코치와 고객의 반대 역할도 이용하는 게슈탈트(gestalt)기법을 사용하여 상황의 역학관계에 대한 추가적인 통찰력을 얻게 할 수 있다(Gillie, 2011: 57–9).

모드 2에 초점을 맞출 때 많은 슈퍼바이저들이 자신의 개입 방식을 제안한다. 하지만 그렇게 하는 데는 위험이 있다. 슈퍼바이저는 고객과 대면하는 것보다 슈퍼비전 환경이 상대적으로 쉽다는 걸 충분히 인정하지 않고, 자신의 개입 기술을 과시하려고 하기 쉽다. 다른 위험은, 슈퍼바이저의 제안을 슈퍼바이지가 자신의 더 나은 개입 방식을 개발하기 위해 비판적으로 평가하기보다 무비판적으로 전부 받아들여 버리는 것이다. 또한 모든 창조를 슈퍼바이지에게 떠넘기는 반대의 위험도 있다. 그래서 코치가 스스로의 새로운 사고를 시작하면, 슈퍼바이저가 옆에서 함께 하면서 추가 대안을 만들어내는 것이 유용할 수 있다.

슈퍼바이저에 의한 모드 2 개입 방법에는 다음이 포함될 수 있다.

- '여기에 딜레마가 있는 것 같다. 당신은 한편으로는 X를 원하고 다른 한편으로는 Y를 원한다.'
- '딜레마 양쪽 뒤에 있는 이익이나 의도는 무엇인가?'
- '그 이익/의도를 모두 가능하게 하려면 당신은 무엇을 할 수 있겠는가?'
- '당신이 할 수 있는 가장 대담한 해결책은 무엇인가?'
- '또 누가 이것을 잘 다루는가? 그들은 무엇을 할까?'

모드 3: 고객과 슈퍼바이지의 관계 초점

모드 3에서의 초점은 고객도 슈퍼바이지도 그들의 개입도 아닌 그 둘이 함께 창조해내는 시스템과 관계에 맞춰진다. 초점을 (1) 코치이와 그들의 세상 (2) 코치의 활동으로부터 코칭에서 의식적인 그리고 무의식적인 관계의 영역연관 분야로 관심을 옮김으로써, 슈퍼비전의 관계적 측면이 표면화되는 것이 이것이다 (Hawkins and Schwenk, 2010을 참조). 슈퍼바이저는 코치로 하여금 그들이 일부를 이루고 있는 관계에서 벗어나도록 도움으로써, 그들이 새로운 관점에서 새롭게 보고 경험할 수 있게 해야 한다. 중국 속담에 '바다에 대하여 가장 잘 모르는 것은 물고기'라는 말이 있다. 늘 바다 속에 잠겨있기 때문이다. 이 모드에서 슈퍼바이저는 코치가 날치가 되도록 도와서, 그들이 통상 수영을 하고 있는 '관계적 물'을 볼 수 있도록 한다.

슈퍼바이저는 다음 중 하나 혹은 몇 가지 질문을 하면서 시작할 수 있다.

- 어떻게 그리고 왜 이 고객이 당신을 선택했는가?
- 이 고객과 접촉하는 속성에 대해 당신이 처음에 알아차린 것은 무엇인가?
- 관계의 역사에 관한 이야기를 말해 주시오.

이러한 개입들은 분명히 케이스 이력과는 다른 것을 요구하는 것이며, 실행가가 걸려들거나 빠져들어 있는 관계에서 벗어나 외부에서 관계의 패턴과 역학을 보기 시작하게 하는 의도를 가진 것이다.

거리 두기와 분리를 촉진하는 다른 테크닉과 질문들은 다음과 같다.

- 관계를 표현하는 이미지나 은유를 찾아 보라.
- 만일 당신과 고객이 다른 상황에서 만났을 때 혹은 당신들이 무인도에 난파되었을 경우에 어떤 종류의 관계일지 상상해보라.
- 가장 최근 세션에서 벽에 붙어있는 파리가 되어 보라. 그 관계에 대하여 무엇을 알아차리는가?
- 만일 이 관계가 어떤 색깔이나 음악 작품, 날씨, 나라 등등이라면, 그것은 무엇일까?

● 만일 당신이 오직 이 고객과 함께 무인도에 고립되어 있을 경우, 무슨 일이 벌어질까?

이 질문에 대한 답변은 대부분 관계에서 아마도 이미 발생하고 있는 것에 대한 지표일 것이다. 만일 섬에 고립되어 있는 가정 질문에 대하여 섬 반대편 끝에 별도의 캠프를 차리겠다고 코치가 대답할 경우, 관계상의 거리 두기와 표현하지 못한 반감이 있는데, 이제야 그걸 내놓고 탐색해 볼 수 있다. 반면에 그들이 모닥불 곁에 앉아 몇 시간 동안 얘기할 것이라고 코치가 말을 한다면, 아늑함이 있는 것이며 이에 대해서 더 깊은 질의가 필요하다.

이 모두는 슈퍼바이지가 관계 내에서 자신의 관점에서만이 아니라, 관계를 전체적으로 보도록 도와주기 위한 테크닉이다. 슈퍼바이지가 관계에 대해 언급을 하지 않을 때에도 슈퍼바이저는 관계를 경청할 수 있다. 이런 식으로 슈퍼바이저는 균형있게 양 당사자의 이해 관계를 다루며, 동시에 그들 간의 공간과 관계를 다룬다는 면에서 마치 커플 카운슬러와 같은 역할을 한다.

슈퍼바이저는 다양한 방법으로 관계를 경청한다. 모든 접근방안에는 '제 3의 귀'로 듣는 것이 포함되어, 특정 고객에 대한 슈퍼바이지의 설명에서 수집되는 이미지와 은유 및 '무의식적인 실언'을 듣는 것이다. 이런 형식의 듣기를 통하여, 슈퍼바이저는 슈퍼바이지가 지닌 그림을 발견하고 슈퍼바이저에게 설명할 수 없었던 것을 파악하려고 노력한다.

모드 3은 코치이가 주요한 사람들과 맺는 관계와 평행적일 수 있다. 예를 들어 한 코치는 그녀와 코치이 간의 댄스에 대한 질문에 이렇게 대답했다. "저[코치]는 별 소용 없다고 생각하면서도 코치이에게 박수를 치기로 했어요."라고. 우리가 나중에 코치이 상황에 대하여 좀 더 조사를 해서 밝혀낸 것은 이러했다. 그녀는 조직 내에서 일하는 면에서는 능력을 인정받는 대단히 유능한 개인 성과자였다. 하지만 큰 조직에서 상호의존적으로 일하는 면이나 다른 사람들과 효과적으로 일하는 능력에 대해서는 우려스러웠다. 다른 동료들과의 관계에서 자주 갈등을 빚고 있었다. 이런 식으로 코치가 그 일부인 관계 패턴을 통해, 코치이가 다른 사람과 어떻게 관계 맺는지를 보여주는 지표로서 관찰하는 게 필요하다. 그래서 간과하기 쉬운 모드 3의 측면에 주의를 기울여야 하는 것이다.

모드 3의 질문은 또한 코치이의 관계를 더 잘 이해하게 해준다. 슈퍼바이저는 유사한 질문들을 통해 코치이의 관계망의 주요 인물들과의 관계를 이해할 수 있다. 따라서 코칭의 초점이 코치이와 그의 상사 관계에 관한 것이라면, 슈퍼바이저는 다음을 물어볼 수 있다.

- 고객으로부터 듣고 파악한 것에서 볼 때, 그와 상사의 관계가 당신에게 상기시키는 것은 무엇인가?
- 고객으로부터 듣고 파악한 것에서 볼 때, 만일 코치이와 상사가 무인도에 고립되었다면 무슨 일이 벌어질까?

◾ 고객의 슈퍼바이지에 대한 관점 검토

슈퍼바이저는 고객이 슈퍼바이지를 경험하는 방식에 또한 관심이 있다. 여기서 방식이란 '지금—여기'의 느낌뿐만 아니라 고객이 이전의 관계 혹은 상황에서 전이해온 느낌이나 태도도 포함한다. 예를 들어 코치이가 젊은 시절에 권위를 상징하는 사람과 심각한 문제를 겪었을 수도 있다. 고객은 상당히 전투적인 현재의 관계에 그 감정을 무의식적으로 전이할 수 있는데, 그 이유는 코치가 어떤 면에서는 가르치는 선생님 앞에 있는 느낌을 주기 때문이다. 모드 4에서는 슈퍼바이지가 과거 관계에서의 태도와 느낌을 코칭 관계로 전이시키면서 어떻게 비슷한 행동을 하게 되는지 살펴 볼 것이다. 이 두 가지 모드 사이에서 움직이면서, 그런 시각이 발생할 모든 경우를 고려하는 것이 필요하다. 그러나 우선 초점을 분리하여 오직 고객의 상황만을 보기로 한다.

앞에서 사용한 이미지와 은유 질문들은 레이더 아래에서 발생하는 것에 대한 중요한 단서를 제공한다. 예를 들어, 어느 슈퍼바이지는 관계에 대해 '복싱 링 안의 2명의 스파링 파트너' 같다고 답변을 했다. 또 다른 슈퍼바이지는 '보호가 필요한 길 잃고 작은 소년'을 돌보는 관계라고 대답했다. 이 두 관계의 질은 완전히 다른 것이다.

◾ 모드 4: 슈퍼바이지 초점

모드 4는 초점을 코치에게 맞추고, 그들이 어떻게 일을 하며 반응하는지를 살펴본다. 코치이의 내용이 코치 내부에서 무엇을 자극하는지를 알기를 바라고, 코칭 시스템의 이면에서 무엇이 일어나는지 알아차리는 도구로서 자신을 사용하기를 바란다.

이 모드에서 슈퍼바이저는 코치가 이 고객과 일하면서 촉발된 자신의 느낌을 재활성화하면서 작업을 한다. 그런 다음, 코치는 이러한 느낌이 코치이가 경험하고 있지만 뭐라고 직접적으로 표현할 수 없는 것과 어떻게 연관되는지를 탐구하도록 도움을 받을 수 있다. 또한 코치는 자신의 봉쇄가 코치이 및 그 시스템이 쉽게 변화하는 걸 가로막고 있을 수도 있음을 탐구한다.

고객에 대한 슈퍼바이지의 반응을 탐구해갈 때, 슈퍼바이지의 가정과 신념─가치 시스템을 탐구할 수가 있다(1장의 몰입 4단계 참조). 정확한 인식을 방해하는 것으로는 우리가 고객을 잘못 보고, 잘못 듣고, 혹은 잘못 관계하도록 영향을 끼치는 의식적인 편견이나 인종 차별, 성 차별 및 다른 가정들이 포함된다.

때로는 슈퍼바이지가 비교 혹은 연상하는 것에서 가치와 신념 시스템이 드러난다. 만일 슈퍼바이지가 고객에 대하여 '그는 아주 저항적이다.'라고 말할 경우, 슈퍼바이저는 물어볼 수 있다. '그가 어떻게 저항하죠?', '무엇에 대해 저항적인가요?'; '누구와 비교해서 저항적인가요?', '고객은 어때야 한다고 생각하나요?'

당신이 변화를 도울 수 있는 시스템의 유일한 부분은 당신과 함께 방 안에 있는 바로 그 부분 뿐이라는 걸 기억하는 것 또한 중요하다.

이 모드에서는 이런 질문들을 할 수 있다.

- 이 고객에 대해 논의할 때 신체적으로 어떤 느낌을 받고 있습니까?
- 당신은 어떤 감정이나 생각을 갖고 있습니까?
- 그들은 누구를 떠올리게 합니까?
- 언제 이와 유사한 역학관계를 경험했습니까? 그 상황에서 무엇을 말해야 했나요? 그것이 여기에서 당신이 무엇을 표현해야 하는지 단서를 줄 수도 있습니다.

모드 4에서는 슈퍼바이지의 전반적인 웰빙(자원제공 측면)과 개발(개발 측면)에 대해 관심을 기울이는 것도 포함된다. 이 측면에 시간을 할애하지 않으면 슈퍼비전은 시간이 흐르면서 슈퍼바이지의 능력 개발을 주도적으로 돕기 보다는 최근의 까다로운 고객의 영향에 과도하게 반응적이 될 위험이 있다. 그런 면에서 도움이 되는 질문은 이런 것들이 있다.

- 당신의 코칭은 전반적으로 어떻게 발전하고 있습니까?
- 현재 일과 삶의 균형은 어떤가요? 삶과 일이 서로를 풍요롭게 하는 면은 어떻습니까?
- 당신의 일에서 최신의 학습은 어디에서 일어납니까? 어떻게 하면 우리가 당신이 더 배우고 개발하도록 최대한 지원할 수 있습니까?

모드 5: 슈퍼비전 관계에 초점

앞의 모드에서 슈퍼바이저는 자신의 외부에 초점을 맞추었다. 모드 1에서는 고객 상황에 집중하였다. 모드 2에서 4까지는 슈퍼바이지에게 초점을 맞추어서, 그들이 고객에게서 답변을 덜 찾고 자기 자신 안에서 발생하는 것에 더 주목하도록 북돋았다. 지금까지는 무엇이 발생하는지에 대한 단서로서 슈퍼바이저의 자기 내부를 들여다보는 것은 아직 시작하지 않았다. 다음 2개의 모드에서 슈퍼바이저는 자신이 설파하는 것을 실행하고 고객과의 일이 어떻게 슈퍼비전 관계에 영향을 주어 이 관계를 변화시키는지 주목한다. 모드 6에서는 이러한 역학관계가 슈퍼바이저에게 어떻게 영향을 미치는지를 탐구한다. 슈퍼바이저들이 모드 5와 6을 활용하지 않는다면, 슈퍼바이지에게 하라고 하는 것과 스스로가 모델이 되는 것(즉, 자신의 내면을 들여다보는 것)이 일치되지 않는다.

모드 5는 슈퍼비전을 하는 방 안에서 코치와 슈퍼바이저의 관계 측면에서 일어나고 있는 것에 초점을 맞춘다. 여기서 코칭 시나리오나 다른 작업 자료를 논의하면서 공동 창조해 낸 '우리주의('us-ness)'가 슈퍼비전 관계에 존재함을 깨닫게 된다.

모드 3에서 사용한 질문과 비슷한 질문을 사용할 수 있다. 아니면 단순하게 '이 관계[슈퍼바이저-코치 관계]가 코치-코치이 관계와 어떤 점이 유사하고 어떤 점이 다른가, 혹은 관계에 대해 우리가 파악한 것은 무엇인가?'라고 물을 수도 있다. 또한 역학관계의 특정 성격을 끄집어내어 그것을 인식하도록 할 수 있다. 예를 들어 만일 코치이가 상사나 동료에게 순응-저항하는 아이 역할을 하고 있음을 알아차릴 경우, 그게 어떻게 부모, 성인의 에고 단계에서 나타나는지, 슈퍼바이저-코치 관계에서 아동과 거래하는 역할을 하게 만드는지 탐구할 수도 있다 (Hay, 2011).

이런 작업에서 종종 슈퍼바이저-코치 관계가 코치-고객 관계를 모사(때로는 반대로 모사)하는 유사성을 발견하게 된다. '평행 프로세스'에는 그들이 관계하는 방식에 대한 의식적인 측면(느낌을 포함)과 무의식적인 느낌, 코치이 시스템에 몰입된 관계 방식이 포함된다(Hawkins and Shohet, 2012). 따라서 코치는 무의식적으로, 코치이가 자신을 대하는 것과 동일한 방식으로 슈퍼바이저를 대할 수 있으며, 혹은 코치이와 똑같은 방식으로 슈퍼바이저와 일함으로써 실제로 코치이가 하는 방식을 정말로 보여주기도 한다.

'평행 프로세스'의 원칙은 미국의 정신분석가 헤롤드 시얼스(Harold Searles, 1955)가 처음으로 개발했다. 한 분야의 관계 패턴이, 무엇이 벌어지는지 의식적으로 지각하지 않고, 다른 분야에 어떻게 작용하는지를 보여주는 개념이다. 이 개념은 다른 방법으로는 파악하기 어려운 '슈퍼바이지-코치이' 관계의 측면에 접근하도록 해 준다. 이 역학관계는 슈퍼바이지에게 두 가지 목적에 도움이 된다. 하나는 방출 형태다. '내가 당한 것처럼 당신을 대해 주겠다. 한 번 맛을 봐라!' 두 번째 목적은 슈퍼비전의 '지금-여기' 관계에서 재현을 통해 문제를 해결하려는 무의식적인 시도이다. 이 때 슈퍼바이저가 할 일은 이를 알아차리고 그 프로세스에 이름을 붙여줌으로써 의식적인 탐구와 학습을 가능하게 하는 것이다. 만일 이것이 무의식 수준에 있을 경우, 슈퍼바이저는 프로세스 속으로 들어가서 깨어있는 질의자가 아닌 역할 수행자로서 함께 춤을 추어야 할 수도 있다.

평행을 다루는 중요한 기술은 반응을 알아차리는 것이며(모드 6 참조), 그에 대해 비(非)판단적인 방식으로 슈퍼바이지에게 피드백하는 것이다(예: '나는 지금 판단을 받는 느낌이고, 지금 당장 옳은 답을 제시해야 한다고 느껴진다. 당신도 코치이로부터 이렇게 느끼는지 궁금하다'). 이 프로세스는 슈퍼바이지가 갖는 패러독스를 다루기 때문에 무척 어렵다. 패러독스란 코치이가 코치에게 바라듯이 코치가 슈퍼바이지가 기술을 쓰지 않기를 바라는 동시에, 꼼짝없이 빠져든 어려운 프로세스를 이해하고 이겨내는 작업을 해주기를 원한다는 것이다. 이것이 코칭과 슈퍼비전과 같은 연결된 활동 영역의 한 요소라고 주장하는 연구도 있다(Doehrman, 1976).

드한(DeHaan, 2012: 35-40)은 세 가지 형태의 평행 프로세스가 있다고 주장한다.

1. 슈퍼비전 관계에서 코칭 관계의 무의식적인 평행작용
2. 코칭 관계에서 슈퍼비전 관계의 무의식적인 평행작용
3. 코치가 코칭에 적용하였으면 하는 관계의 방식을 보여주기 위한, 슈퍼바이저의 의식적인 긍정적 역할 모델링

이 기술을 습득하고 나면 슈퍼바이저는 가끔 제출된 자료에 어떤 영향을 받는지 가설적인 성찰을 알려줌으로써 코칭의 역학을 제거할 수 있다. 이 프로세스가 능숙하게 완료되면 코치로 하여금 코칭 관계에 대해 자신이 의식적으로 이해한 것과 자신이 받은 정서적 영향의 간극을 메우는데 도움이 된다.

모드 5에서 슈퍼바이저는 이렇게 말할 수 있을 것이다.

* '이 고객 얘기를 할 때마다 아주 논쟁적이 되고 말소리도 점점 빨라지고 커진다－그래서 이런 것이 코칭 관계의 어떤 면을 반영하는 게 아닌가 궁금하다'
* '그 역학관계' [알아차린게 어떤 것이든]가 어떻게 우리 사이에서도 일어나는지 궁금하다. 우리는 이 관계에서 어떻게 '뭔가를 하는가?'(예: '자, 우리는 코치이가 끊임없이 당신이나 상사 혹은 타인의 의견을 존중하며 따른다는 걸 알아차리게 되었는데, 우리는 지금 여기에서 어떻게 이 관계를 존중하며 따르고 있는지 궁금하다')

하지만 슈퍼비전 관계의 모든 어려움이 마치 고객 역학관계에서 생겨나는 것으로 취급해서는 안 된다. 슈퍼비전 관계의 어려움이 모두 평행 프로세스 때문은 아니다. 다음의 이유들 때문에도 발생할 수 있다.

* 슈퍼비전 프로세스에 대한 분명한 계약 결여
* 슈퍼바이저와 슈퍼바이지 간의 대인관계 이슈
* 문화적, 성별 혹은 다른 갈등(15장 참조)
* 서로 다른 학습 스타일, 혹은 슈퍼비전의 작동 방식에 대한 기본적 가정의 차이

그러므로 모드 5에서 슈퍼바이저와 슈퍼바이지의 생생한 관계의 질에 주목한

다. 모든 중요한 학습 관계와 마찬가지로, 슈퍼비전 관계를 정기적으로 리뷰하는 것이 필수적이다. 무엇이 효과가 있고, 무엇이 제공되지 못하고 있는지, 이 관계가 슈퍼바이지와 슈퍼바이저 모두에게 그리고 고객 및 고객조직에게 더 유익하려면 어떤 점이 개선되어야 할지를 리뷰하는 것이다. 어떤 슈퍼바이저들은 각 세션을 마칠 때 다음에 대해 간단히 리뷰한다.

- '몇 분 동안, 당신과 내가 오늘 함께 일한 방식에 대해 검토해 보죠.'
- '무엇이 가장 유용했습니까? 무엇이 방해가 되었나요? 다음에 무엇을 더 개선할 수 있을까요?'

어떤 슈퍼바이저들은 슈퍼비전의 빈도에 따라 매 3개월 혹은 4개월마다 좀더 긴 리뷰를 진행한다. 올랜스와 에드워즈(Orlans and Edwards, 2001: 46)는 후자를 선택한다.

> 학습의 조인트벤처에서 진짜로 협력하는 것은 참가자들에게 리스크처럼 느껴질 수 있다. 적어도 슈퍼바이저와 슈퍼바이지 모두에게 불확실성으로 느껴질 것이다. 그 사람이 현재까지 발달시킨 습관의 지도를 널리 펼쳐놓고 꼼꼼히 보아야 한다.

따라서 슈퍼비전 관계는 '지금-여기' 질의의 모델링을 위한 생생한 라이브 포럼이어야 하며, 거기서 새로운 관계 방식을 활발하게 시도해야 한다.

⠿ 모드 6: 자신의 프로세스에 초점을 맞춘 슈퍼바이저

모드 5에서는 슈퍼바이지-고객의 관계가 어떻게 슈퍼비전 관계에 침투되고 평행될 수 있는지 탐구하였다. 모드 6에서는 그 관계가 슈퍼바이저의 내적 경험에 어떻게 접근하는지, 또한 그 과정에서 떠오르는 것을 어떻게 이용할 것인지에 초점을 맞춘다.

우리는 슈퍼바이저로서 흔히 갑작스러운 변화가 '우리에게 밀려오는' 것을 느낄 때가 있다. 갑자기 매우 피곤하다고 느꼈다가, 슈퍼바이지가 또 다른 고객 케이스를 논의하기 시작하면 다시 정신을 차리게 된다. 논의 자료와 논리적으로는 아무 관계없는 이미지가 우리의 의식에 자연스럽게 떠오를 수도 있다. 고객에 대한 우리 자신의 이미지로 인해 성적 흥분을 느낄 수도 있고 이해할 수 없는 두려움으로 몸을 떨 수도 있다.

몇 년간 작업하면서 우리는 이런 방해요소가 하나의 메시지임을, 그것도 '지금-여기' 방 안에서만이 아니라 코치-고객의 일에서 발생하는 무언가에 대한 중요한 메시지라고 믿기 시작했다. 이런 분출이 뭔가 의미있다는 걸 신뢰하려면 슈퍼바이저는 자신을 아주 잘 알아야 한다. 내가 언제 보통 피곤하고 지루해지고 꼼지락거리고, 두려워지고, 성적으로 흥분되고, 위가 긴장되는지 등을 반드시 알아야 한다. 그래야 이런 분출이 전혀 자신의 내부 과정이 아니고 다른 곳에서 유입된 것임을 확인할 수 있다.

슈퍼바이저는 슈퍼바이지에 대한 자신의 느낌을 분명히 해야 한다. '이 슈퍼바이지에 대한 나의 기본적인 느낌은 어떤 것인가?' '나는 이럴 때 일반적으로 두려움을 느끼거나, 어려워하고, 비판적이고, 지루해하는가?' 슈퍼바이저가 슈퍼바이지에 대한 자신의 느낌을 분명히 하지 않을 경우, 슈퍼바이지와 그의 고객으로부터 오는 미지의 물질이 들어옴으로써 느낌이 어떻게 변화되는지 알아차릴 수 없다. 슈퍼바이지에게서 온 이 프로세스 자료는 슈퍼바이저의 일종의 수용체에 의해 수용되며, 슈퍼바이저는 슈퍼바이지가 이를 탐색할 수 있도록 잠시 그 자료를 슈퍼바이지의 의식에 가져온다.

이 모드에서 슈퍼바이저는 여전히 세션의 내용과 과정에 주목을 하면서, 감각과 주변의 딴 생각과 환상으로 주의가 옮겨가는 자신의 변화를 알아차려야 한다. 이는 어려운 과제로 들릴 수도 있지만, 그게 코칭, 멘토링 그리고 상담에서 중요한 기술이며 따라서 슈퍼바이저가 슈퍼바이지에게 이를 이용하는 모델 역할을 할 수 있다.

슈퍼바이저는 슈퍼바이지의 반성적 탐구를 더 요청하기 위하여 공란을 남겨둔 미완성 문장을 사용하여 자신의 감각과 느낌이 변화한 것을 더 인식하게 할 수 있다.

- '당신이 X와 함께 있었던 일을 설명할 때, 나는 점점 초조해지고, '그게 도대체 뭐에 관한 거지?'하고 궁금해진다.'

- '계속 뛰쳐나가려는 경주마의 이미지가 떠오르는데, 혹시 이게 어떻게 관련이 있을지 궁금하다.'

모드 6의 초점은 코치와 함께 하고 있는 슈퍼바이저의 '지금-여기' 경험이며, 코치와 그가 내놓는 자료에 대한 슈퍼바이저의 반응을 통해 코치-코치이 관계에 대해 무엇을 배우느냐에 관한 것이다.

슈퍼바이저는 자기 검열을 피하고 자신이 알아차린 '지금-여기' 인식을 비(非)판단적 비(非)해석적 방식으로 말하는 방법을 배워야 한다. 만일 슈퍼바이저가 자신의 인식을 생각해보고 밖으로 꺼내어 말을 하면 그게 코치가 성찰하고 더 나아가 질의와 대화로 이어지게 할 수 있다.

- '당신의 말을 들으면서 나는 심장이 더 빨리 뛰고 이 상황에 불안을 느끼는 게 감지된다.'
- '이 얘기를 들으면서 내가 슬프고 공허하게 느껴진다.'

우리 두 저자 중 한 사람이 어느 코치를 슈퍼비전하고 있을 때였다. 그 코치가 특정 고객에 대해 이야기할 때마다 눈을 똑똑히 뜨고 깨어있기가 무척 어려웠다. 처음에는 이 현상 때문에 죄책감을 느끼고 당황스러웠지만 점심 식사 직후라 집중하지 못하는 줄 알고 슈퍼비전 세션 시간을 변경하려고까지 했다! 몇 차례의 세션 후 내 자신의 슈퍼비전에 대한 탐구를 하고 나서 나는 용기를 내어 말을 했다. 이 고객이 언급될 때마다 나는 눈을 뜨고 있기가 어렵고 왜 그런지는 모르겠다고. 그때 코치는 이렇게 대답했다. '아마 당신은 웃기다고 할지 모르겠지만, 제가 이 고객과 함께 할 때 저에게도 똑같은 현상이 일어납니다. 다만 창피하여 그렇다고 말하지 못했을 뿐입니다!' 신체적으로 졸리움이 옮아왔을 뿐만 아니라 당황스러움과 자책 역시 평행되었다. 이후 코치는 코칭 관계에서 발생하는 것에 직면할 수 있었고, 그 아래에 수동 공격성의 깊은 패턴이 자리잡고 있음을 알게 되었고, 코치이가 자신의 이슈를 훨씬 더 직접적으로 표현하도록 도울 수 있었다.

모드 7: 일이 발생하는 더 넓은 맥락에 초점

이 모드에서 슈퍼바이저는 초점을 특정 고객 관계에서 맥락적 사정을 포함하는 영역으로 옮긴다. 고객의 일도 슈퍼비전의 일도 모두 이 영역 안에서 일어나는 것이다.

이 맥락은 슈퍼비전 프로세스의 모든 영역을 에워싼다. 마치 사이렌 소리에 끌리는 것처럼, 코치, 멘토, 컨설턴트 및 슈퍼바이저는 끝없이 자신과 고객이 처한 상황의 세부적인 것에 빠진다. 우리가 고객과의 일을 넘어서 그 이상을 보는 것은 종종 시스템에 대단한 충격일 수 있다. 그러나 그것을 통해서, 그 세션 너머에서 무엇이 벌어지고 있는지, 더 큰 역학관계와 이벤트가 조직의 내부 작업에 주는 영향이 무엇인지, 처음에는 단지 개인 고객의 이슈로 보였던 것이 그 영향 때문이라는 것을 알게 된다.

모드 7의 초점은 코칭과 슈퍼비전이 발생하는 조직적, 사회적, 문화적, 윤리적, 계약적 맥락에 맞추어진다. 여기에는 고객 조직과 이해관계자들, 코치 조직과 이해관계자들의 보다 넓은 맥락, 슈퍼바이저와 그의 조직적 그리고 전문적 맥락에 대한 인식도 포함된다. 또한 다양한 관계에 놓여있는 파워와 문화적 역학관계를 포함한다. 모드 7의 목적 중 하나는 보다 넓은 시스템에 지속 가능한 영향을 주기 위하여 코치이가 필요로 하는 변화를 밝히도록 하고자, 코치이의 조직적 맥락에 대한 코치의 이해를 개발하는 것이다.

또한 모드 7은 슈퍼바이지와 슈퍼바이저의 전문적 맥락과 전문협회뿐 아니라 그들이 종사하는 조직과 그들의 야망과 기대를 모두 포함하는, 슈퍼비전 관계의 더 넓은 시스템 맥락에 초점을 둔다. 슈퍼바이지의 개발의 맥락 역시 여기서는 주목을 해야 할 중요한 측면이다. 그들은 전문가로서 훈련받는 과정일 수도 있고, 인증을 위한 것일 수도 있고, 혹은 이 분야의 리더가 되고자 하는 것일 수도 있다.

슈퍼바이저는 일의 시스템적인 맥락이 코치와 코치이의 행위와 사고방식, 감정적 기초 및 동기에 어떤 영향을 미치고 있는지, 뿐만 아니라 자신에게 어떤 영향을 미치는지를 이해하기 위하여 전체 시스템의 관점에서 보아야 한다. 이 기술은 더 광범위한 시스템에서 핵심 이해당사자들의 요구를 적절하게 다루며, 시스템적 맥락의 문화가 어떻게 코치와 개인에게 환상과 망상, 결탁을 만들어내는지를 이해하게 한다. 모드 7에는 또한 높은 수준의 다중 문화 역량(14장 참조)과 자신이 지닌 문화적 가정 및 편견에 대한 인식(Ryde, 2009)이 필요하다는 것에 주목하라. 모드 7의 탐구에는 다음의 질문들이 포함될 수 있다.

- 고객을 통해 파악하게 된 조직에서 통용되는 가치 및 가정은 무엇입니까? 이것은 코치이와 상사, 동료, 고객 간의 관계에서 어떻게 드러납니까?
- 조직에서의 갈등을 이 코치이는 어떻게 처리합니까?
- 세션에서 들은 주요 이해당사자들은 누구입니까? 코치이와 이해당사자 각자와의 관계를 어떻게 설명하겠습니까?
- 이해당사자들은 어떻게 연결되어 있나요?
- 이 관계에 작용하는 더 넓은 정치적 경제적 사회적 압력은 어떻습니까?
- 더 넓은 시스템이 자기 목적을 달성하기 위해서 필요한 전환은 무엇이며, 코치이가 그 목적에 더 도움이 되려면 어떤 변화가 일어나야 합니까?

저자들은 원래 호킨스와 쇼헷(Hawkins and Shohet, 2012: 103-6)에서, 모드 7을 당초 각각의 모드에 연결된 상이한 범주들(7.1, 7.2, 7.3, 7.4, 7.5, 7.6, 7.7)로 구분했다. 따라서 7.1은 고객의 외부 세계이고, 7.4는 코치의 외부 세계이며, 7.5는 슈퍼비전 관계 등등의 조직적 맥락이다. 이 점이 중요하긴 하지만, 우리는 조직 컨설팅과 코칭 및 멘토링의 세계에서 슈퍼바이저들이 슈퍼비전 작업에 여러 층위에 걸친 사업 및 체계적인 관점을 사용하게 되며, 모드 7에 대해서도 다른 관점을 개발해 왔다는 점도 역시 중시한다.

코치, 멘토 및 컨설턴트들은 단지 개인 고객과 연관되는 게 아니라, 팀, 부서 혹은 전체 조직과도 연관될 수 있다. 우리가 어디에서 일을 하든지 간에 개인부터 전체 시스템에 이르는 스펙트럼 상에서 공통된 맥락은 고객은 조직에 연결되어 있고 또한 직무를 수행하는 능력에 영향을 주는 시장과 정부의 변덕과 환경상의 도전에 종속되어 있다는 점이다. 코치, 멘토, 컨설턴트들을 슈퍼비전할 때, 상황에 관한 시각을 얻는 가장 유용한 것은 실제 그들이 일하는 물리적인 환경의 모습을 '상공에서 내려다보는 헬리콥터 방식(helicopter up)'이다. 그들이 일하는 조직에서의 흥미와 영향력의 레벨을 광범위하게 넓혀서 정부와 글로벌 환경으로까지 넓혀보는 것이다. 예를 들어, 처음 고위임원을 만났을 때 그들의 신체적 태도에서 그의 의제를 알 수 있는 것처럼, 고위임원에게 제공하는 사무실과 지원에서 조직적 맥락을 알 수 있다.

따라서 임원 코치 및 다른 사람들을 슈퍼비전할 때 모드 7을 사용하는 데 있어서 이슈는 슈퍼바이지와 코치이의 코칭 상황에 영향을 미칠 수 있는 영향력의 연결고리(〈그림 9.2〉 참조)를 보는 것이다. 예를 들어, 만일 당신이 운영이 잘 되는 대형트럭 트래킹 장비제조업의 CEO를 코칭하고 있는데, 그가 사업에 대한 의사결정하는 것을 힘들어 한다고 하자. 이런 경우 당신은 그가 겁을 내는 것인지, 의사결정하는 데 항상 문제가 있는지, 새로운 현상인지를 우선 체크할 필요가 있다. 만일 새로운 현상일 경우, 시장 혹은 글로벌 상황 때문에 CEO가 진퇴양난에 빠져 있을 수 있다. 주주들은 성장을 요구하고 임원들은 새로운 투자 기회를 제시하고 있는 상황에서 한편에선 현행 트래킹 장비를 쓸모없게 만드는 최신 기술의 발전이 대두되고, 지구 다른 편의 더 낮은 인건비와 경쟁해야 하는 식이다. 게다가 EU와 미국 정부는 환경 문제를 해결하기 위해 수송에 과세를 하려는 잠재적 변화의 조짐에 의하여 불확실성은 더욱 고조된다.

이런 상황에서 CEO가 적시에 결정을 내리지 못하는 것은 충분히 이해할 만하다. 만일 우리가 그의 개인적 이슈에만 집중해서 개인적으로 의사결정을 내리지 못하는 것으로 본다면, 그에게 불확실성이 어디에서 오는 것이며 또한 어디에 초점을 맞춰야 하는지 이해할 수 있는 공간을 제공할 수 없을 것이다.

▪ 모드 7.1

그룹 슈퍼비전이든 혹은 일대일 상황이든, 이 모드를 사용하는 하나의 방법은 공상 여행을 안내하는 것이다. 슈퍼바이저는 코치이가 일하는 물리적 공간을 환기시키는 것부터 돕는다. 만일 슈퍼바이지가 이를 모를 경우, 조직이 직원들을 어떻게 대하는지를 드러내는 물리적 사무실 공간이 어떤지에 초점을 맞추라고 요청하라. 흔히 수사학과 현실 사이에는 오차가 있다. 화장실이 비위생적이고 침침하고 음산한데, '직원들이 우리의 가장 큰 자산이다'라고 회사 문서에 당당하게 표시한 엔지니어링 회사는 갭이 더 두드러져 보인다. 그러한 간극은 코치이가 현재 갖고 있는 '이슈'의 어떤 면을 설명하는 것일 수도 있다. 코치이가 일하고 있는 물리적 환경에 대하여 코치가 전혀 모른다면 적어도 왜 그런지에 대한 이슈가 제기된다.

▪ 모드 7.2

조직적 영향력의 전반을 알기 위한 헬리콥터 여행의 다음 단계는 코치이 같은 고위직의 생활을 상징하는 전형적인 행동에 대해 묻는 것이다. '거기에서 일이 진행되는 방식은 어떤 것인가?' 그들이 보는 현상이 그곳의 문화의 영향을 받은 것인지 혹은 코치이의 특정 행동에 의하여 더 강력한 영향을 받은 것인지에 대해 슈퍼바이지와 슈퍼바이저가 명료하게 알게 해준다. '코치이가 조직에서 작동되는 가치와 추정에 대해 말한 이야기에서 당신은 무엇을 배웠는가?'

▪ 모드 7.3

다음 레벨은 전체 회사의 성공의 이해당사자와 코치이의 책임 분야의 성공의 중요한 이해관계자들은 누구인가를 보는 것이다. 우선 '코치이의 비즈니스 역할의 성공에 이해 관계가 있는 핵심 내부 이해관계자들은 누구인가?'라고 질문한다. 그리고나서 주주, 고객, 파트너 조직, 규제자 및 직접 경쟁자와 같이 외부의 이해관계자들로 확대해간다. 여기에서는 슈퍼바이지가 실제 발생한 일을 이해하고 맥락적 이슈를 날카롭게 인식하도록 할 뿐 아니라 이야기 안에 있을 수 있는 중요한 갭을 인식하게 하려고 노력한다. 이 모드에서 숨겨져 있을지도 모르지만 이 시점에 특정 조직 내의 업무 환경을 사람들이 어떻게 경험하는지에 강력하게 영향을 주는 압력을 찾아낼 수 있다.

▪ 모드 7.4

다음 모드는 조직에 대한 즉각적인 초점 너머의 광범위한 이슈를 보는 것으로 한 단계 더 나아가는 것이다. 모드 7.3에서 우리는 말하자면 영국 가스에 영향을 주는 이해관계인들의 가정과 열망, 불안 및 관심을 보았다면, 이 모드에서는, 전체적인 에너지 부문의 우려사항과 개발 및 도전사항을 들여다본다. 여기에 작용하는 환경 규제도 포함된다. 그것이 진정한 글로벌 시장인지 여부도 살펴보고, 영국과 EU, 제1세계 시각으로 에너지부문을 보는지 혹은 글로벌 시각으로 보는지에 따라 다른 압력이 존재하는지를 살펴볼 것이다. 이 모드에서는 가스에 대해 상대적인 압력을 오일과 석탄 그리고 재생에너지원과 비교해서 볼 수 있고, 가스의 성장예측을 재검토할 필요가 있는지를 살펴볼 것이다. 이는 이 부문 안의 비즈니스 압력을 보여준다.

■ 모드 7.5

예를 들어, 에너지 부문은 현재의 수익성과 장래 성장 전망 그리고 투자 능력에 영향을 미치는 보다 광범위한 경제적 맥락 속에 놓여있다. '용' 경제 국가들이 밀레니엄 무렵에 격동하는 흐름을 이뤘고 또한 미국 및 서양 은행들이 2008~2009 은행 위기에 걸려들었을 때 본 것처럼, 어느 기간에 세계의 어느 분야는 경제 활황을 이루지만, 반면에 다른 분야는 일시적으로 붕괴된다. 이러한 사건들의 연관성은 현지 레벨에서 감지되는 합병증으로 될 수도 있다. 슈퍼바이저 혹은 코치로서 우리는 개인 혹은 조직에 대하여 나타나는 문제를 현지의 어려움과 관련된 문제로 해석하고자 하는 유혹을 받는다. 하지만 실제로 그것은 거시경제의 큰 변화 추세와 관련된 문제일 수 있다.

■ 모드 7.6

당신은 이제 모드 7을 코치이의 비즈니스가 존재하는 맥락을 향한 선형적 탐구라기 보다는, 러시아 인형의 둥지로서 보게 된다. 에너지 부문에 대한 경제적 환경의 영향과 에너지 회사에 대한 더욱 광범위한 에너지 부문의 영향력을 살펴보았는데, 폭을 다시 넓힐 필요가 있다. 아주 기초에서부터 만들어져서 조직의 직원들에게 도전이 되는 국가적·지역적인 정치적, 경제적, 사회적, 기술적, 법적, 환경적 이슈(PESTLE)를 고려해야 하는 것이다. 예를 들어, 한 가지 종류의 연료로 다른 것을 활용하도록 지원하는 투표가 통과 가능성이 있다면 에너지 회사들은 적대적인 환경으로 인식할 것이다. 우리는 개인 회사의 현장 혹은 특정 국가의 운영에 부정적으로 영향을 미칠 수 있는 정치적, 기술적 그리고 환경적 이슈들을 크게 의식해야 하는 글로벌 에너지 회사들을 보아왔다. 예를 들어, 2010년 4월 멕시코 만에 BP의 누출과 같이, 한 나라에서의 우발적인 기름 누출은 회사와 그 부문 모두에게 크나큰 영향을 줄 수 있다. 또한 값비싼 연료에 대한 수요('환경 이슈')는 기술개발에 대한 압력으로 작용하며, 이러한 조직에 도전사항으로 등장하고 미래 생존 능력에 거대한 잠재적 영향을 미칠 수 있다. 다시 한번 말하건대, 슈퍼바이지와 이 모드를 논의할 때 슈퍼바이지가 이런 맥락에 대하여 지식이 없는 것으로 취급해선 안 된다. 동시에 코치이가 이에 대해 적절한 시각을 갖지 않고 있다는 걸 의미할 수도 있다. 적어도 이런 인식의 결여를 강조함으로써, 미래에 이슈를 점검하도록 고무시키는 것으로 작용한다.

이 모드의 최종 시각은 지구에 영향을 끼치는 큰 이슈에 관한 글로벌 관점에 관한 것이다. 영국의 미드랜드 작은 지역에서 중역의 작업을 다루면서 이런 얘기를 한다면, 너무 거창하게 보일 수도 있다. 그러나 작은 조직이라도 글로벌 환경에 영향을 주거나 혹은 그로부터 영향을 받는다. 특히 환경 이슈는 물론이고 무역 법령이나 자원 부족, 테러 혹은 전쟁 같은 다른 글로벌 이슈에 있어서도 그렇다.

모드 7의 탐구를 하면서 여러 번 말을 하였지만, 슈퍼바이지가 어떤 요소들

⚓ 그림 9.2 **모드 7 '과녁의 정곡'**

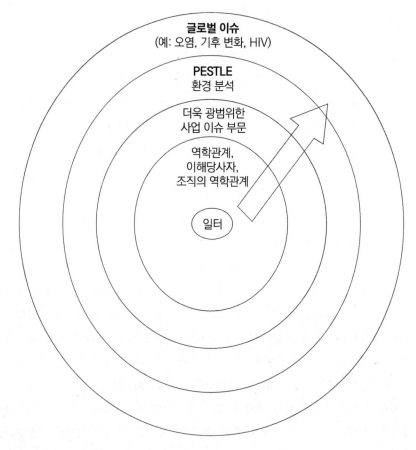

에 대해서는 아무 것도 모르는 것도 전적으로 가능하다. 그러나 슈퍼바이지에게 이런 질의를 함으로써 그가 코치이에게 도로 가져갈 몇 가지 질문을 하게 된다. 이는 적어도 그들이 다루고 있는 이슈를 다른 관점으로 보게해 줄 것이다.

우리는 여전히 모드 7을 여타 6가지 모드에 포함시키지 않는 것이 중요하다고 믿는다. 그 이유는 나머지 6가지 모드에서는 우리 대부분이 눈앞에 자연스럽게 보이는 것에서 시선을 돌려 광범위한 영역에 주목해야 하는 끊임없는 도전에 실패하기 쉽기 때문이다.

프로세스 통합

고객과 심도 있는 작업의 좋은 슈퍼비전에는 반드시 7가지 모드가 모두 포함되어야 한다고 본다. 물론 매 세션마다 다 그래야 하는 것은 아니지만. 그래서 이 모델에 대한 훈련은 슈퍼바이저들이 보통 사용하는 프로세스 및 또한 현행 레퍼토리에 들어있지 않은 것들, 그리고 기피하는 것들을 발견하도록 도와주는 일이다. 우리는 몇몇 슈퍼바이저들이 오직 한 두 가지 모드를 사용하는 것에 익숙해져 있다는 걸 알게 되었다.

주된 프로세스 각각을 능숙하게 사용하는 것을 배우고 나면, 슈퍼바이저 훈련생에게는 하나의 프로세스에서 다른 프로세스로 효과적으로 그리고 적절하게 넘어가는 데 도움을 필요로 한다(그림 9.3) 참조). 이렇게 하려면 적절하고 적시에 다루는 슈퍼비전 기술을 개발하는 것이 중요하다. 슈퍼바이저는 슈퍼바이지에 따라 서로 다른 모드들이 그에게 더욱 적합하다는 것과, 동일한 슈퍼바이지라도 시점이 다르면 다른 모드들이 더 적합하다는 사실을 알아야 한다. 세븐 아이 모델은 아래 두 가지 방법으로 사용될 수 있다.

- 프로세스 모델로 사용. 즉, 최고의 효과를 내기 위해 어떻게 모드들을 진행하는지 보여주는 방식 혹은
- 일련의 렌즈로 사용. 현재의 불투명한 상황을 더 다양한 관점에서 이해하기 위하여 슈퍼비전 상황에 적용될 수 있는 일련의 렌즈

슈퍼비전 세션에서 여러 모드를 사용하는 가장 흔한 패턴은 모드 1부터 시작하는 것이다. 이는 자연스럽게 모드 3과 4로 이어지기 때문에, 세션에서 발생하는 것을 발견하고, 관계에서 발생하는 것과 이것이 코치에게 어떻게 영향을 주는지를 찾아보는 것이다. 그리고 그 과정에서 슈퍼비전 관계에 들어가게 되는 경우 초점을 모드 5와 6으로 전환시키게 된다. 이 단계 중 하나에서, 보다 광범위한 면에서 상황에 영향을 주는 것을 성찰하기 위해 적절하게 모드 7의 하위 모드로 움직여 갈 수 있다. 특정 고객에 대한 탐구를 마무리할 때, 슈퍼바이지가 고객과의 다음 세션에서 어떤 새로운 개입책을 활용할지 탐구하기 위하여, 슈퍼바이저는 모드 2로 초점을 되돌릴 수 있다.

이 모델이 일련의 렌즈로 사용될 경우, 이 시점에 어느 모드가 적절한지 알아보려고 스스로 이런 일련의 질문을 할 수 있다.

🢒 '논의가 너무 개념적으로 흐르는 이유가 내가 슈퍼바이저로서 명확성이 부족해서가 아닌가? 논의가 좀 더 현실에 뿌리를 두어야 하지 않을까?'(모드 1)

♬ 그림 9.3 세션 기간 중 상이한 모드들에 대한 사용 패턴

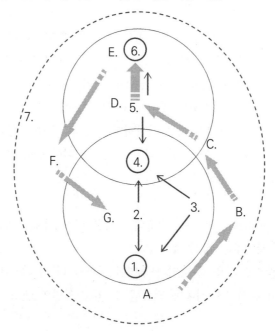

* '코치가 이 상황에서 할 일에 대해 양자택일 사고에 갇혀 있는 건가?'(모드 2)
* '이슈의 해결을 가로막는 것이 코치–고객 관계가 가진 어떤 특성 때문인가?'(모드 3)

이렇게 모드를 이용하는 방식은 진지하게 각 모드를 하나씩 다루면서 질문해 나가는 게 아니다. 도리어 '상호작용을 불투명하게 만드는 정보 부족이 어느 모드에 있는지?'를 묻게 된다. 이것은 과학이기보다는 예술이며, 직관에 따라 사용될 때 가장 유용하다. 옳은 길 혹은 최고의 정답은 없다. 하지만 어느 세션에서 하나의 방법이 슈퍼바이저의 창의성을 닫는다면, 다른 방법은 이슈를 해결하도록 풀어준다는 것을 알고 있다.

결론

이 장에서는 1985년에 처음 개발한 '세븐 아이 슈퍼비전 모델'을 상세하게 탐구하였다. 그 이후 피터는 다른 사람들과 함께 계속 이 모델을 가르치고 개발하였고, 이 모델이 슈퍼비전 세션에 창의적으로 개입하는 새로운 레벨의 깊이와 방안에 대한 프레임워크를 여전히 제공하는 것을 발견하였다. 이 모델의 파워는 우리가 지속적으로 학습하는 과정으로 나타난다. 거의 30년이 지금까지 우리는 이 모델을 활용하면서 새로운 통찰력을 얻는다. 당초 예상을 훨씬 뛰어 넘어 유용함을 증명하였다. 이 모델은 아주 다양한 사람관련 직업들, 즉 청소년 상담부터 말기 환자 돌봄에까지, 경영진 개발에서 임원 코칭까지, 교육에서 조직 컨설팅에 이르기까지, 굉장히 다양한 문화 속에서 사용되고 있다.

또한 이 모델은 서로 다른 여러 이론적 접근법과 경향성을 가진 사람들에게도 유효하다. 모델은 인본주의 코치, 사람 중심의 코치, 인지주의 코치, 행동주의 코치, 해결 중심 코치, NLP 및 정신 역학 지향의 코치에 의하여 성공적으로 사용되었으며, 또한 성과 중심적, 개발 중심적 혹은 변혁적 접근법에 중점을 둔 사람들에 의해서도 사용되고 있다. 또한 이 모델은 슈퍼비전 연구에 중대한 많은 논의를 촉발하였으며, 호킨스와 쇼헷이 그런 논의를 이끌고 대응해왔다(2012: 1 08-11).

고객 업무에 대해 슈퍼비전을 효과적으로 수행하려면 슈퍼바이저는 7가지 슈퍼비전 모드 전부를 적절하고도 적시에 사용할 수 있어야 한다는 것을 우리는 점점 더 확신하게 되었다. 당신의 슈퍼비전 활동에 우리의 지도를 사용해보려는 마음이 고무되었기를 희망한다.

제10장 | 그룹 슈퍼비전과 동료 그룹 슈퍼비전

소개

이 장에서는 코치, 멘토, 조직의 컨설턴트에 대한 그룹 슈퍼비전에 초점을 맞추고, 이러한 활동이 일대일 프로세스와 유사점과 차이점을 설명한다. 앞 장에서 제시된 일대일 슈퍼비전 기술이 그룹 슈퍼비전에 맞게 심화 적용되며, 또한 그룹 상황에서 특히 효과적인 여러 테크닉을 소개할 것이다. 그리고나서 어떻게 동료 그룹 슈퍼비전을 관리하는지 탐색하고 팀 코칭에 대한 슈퍼비전 모델을 제시할 것이다.

개인과 그룹 슈퍼비전의 차이 그리고 양자의 상대적 이점

개인 슈퍼비전에서는 슈퍼바이지와 슈퍼바이저의 생각으로 탐색을 하는 반면, 그룹 슈퍼비전에서는 내부에 마음을 열고서 다른 관점을 외부로 표현하는 것처럼 느껴진다. 내부의 그리스 합창단이 참가자의 관점을 지닌 외부적 합창단이 되는 것이다. 따라서 이 장에서는 전반적인 전문성 개발을 촉진하는 것 뿐 아니라 슈퍼바이지와 그룹, 슈퍼바이지의 고객, 그리고 슈퍼바이지의 조직의 이익을 위하여 강력한 자원을 만들어내는 창의적인 방안을 살펴볼 것이다. 그룹 슈퍼바이저로서 우리는 참가자 간 참여의 균형 유지를 위해 노력하는 임무뿐 아니라 현재 슈퍼비전을 하는 상황에 고유한 여러 단계의 이슈를 살피고 인식하는 과제를 갖는다.

보통 슈퍼비전 그룹은 10명까지로 구성되는데, 그룹 슈퍼비전이 마주치는 도전은 그들을 내적으로 관리하는 것이라기 보다는 다양한 참가자들과 전문적인 요구 간에 균형 유지를 외적으로 관리하는 것에 관한 것이다. 그래서 하나의 그룹에서의 학습을 지휘하려면 일대일 슈퍼바이지에게 하던 것과는 전혀 다른 수완이 필요하다.

사람들이 개인 슈퍼비전이 아닌 그룹 슈퍼비전을 선택하는 데는 여러 이유가 있다. 첫 번째로는 시간과 비용, 전문성의 경제성과 관련이 있다. 만일 슈퍼비전 할 수 있는 사람이 부족하거나 혹은 그들의 시간이 제한될 경우에는 슈퍼바이저가 슈퍼비전 그룹을 만들어 보다 많은 슈퍼바이지를 볼 수 있다. 그러나 이상적으로는 그룹 슈퍼비전은 그룹과 슈퍼바이저에게 초점이 맞춰진 절충으로서가 아니라 긍정적인 선택으로 이뤄져야 한다.

두 번째 이점은 일대일 슈퍼비전과는 달리 그룹에서는 실행가들이 서로 불안감을 나누고 또한 남들도 비슷한 이슈를 겪고 있음을 인식하게 되는 동료들의 지원적인 분위기를 만들어낸다. 그래서 서로를 통해 배울 수 있다.

세 번째 이점은 그룹 슈퍼비전에서는 그룹 슈퍼바이저로부터만이 아니라 슈퍼바이지들의 성찰과 피드백, 동료들 간의 공유 및 투입을 받음으로써 얻어진다. 또한 다른 이들의 코칭 스타일을 직접적으로 알게 된다. 또한 이런 환경에서는 슈퍼바이저에 의하여 덜 지배 받을 가능성이 있기 때문에, 지나친 영향력과 의존의 위험에 덜 휘말린다. 그룹은 잘 운영된다면 슈퍼바이저와 슈퍼바이지들 간의 공모에 도전할 수 있다.

그룹 슈퍼비전의 마지막 이점은 그룹의 고객 맥락이 슈퍼비전에 반영될 수 있게 한다는 점이다. 따라서 만일 슈퍼바이지들이 그룹 코칭 혹은 팀 코칭을 실행한다면, 다른 그룹 리더들과 함께 하나의 그룹으로 진행되는 슈퍼비전을 통하여 학습이 최대화될 수 있다. 슈퍼바이저가 그룹을 운영하는 방법에서 그리고 제시된 그룹들의 역학관계가 슈퍼비전 그룹 자체에 반영되는 방식에서 배울 수 있는 기회가 만들어진다(9장 p. 231-34 '평행'에 관한 내용 참조).

그룹 슈퍼비전에는 몇 가지 불이익도 있다. 그룹 슈퍼비전은 개별 코칭의 역학관계를 개인적 슈퍼비전만큼 명확하게 반영하지는 못할 것이다. 또한 그룹에 참여하자마자 당신은 그룹의 내부 역학관계와 씨름해야 한다. 만일 슈퍼바이지들이 그룹 프로세스에서 자신의 역할을 경험하면서 자아 인식을 높게 되는 경우 이는 도움이 될 수 있다. 그러나 그룹 프로세스는 예를 들어, 그룹에 경쟁심이 작용할 때 같이 슈퍼비전 프로세스에 파괴적이며 사기를 저하시킬 수도 있다. 슈퍼비전 그룹의 역학관계는 집착이 될 수 있다. 어느 슈퍼비전 그룹은 고객들의 이해는 거의 제쳐두고 점차 그들 자신의 역학관계에 주로 관심을 기울이게 된다.

또 다른 불이익은 각자가 슈퍼비전을 받을 시간은 분명히 더 적다는 것이다. 개인 슈퍼비전은 3번의 미팅마다 1회 정도 할 수 있을 뿐이고 만일 슈퍼비전 미팅이 월 1회 열린다면 이는 실제로 3개월마다 한번만 직접적인 슈퍼비전을 받는 걸 의미한다.

슈퍼비전 그룹을 만드는 이유

슈퍼비전 그룹을 만드는 주된 이유들은 다음과 같다.

⦂ 내부 코치의 관리

작업 기반 그룹들, 예를 들어 조직 내부 코치팀에 그룹 슈퍼비전을 제시할 수 있다. 이는 개인뿐 아니라 조직에 대한 팀의 학습 개발을 허용하며 또한 내부 코치가 전문적 초점을 갖는 데 기여할 수 있다.

⦂ 내부/외부 코치 기술에 대한 지속적인 감사

그룹 슈퍼비전은 다양하고 많은 코칭 대화들에 나타나는 조직의 몇 가지 패턴을 드러내는 중요한 장이 될 수 있고, 또한 그들이 하는 코칭에 도움이 되는 감사 데이터를 제공할 수 있다. 이는 슈퍼비전 비용을 포함하여, 코칭 비용의 투자 수익률에 대한 감각에 연결되어야 한다(Hawkins, 2012: 13장).

⦂ 현재 실행상의 이슈 다루기

개인과 조직 모두에게 이익이 되는 것은 그룹 슈퍼비전이 확실히 기술을 전문적으로 개발하는 것이고, 주된 부분은 조직 내 코칭에서 드러나는 도전과 이슈에 대처하는 것이다. 그룹 내에서 이러한 이슈와 씨름하는 것은 더 경제적이며 만족스럽게 해결하는 창의적인 프로세스가 가능해진다. 또한 그룹은 참가자들이 개인적 실행에서 겪고 있는 조직적이고 광범위한 시스템 이슈들을 좀 더 쉽게 고려하도록 만들어준다.

코칭 기술 개발과 코칭 실습 공동체의 창출

위에서 말했듯이 그룹 슈퍼비전의 분명한 장점 요소는 실습에 초점을 둠으로써 그룹 참가자들의 기술 수준을 개선하는 능력이다. 그러한 정기적인 그룹 세션을 갖는 것은 개인과 조직에게 적절한 전문적 실습이 따를 것이라는 안심을 주는 명백한 CPD 측면을 또한 허용한다. 그룹 슈퍼비전의 또 다른 이득은 현장 실습 공동체의 지원과 리더십이다.

슈퍼비전 그룹의 설정

제안 기획

슈퍼비전 그룹을 기획함에 있어서 구성원을 모으기 전에 다음 네 가지 영역을 생각하는 것이 중요하다.

- 잠재적 슈퍼바이지들의 슈퍼비전 요구는 무엇인가?
- 당신은 슈퍼비전에서 무엇에 초점을 맞추고 싶은가?
- 당신은 그룹을 어떻게 조직할 것인가?(예: 어떻게 운영할지에 대한 실질적인 세부사항)
- 누구를(예: 내부 코치가 있는 조직, 지역의 코치들, 회원 조직 등) 위한 슈퍼비전이며, 구성원들이 갖춰야 할 최소 요건이 있는가?

그룹 설정 초기에 내린 결정은 구성원뿐 아니라 리더에게도 향후 그룹 생활에 큰 영향을 미친다. 시간을 투자해서 그룹의 목적이 무엇이 되기를 바라는지 당신이 다루고 싶은 바가 무엇인지를 명확히 하는 것이 중요하다.

▒ 그룹 구성원의 선택

드 한(de Haan, 2012: 95)이 말한 바와 같이, '그룹 슈퍼비전을 위한 그룹의 규모는 3명에서 8명 사이로 제한하는 것이 바람직하다.' 이 정도면 구성원들이 충분한 시간과 주목을 얻기 위하여 다툴 필요가 적어진다.

초기에는 구성원들의 전반적인 이론적 관점과 성취 수준이 잘 맞을 경우에 그룹이 더 수월하다. 만일 그룹 구성원들이 아주 유사한 부류의 고객과 일하고 있는 경우, 그것 또한 큰 도움이 된다. 그러나 이 세 분야가 모두 너무 유사한 그룹에서는 배움과 도전이 제한되며 또한 '합의 공모'를 촉진할 위험이 있다(Heron, 1975).

▒ 그룹 슈퍼비전의 계약 요소

슈퍼바이저가 모든 계약사항을 1차 세션에 미뤄두지 않고 몇몇 계약 프레임을 그룹 구성원 합류 전에 설정하는 것을 권장한다. 그러면 계약은 나중에 그들이 처음 만났을 때 검토하고 또 정기적으로 더 개발되면서 그룹과 공동 창조되어야 한다.

브리짓 프록토(Brigid Proctor, 2008: 55-68)는 아젠다 둥지를 한 인형 안에 또 인형이 들어 있는 '러시아 인형'으로 무척 유용하게 나타났다(〈그림 10.1〉).

⟲ 그림 10.1 **계약적 요소(Brigid Proctor, 그룹 슈퍼비전)**

그룹 작업 약정서

'그림자 인형' 그룹과
개인의 균형 유지

문제의 핵심

세션 의제

전반적 계약

이 의제들은 슈퍼비전 그룹을 운영할 때 고려해야 할 슈퍼비전 계약의 여러 요소들을 깔끔하게 보여준다. 중요한 사실은, 이 다수의 계약 의제들이 다른 시간 범위에 작동된다는 점이다. 전반적인 계약은 일단 한번 이뤄지고 나면 이후에는 가끔 검토되는 것이다. 다른 쪽 끝에 있는 '핵심 시항' 의제는 세션 기간 중에 그리고 세션 사이에도 끊임없이 명심해야 하는 것들이다.

⁛ 전반적 계약의 설정

전반적 계약은 참여의 기본 구조이다. 세션 안에서 그리고 세션 간에 일어나는 것들을 표괄하는 우산이다. 이는 슈퍼바이저가 내리는 모든 관리적 결정에 대한 경계 표식이 된다.

전반적인 그룹 슈퍼비전 계약의 스케치

- 슈퍼비전 계약이 전문적 맥락에 어떻게 포함되는지에 대한 분명한 정의
- 슈퍼바이저와 슈퍼바이지들의 역할과 기능 명확화. 이를 코칭 및 슈퍼비전의 윤리적 틀에 연결하고 적용 가능한 조직의 대행(agency) 혹은 전문가 정책과 연결하는 것
- 타협할 수 없는 전문가의 책임, 예를 들어 비밀유지, 기록 유지, 모니터링과 진단 등에 대한 책임을 구체화하여 슈퍼바이저와 슈퍼바이지, 제3자들에게도 경계를 분명히 한다. 꼭 해야 하는 일과 할 수 있는 일을 설정해 둔다.

만일 그룹이 조직의 내부 코치들로 구성되어 함께 하는 설정이라면, 전반적인 계약은 직원들의 슈퍼비전과 조직의 지적재산권(IP) 기타 사업상 민감한 정보에 관한 기밀유지 이슈와 관련하여 참가자들의 책임을 명확히 해야 할 것이다. 그룹 구성원들의 기술 수준과 업무 이슈에 대한 슈퍼바이저의 피드백에 관련된 기대사항도 구체적으로 명확하게 할 필요가 있다.

그룹 업무 합의

그룹 합의는 구성원들이 상호작용하는 방법에 대한 기본 원칙(ground rules)을 정하는 것이다. 세 가지 형태의 기본원칙이 모색되어야 한다. (1) 실무사항 (2) 합의된 대인관계 행동 (3) 참가자의 학습 요구

다음은 세 분야의 내용에 대한 사례를 보여준다.

실무사항

- 그룹은 9월부터 7월까지 진행되며, 그 다음 재계약한다.
- 그룹은 최대 8명에서 최소 4명의 구성원으로 이뤄진다.
- 이는 '폐쇄된(closed)' 그룹이다.
- 비용은 인당 1,000파운드/1년이며 절반으로 나눠 선불로 지급한다(9월과 1월).
- 그룹은 매 달 둘째 화요일에 4시간(10:00–14:00) 동안 진행된다.

대인관계 행동

- 기밀유지: 해당 이슈를 가져온 구성원만이 슈퍼비전 그룹 내에서 일어난 일을 그룹 외부에서 얘기할 수 있다.
- 상호 간의 도전과 지원 및 격려: 우리는 도전과 지원 간의 균형을 유지할 것이다. 서로에 대해 '두려움 없는 연민'을 쓴다.
- 반드시 모든 사람의 생각을 듣는다. 코칭 이슈를 검토할 때마다 모든 사람에게서 듣자.
- 새로운 기술과 행동을 실험할 기회의 활용: 우리는 만날 때마다 새로운 것을 시도한다.
- 열린 마음의 유지 – 쉬운 답은 없다.
- 세션에서 시간 지키기: 시간 의제를 합의하고 나면 이를 반드시 준수하고 아니면 재협상을 할 것에 책임을 진다.
- 방 안에 집중하기. 근심을 밀쳐놓는 데 10분을 사용한다. 합의된 경우 외에는 모두 전화는 끈다.

■ 참가자의 학습 요구

1. 전문적 CPD를 위한 현재의 요건을 충족시킨다.
2. 개별적 코칭 기술의 갭(예: 변혁적인 코칭 기술을 개발하고 코칭에 긍정적 심리를 사용하기)
3. 그룹 역학관계에 대한 이해
4. 학습 요구에 대한 중간 계약 검토

■ 세션 의제(agenda)

개인적인 세션 의제는 세션을 마치기 전에 시작할 수 있다. 이때 슈퍼바이저는 다음 번에 다루고 싶은 것에 대한 구성원들의 요구 및 희망을 반드시 빠른 테스트를 통해 알도록 한다. 다룰 의제의 초안은 세션 간에 원격으로 제안될 수 있다. 그런 다음 이 초안은 새 세션이 시작될 때 처음 몇 분 동안 명확하게 합의될 수 있다.

스케치 세션 의제

14일(화)

10:00 체크 인	'오늘 완전히 집중하려면 내가 무엇을 치워 놓아야 하나?' 세션에 대한 의제에 동의.
10:30	코치 이슈 (수, Sue)의 1차 리뷰
11:15	코치 이슈 (찰스, Charles)의 2차 리뷰
12:00	다과
12:15	영향을 미치기 위해 모드 7을 이용하는 여러 방법에 대한 간단한 리뷰
13:00	해결 중심 코칭에 대한 숀(Sean)의 설명
14:00	세션 종료

❚ 그룹과 개인적 의제의 균형 유지

각 세션 안에서 가끔은 세션을 넘어서 우리는 슈퍼바이저로서 그룹의 전반적 요구(예: 각자는 '차례'대로 말하고 도움받기)와 구성원들의 개인적 요구 간에 적절한 균형을 유지해야 한다. 그러므로 그룹의 한 구성원이 정말 이슈와 씨름을 하고 강력한 결론을 내려고 4시간 세션 시간의 대부분을 필요로 할 수도 있다. 만약 그런 경우가 발생하면 슈퍼바이저는 다음 여러 세션에서 이 균형을 회복할 필요가 있다. 브리짓 프록터(Brigid Proctor, 2008: 67)는 다음과 같이 언급했다.

> 그림자[인형]는 구체적인 계약의 부재를 표방한다. 그것은 '사이의 공간'으로서, 슈퍼비전 작업과 각 구성원의 개발을 서비스함 있어서 그룹 자원을 어떻게 사용할지를 슈퍼바이지 각자가 말하는 것을 들으며 슈퍼바이저가 스스로 결정해야 하는 공간이다.

프록터의 중요한 통찰력은 이게 사전에 미리 정할 수 있는 것이 아니고 그때 그때의 순간적인 판단이라는 것이다.

● 문제의 핵심

이것은 가장 작은 인형이지만, 활동의 핵심을 보여준다. 슈퍼비전은 무엇을 위한 것인가? 분명히 이는 간단한 답이 있는 간단한 질문이 아니다. 분명한 것은 슈퍼비전은 슈퍼바이지에게 기여하려고 있는 것이다. 그러나 이는 슈퍼바이지의 고객들에게 역시 기여하여야 한다. 또한 슈퍼바이지의 고객들이 기여하는 세계를 역시 고려하여야 한다. 내일의 세상이 이 고객들에게 요구하는 것, 즉 우리 슈퍼바이지들이 이 고객들이 이루기를 도와야 할 것은 무엇인가? 이것이 되면 코치와 고객 간에 가장 성공적인 상호작용이 되도록 하기 위해서 슈퍼바이저가 지원해야 할 것이 무엇인지가 분명해진다.

문제의 핵심은 단지 코치의 표현된 요구에만 달려있지 않다. '고객이 있는 곳에서 시작함'의 원칙은 필요하지만, 우리는 슈퍼바이저를 위한 문제의 핵심을 그려내기에는 충분하지 않다고 본다. 슈퍼바이지의 요구에 따른 시스템적인 결과 역시 이해해야 한다. 개인의 요구가 공동체의 최고선을 거스를 경우 슈퍼바이저는 슈퍼바이지에게 도전을 해야 한다.

슈퍼비전 그룹의 운영

그룹 학습을 위한 올바른 분위기 조성

실제로 슈퍼비전 그룹을 만나면 슈퍼바이저는 구성원들 내에서 그룹 접촉을 탐구하고 또한 개발하는 것부터 시작할 필요가 있다. 여기에는 모든 그룹 구성원들의 여러 기대와 희망, 두려움에 대한 탐구가 포함된다.

슈퍼바이저의 진행 과제는 슈퍼바이지가 자신의 일을 다른 사람들에게 공개할 수 있는 안전한 분위기를 만들고 유지하는 것이며, 이렇게 공개하는 것은 약간의 두려움과 불안이 깔리는 과정이기도 하다.

- '내가 들키는 거 아닐까?'
- '다른 사람들이 내 일뿐만 아니라 나도 모르는 나의 개인적 결점을 찾아내면 어떡하지?'
- '사람들이 "도대체 왜 저런 정신병자의 코치, 멘토, 컨설턴트가 될 수 있다고 생각하는 거야?"라고 생각하는 게 아닐까?'

여기서 조성되어야 하는 분위기는 그룹 구성원을 깔아뭉개어 바보로 만들거나 '환자 그룹'으로 만들지 않으면서, 취약성 및 불안을 서로 나누도록 북돋는 것이어야 한다. 이는 그룹 구성원들이 자신의 불안정을 다른 사람에게 투사하게 하며 조력자가 훨씬 안전한 역할을 할 수 있는 쉬운 탈출로이다!

간단한 기본 원칙은 그룹 프로세스가 파괴적으로 진행되는 걸 피하게 해준다.

1. 그룹 구성원들의 피드백은 소유되어야(owned) 하고, 균형 잡혀야 하며 구체적이어야 한다.
2. 그래서 그룹 구성원은 자기 자신의 경험에서 말해야 한다.
3. 좋은 충고를 피하라. '만일 내가 너라면 … 이렇게 했을 것'이라고 하면서 설교하는 것, '코치들은 비 지시적이어야 한다.' 등등
4. 그룹 구성원들이 시간의 양과 자기 공개의 수준 양 측면에서 대략 동일한 시간을 나누어 사용하도록 권장할 것

만일 그룹 리더가 항상 답을 가지고 있는 사람이라야 한다는 관점에서 벗어나, 자신의 불안정과 걱정, 자신이 모르는 때를 털어놓을 경우, 사람들은 자기 공개를 더 안전하게 느끼게 된다(Jourard, 1971 참조). 안전한 학습 환경을 만드는 데 기본 원칙이 유용한 것처럼, 2장에서 기술한 바와 같이, 슈퍼바이저는 다중 '뇌'를 사용하여 안전한 환경을 만들어내려고 노력해야 한다고 말하고 싶다. 우리의 이성적인 뇌(신피질)를 사용함으로써, 안전하게 확실하게 이론적 학습이 이뤄지도록 만들수 있다. 대뇌 변연 차원에서는 사람들이 그룹의 일부로 확실히 포함되었음을 느끼기를 원한다. 또한 그룹 구성원들 내에서 무엇이 파충류 같은 응답을 촉발하는지를 모니터링 하고 또한 그룹 내에 존재하는 대뇌 변연 경험을 증대시켜야 한다.

이렇게 의식하면 다른 뇌로는 결코 들을 수 없는 것을 우리가 경청할 수 있게 해준다. 의식은 우리가 '은총의 공간'이라고 부르는 것을 만들게 해준다! 그것은 모든 것에 작용하고 모든 것을 마음에 담아 내며 여러 가닥의 데이터를 처리하고 영향력 있는 방법으로 작용한다고 해서 가능한 것이 아니다. 어느 지점에서, '가고 오도록 놓아두는 것(letting go to let come)'(Scharmer, 2009)이 앞으로 나아가는 가장 창조적인 방법이라는 것을 알게 된다.

동일한 조직에서 내부 코치들을 위한 그룹 슈퍼비전

동일한 조직의 내부 코치들을 위한 그룹 슈퍼비전 프로세스를 만들어내고 계약하는 일은 몇 가지 다른 초점을 맞출 필요가 있다. 독립 코치들로 그룹을 구성하는 것과 이들과의 주요 차이점은 조직상의 요소다. 십중팔구, 당신은 HR 부서에 제안을 해달라고 요청을 받을 것이다. 만일 이게 성공하면 조직상의 이해당사자들이 보고 싶어 하는 성과 및 이를 조직의 구조에 되돌려 주기를 바라는 방식에 관하여 계약을 맺어야 할 것이다.

회사 임원에게 보고할 때 기대되는 비밀 유지의 수준 같이 상대적으로 단순한 이슈들이 있다. 가장 큰 가치를 더할 수 있으려면 코칭은 코칭 프로세스를 통하여 얻은 배움과 통찰력을 피드백할 수 있어야 한다. 만일 코칭이 리더십 개발의 일부이거나 혹은 새로운 비즈니스 전략을 지원하도록 설계되었다면, 코칭에 관심 있는 많은 이해당사자들이 있을 것이며 또한 앞으로 나가기 위한 조직의 준비정도에 대해 드러난 것이 있을 것이다.

조직의 잠재적 이해당사자들

- 코치의 직속 상사
- 내부 코칭을 운영하는 매니저
- HR 임원
- L&D 임원
- CEO
- 이사회 의장

전화 혹은 화상회의 그룹 슈퍼비전

우리는 규모가 크고 글로벌화 된 회사들에게는 코치들의 지리적 확산으로 인해 많은 그룹 슈퍼비전이 행해져야 한다는 걸 알게 되었다. 비록 무경험 슈퍼바이저에게는 전화가 많은 문제점(예: 그룹 구성원들 간에 얼굴 표정 등 신체 언어를 '읽을' 수가 없고,

비언어 상호작용을 볼 수 없는 것 등)이 있는 매체이겠지만, 다른 방식의 인식(예: 듣기)을 선명하게 해주며, 또한 산만함이 없이 지금 말하고 있는 것을 더욱 쉽게 '듣도록' 해주는 것을 안다. 화상회의를 쓰면 비록 모든 방안이 우리에게 개방되지만, 여전히 '떨어져 있음'의 느낌에 대처해야 한다.

그룹 역학관계

그룹에서 활동하는 데는 여러 종류의 행위와 사고 패턴이 있다. 참가자들이 그곳으로 가져오는 개인의 습관 패턴은 제외하고, 그룹 프로세스에 의하여 활성화되는 일반적 패턴을 알아야 한다. 슈퍼바이지가 슈퍼비전 공간으로 가지고 들어온 고객 시스템에 의하여 촉발될 수 있는 패턴들도 역시 있다.

◈ 그룹의 생애주기 역학관계

터크맨(Tuckman, 1965)은 1960년대에 그룹이 업무 기반으로 여정을 시작할 때 그룹이 정례적으로 처하게 되는 일종의 반사적 패턴에 대하여 아주 유용한 관찰을 하였다. 비록 오래된 모델이긴 하지만, 그룹의 개발 방법과 그들이 통과하는 상이한 행동 단계들을 공통 언어로 쉽게 사용할 수 있는 단순함과 인정을 받고 있다(〈그림 10.2〉).

슈퍼바이저로서 그룹의 행동을 이해하는 렌즈로서 터크맨 모델을 사용할 수 있기 때문에 이 모델에 초점을 맞추어 보자. 구성원들이 상호작용하는 방법을 변경할 때, 그 행동이 터크맨의 5단계 그룹 개발의 하나와 관련된 것인지 여부를 체크하는 것은 항상 좋다. 각 단계에서 구성원들의 생각과 느낌을 각 단계에 연관시키도록 슈퍼바이저가 돕는 것도 유용하다.

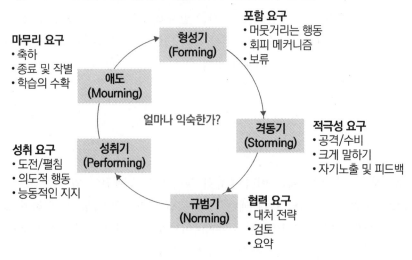

🔖 그림 10.2   터크맨 그룹 생애 주기(출처: B. Tuckman, 1965)

포함 요구
• 머뭇거리는 행동
• 회피 메커니즘
• 보류

마무리 요구
• 축하
• 종료 및 작별
• 학습의 수확

형성기
(Forming)

애도
(Mourning)

얼마나 익숙한가?

격동기
(Storming)

적극성 요구
• 공격/수비
• 크게 말하기
• 자기노출 및 피드백

성취 요구
• 도전/펼침
• 의도적 행동
• 능동적인 지지

성취기
(Performing)

규범기
(Norming)

협력 요구
• 대처 전략
• 검토
• 요약

▪ 형성기

만일 구성원들의 행동이 머뭇거리는 반응이며, 참여하지 않고 물러서 있거나 어려운 문제에 직접 맞붙지 않는 경우들은 그룹이 발달 단계에서 아주 초기 단계에 있음을 알 수 있다.

슈퍼바이저에게 이 단계는 무척 매혹적인 단계일 수 있다. 사람들이 '우러러 보게 되고' 강력한 의존감을 느낄 수 있다. 슈퍼바이저는 이를 자각하여야 하고 그룹에 도움이 되려 하기 보다는 그룹이 중심을 잡도록 당겨야 함을 인식해야 한다.

▪ 격동기

그룹 구성원들이 남들이 자기 말을 들어줘야 한다는 압력을 느끼고 또한 전반적으로 타인의 소란 위에 자기 주장을 내세우기 시작하면, 슈퍼바이저는 사이클의 제2단계로 변화했다는 걸 알게 된다. 격동기는 흔히 갈등과 대립으로 표현된다. 합의되었던 전체 계약에 대해 공공연하거나 은밀한 도전이 있을 것이다. 이러한 도전은 개인이 그룹 프로세스에서 제거되는 데서 개인을 보호한다. 슈퍼바이저로서의 우리는 도전과 논쟁의 초점이 된다. 따라서 우리 자신의 느낌이 그룹 내에서 어떤 일이 일어나고 있는지를 알 수 있는 단서이다. 슈퍼바이저로서 우리가 자신을 비롯한 참가자 각자의 감정적 배선에 대해 더 일반적인 통찰력을 보이는 것은 이 시기이다.

■ 규범기

이 시점이 되면 슈퍼바이저는 그룹의 행동에서 '팀'이 된 것 같은 느낌을 알게 되는데, 여기서 보다 큰 결과를 내기 위하여 함께 일을 하는 것이며, 그들이 무엇을 왜 하는지를 요약할 수 있는 단계이다. 그룹이 상호작용하고 새로운 역할을 창출하는 새로운 기준을 만들어내면서 '내집단'의 느낌이 더 많이 들게 된다. 구성원들은 관찰한 것만이 아니라 개인적이고 진심 어린 것들을 자신 있게 말하게 된다. 이 시점에서 우리들 슈퍼바이저는 자신의 리더십을 전반적으로 유지하는 한편 그룹 구성원에게 그들의 리더십을 탐색하라고 독려할 수 있다.

■ 성취기

이 단계에서 역할은 유연하고 기능적이며, 그룹의 에너지는 개인적 경계를 보존하는 데가 아니라 과업으로 향하게 된다. 슈퍼바이저의 리더십 역할을 포함하는 그룹의 관계적 구조는 과업 성취를 지지하게 된다. 슈퍼바이저와 그룹 구성원들이 손에 전체적인 과업 성과를 들기 위해서 리더십에 몰입되고 생산성에 몰입되는 과정을 밟는다.

■ 애도 혹은 해체

터크맨은 처음 모델을 만들고나서 나중에 '해체' 단계를 덧붙였다. 해산이 가까워진 때인 이 단계는 감정적이고 스트레스가 많다. 상실의 가능성은 우리에게 과거의 상실 경험을 어느 정도 유발시키며, 그래서 만족스럽게 집중하였던 성취기로부터 이 그룹이 없는 삶을 인정하기 시작하는 애절하고도 사색적인 장소로 옮아간다고 말한다. 이것은 슈퍼바이저가 구성원들이 자신과 남을 위해서 좋은 결말을 이루려고 노력하여야 하며 또한 그룹의 삶으로부터 배움을 수확하도록 해야 하는 단계이다.

터크맨은 개인적이기보다는 시스템적인 행동 패턴의 역동을 보여주고 있다. '시스템적인'이라 함은 그룹 내에 누가 있든 발생하는 경향이 있고 또한 서로 함께 일하기 위하여 사람들의 그룹을 정착시키는 기능임을 의미한다. 이것은 조직 구조가 그 구조 안에서 일을 하는 사람들에게 발생시키는 역학관계라고 칭할 수 있다. 패턴 인식의 영역은 오슈리(Oshry, 1996)에 의하여 훌륭하게 쓰여졌는데, 그는 패턴의 전체적인 수준은, 비록 개인에게 '사적' 행동을 유발하긴 하지만, 그게 개인의 역사 때문이 아니라 시스템 내에 자신의 위치에 의해 만들어진다는 걸 보여준다.

> 사람들은 서로에 대한 자신의 반응과 느낌이 서로 간의 실제적이고 상당한 차이에 기반한다고 믿는다. 그들은 자신들의 관계 파탄을 관련당사자들의 개인적 특성으로 돌리거나, 혹은 그룹의 불운한 성격 유형의 혼합 탓으로 돌린다. 그들은 단지 맹인 반사 댄스(dance of blind reflex)에 빠져들었을 뿐이라는 건 모르는 것이다.   (Oshry, 1996: 136)

비온(Bion, 1961), 슈츠(Schutz, 1973), 톰톤(Thornton, 2010) 등 다른 저자들도 그룹 개발과 그룹 역학관계 패턴의 양 단계에 중요한 통찰력을 제공했다.

기존 관계

만일 동일한 조직에서 일하는 내부 코치들 그룹을 슈퍼비전할 경우, 이 그룹 구성원들은 필연적으로 기존 일과 아마도 기존의 사회 관계를 슈퍼비전의 방으로 가져올 것이다. 이것들이 슈퍼비전 그룹 자체 내의 상호작용에 맥락을 만들어낼 것이다. 슈퍼바이저가 공식적으로 인정하지 않으면 이 관계는 슈퍼바이저의 시선 저 아래에 놓일 것이다. 우리는 이 기존 관계를 여기서 굳건하게 하는 방법으로 한 가지 방법을 제안한다. 그룹 구성원들에게 '조각품'을 조성하는 것이라고 소개하면서, 당신이 가장 잘 알고 있는 사람에게 가깝게 위치하라고 요청하는 것인데, 이를 통해 관계의 강도를 보여준다.

내부 그룹 역학관계

대인관계 역학관계는 그룹 프로세스에서 발생하는 구성원 간의 개인적 긴장상태와 교묘함을 덮어버린다. 이러한 역학관계는 보통 힘과 권위로서 개별적인 감정적 요구와 원망(desires)에 초점을 맞춘다. 긴장상태는 특히 '격동' 단계에서 강력하지만 다른 시기에도 나타날 수 있으며, 그룹에서 사람들이 갖는 두려움에도 연결되어 있다; '내가 괜찮은 건가?' '나는 안전한가' '내가 그룹에 영향을 미칠 수 있을까?' '내 뜻대로 할 수 있을까?'

자신을 다른 구성원들과 경쟁적으로 테스트하기를 원하는 구성원들은 타인과 겨누며 경쟁적인 형태를 보인다. '내가 여기에서 최선을 다하고 있나?' '나는 내 고객들을 최대한 돌보고 있나?' '내가 가장 복잡한 고객 이슈를 가지고 온 건가?' '내가 그룹에서 가장 예리하고 통찰력 있는 코멘트를 하고 있나?' 이런 역학관계는 보다 원숙하고 협동적인 관계로 나아가는 데 방해가 될 수 있다.

신규 그룹에서 구성원의 가장 흔한 반사적 반응에는 '한 수 앞서기/한 수 뒤지기 주의'가 있다. 도전으로부터 자신을 보호하려는 미묘한 의도가 있다. '서열'(한 발 앞섬)에서 '좀 더 높게' 자리하려고 적극적으로 노력함으로써 권위 있게 보이고, 따라서 그룹 논의에서 쉽사리 도전 받지 않게 될 것이다. 상호작용의 한 수 아래, 공손한 패턴은 자신이 다른 사람에게 위협이 아니라는 신호를 보내는 것 같다. 알다시피 이러한 것들은 신피질이 아니고 뇌의 변연계 및 파충류적 계통에 있는 정서적 관계 반응이다. 따라서 합리적인 사고와 논의로 접근하기가 훨씬 불가능하며, 슈퍼바이저가 작업을 시작할 때 쉽게 놓치는 것이기도 하다.

또 다른 일반적 역학관계는 '내 것이 네 것보다 더 큼/더 나음/더 중요함'이다. 구성원들 간의 직접적 비교 및 평가 반응은 직접적인 경쟁에 대한 대응일 수 있다. 만일 한 구성원이 끊임없이 다른 구성원들과 대립하며 모든 것에 관한 의견을 갖기를 원하고 남들에 대하여 자신을 격렬하게 방어하고 있다면, 그것을 다루지 않으면 그룹이 '성취기'로 나아가는 것을 막는 패턴으로 존재하게 된다.

❖ 그룹 구성원들과 슈퍼바이저 간의 역학관계

구성원들이 그룹 슈퍼바이저와 상호작용을 할 때, 그러한 패턴들은 약간씩 다르게 나타날 수도 있다. 만일 그룹이 시작될 때 한 사람이 불안하고 초조하게 느끼고 있다면 슈퍼바이저는 어느 정도 그룹 구성원들의 자신감이 도전받고 있음을 느끼게 된다. 슈퍼바이저의 역할과 위치는 인간으로서 우리 자신에게 여러 종류의 더 원시적인 이슈들을 촉발할 수 있다; '저 여자가 그렇다는 걸 누가 생각하겠는가—나는 …에 많은 경험이 있는데…?', '그가 하라는 대로 할 필요는 없지!' '나는 X 방법으로 훈련을 했는데, 그녀는 거기에 대해 전혀 모르는 것 같다!', '저 사람이 아버지처럼 굴어서 싫다.' 같은 구성원 간의 상호작용이 그룹 내의 '서열'에 관한 것인 반면, 리더에 대한 이러한 도전은 누가 그룹을 운영할 권리가 있느냐에 초점이 맞춰져 있다. 신규 그룹에 있어서 이 모든 도전은 역기능적인 것으로, 자신에 관한 유용한 배움이 일어나는 걸 방해하고 팀으로서 일하는 우리의 능력을 차단한다.

슈퍼바이저에 대한 통상적인 도전의 형태는 권위에 대한 도전이다. 우리는 그룹이 확실한 개요를 제시하거나 혹은 그룹이 만나서 초점을 결정하겠다고 확실히 표현하는 상황을 여러 번 보아왔다. 그룹이 출발점에 서 있을 때 슈퍼바이저가 제시한 것에 대한 도전이 존재한다. '나는 당신이 우리에게 무얼 하라고 얘기하는 건 아니라고 생각하며, 우리가 무엇을 할지는 그룹이 결정하기를 원합니다. 이 그룹은 당신에 관한 것이 아니니까요!' 이런 도전은 개인적인 것이 아니라는 점을 이해해야 한다. 비록 그룹의 나머지 사람들이 흥미 있는 패션처럼 바라보고 있는 그 순간에 그렇게 하긴 어렵겠지만. 하지만 이는 그룹 전체로서는 좋은 잠재적 학습 포인트이다.

또 다른 흔한 도전은 슈퍼바이저의 접근 방식에 대한 문제 제기이다. 그룹 구성원들은 이런 질문으로 도전을 시작하기도 한다. '왜 이런 개입(활동)을 사용하는 거죠? 그리고 나서 '저는 X를 하는 게 더 나을 거라고 생각해요.'로 옮겨간다. 이 단계에서 이런 말은 무고하고 도움이 되는 것으로 들릴 수 있다. 그러나 이 역학 관계는 그들이 모든 움직임을 정당화해야 하며 스스로의 능력을 의심하여 자신감을 잃기 시작하는 것처럼 느끼는 지점으로까지 전개될 수 있다. 이는 또한 평행 프로세스의 일부가 될 수 있다. 즉, 구성원들이 무의식적으로 슈퍼바이저도 자신들처럼 회의적이고 확신이 없게 느끼기를 원하는 것일 수도 있다.

또 다른 평행 프로세스의 형태로서, 개별 구성원이 외부에서 실행하면서 분투하던 문제를 그룹으로 가져와서 재연하는 경우가 있다. 슈퍼바이지는 자신의 고객이 자신에게 한대로, 그룹 슈퍼바이저에게 혹은 전체 그룹에게 똑같이 대함으로써 무의식적으로 재생할 수 있다. 항상 늦게 나타난다거나, 도움 되는 제안에 대해 늘 '네, 하지만…'의 형태로 반응하는 것, 자신이 가장 먼저 모든 답을 가지고 있어야 한다는 식의 태도에 이르기까지 그 형태는 다양하다.

그룹 슈퍼비전 테크닉

그룹 슈퍼비전과 관련 있는 기법의 도구상자를 보면 슈퍼비전 그룹의 참여를 촉진하고 그룹의 모든 자원을 활용할 수 있는 다양한 방법이 있다. 아래의 기법들은 모두 상황에 맞게 적용하고 발전시킬 수 있다.

성찰 반응/성찰 팀

아주 간단히 사용할 수 있는 테크닉으로, 한 사람이 고객에 대해 발표하게 하되 시간을 정해준다(예: 5분). 그 다음 슈퍼바이저가 '타임 아웃'을 부르고, 그룹 구성원 각자는 한 가지 질문을 하도록 허용된다. 발표자에게 그 중 어떤 질문이 가장 자신을 생각하게 했는지 질문을 하고, 그에 따라 몇 가지 질의가 이어진다. 이 주제는 다양하게 변화시켜 사용할 수 있다. '만일 이 사람이 내 고객이라면, 나는 …를 생각했을 것이다'라는 질문에 답하도록 구성원에게 요청할 수도 있다.

직관 사용하기(모드 6)

슈퍼바이저는 누군가가 고객에 대해 설명할 때 그룹의 각 구성원에게 그들에게 무엇이 일어나고 있는지를 알아채라고 요청한다. 잘못된 것은 전혀 없다고 설명하라. 예를 들어 배가 고프다거나 초조하다거나 하는 느낌이 드는지를 나타내야 한다. 경험이라도 유효하다. 고통과 같은 신체적 느낌은 아주 중요한 정보가 된다. 그들이 지루하거나 뚜렷한 이유 없이 슬프거나 화나거나 혹은 관심을 꺼버리는 경우 그것들도 역시 유용하다. 우리는 생각과 이미지, 느낌, 신체 감각 혹은 환상을 요청한다. 이런 식으로 프레이밍을 하면 다양한 일이 일어난다. 모든 사람이 참여할 기회를 준다. 이는 서로 다른 경험 양상을 허용한다. 하나의 답변이 다른 것보다 더 낫다고 하지 않는다. 또한 한계를 뛰어넘는 답변을 허용한다. 정의에 의하면 그것은 틀릴 수 없는 것으로, 단지 경험일 뿐이며, 자신의 직관력을 신뢰하라고 격려한다. 그리고 나서 발표자는 모드 6 반응 중 어느 것이 스스로 탐구하는 데 유용한지를 결정한다.

평행 프로세스의 인식(모드 5)

케이스가 발표될 때 그룹 구성원들에게 코치와 슈퍼바이저 사이에서 이 방안에서 무엇을 그들이 경험하고 있는지 알아차리라고 요청하라. 이는 평행 프로세스를 포착할 기회를 만들어낸다(9장 Mode 5 참조). 그룹에서는 일련의 다른 응답이 나오게 되며, 슈퍼바이저의 직무는 발표한 사람으로 하여금 그 중 어느 것이 자신에게 유용한지를 파악하게 돕는 것이다.

브레인스토밍(모드 2)

만일 어느 그룹 구성원이 어려운 상황을 다루는 데 새로운 대안을 만들지 못하고 있는 경우, 슈퍼바이저는 그룹에 브레인스토밍을 요청하도록 제안할 수 있다. 그래서 상황을 다룰 방안들을 할 수 있는 한 최대한 많고 다양하게, 검열이나 판단 없이 브레인스토밍을 진행하는 것이다. 이는 특히 관계에서 발생하는 고착적인 평행 프로세스가 있을 때, 개인과 그룹 양쪽 모두의 창의성을 해방시켜 줄 수 있다. 브레인스토밍 후에 슈퍼바이지에게 자신이 생각하는 가능한 방안 중에서 어느 것이 실험할 가치가 있는지 빨리감기 연습을 이용하여 테스트해 보라고 요청할 수 있다. 그런 다음 그는 그룹 구성원들과 슈퍼바이저로부터 피드백을 받을 수 있고, 그리고 가능성 있는 새로운 개입 방법을 테스트해 보라고 두 번째로 요청 받을 수 있다(빨리 감기 예행 연습에 관한 자세한 내용은 2장 참조).

태그 슈퍼비전(다중 모드)

사용해봤을 때 효과가 아주 컸던 테크닉은 '태그 슈퍼비전'이다. 우리는 이것을 세븐 모드와 함께 사용했다. 한 사람을 슈퍼바이지 역할로 뽑고, 그의 맞은편에 빈 의자를 놓았다. 그리고 나서 그룹의 나머지 구성원 각자에게 모드를 배정한다. 이 훈련은 각 모드를 한 사람 이상이 담당할 수 있을 때 그룹에게 특히 좋다. 슈퍼바이지는(예: '내 고객 X를 데려오고 싶다. 그는 직원에게 하기 어려운 피드백을 하는 일 때문에 엄청난 스트레스를 받고 있다')는 문장으로 시작한다. 퍼실리테이터가 예를 들어 번호 4

를 외치면, 모드 4에 배정된 그 사람은 나와서 빈 의자에 앉고, '이 사람은 당신에게 누구를 상기시킵니까?' 혹은 '이 사람과 함께 있으면 당신은 어떤 경험을 합니까?'와 같은 모드 4 개입을 말한다.

규칙은 한 사람이 손뼉을 쳐서 나가게 하고, 그룹에서 누구든 손뼉을 치고 들어 오게 하는 것이고, 혹은 슈퍼바이저가 손뼉을 쳐서 어떤 모드를 제시할 수 있다. 처음에는 주저하지만, 사람들은 달려들어 개입을 하려는 경향이 있다.

'태그 슈퍼비전'은 여러모로 유용하다. 모드들을 연습하고 남들이 이를 어떻게 이용하는지 볼 기회를 제공한다. 또한 그것이 어떻게 서로 잘 맞는지를 볼 수 있는 기회를 제공한다.

⁞ 이해당사자의 조각기법 및 실행

이것은 그룹 내에서 함께 일하는 코칭 관계에 미치는 시스템의 효과를 탐구하는 방법이다. 코치-고객 시스템의 뉘앙스를 이해하는 것을 돕는 데는 여러 가지 실행 방법이 있다. 슈퍼바이지의 '스토리'를 채움으로써, 그렇지 않았더라면 단지 고객에 대한 이야기만으로 축소될 뻔한 것을 우리는 명확하게 할 수 있다. 발표자는 고객, 코치로서의 그들 자신, 고객의 세계에 있는 주요 이해당사자들의 역할을 맡을 구성원들을 택하게 된다. 그들을 공간적으로 배치하되 각자의 관계에 따라 배치하며, 이야기에 등장하는 그들을 코치가 어떻게 느끼는지 느낌을 나타내는 자세로 배치해본다.

이에 대한 하나의 실례를 보자. 한 코치가 마케팅 부서 매니저인 고객 소피를 슈퍼비전으로 데려왔다. 그녀는 마케팅의 이사가 실적이 저조하다고 평가한 브랜드 매니저 한 사람에 대해 조치를 취하라는 압력을 받았다. 이 회사의 제품은 대부분 지중해 국가에서 판매되기 때문에 경기 침체로 인해 회사가 힘든 상황이었다. 슈퍼비전 그룹 구성원들을 이 상황의 '일부'로 등록함으로써, 슈퍼바이지는 관계의 복잡성을 구체화할 수 있었다. 조각은 소피, 코치(다른 구성원이 역할을 함), 소피의 상사와 브랜드 매니저를 포함시킴으로써 시작되었다. 병합 때문에, 누군가는 집단적인 이사회를 대표했고, 누군가는 고객들을 표방하는 것으로 확대되었다. 결론적으로 이러한 (그리고 더 많은) 시각은 일대일 코칭에 늘 존재하는 것이지만, 늘 아주 명료하게 인식되지는 않는다. 여기서 슈퍼바이지는 오직 고객과 관계된 문제만 보던 데서 어떻게 고객으로 하여금 그가 빠져있는 더 큰 시스템적 패턴을 파악하도록 어떻게 도울지 하는 것으로 인식을 변화할 수 있었다.

개인들이 역할에 '등록'하고 나서는 간단한 롤 플레이가 있었다. 나머지 구성원들은 마치 벽에 붙어있는 파리라고 생각하고 듣는 역할로 등록되었다. 나중에 그 역할에 따른 반응에 대해 피드백을 했는데, 슈퍼바이지는 그들이 말한 것이 믿을 수 없을 정도로 정확한 것에 깜짝 놀랐다.

이 장의 뒷부분에서 슈퍼비전 팀 코칭 일부로서 그림 조각을 사용하는 것을 기술하며, 이러한 것들은 다른 형태의 그룹 슈퍼비전에도 사용될 수 있다.

⋮ TOOTS – 왜 '일'이 발생하나

그룹을 슈퍼비전할 때 때로는 참가자들에게 무슨 일이 생기고 있는지 우리가 확신하기 어렵다. 그런 상황에서는 각자에게 그룹 내 자신의 위치에서 어떤 경험을 하고 있는지 말하도록 허용하는 것이 도움이 된다.

TOOT 즉 '시간 속의 시간(time out of time)'은 베리 오쉬리(Barry Oshry, 1996)가 그의 조직의 역학관계에 관한 그의 작업에서 특히 조직의 삶에서 반사적 행동이 촉발되는 방식을 설명하며 사용한 개념이다. 참가자들이 이 개념의 배경이 되는 사고를 이해하는 것이 중요한데, 간단히 말하자면 갑자기 우리에게 나타나는 무작위적 행동의 경험에 대한 것이다. 베리는 '조직 생활의 제1 법칙'을 '일이 발생한다!'라고 인용했다. 우리 모두가 반사적 행동에 반응함으로써 이 '일'이 발생하는 것이다. 엄청나게 짧은 시간에, 우리는 방금 일어난 일에 대한 이야기를 지어내며, 그렇게 함으로써 남을 평가하고 그들을 악의적이고, 둔감하고, 무능하고, 혹은 이 세 가지 모두라고 묘사한다. 이렇게 함으로써 우리는 이를 개인적으로 받아들이며('그들'은 나를 가만 놔두지 않아!) 화를 내거나 되갚거나 혹은 틀어박히는 반응을 한다. 이것의 결과로 우리는

우리가 하기로 되어 있던 것에 대한 초점을 잃어버리고 그 결과로서 다른 사람들과 파트너가 되는 능력을 상실한다.

이것은 이 '일'이 발생할 때 우리가 빠져드는 반사적 행동이다. 우리가 겪는

변덕스러운 반응에 대한 하나의 모델로서, 이는 단지 그 '일'에 대해 반응하기보다 시스템을 이해할 수 있도록 배경 지식을 제공한다. 오쉬리는 TOOT가 시스템이 여러 시점에서 어떻게 경험되는지에 대하여 시스템/그룹의 모든 구성원이 더욱 명료하게 아는 환경을 만들어낸다고 말한다.

각 참가자는 그룹에서 말을 하도록 격려되며, 그룹 안 자기 위치에서 그룹이 어떻게 느껴지고 보여지는지 자신의 경험에 관하여 말을 하도록하는 것이다. 말하는 데 기본 규칙은 다음과 같다.

- 스토리는 안 됨!(일어난 일과 그것에 대한 당신의 해석을 장황하게 늘어놓지 말 것)
- 우리를 위해 그림을 그려라(정말로 일어난 일에 대하여 진심을 가지고 말하라)
- 우리가 당신의 세계를 이해할 수 있게 도와줄 책임을 져라

슈퍼바이저는 개방성과 솔직함을 높이기 위한 여러 테크닉을 사용해서 공개적으로 말을 해도 될 만큼 안전하게 느낄 수 있게 해야 한다.

그룹 슈퍼비전의 스타일

그룹 구성원들이 아주 경험이 많지 않다면, 슈퍼바이저를 행동의 역할 모델로 생각하기가 아주 쉽다. 그래서 그룹에서 제시된 자료에 슈퍼바이저들이 어떻게 반응하느냐는 아주 중요하다. 그들은 특정 반응 방식의 모델이 될 수도 있고 혹은 반응하는 방식은 아주 다양하다고 설명하며 더욱 다양한 반응을 북돋을 수도 있다(9장 참조).

〈그림 10.3〉에서 4개의 사분면을 통해 그룹 슈퍼비전의 여러 스타일을 설명한다. 사분면 A에서는 그룹 슈퍼바이저가 그룹을 보다 방향을 제시하는 식으로 리드하며 그룹 프로세스에 강력한 초점을 맞추어 리더십을 발휘한다. 사분면 B에서는 슈퍼바이저가 중앙 위치에서 리드하는데, 초점은 고객 및 다루는 사례의 내용에 좀 더 맞추어져 있다. 또 여기서는 슈퍼바이저가 리드하기는 하지만 그룹 구성원들이 스스로의 아이디어를 더욱 탐구해나간다. 사분면 C에서는 그룹이 좀 더 리더십을 발휘하며 사례의 내용에 강력하게 초점을 맞춘다. 사분면 D에서는 그룹

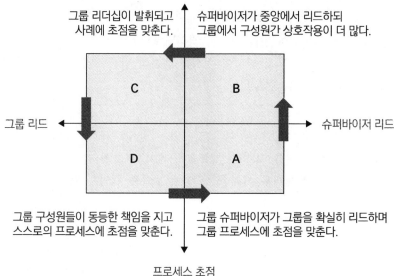

▱ 그림 10.3   **그룹 슈퍼비전 스타일들의 모델(Hawkins and Shohet, 2012)**

그룹 슈퍼비전의 스타일

고객 초점

그룹 리더십이 발휘되고   슈퍼바이저가 중앙에서 리드하되
사례에 초점을 맞춘다.   그룹에서 구성원간 상호작용이 더 많다.

그룹 리드 — 슈퍼바이저 리드

C   B

D   A

그룹 구성원들이 동등한 책임을 지고   그룹 슈퍼바이저가 그룹을 확실히 리드하며
스스로의 프로세스에 초점을 맞춘다.   그룹 프로세스에 초점을 맞춘다.

프로세스 초점

은 책임을 지고 스스로의 프로세스에 더 초점을 맞춘다. 여기서 슈퍼바이저의 역
할은 다른 참가자와 더 평등하게 주어진다.

각 사분면은 잠재적 그림자 측면을 가지고 있는데, 특히 슈퍼비전 그룹이 단
한 가지의 스타일에 고착될 경우에 그렇다. 사분면 A 그룹은 구성원들의 개인적
요구를 주로 다루면서 고객 이슈를 무시한 개인 개발 그룹으로 변질될 가능성이
있다. 사분면 B 그룹은 그룹 슈퍼바이저가 자기 전문성을 내세우며 구성원들의
의존을 만들어내는 슈퍼바이저를 위한 장으로 전락할 수 있다. 사분면 C에 고착
된 슈퍼비전은 그룹 구성원들이 '만약 내가 당신이었다면 …' 해법으로 서로를 능
가하려고 하면서, 조언하는 경쟁적 동료가 될 가능성이 있다. 사분면 D 그룹은
지나친 담합적인 동료 지원 그룹이 될 수 있으며, 사분면 A 그룹처럼 내부지향적
이 되면서 외부 과업은 잘 관리하지 못하는 그룹으로 될 수 있다.

좋은 그룹 슈퍼비전은 개발 단계의 요구에 맞게 이 모든 분야를 유연하게 움
직일 수 있어야 한다. 보통은 슈퍼비전 그룹이 형성 및 계약 단계에서는 사분면
A로 시작하였다가 과업에 집중하기 시작할 때 사분면 B로 움직이며, 그리고나서

그룹이 좀 더 성숙해지고 스스로 책임을 질 때 점차적으로 사분면 C와 사분면 D를 통합한다. 하지만 슈퍼비전 그룹은 일단 잘 시작이 되면 4사분면 전체를 순환하게 되고, 어느 하나의 그림자 측면에 빠져들지 않을 것이다.

동료 슈퍼비전

이 섹션은 호킨스와 쇼헷(Hawkins and Shohet, 2012)의 유용한 가이드라인에서 파생된 것으로서, 동료 슈퍼비전 그룹을 만들려고 하는 코치, 멘토, 컨설턴트가 활용할 수 있을 것이다.

우리 코스에 온 많은 전문가들이 자신들의 직속 상사가 슈퍼비전할 시간도 없고 능력도 부족해서 좋은 슈퍼비전을 받지 못했다고 불평했다. 놀랍게도 그들은 동료 슈퍼비전이 가능하다는 것은 생각조차 하지 않았다.

우리는 코치와 컨설턴트 일, 둘 다를 위한 동료 슈퍼비전을 만들었다. 저자 중 한 사람은 두 명의 경험 있는 코치와 함께 3인조 동료 슈퍼비전 그룹을 만들었다. 각 세션마다 3인 중 한 명씩 차례로 슈퍼바이저가 되고, 다른 두 사람은 각각 40분의 슈퍼비전을 받는 식이었다. 각자에 대한 슈퍼비전을 마치고 나서, 슈퍼바이지들은 슈퍼바이저와 함께 '도움이 되었던 것', '어려웠던 것'은 무엇인지 성찰을 나누었다. 그 다음으로 관찰자 역할을 한 세 번째 구성원은 슈퍼바이저에게 피드백을 하는데, 긍정적인 면과 부정적인 면을 모두 포함한 피드백이다. 이 방식은 코칭에 관한 슈퍼비전도 받고, 슈퍼비전 받은 방식에서 성찰과 배움을 가져온다는 점에서 그들의 요구를 충족시켰다.

동료 슈퍼비전은 니즈나 접근법, 전문성의 수준이 비슷한 사람들 간에 개별적으로 상호간에 할 수도 있고, 혹은 그룹을 만들어 할 수도 있다. 당신의 일터뿐 아니라 유사한 일터에서 혹은 다른 환경에서 일하는 사람들에게서도 동료 슈퍼바이저를 찾을 수 있다. 우리는 많은 직원들이 그들 자신의 동료 슈퍼비전 시스템을 만들어내도록 돕고 있다. 여기에는 우리의 코칭 슈퍼비전 훈련에 참여한 교육생과 고위 HR 리더 및 조직 컨설턴트들이 포함된다.

동료 슈퍼비전 그룹을 형성하는 방법

동료 슈퍼비전은 많은 위험을 갖고 있는 것은 분명하지만 적절하게 조직된다면 이점도 많다. 동료 슈퍼비전이 갖는 이런 위험을 피하기 위해 다음사항들을 권장한다.

그룹을 만들 때 가치를 공유하되 접근법이 다양한 그룹 형성을 시도해 보라. 합리적으로 공유되는 언어 및 신뢰 시스템 내에서 함께 이야기하는 것이 중요하긴 하지만 만약 그룹원 모두가 동일한 교육을 받고 일 스타일도 비슷하다면 그 그룹은 폭 넓은 시각이 부족하고 결착하게 될 가능성이 있다.

그룹은 7명보다 많아서는 안 된다. 또 모든 구성원들의 요구를 충족시키기에 충분한 시간을 확보해야 한다. 7명이긴 하더라도 그들 모두가 슈퍼비전을 받을 대상 고객이 아주 많다면 그것도 그리 좋지 않다.

분명한 다짐이 있어야 한다. 그룹 구성원들이 해야 한다는 의무감에서 참여하면 이는 헌신하겠다는 다짐이 아니다. 구성원들이 슈퍼비전 미팅에 대해 반감이 있다면 이를 공유하도록 장려해야 하며, 어떻게 슈퍼비전 그룹을 피하거나 사보타지하는지도 공유해야 한다. 예를 들어, 한 구성원이 더 힘든 일 때문에 너무 바빠질 것 같다고 그룹에 경고를 할 수도 있고, 또 다른 구성원은 자신의 패턴은 심한 두통으로 나타난다고 말할 수 있다.

회의 장소와 빈도, 시간 한계, 비밀유지, 시간 배정, 프로세스 관리 방법에 관하여 구체적으로 계약을 맺어라. 어떤 구성원이 슈퍼비전을 위하여 내놓은 고객을 다른 구성원이 아는 사이일 경우 이를 어떻게 다룰지 입장이 명확해야 한다. 그 고객에 대해 논의하는 동안에 그 아는 구성원이 그룹에서 나가 있을지, 혹은 코치가 그 고객에 대한 슈퍼비전을 다른 곳에서 해야 한다고 생각하는지?

기대사항을 명확히 하라. 어떤 구성원은 다른 사람들이 괜찮다고 생각하는 것보다 훨씬 더 많이 자신의 개인적 프로세스에 주목해주길 기대할 수 있다. 어떤 사람은 모든 고객과의 작업이 그룹에 의하여 다뤄지기를 기대할 수도 있고, 또 다른 사람은 다른 곳에서 개별 슈퍼비전을 받을 수도 있다. 어떤 사람은 다음에 무엇을 할지에 대해 아주 많은 조언을 기대하며, 또 어떤 이들은 롤 플레이나 기타 체험적 테크닉의 사용을 기대한다. 혹시 숨겨져 있는 그룹의 아젠다가 있는지 찾아보도록 하라.

역할 기대에 대하여 명확히 하라. 누가 시간 엄수를 담당하고 누가 끼어드는 방해요소를 처리할 것인가? 누가 방을 정리할 것인가? 한 사람이 매번 퍼실리테이터 역할을 주로 맡을 것인가, 아니면 그룹 프로세스에서 자연스럽게 정해지도록 할 것인가?

매번 미팅 때마다 별도의 시간(단지 5 내지 10분)을 떼어놓고 슈퍼비전 프로세스가 각자에게 어떠하였는지 피드백을 나누라. 여기서 감사함과 억울함 같은 감정도 표현될 수 있다.

3개월마다 리뷰 세션을 갖기로 계획해 두라. 그때 모든 구성원들이 그룹 내 자신의 역할에 관한 피드백을 받고, 그룹의 역학관계를 살펴보게 되고, 계약을 조정할 수 있다. 항상 다음과 같은 기본 규칙을 마련하라. '구성원들은 직접적이고 균형 잡힌 그리고 진심어린 피드백을 해야 한다. 잘난 체하는 조언은 피한다. 시간은 공평하게 나누어진다.'

세션을 시작할 때는 누군가 니즈가 있는 사람부터 시작하거나 혹은 고정된 순서 시스템을 갖든지 하라. 자신이 공유하고 나면 그룹이 어떻게 해주길 원하는지 분명히 하도록 모든 구성원을 격려하라. 그냥 들어주기를 원하는지, 피드백을 주기를 원하는지, 역전이를 탐구하게 해주길 원하는지, 아니면 다음에 어떻게 진행할지에 대해 여러 대안 중 하나를 선택하기를 원하는지? 만일 그 사람이 무엇을 원하는지 모를 경우에는 이런 질문이 도움이 되기도 한다. '오늘 이 특정 이슈를 가져오게 된 계기는 무엇이었습니까? 혹은 '이 케이스와 관련하여 당신이 원하는 것은 무엇입니까?'

'비공식적 시간'에 대하여 결정하라. 보통 미리 사교를 위한 비공식적인 시간을 미리 정해두지 않으면, 서로의 소식을 나누고 남의 가십거리를 얘기하고, 개인적인 접촉을 하게 되는 데 이는 그룹의 다른 과업을 방해할 수 있다. 어느 동료 그룹들은 슈퍼비전 그룹의 시작할 때 또는 마칠 때 짧은 사교시간을 잡아둔다.

팀 코칭을 슈퍼비전하기

그룹 슈퍼비전은 팀 코칭을 슈퍼비전하기에 아주 좋은 환경을 제공할 수 있다. 팀 코칭이 본래 그 성격상 그룹 역학관계 및 그룹 프로세스와 관련이 있기 때문이다. 팀 코칭을 슈퍼비전하는 것은 그룹 슈퍼비전에 추가적인 도전이 되는데, 팀 코치는 광범위한 시스템적 맥락 안에 존재하는 팀과 일하는 데 있어서 그들이 알아야 할 데이터의 양과 프로세스의 수준에 압도되는 느낌을 받을 수 있다. 그러면 슈퍼바이저는 이 프로세스를 더 진행하여 제출된 데이터로 슈퍼비전 그룹을 압도할 수가 있다. 피터는 그의 책 리더십 팀 코칭(Hawkins, 2011: 173-5)에서 팀 코칭을 슈퍼비전하는 새로운 방법론을 제시했는데, 이는 엄격한 규율을 통하여 그런 위험을 다스리는 것이다. 여기에 그 방법론을 약간 수정하여 제시한다.

코칭 슈퍼비전 모델

1단계: 계약 맺기

프로세스를 시작할 때 팀 코치/슈퍼바이지에게 그들이 이 팀에 대한 슈퍼비전에서 무엇을 원하고 요구하는지를 질문하는 것이 중요하다. 시작할 때 질문은 마칠 때를 염두에 두고 그들에게 '이것이 당신과 팀, 고객 조직에게 성공적인 슈퍼비전이 되려면, 이 세션이 끝날 때 무엇을 성취해야 한다고 생각하십니까?'라고 하는 것이 가장 유용하다. 그리고나서 '성공을 성취하기 위해서 슈퍼바이저로서나 자신에게서, 그리고 다른 슈퍼비전 그룹 구성원에게서 당신이 가장 필요로 하는 것이 무엇입니까?'를 물어본다.

이 두 가지 질의에서 무엇이 나오든 그것이 앞으로의 프로세스에서 균형있게 집중할 것임을 알린다. 그리고 프로세스를 마칠 때는 세션을 위한 계약 목표들을 확인하고 그것이 어떻게 다루어지고 충족되었는지를 점검하면서 마칠 것이라는 점도 알려준다.

2단계: 상황 설정

팀 코치에게 1분 이내에 자신이 어떤 종류의 팀과 일하고 있는지와 그 팀에 관한 간단한 데이터를 제시하도록 요청한다. 이 시간 제한은 팀 코치들이 듣고 흡수해서 압도되는 느낌을 가졌던 것처럼 그룹 역시 모든 데이터에 의하여 압도되는 느낌을 갖게 되는 통상적인 평행 프로세스를 방지해준다.

3단계: 역학관계 탐구

만일 플립차트가 있으면, 거기에 팀 코치가 심볼, 이미지 및 색상을 사용하여 우선 팀 구성원들을 그리고, 그들 간의 관계, 팀을 둘러싼 이해당사자들을 상징적으로 표현하는 게 유용하다. 이는 그림 조각기법의 한 형태이다.

- **개인들**: 심볼 혹은 이미지를 사용하여 팀 구성원 각자를 그리고 종이 가운데에 상호간의 관계에 따라 공간적으로 배치하시오.
- **대인관계**: 개인들 간의 공간에서 무엇이 발생하는지를 그리시오.
- **팀 역학관계**: 이것은 다음을 물음으로써 이끌어낼 수 있다. '만일 이 팀이 음악 작품이라면, 음식이라면, 지리적 장소 등등이라면, 어떤 것일까?
- **팀의 미션 및 의도**: 현재 달성하지 못하고 있는 팀의 소원/요구/염원은 무엇인가? 당신은 이 집단적 노력을 상징적으로 그릴 수 있겠는가?
- **이해당사자의 참여**: 이제 팀이 함께해야 하는 주요 이해당사자들을 그리고, 그 관계의 성격을 묘사해보라.
- **더 광범위한 시스템적 맥락**: 더 광범위한 시스템적 맥락에 팀이 만들어내기를 원하고/바라고/염원하는 변화는 무엇인가? 또한 그들이 보고 싶어하는 변화 그 자체가 되기 위해서 팀 내에서 변화해야 할 것은 무엇인가?

▪ 4단계: 3자간의 계약과 의도를 명확히 하고, 또한 코칭 연속체의 어느 부분에 집중해야 할지를 결정

1. 팀 코치는 집단적인 팀의 역할을 하도록 요청을 받으며, 그리고 팀으로서, 팀 코칭과 팀 코치에게서 무엇을 원하고 요구하는지를 말한다.
2. 그 다음 팀 코치는 자기 자신으로 되돌아와서 이 팀과 함께 일하는 그들의 의도/관심/투자에 대하여 말하도록 요청을 받는다.
3. 그 다음에, 그들은 옆으로 비켜나고, 팀이 존재하는 좀 더 광범위한 조직 혹은 시스템의 역할을 시작하도록 요청을 받는다. 이 역할에서 그들은 더 광범위한 조직 및 광범위한 이해당사자 시스템이 팀 코칭에게 무엇을 원하고 요구하는지를 말해달라는 요청을 받는다. 그들은 조직이 묵시적 혹은 명시적으로 바라는 투자 수익률에 관한 견해를 질문 받을 수도 있다. 또한 팀이 보고하는 고위 구성원들이 팀 코칭의 프로세스와 결과에 어떻게 관여하기를 원하는지에 대하여 질문을 받게 될 수도 있다.

▪ 5단계: 팀과 팀 코치에서 요구되는 변화의 개발

팀 코치는 처음 3단계에서 발견한 바에 근거하여, 아래 질문에 답하도록 권유 받는다.

- 모든 당사자들의 염원을 충족시키기 위하여 팀에서 요구되는 변화는 무엇인가?
- 팀과의 관계에서 요구되는 변화는 무엇인가?
- 팀 코치로서 팀이 변화해야 할 것은 무엇이고, 그럼으로써 고객에게서 보고 싶은 변화는 무엇인가?
- 그들이 구체적으로 약속할 것은 무엇인가?

이 프로세스에서 팀 코치를 체화된 학습으로 옮겨가도록 도와주는 것이 중요하다(1장 참조). 이것은 코치가 다음에 팀을 만날 때 쓸 가장 중요한 말을 예행 연습하는 것일 수도 있고, 혹은 자신 속의 역학관계를 변화시키기 위해 올바른 감정 상태를 찾고 실행하는 것일 수도 있다.

6단계: 리뷰

슈퍼비전의 마지막에는 처음의 계약으로 돌아가서 세션에서 무엇이 가장 도움이 되었는지, 팀과의 작업 및 학습을 위해 더 도움이 될 수 있었던 것이 있다면 무엇인지를 돌아보는 게 중요하다. 슈퍼바이지, 슈퍼바이저, 슈퍼비전 그룹이 자신들이 한 것을 확인하고, 지속적으로 배우고 팀 코칭을 슈퍼비전하는 집단적 능력을 향상시킬 것임을 확인하는 것이 중요하다.

결론

그룹 슈퍼비전은 개별적 슈퍼비전보다 제공할 수 있는 학습 기회와 관점의 다양성 면에서 분명히 많은 이점이 있다. 또한 잠재적인 위험도 가지고 있다. 그룹 슈퍼바이저는 그룹 역학관계를 알아야 하고 그것을 다뤄야 하기 때문에, 그룹 리더십과 역학관계 안에서 훈련받을 필요가 있다. 또한 동료 그룹은 그들 자신의 프로세스를 다루는 시스템을 필요로 하며, 그럼으로써 변질 혹은 방해 없이 건강한 방식으로 슈퍼비전의 과업을 지원할 수 있다.

그룹에 사용되는 슈퍼비전의 모드는 슈퍼비전 받고 있는 대상을 반영하여야 하며, 따라서 그룹 슈퍼비전의 형태는 그룹 혹은 팀 코칭에 대해 슈퍼비전 받는 사람들에게 더할 나위 없이 적합하다. 또한 그룹 슈퍼비전이 개인의 개별적 작업에 대한 성찰과 시각을 넓히는 데 유용하긴 하지만, 심도 있는 개별 코칭이나 멘토링의 경우에 그룹 슈퍼비전은 개별 슈퍼비전을 대체재라기보다는 보완재라고 추천한다. 여기에 예외적인 경우라면, 아주 경험 많은 전문가에게는 동료 혹은 그룹 슈퍼비전이 개별적 역량에 의해서만이 아니라 셀프 슈퍼비전의 통합된 형태로서 아주 적합하다고 할 수 있다.

제11장 | 컨설턴트 팀에 대한 그림자 컨설팅

소개

10장에서 그룹과 팀에 대한 슈퍼비전을 살펴보았다. 팀 슈퍼비전이 진행되는 가장 흔한 형태가 같은 고객을 컨설팅하는 조직 컨설턴트 팀에게 그림자 컨설팅을 하는 것이다. 그림자 컨설팅은 조직개발 분야의 코칭 슈퍼비전과 조직 컨설턴트 슈퍼비전과 병행적으로 개발되었다.

그림자 컨설팅

'그림자 컨설팅'이란 용어는 1974년 마잔 슈로더(Marjan Schroder)가 처음으로 다음과 같이 정의했다.

> '그림자 컨설턴트'란 용어는 동료의 요청에 따라 일련의 상호 토론의 수단으로서 컨설턴트를 말하며 사회 과학적인 접근 방식을 활용한다. 이 '그림자 컨설턴트'는 특정 과업을 평가하고 필요시 그에 맞게 진단이나 전술, 역할을 변경하는 데 도움을 준다.

그림자 컨설팅에 관한 이러한 초기의 정의는 이 분야에 문호를 개방하고, 컨설턴트를 위한 코칭 및 슈퍼비전 방법 탐구를 시작하는데 매우 도움이 되었다.

1970년대부터 그림자 컨설팅이 여러 곳에서 개발되었다. 특히 빌 크리츨레이(Bill Critchley) 및 데이비드 케이시(David Casey, 1993), 애슈리지 경영대학원(Ashridge Management College)의 에릭 드 한(Erik de Hahn, 2012: 4장) 및 데이비드 버치(David Birch), 미국의 로저 해리슨(Roger Harrison, 1995), BCG 동료들과 함께 한 피터 호킨스(Peter Hawkins, 1993) 등이 주목할 만하다. 이후 1986년부터 그림자 컨설팅은 우리가 수행하는 실무의 핵심 기능이 되었다.

BCG에서 우리는 슈로더의 정의가 너무 제한되어 있음을 알았다. 그것은 제시된 문제를 평가하고 더 나은 접근법을 찾아내는 데 중점을 두고 있기 때문이다.

우리는 경험을 통해서, 컨설턴트에 대한 가장 효과적인 슈퍼비전은 제시된 문제에 초점을 덜 맞추고, 그들이 하고 있던 작업을 중심으로 시스템의 일부로서 컨설턴트를 좀 더 많이 살펴보아야 한다고 제안한다. 그림자 컨설팅이 시스템에 가장 크게 영향을 줄 수 있는 부분은 실제로 이 방 안에 있는 부분, 즉 바로 컨설턴트들이다. 그곳에서 그림자 컨설턴트는 컨설턴트들이 고객 시스템과 자신의 관계 변화를 가져오기 위하여 그들 자신의 변화를 위해 무엇이 필요한지 탐색하도록 돕는다. 고객 시스템과 자신의 관계가 변화하면 그 결과 고객 시스템 자체가 변화된다.

이것의 일환으로 그림자 컨설턴트는 컨설턴트들이 고객 시스템으로부터 흡수한 방대한 데이터를 침착하게 성찰하는 공간을 제공할 수 있다. 그러나 그것은 직접적인 인식 밖에 있거나 심지어 무의식에 묻혀버릴 수도 있다. 종종 고객이 당신에게 직접적으로 말할 수 없는 것도 당신은 느낄 수도 있다. 그러므로 그림자 컨설턴트의 일은 고객 시스템의 처리되지 않은 역동을 처리하게 하고 말로 표현하게 하는 것이다.

문제 해결에 치우친 접근법과 구별하기 위해, 우리는 그림자 컨설팅의 심화된 형태를 '시스템적 그림자 컨설팅'으로 부르기 시작했다. 그리고 이를 다음과 같이 정의했다:

> 그림자 컨설턴트의 도움을 받아 컨설턴트(또는 컨설턴트 팀)에 의해 진행되는 과정으로, 경험이 있지만 고객과 직접 일하지 않는 그림자 컨설턴트는 고객/컨설턴트 시스템의 일부로서의 고객 시스템 및 컨설턴트들을 더 잘 이해하기 위하여 그 진행 과정에 참여한다. 시스템적 그림자 컨설팅이

더욱 성공적이기 위하여, 컨설턴트(들)이 그들 스스로가 변화해야 하는 필요성과 고객 시스템과의 관계, 그리고 고객 시스템 안에서의 관계 등의 사이에서 상호 연결에 초점을 맞춘다. 또한 그림자 컨설팅 시스템이 진행되는 과정에서 병행하여 무슨 일이 일어나고 있는지 주의를 기울이게 된다.

이 모델을 개발하기 위하여 우리는 인류학, 심리 치료, 가족 치료 등 다른 전문 영역을 함께 참고하였다(Hawkins and Miller, 1994). 가족 치료는 특히 지난 20년 동안 뿌리 깊이 길들여진 가족 패턴을 변화시키는 난제와 씨름해왔다. 개별 치료사가 가족 역동의 그물망에 잡혀서 가족 병리의 또 다른 증상이 되어버리는 것도 보게 되었다. 심지어 무슨 일이 일어나고 있는지에 대한 가족의 양극화된 인식으로 인한 가족의 갈등이 공동 치료사 간에 재연되며 가족 시스템을 바로 복제하는 경우도 있다. 이런 문제의식은 가족 치료 접근법이 시스템적으로 되게끔 이끌었고, 한 사람의 치료사는 가족과 밀접하게 관련을 맺는 한 편, 한 명 이상의 다른 치료사가 일방 거울 뒤에서 과정을 지켜 보면서 적절한 때에 방 안에 있는 치료사와 전화로 통화하면서 질문으로 개입하고 재구성하도록 이끄는 것이다. 이 과정에 대한 또 다른 이미지는 바다 속에서 매립물을 탐사하는 다이버이다. 탐사하는 동안 바다 수면 위 보트에 있는 사람들과 무선으로 통화하는 이미지이다.

우리가 개발한 접근 방법은 다음의 사항을 다루기 위하여 세븐 아이 모델(9장 참조)을 사용해왔다.

- 고객 조직의 역학(모드 1)
- 컨설팅 팀에 의해 수행되는 개입 및 프로젝트(모드 2)
- 컨설팅 팀과 고객과의 관계에서 역동적으로 일어나고 있는 것(모드 3)
- 컨설팅 팀의 운영 방법 및 팀 역학(모드 4)
- 시스템적 그림자 컨설팅 세션에서 팀과 그림자 컨설턴트 사이에 생생하게 일어나는 것 및 고객과 또는 고객 안에서의 관계의 역학을 병행하는 가능한 방법(모드 5)
- 그림자 컨설턴트들 내부 및 사이에 어떤 일이 떠오르는지 밝히는 것(모드 6)
- 보다 넓은 시스템 역학과 그것이 일에 미치는 영향 살펴보기(모드 7)

우리는 컨설팅 작업에 이 방법을 사용해오고 있다. 컨설팅 조직 및 전문 서비스 기업과 넓은 범위에서 같이 일해 왔으며, 핵심 고객사에게 그림자 컨설턴트를 제공하는 일 뿐 아니라 그림자 컨설팅을 도입하고 훈련하는 일을 해 왔다.

고객 팀의 그림자 컨설팅

우리는 한 주요 글로벌 컨설팅 회사의 도움 요청을 받아 방법론을 개발하게 되었다. 그들은 세계적인 변혁적이고 급진적인 변화에 대한 그들의 접근 방식을 개발하는 데 도움을 원했다. 우리는 그들과 함께 고객사의 현재 및 최근의 대규모 변화 프로그램을 탐구해나갔다. 우리는 무엇이 변혁적 변화의 규모와 속도를 가장 많이 제한하는지를 살펴보았다. 그러면서 반복적으로, 컨설팅 팀의 프로세스와 컨설팅 팀이 어떻게 고객 시스템의 문화적 장애와 역학을 복제하기 시작하는지를 보게 되었다.

우리는 컨설팅 팀에게 정기적인 시스템적 그림자 컨설팅을 구축하지 않고서는 컨설팅이 정말로 효과적인 기업의 변혁적 변환이 일어나게 하지 못할 거라고 확신시켰다. 그 이후 이 회사에서 팀에게 그림자 컨설팅 프로세스를 여러 번 수행하면서 우리의 믿음을 확인할 수 있었다. 우리는 25명의 컨설턴트로 구성된 한 팀과 함께 일했다. 이 팀은 고객 조직의 주요 비즈니스 프로세스 재설계 및 비용절감 실천에 대한 책임을 맡고 있었다. 작업의 범위 지정 및 설계는 정말 잘 진행되었다. 그러나 독립된 하위 비즈니스에 대해 일하면서부터 작업은 점점 더 스트레스가 되었다.

팀 리더들은 하위 비즈니스 팀이 본부가 정보를 계속 공유할 수 있도록 진행상황에 대한 정확하고 시기적절한 데이터를 제공하지 않는 데 화가 나 있었다. 팀구성원들은 리더에게 분노해 있었고, 자신들을 지원하지 않는다고 느꼈다. 그들은 팀 리더가 본사 사람들의 고객만족 유지에만 관심이 있고, 그래서 팀 리더들만 고객으로부터 좋은 평가를 받고 있다고 생각했다.

전체 컨설팅 팀 미팅 첫 날 모두가 있는 자리에서 충돌이 재연되었다. 담당파트너는 본사에서 프로젝트 담당이사를 만나야 하기 때문에 점심시간까지 도착하기가 어렵다고 전해왔다. 그러자 다음 같은 격한 말들이 나왔다. '그는 우리에게 관심이 없어, 우리가 일을 해내도록 도와주는 데는 관심이 없어, 단지 윗사람

에게 잘 보이는 것에만 신경을 쓸 뿐이야.'

담당 파트너가 팀 미팅에 도착했을 때, 그는 팀 전체가 화가 나 있고 분위기가 가라앉아 있다는 걸 알았다. 그래서 그는 리더십을 발휘하여 윗사람들이 어떻게 긍정적으로 프로젝트를 보고 있는지 말하면서 팀 분위기를 끌어올리려 노력하였다. 그러나 팀 구성원이 화가 더 많이 나게 할 뿐이었다. 리더와 조직 최고 경영진이 진정한 변화가 아닌 겉에 보이는 현상에 관심을 보이고 있을 뿐이라고 더 확신하게 되었기 때문이다.

우리가 시스템적 그림자 컨설팅을 적용하면서 프로세스의 엉클어진 매듭을 풀기 시작하자, 컨설팅 팀이 고객 시스템과 평행적으로 프로세스를 재연하고 있다는 게 점점 더 명확해졌다. 고객 조직의 전형적인 패턴은 기업 관리본부로부터 시작하는 변화이다. 아주 괜찮고 많은 분석 및 설계로 변화를 시도하지만 개별 사업부서에서의 구현하는 단계에서는 문제에 직면하게 된다. 사업 부서는 관리본부를 신뢰하지 않았고, 변화가 필요하게 만드는 문제를 수용하지도 않았다. 그들은 관리본부가 제시하는 변화 프로세스가 지원은 없고 요구만 있다는 걸 알았다. 그런 연유로 데이터를 제공하지 않거나 요청에 응답하지 않음으로써, 더 극단적으로는 진행상의 데이터를 위조함으로써 저항을 표시한 것이다. 이는 기업의 관리본부가 강하게 밀어붙이고 위압적으로 더 많이 요구하기 때문일 것이다.

그와 동일한 프로세스가 이제 컨설팅 팀에서도 일어나고 있었다. 컨설팅 팀은 그들에게 평행 프로세스가 있음을 인식해야 했다. 비난하지 않고 호기심을 가지는 방식으로, 고객 시스템에 시스템적 패턴으로 참여하기 위하여 그걸 인식해야 했다. 변화가 뿌리 깊은 저항에 부딪힐 때는 세게 밀어붙일수록 어려움은 더 가중된다.

대형 과제를 맡은 팀에서 시스템적 그림자 컨설팅을 수행하기 위해서는 경험이 있는 시스템적 그림자 컨설턴트가 최소한 두 명이 요구된다. 이러한 컨설턴트는 그 모델에서 훈련이 되어 있어야 할뿐만 아니라 팀 역학을 이해하고 촉진할 수 있어야 한다.

⦂ 고객팀 개발

시스템적 그림자 컨설턴트는 고객담당 팀과 함께 진행하는 관계로서 팀 코치 역할을 할 수도 있고, 고객 시스템과의 관계를 개발하는 데에 도움을 줄 수도 있다. 고객담당 팀 코치의 역할과 전문 서비스 기업의 수많은 글로벌 고객 팀에서 시스템적 그림자 컨설턴트의 역할을 결합해본 이와 같은 경험을 통해 우리는 '고객 변혁' 모델을 개발했다(BCG, 1999; Hawkins, 2011a).

〈그림 11.1〉에서 고객 변혁 모델은 고객과의 네 개의 잠재적 관계 역할 유형을 식별한다.

⌗ 그림 11.1 **고객 변혁 모델: 새로운 역할**

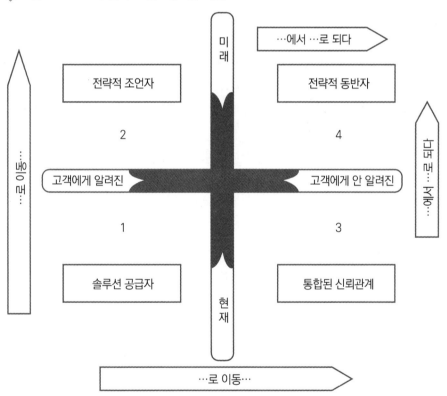

* **솔루션 공급자**는 고객이 알고 있는 현재의 요구 영역이며, 공급자로서 당신에 의해 전달되는 영역이다. 이 영역은 종종 구매 부서가 엄격하게 명시한 경쟁 입찰을 통과해야 하는 작업영역이기도 하다.
* **전략적 조언자**는 고객이 알고 있고 기대하는 미래의 요구 부분이며, 그 분

야의 트렌드에 대한 전문 지식을 더해줌으로써 고객의 미래 전략에 가치를 부여하는 부분이다.

- **통합적 신뢰**는 현재의 패턴과 프로세스, 문화와 요구가 존재하는 곳으로, 고객 시야에서는 숨겨진 사각지대이다. 이는 열정을 가지고 찬찬히 봄으로써 드러나는 영역이다. 그래서 고객이 원래 예상하지 않았던 영역에서 가치를 더해주는 걸 경험하게 한다.
- **성과 파트너**는 고객과 컨설턴트가 공동으로 투자하고 위험을 공유하는 부분이다. 확실하게 예측할 수 없는 미래의 요구를 다루는 것에 초점을 맞춘다.

컨설턴트는 각 관계 역할에 따라 언어와 참여 수준이 달라지게 된다.

솔루션 공급자라면, 당신의 언어는 대부분 고객은 문제를 가져오고 컨설턴트가 솔루션을 제공하는 관점에서 표현된다. 언어는 전문성의 하나로 표현되며, 담론의 방법은 종종 토버트(Torbert)의 '전문가/기술자' 수준이며 '권위적이고 유용한 정보를 주는' 방식으로 개입한다(3장 참조).

전략적 조언자라면, 당신의 언어는 도전과 기회에 좀 더 집중하고 미래 지향적이다. 담론은 토버트(Torbert) 분류에서 '성취자'와 '전략가'의 수준이며(3장 참조), 좀 더 촉매적인 개입을 한다. 대화는 매우 상호적이 된다.

신뢰 받는 조언자라면, 당신의 언어는 패턴과 프로세스, 문화 쪽으로 초점을 이동한다. 즉각적인 문제에 집중하는 대신에 하나의 증상에서 문제의 시스템적 패턴과 역학으로 관심을 이동한다. 담론은 토버트(Torbert) 단계의 '전략가와 개인주의자'에 좀 더 가까우며(3장 참조), 상황직면적 및 지원적 스타일을 둘 다 더 많이 사용하여 개입한다(7장, 12장 참조).

성과 파트너라면, 위의 모든 언어를 사용할 수 있다. 공동 노력의 언어와 승-승의 관계를 창출하는 것이 필수적이다(〈그림 11.2〉 참조).

각 관계 역할에 따라 컨설팅 팀은 그 관계에 적합한 다른 가치와 전문 지식을 제공해야 한다. 솔루션 공급자로서 컨설턴트는 기술적 전문지식을 제공한다. 예를 들어, 구조 조정, 비용 절감, 리더십 개발 또는 코칭을 제공한다. 전략적 조언자로서는 사업 및 사업의 맥락에 관한 자신들의 이해를 제공한다. 여기엔 현재 존재하는 사업은 물론 미래에 개발될 사업까지 포함한다. 신뢰할 수 있는 조언자로서 컨설턴트는 회사 또는 조직의 통찰을 제공한다. 조직의 다른 수준에서 다른

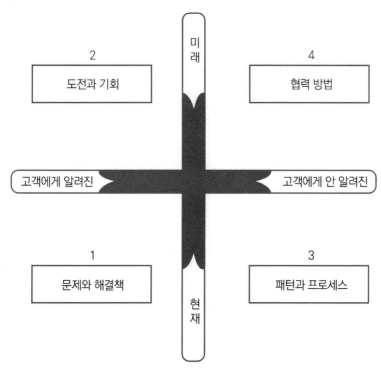
☞ 그림 11.2 **고객 변혁 모델: 서로 다른 언어**

미래

2	4
도전과 기회	협력 방법

고객에게 알려진   고객에게 안 알려진

1	3
문제와 해결책	패턴과 프로세스

현재

방식으로 일하면서 얻어진 통찰을 제공하는 것이다.

　5장에서 우리는 바다에 대해 가장 모르는 존재가 물고기라고 얘기했다. 그리고 조직 문화란 당신이 그곳에서 3개월 이상 일을 하게 되면 더 이상 인식하지 못하게 되는 것이라고 했다. 신뢰할 수 있는 조언자로서 당신은 조직에서 무엇이든지 시도하고 변화하고자 할 때 드러나는 문화에 대해 통찰을 가져다 줄 수 있다. 단지 그들이 성공적인 변화 프로젝트를 수행하도록 돕는 것 대신, 그들의 특정 문화에서 무엇이 변화의 장애이며 무엇이 변화를 가능하게 하는지에 대해 더 깊게 이해함으로써, 미래의 변화 프로젝트를 위한 조직의 변화 역량을 강화시킬 수 있다. 성과 파트너로서, 당신이 제공하는 가치는 고객/파트너 조직과의 공유된 노력을 위한 공동의 헌신을 포함한다. 이 역할에는 이전 세 가지 모든 역할로부터 나오는 가치를 포함되어야 한다. 뿐만 아니라 협력과 승－승 관계를 창출하기 위한 기술과 역량을 필요로 한다(〈그림 11.3〉 참조).

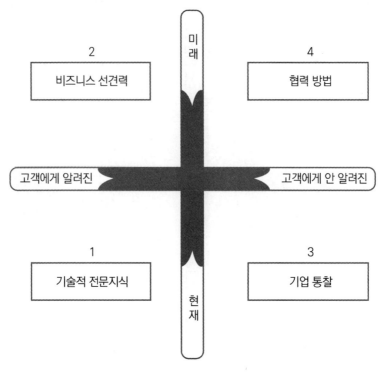

📌 그림 11.3 **고객 변혁 방식: 관점**

미래

2
비즈니스 선견력

4
협력 방법

고객에게 알려진

고객에게 안 알려진

1
기술적 전문지식

3
기업 통찰

현재

결론

　　대형 컨설팅 팀 또는 전문 서비스 고객담당 팀이 고객에게 진정한 가치를 부가하기 위해서는 그들이 제공하는 가치가 해당 조직에서 다루는 여러 과제의 총합보다 더 크다는 걸 명확히 해야 한다.

　　그들이 회계사든 법률 고문, 기업 금융가 또는 조직 컨설턴트든 간에 고객담당 팀은 고객에게 기술적으로 효율적인 프로젝트를 수행할 수 있는 능력부터 개발해야 한다. 또한 비즈니스 선견력과 기업 통찰을 모두 가져올 수 있는 능력이 필요하다. 비즈니스 선견력은 동일한 산업 분야 또는 산업 내 동향을 수집할 수 있는 분야의 회사나 조직의 다양한 범위에서 직무를 수행한 경험에서 비롯된다. 기업의 통찰은 기업 문화 외부에서의 정기적인 방문자가 됨으로써 나오게 되며,

시스템의 여러 다른 부분을 통해서 회사와 일함으로써 비롯된다.

　　종종 고객담당 팀에 있어서, 집단 지식을 생성하고 다른 전문 서비스 업체와 차별화되는 가치를 제공하는 데 필요한 훈련과 기술이 모두 부족한 경우가 있다. 그래서 종종 고객담당 팀의 회의가 정보 교환 및 각 과제의 진행을 점검하는 것에 그치기도 한다. 그림자 컨설턴트 또는 팀 코치의 역할은 보다 폭넓은 분야의 동향을 탐색하기 위한 프로세스 및 퍼실리테이션 두 가지 모두를 제공하는 것이다. 또한 문화적 패턴과 그들과 함께 작업하고 있는 사람들과 회사의 프로세스를 제공하는 것이다. 고객담당 팀의 코치는 그들이 고객에게 전문 서비스를 제공하는 많은 공급자 중 하나인 것에서 출발하여, 전략적 조언자와 신뢰하는 조언자가 되는 단계를 통과하여 장기적으로 고객 기업을 앞으로 나아가게 하는 핵심인 성과 파트너가 되는 데까지의 여정을 여행해가도록 돕는 것이다.

코치와 멘토, 컨설턴트, 슈퍼바이저의 스킬과 역량

Coaching, Mentoring
and organizational consultancy

제3부 서문

1부에서는 직장에서 실시간 학습을 가능케 하는 코칭과 멘토링, 컨설팅의 서로 다른 측면들을 살펴보고 그것들을 연결하는 핵심 기술을 탐색했다. 2부에서는 이러한 기술의 실행가들을 개발하고 슈퍼비전하는 프로세스의 개요를 설명했다. 마지막 3부에서는 코칭과 멘토링, 조직 컨설팅, 슈퍼비전에 반드시 구비되어야 할 핵심 기술을 설명할 것이다. 코치, 멘토, 컨설턴트들을 슈퍼비전하는 스킬은 해당 분야의 스킬과 매우 유사하다. 실행 측면에서 다른 점은 맥락과 초점, 고유한 복잡성의 수준이다. 코칭과 슈퍼비전이 어떻게 다른지 질문을 받으면, 코칭은 코치받는 사람과 그들의 조직을 개발하기 위한 것이며, 슈퍼비전은 슈퍼바이지와 그의 조직, 그의 일부인 직업적 능력을 개발하고, 더 중요하게는 그의 고객까지를 개발하기 위한 것이라고 대답한다.

이 모든 역할에서 직접적인 고객 너머 더 큰 집단을 돕기 위해서는 또 다른 개발이 필수적이다. 여기에는 1장에서 설명한 변혁적 변화 프로세스가 중요하다고 강조하고 싶다. 즉 변혁적 변화는 그 방 안에 존재하는 시스템의 일부, 그 사람의 느끼는 변화(felt-shift)에서 시작되어야 한다. 이 변혁적 변화는 지적 통찰과 변화에 대한 다짐 이상의 것, 즉 몸과 감정, 관계와 행동, 선택에서 일어나야 한다. 그러므로 아래에 개략적으로 설명하는 바와 같이 인간 기능의 일곱 영역 모두의 개발을 포함해야 한다.

기술의 측면: 개발의 영역

효과적으로 실시간 학습이 일어나고 다른 사람을 개발하려면 평생 동안 자기 자신을 개발하기 위해 노력해야 한다. 이는 지식이나 스킬 습득만을 뜻하는 게 아니라 더 넓게 어떤 사람의 존재 전체를 개발하는 것을 의미한다. 7장에서는 개인 개발이 직업 개발의 중심부에 있다고 주장했다. 여기에서 개인 개발의 중심은 균형 잡힌 방법으로 한 사람의 능력의 전체를 개발하는 것이라고 상정한다.

BCG 동료 크리스 스미스(Chris Smith)와의 공동연구에서, 우리는 코치, 멘토, 컨설턴트, 그들의 슈퍼바이저들에게 똑같이 잘 적용될 수 있는 '리더 개발을 위한 핵심 영역 모델'을 만들었다(〈그림 2〉 참조). 이는 가드너(Gardner, 1999), 셍게(Senge, 1990), 휘틀리(Wheatley, 1994) 등의 작업에 기반해 만들어졌다.

⤴ 그림 2   **일곱 가지 개발 영역(Smith and Smith, 2005)**

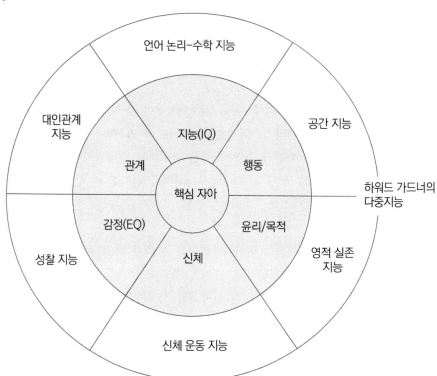

수 년 동안 IQ 개발의 중요성이 강조되어 왔는데, 이제는 EQ가 그에 못지않게 중요하다는 걸 인정하고 있다. 스미스와 스미스(Smith and Smith)의 모델(〈그림 2〉)은 여섯 가지의 핵심 지능이 있다고 제안하며, 여섯 가지 모든 차원에서 능력을 개발할 필요가 있을 뿐 아니라, 일곱 번째 존재, 즉 핵심 자아를 개발해야 한다고 주장한다. 핵심 자아는 우리 자신의 여러 측면을 인식할 수 있는 메타 인식

(meta-awareness)을 갖게 해주며 또한 여섯 개의 차원과 연결되고 통합된다. 핵심 자아는 우리의 중심이면서, 동시에 우리를 초월한다. 그것은 다른 모든 영역의 연결 중심부에 있으며, 세계에 관여되는 원주를 도는 테두리와 같다. 한동안 다중 지능의 개념이 유행했다. 하버드 대학의 하워드 가드너는 10가지의 다중 지능이 있다고 확인했다. 여기에서 주목해야 할 것은 '정확히 몇 개인가?'에 대한 토론이 아니라, 보통 높게 인정하고 측정해왔던 언어 능력과 논리 수학적 지능 외에 다른 지능이 있다는 강력한 증거가 있다는 사실이다. 〈그림 2〉에서 가드너의 지능을 일곱 영역 지능의 지도에 배치하여 그게 어떻게 작용하는지를 보여준다.

⫶ 일곱 영역의 관찰

우리는 일곱 가지 영역 각각에 대해 세부 내용을 간략하게 제시하여, 독자들이 각 영역이 어떤 내용인지와 그 영역을 개발하는 데 직면하는 도전이 어떤 것인지에 대해 알 수 있도록 하겠다. 뇌의 영역을 탐색하는 신경과학에 관심이 있는 독자라면 각각의 영역에서 '어떤 뇌'가 더 우세한지를 알아볼 수 있을 것이다(2장 참조).

1. **지능**: 이것은 생각하는 능력이다. 의미를 통하게 하고 이해하고, 분석하고, 문제를 해결하며, 성찰하고, 패턴을 파악하고 연결 짓는 능력, 의사소통하고, 일을 하는 방법에 대한 실제적인 지식이다.
2. **관계**: 이는 빠르게 여러 다양한 사람들과 의미 있고 효과적인 관계를 만드는 능력으로서, 자신은 물론 새로운 세계와 가능성을 개방하여 새로운 깊이와 잠재성을 열도록 돕는다. 3부 후반부에 사람들이 관계를 맺는 능력과 이를 개발하는 방법을 모색하는 모델을 제시한다.
3. **행동**: 이 영역은 '3C'가 요구된다. 즉, 어디에서, 언제, 어떻게 적용해야 하는지를 아는 **능력**(Capability), 결단력 있고 두려움 없이 행동하는 **용기**(Courage), 열정을 완전한 행동으로 반드시 전환시키는 **전념**(Commitment)이 그것이다.
4. **감정**: EQ의 핵심요소는 자기인식, 다른 사람에 대한 감수성과 지각, 반사적이지 않고 정서적으로 반응하는 능력, 다양한 정서적 표현을 하는 능력 등이다(12장 참조).

5. **윤리**: 윤리의 핵심 요소는 다음과 같다. 자신의 모든 면의 성실성과 일치함, 말한 것을 끝까지 수행하는 진실한 행동, 명확한 도덕적 선택, 자신의 일이 무엇을 이롭게 하는지 명확히 아는 것을 포함하는 선의의 행동(14장 참조).

6. **몸**: 우리의 몸은 우리가 관계 맺고 행동하고, 감정을 표현하고, 성찰하고 이해하는 수단이다. 우리가 스트레스를 받을 때나 피곤하면 신체적 능력만 떨어지는 게 아니라 다른 역량에도 영향을 준다. 우리가 활기있으면서도 편안하고, 기민하면서도 수용적이며, 고요하면서도 유연할 때, 우리는 타인과 우리 자신의 말을 더욱 온전하게 들을 수 있으며, 상황에 맞게 우리의 다른 능력을 선택할 수 있는 활력도 있게 된다. 더 자주 이러한 상태에서 일하기 위해서는 평생에 걸친 주의와 개발이 요구된다.

7. **핵심 자아**: 이 요소는 구역(영역)이라기 보다는 공간의 개념으로서, 수레바퀴의 중앙에 있는 구멍과 같다. 이 공간은 수레바퀴의 다른 부분들이 최상이 되도록 만들어준다. 이미 말했듯이, 이 공간은 우리 자신의 부분을 구성하는 컨테이너(용기)이지만, 다른 여섯 영역이 시간의 경과에 따라 변화하고 개발되는 것과 달리 우리 자신에 대한 지각을 담는 본질적 부분이다. 이 영역은 독자의 신념 체계에 따라 영혼이라 부를 수도 있고, 높은 자아 혹은 우리의 본질 등으로 부를 수 있다.

우리의 실력을 개발하는 데 있어서 어떤 영역을 회피하고, 어떤 영역을 피상적으로 인식하고 있는지, 또 어떤 영역을 주로 사용하는지를 유념할 필요가 있다. 3부에서는 스킬(12장 참조)과 개발해야 할 핵심 역량(13장, 14장, 15장)을 구별한다. 그것은 7가지 모든 영역의 개발에 뿌리를 두고 있으며, 단지 지적으로 아는 것이 아니라 서로 연관되고 내재화되어야 하는 것이다. 나중에 핵심 스킬을 살펴보고, 슈퍼바이저 개발의 개요를 제시하며 그것을 이 모델에 적용시킬 것이다. 독자가 지금까지 탐구해 왔던 전반적인 영역 중에 특별한 부분이 있다고 느낀다면 관심 부분을 개발하는 방법을 구체화하는 데 도움을 줄 수 있을 것이다.

역량, 수행능력, 능력
(Competencies, Capabilities and Capacities)

7장에서 논의했듯이 우리는 세 가지 'C'의 의미 구별에 있어서 브로신(Broussine, 1998)과 다른 학자의 영향을 받았다.

- **역량**(Competency): 스킬을 사용하거나 도구를 활용하는 능력이다.
- **수행능력**(Capability): 올바른 시기에 올바른 방법으로 올바른 곳에서 도구나 스킬을 사용하는 능력이다.
- **능력**(Capacity): 스킬이 아니라 인간의 자질이며, 당신이 하는 일보다는 당신이 어떤지와 관련이 있다.

이를 테니스 배우는 것에 비유해 보자. **역량**은 다양한 세부적인 스킬(예: 포핸드, 백핸드, 서브 등)을 배우는 것이다. **수행능력**은 경기를 통해 배우게 되는 것으로서, 언제 포핸드나 백핸드를 사용하는 것이 최선인지를 아는 것이다. **능력**은 테니스 선수처럼 생각할 수 있는 능력이며, 어떻게 준비하고 어떻게 경기할지에 대한 전략을 만드는 능력이다. 이 능력은 시간이 경과하면서 구축되며, 다른 종류의 활동을 포함한다. 이는 이론으로만은 절대 만들어지지 않는다. 능력을 개발하기 위해서는 오랫동안 그리고 열심히 실행해야 한다. 역량은 교실에서나 공식적 수업에서 개발되어진다. 그렇지만 수행능력은 현실에서 다른 사람들과 함께 많은 새로운 행동을 실행해 보면서 개발된다. 능력도 그런 면에서는 마찬가지다.

역량과 마찬가지로, 수행능력은 배울 수 있고 개발되어질 수 있으며, 이는 12장의 핵심이다. 이는 노하우와 관련된 것이다. 하지만 둘의 차이는 학습이 생성되는 방식에 있다. 역량은 교실에서 배울 수 있지만 수행능력은 오직 실제로 일을 하면서만 배울 수 있다. 12장에서 소개하는 스킬과 테크닉은 2장에서 개인과 관련하여 설명했던 CLEAR 코칭 프로세스와 연결되어 있다. 이 프로세스는 4장 팀 코칭에서, 7장 타인의 슈퍼비전에서도 다루었다. 우리는 CLEAR 코칭과 슈퍼비전 프로세스의 각 단계의 접근 방법에 대한 도구를 제공한다. 한 가지 위험한 점은 각 스킬을 언제 어떤 방법으로 사용해야 하는지를 아는 능력이 부족한 상태에서 광범한 스킬을 습득한다는 점이다. 그러므로 다음 장에서 코칭, 멘토링, 조직 컨설팅, 슈퍼비전을 실행하는 역량을 논의할 것이다. 슈퍼비전은 슈퍼바이지가 역량을 수행능력으로 전환하도록 돕는 데 중요한 역할을 하며, 또한 수행능력이 두려움 없는 연민을 가지고 다른 사람과 함께 일하는 데 발휘되도록 해 준다.

〈그림 3〉은 코칭 연속체 모델을 역량, 수행능력, 능력에 초점을 맞춘 개발 모델에 연결시킨 것이다. 보는 바와 같이, 스킬과 역량, 성과와 수행능력, 개발과 능력 간의 유익한 조합이 나타나 있다. 이제 능력 쌓기와 관련되어 다음 개발 이슈를 탐색해 보자.

그림 3 **코칭 연속성: 연결된 개발**

능력(Capacities)

능력은 인간의 행동보다는 존재와 관련되어 있다. 그것은 육성되고 정련될 수 있는 인간의 자질이다. 능력은 또한 근본적인 의미에서, 내면에 복잡성을 담고 있는 공간이라고 생각할 수 있다. 우리 모두는 어떤 사람은 우리와 관계하는 데 내적 공간이 거의 없는 것처럼 보이는가 하면, 또 어떤 사람들은 내면에 무한한 공간이 있어서 우리가 나누거나 하려는 것이 무엇이든 온전히 우리와 함께 존재한다고 느끼게 해주는 사람이 있다는 걸 안다. 13장에서 우리는 이를 관계 몰입 능력이라 부르며, 이는 8개 핵심 능력 중 하나이다. 전체 리스트는 아래와 같다.

- 적합한 리더십
- 권위, 존재, 영향
- 관계 몰입 능력
- 격려, 동기부여, 적절한 낙관성, 슈퍼바이지에 있어서 셀프 슈퍼비전 스킬

의 개발
- 차이점 한계에 대한 자각과 관리 방법
- 차이를 넘어 일하기, 개인차에 대한 이문화 민감성
- 윤리적 성숙함
- 유머감각과 겸손

6번과 7번 능력은 복잡성 때문에 각각 자체의 장(15장과 14장)에서 설명한다. 능력은 획득해야 하거나 도달해야 할 어떤 곳이 아니다. 각 능력을 개발하는 데는 인생 전체의 시간이 걸리며, 이 개발은 일방향의 프로세스가 아니다. 실행과 슈퍼비전에 주의를 기울이지 않으면, 이러한 능력들은 우리 내부에서 위축될 수 있고, 효과성이 감소될 수 있다. 개발과 학습은 삶을 위한 것이지, 학교를 위한 것이 아니다. 언제나 더 배울 게 있다는 것이 즐거움이다.

12장 본문의 마지막에는 7가지 모델로 다시 돌아와서 그것과 관련한 핵심 개발 스킬을 통합할 것이다. 이를 통해 독자들은 모델의 개발 기회와 스킬들이 어떻게 연결되는지 구체적으로 보게 될 것이다. 13장에서는 다른 사람들의 학습을 가능케 하는 8가지 핵심 능력을 탐구할 것이며, 12장에서는 핵심 역량을 살펴본다.

제12장 | 핵심 스킬과 수행능력

소개

효과적인 슈퍼바이저가 되기 위한 핵심 스킬 중 많은 부분은 효과적인 코치, 멘토, 컨설턴트가 되기 위한 핵심이기도 하다. 슈퍼비전을 통해 코치, 멘토, 그리고 컨설턴트를 훈련할 때, 참가자들이 핵심 훈련에서 배웠던 많은 스킬을 되돌려 주고 슈퍼비전이라는 새로운 맥락에서 이를 다시 배우는 것이 크게 도움이 된다. 많은 참가자들이 슈퍼비전 훈련을 통해 자신의 핵심 실행이 어떻게 급진적으로 개선되었는지를 보고해 왔다.

많은 스킬이 동일할지 모르지만, 스킬을 사용하는 상황은 근본적으로 다르다. 코치로서 당신은 고객에게 주의를 기울여 경청하면서, 그들 자신을 듣도록 돕기 위해서 그리고 개발을 위한 대안을 넓히기 위해서 듣게 된다. 슈퍼바이저로서 당신은 코치에게 귀를 기울이며, 간접적으로 코치의 고객과 그들의 관계를 듣고 있는 것이며, 이 세 가지가 모두 진전되도록 돕기 위해서 듣는다. 또한 슈퍼바이지의 전문 역량의 영역을 넓히기 위해 그의 스킬을 진단하며, 이는 우리가 말하고 행동할 것을 알려준다.

슈퍼바이저로서 역할 중 하나는 슈퍼바이지의 스킬 개발을 돕는 것이다. 이는 슈퍼비전의 개발적 기능의 핵심적인 면이다. 개발 기능을 수행하는 가장 강력한 수단은 가르치는 것이 아니라 당신 작업에서의 핵심 스킬 및 슈퍼바이지와의 관계에서 어떻게 역할 모델이 되느냐에 달려 있다.

슈퍼바이저의 자기 진단과 타인 진단

우리는 슈퍼바이저들을 위한 자기진단과 동료 및 슈퍼바이저, 슈퍼바이지의 진단 도구를 개발해왔다. 우리는 슈퍼바이저들이 이 진단으로 스스로를 진단하고 또 슈퍼바이저와 슈퍼바이지, 동료 훈련자에게 주어 피드백을 받고 다른 관점과 비교하는 데 사용하기를 권장한다. 이 온라인 진단도구를 사용하려면 자세한 내용을 BCG 웹사이트(www.bathconsultancygroup.com/what-we-do/coaching-courses/coaching-supervision-training/two-tutorials.shtml)에서 확인하기 바란다.

CLEAR 실행 스킬

코치, 멘토, 컨설턴트와 슈퍼바이저들을 위한 핵심 스킬과 역량은 우리가 코치와(2장) 슈퍼바이저들을(8장) 위해 개발한 CLEAR 모델에 따라 아주 유용하게 분류할 수 있다. 앞으로 슈퍼비전에서 CLEAR 프로세스 모델을 사용하는 것과 관련해서 각 핵심 스킬 요소들을 더 깊이 살펴보기로 한다.

CLEAR 1: 계약 단계 스킬

⦂ 계약 맺기

모든 슈퍼비전 관계는 명확한 계약으로 시작되어야 하며, 계약은 쌍방에 의해 만들어지고 여기에는 조직과 직업과 관련된 기대사항이 반영된다. 8장에서 슈퍼바이저와 슈퍼바이지가 어떻게 계약을 맺는지 전체적인 이슈에 대해서 어느 정도 깊이 있게 논의했다. 여기서는 독자가 적용해야 할 다섯 가지 핵심 영역을 간단히 환기시키려고 한다.

- 참가자
- 경계

- 작업 협력
- 세션 형식
- 조직과 직업의 맥락

만약 슈퍼비전 실행에서 이 영역을 특히 연구하고 싶다면 페이지와 워스켓 (Page and Woskett, 1994), 브라운과 부르네(Brown and Bourne, 1996), 캐롤(Carroll, 1996) 휴슨 홀로웨이와 캐롤(Hewson Holloway and Carroll, 1999) 등 많은 저자들이 계약 프로세스에 대해 상세하게 구획한 것을 보면 된다. 10장에서 프록토(Proctor)의 러시아 인형 모델을 활용하여 설명했고, 4장에서는 팀 코칭에서 특별히 그룹 슈퍼비전에서의 계약에 대해 살펴봤다.

계약 협상

모든 슈퍼비전 관계는 각 당사자가 기여하는 명확한 계약으로 시작해야 한다. 또 계약은 조직과 직업의 기대에 맞아야 한다. 인스킵과 프록토(Inskipp and Proctor, 1995)는 상담 슈퍼바이저에 의하여 초기 계약검토 미팅에 필요한 각 영역을 포괄하는 매우 유용한 체크리스트를 제공한다. 이를 코치, 멘토, 슈퍼바이저에게 적합하도록 우리가 약간 수정했다〈표 12.1〉 참조).

표 12.1 탐색적 계약 인터뷰

협상	작업 협력	슈퍼바이지에게 주는 나에 대한 정보
시간, 기간, 언제, 빈도, 어디에서? 비용: 얼마? 지불 방식, 지불하는 사람, 언제, 청구서/수표/현금 누락 세션, 휴일 대금결제, 해고 통보	의사소통, 공감, 존중, 진실성을 통해 작업 협력을 만들기 위한 신뢰 관계 구축 시작하기	이론적 배경과 전문가로서의 훈련 경험, 슈퍼비전 경험 등, 현재 직업, 슈퍼비전을 위한 지원 전문가 협회 회원
토론 및 협상	**기본적 관계 스킬**	**슈퍼바이지로부터 요구되는 정보**
기록(고객) 슈퍼비전 동의 경계 검토 평가/진단 윤리 기준	관계구축을 위한 탐색, 협상 바꾸어 말하기, 반영, 요약, 초점 맞추기, 질문, 자기노출, 신속성, 목적 명시, 선호 명시	경험, 자격 이론적 모델 전문가 조직, 윤리기준 프리랜서/조직/에이전시 일하는 곳 고객 수, 다른 코칭이나 멘토링 작업 에이전시의 요건 직업적 요구 및 개발 다른 슈퍼비전 경험?
최종 결정	우리는 여전히 함께 일할 수 있습니까?	

CLEAR 2: 경청 단계 스킬

슈퍼비전의 경계와 프로세스를 명확히 했다면, 다음의 핵심 스킬은 경청으로서 말과 느낌, 보디 랭귀지, 표현되지 않은 것까지 듣는 능력이다.

경청의 네 가지 수준

'경청은 말하는 것만큼이나 강력한 행동이며, 읽기는 쓰는 것만큼 강력하고,

질문은 대답하는 것만큼이나 강력하다. 경청을 하지 않는 진정한 연설가는 없으며, 독자가 아닌 진정한 저자도 없고, 질문을 하지 않는 진정한 답변자도 없다.' (Grudin, 1996: 211).

어떤 사람을 경청하는 게 첫 번째 단계에서는 일상적인 일이지만, 또한 깊이 있고 미묘한 스킬이다. 경청을 능숙하게 할 수 있는 사람은 소수의 교육받은 사람들뿐이며 그래서 실천하는 사람이 매우 드물다. 대부분의 사람은 이따금 누군가가 잘 들어준 덕분에 한 발 떨어져서 우리 자신의 생각과 감정을 더 분명하게 느꼈던 경험을 가지고 있다. 하지만 이와 반대로 사람들에게 말을 하고 그들이 듣고 이해하는 것 같지만 실은 진정으로 이해하지 못하고 당신이 정말 전달하고 싶었던 것을 알지 못하는 경험이 많을 것이다.

결혼생활이나 파트너십 관계에서 종종 '당신이 내 말을 안 듣고 있어!'라는 불평을 듣는다. 불평을 들은 쪽은 이렇게 방어적으로 대답을 할 것이다. '아냐, 듣고 있어!' 심지어 들은 말을 옮기기도 한다. 그러면 불평한 사람은 이렇게 말할지 모른다. '말을 들었을지 모르지만, 진짜로 경청한 건 아니야!'

경청은 여러 가지 수준에서 일어난다. 이러한 수준을 명확히 하기 위하여, 우리는 경청의 네 가지 수준을 설명하는 모델을 개발했다. 경청의 각 수준은 말하는 사람에게 미치는 영향에 의해 구별될 뿐 아니라 이런 영향을 미치는 청자의 행동에 의해 구별된다(〈표 12.2〉 참조). 네 가지 수준을 포함하는 복합적인 스킬이다.

■ 수준 1: 주의 집중 스킬

다른 사람들에게 주의를 잘 기울이는 것은 타인에게 온전하게 전념할 것을 요구한다. 전화기의 울림이나 다른 방해물 같은 외부의 산만한 요소가 방해하지 않는 시간과 공간을 만드는 것이다. 또한 이는 다른 생각이나 근심 또는 감정이 가져오는 내면의 산만함에서 벗어나 받아들일 공간을 만들어야 한다. 이렇게 하는 데는 자기 자신을 비우는 연습이 포함된다. 이는 당신이 해야 할 일, 걱정거리, 목록들을 나중으로 밀쳐두는 단순한 수준일 수 있다. 이렇게 하면 당신이 그 순간에 더 들을 준비가 되게 된다. 또한 잠깐의 고요함을 스스로 준비하는 것으로서, 이렇게 하면 당신 주위에서 무슨 일이 일어나고 있는지 좀 더 자각하게 된다.

방해받지 않는 공간은 전제조건이지만, 그것으로 충분하지는 않다. 청자는 적절한 비언어적 신호를 통해 주의를 기울이고 있고 흥미가 있다는 사인을 주어야 한다. 다른 사람에게 맞추는 능력이 요구된다(일치와 불일치에 대한 아래 섹션 참조).

⌁ 표 12.2 **경청의 수준**

수준	청자의 행동	듣는 사람에게 주는 결과
1. 주의 집중	눈 맞춤과 상대방에게 관심을 보여 주는 태도	'이 사람은 내 말을 듣고 싶어 한다.'
2. 정확하게 듣기	위 사항에 더하여, 상대방이 말하는 것을 다른 말로 정확히 표현하기	'이 사람은 내가 하는 말을 듣고 이해한다.'
3. 공감적 경청	위 두 사항에 더하여, 상대방의 비언어적 단서, 감각 프레임과 은유, 감정을 상황에 매칭하기	'이 사람은 내 입장이 어떤 것인지를 느끼며, 나의 상황을 안다.'
4. 온전한 경청	위의 모든 사항에 더하여, 자신의 직관과 느끼는 센스를 통해 들은 것을 되돌려주는 방식으로 더 온전히 연결	'이 사람은 나 혼자있을 때보다 더 온전하게 내 생각을 들을 수 있게 도와준다.'

■ 수준 2: 정확한 경청 스킬

완전하게 주의를 기울이는 걸 통해 상대방이 말하는 내용을 정확하게 듣는 두 번째 수준으로 나아갈 수 있다. 이는 두 가지 활동을 포함한다.

- 들은 내용을 되돌려 반영하기: '당신이 이에 대해 명확한 결론을 얻으려고 했지만 전혀 얻지 못했다는 것이네요.'
- 내용을 바꿔 말하기: '내가 들은 게 정확하다면, 당신이 말하는 핵심은…'

정확하게 듣는 능력은 다른 사람의 언어를 매치시키는 능력에 의해 향상되는데, 이는 그들이 사용하는 감각 모드(예: '당신이 무얼 말하는지 알아요…')와 은유 사용(아래의 '매칭과 미스매칭' 참조) 둘 다를 포함한다.

■ 수준 3: 공감적 경청 스킬

이 수준은 말하는 단어뿐만 아니라 전달하는 느낌('변연계 공명'으로서 2장에서 논의한 것)을 듣는 것과 관련된다. 단어가 한 편의 음악의 멜로디 라인이라면, 느낌은 보디 랭귀지와 목소리-어조와 리듬, 음색 등을 통해 전달되는 하모니라고 할 수 있다. 공감적 경청은 그들이 언어적 혹은 비언어적으로 표현하는 감정을 분명히 해줌으로써 다른 사람의 감정을 알아주는 것이다. 예를 들면, '당신이 동의를 받지 못해서 어찌할 바를 모르겠다고 느끼는 것 같이 들리네요.'

이런 피드백은 말하는 사람의 어조와 바디랭귀지에 매치되는 감정적 표현으로 말해질 때 가장 효과적이다. '감정적 표현의 범위 확장' 섹션에서 이를 개발하는 하나의 방법을 명료하게 설명할 것이다.

■ 수준 4: 온전한 경청 스킬

이 수준의 경청 스킬은 말하는 사람의 자각의 '가장자리'에 있는 생각과 느낌을 듣는 사람이 재생할 수 있는 것이다. 이는 들은 것과 아마도 절반만 이해할 수도 있는 상태에서 당신이 지각한 것을 표현할 수 있어야 한다. 그러므로 당신이 재생하는 것이 임시적이어서 말한 사람이 바로잡거나 의미를 더 분명히 할 수 있는 톤으로 하는 게 중요하다. 또한 이 수준에서는 공유한 스토리에나 옳아야 한다는 데에나 집착하지 않아야 한다. 이는 세븐 아이 모델의 6번 모드를 사용할 때 필요한 스킬이다(9장 참조).

▮ 라포 형성을 위한 매칭 스킬

오늘날의 세계에서는 다른 문화와 다른 직업적 배경을 가지고 있는 광범한 개인들이 신속하게 라포를(변연계 공명) 형성할 수 있는 능력이 중요하다. 또한 관계에서나 미팅에서 의제와 사고방식 및 감정을 효과적으로 전환하는 능력이 중요하다. 연구 결과를 보면 대부분 사람들은 그들이 함께 일하는 타인의 10~30% 사람들과 관계를 잘 맺을 수 있다고 한다. 대부분의 사람들은 좋은 훈련과 개발을 통해 초기 퍼센트의 2배를 높이는 것이 가능하다. 이를 위해서 반드시 개발해야 하는 핵심 스킬이 매칭(matching)과 미스매칭(mismatching) 스킬이다.

■ 매칭

라포를 빠르게 형성하는 능력은 그 사람 또는 관계를 맺을 사람과 얼마나 잘 매치할 수 있느냐에 달려 있다. 매칭은 다음을 포함하여 많은 다른 수준에서 발생한다.

- **언어**: 정확히 듣고 비슷한 언어로 그들의 이슈와 염려를 다른 말로 표현함으로써 이해했음을 보여주는 능력
- **감각 모드**: 우리가 상대방과 같은 감각 모드를 사용할 때 라포가 더 잘 형성된다(예: '이슈를 그렇게 보기를 원한다'(시각), '알람 벨이 얼마나 크게 울리는지를 당신이 잘 들었으면 좋겠다'(청각), '나는 직감적으로 진짜 두려움을 느꼈다'(신체감각)).
- **은유**: 상대방과 비슷한 은유를 사용함으로써 그들이 이해받았다고 느끼게 한다(예: 기계적 은유, 항해의 은유, 가족 은유의 사용).
- **신체 자세**: 형식적 혹은 비형식적으로 신체적으로 매칭하기, 적절한 거리, 상대방의 수준이나 강직함에 적절하게 대응하기
- **제스처 및 활기의 수준**(예: 가슴 앞에서 팔짱끼기, 주먹 쥐기, 홍조를 띤 얼굴)
- **목소리 수준**: 크기, 리듬, 음높이, 톤, 템보 그리고 목소리의 음색
- **감정적 톤**: 상대방의 감정적 톤이나 낮은 톤을 구현하기(p. 312 '감정적 표현의 범위 확장' 참조).

이는 단지 상대방을 흉내 내거나 따라하는 것이 아니라, 당신이 공감적으로 듣고 있으며 그들의 세계를 알고, 이해하고, 느끼고 있다는 것을 보여주기 위해 매칭하는 것이 중요하다. 또한 당신 자신의 존재의 방식에 진실하게 머물면서 상대방과 매칭하는 방법을 찾는 것이 중요하다.

▪ 미스매칭

미스매칭은 자신의 존재 모드를 전환하는 것을 통하여, 그 방 안에서 사고방식 혹은 관계 방식을 전환시키는 능력이다. 이는 2장에서 살펴본 수정된 변연계의 개념에 기반하고 있다.

미스매칭은 매칭에 대한 섹션에서 열거된 어떤 양식을 통해서도 일어날 수 있다. 미스매칭의 예술은 감정이나 에너지의 전환을 상상할 수 있도록 하는 것이다. 이는 탐색 중인 상황에서나 혹은 함께 하는 팀이나 사람에서 필요한 전환을 상상하고, 그 다음 당신 자신의 존재 방식, 표현하고 관계하는 방식을 변화시킴으

로써 창조하는 것이다. 예를 들면, 상대방이 더 열정적이고 도전적인 시도로 제안한 변화 프로세스를 이사회에서 승인 받고 싶은 상황이라면, 이것에 대해 성찰적이고 낮은 톤으로 토론만 해서는 효과적이지 못하다. 코치 혹은 슈퍼바이저가 이를 구현하고 모델이 될 수 있어야 한다. 말만으로는 전환을 창조하지 못한다.

좋은 질문

대부분의 사람들이 이미 가지고 있다고 생각하나 제대로 개발되지 않은 또 다른 스킬은 좋은 품질의 질문을 하는 능력과 광범위하게 질문 접근법을 활용하는 능력이다. 앞서 말한 바와 같이 아브라함 매슬로우는 당신이 가진 도구가 망치밖에 없으면, 모든 것을 못인 것처럼 다루기 쉽다. 효과적인 질문자가 되기 위해서 당신은 전체 질문의 도구가 필요하다. 그렇지 않으면 당신은 모든 것을 데이터처럼 다룰 것이다.

질문의 다섯 가지 주요 유형이 있다.

- **닫힌** 질문－데이터를 찾는다('사과를 몇 개 갖고 있나요?').
- **열린** 질문－정보를 구한다('왜 사과나무를 심었죠?').
- **유도** 질문－정보를 구하며, 간접적으로 어떻게 답하기를 바라는지를 제시한다('왜 사과를 가장 좋아하나요?').
- **질의** 질문－적극적인 질의를 초대한다('가장 좋은 사과를 판단하는 기준이 무엇인가요?').
- **변환** 질문－적극적인 질의뿐만 아니라 질문 받는 사람의 감정적 전환을 만들어낸다('당신이 사과를 좋아하려면 무엇이 필요한가요?').

CLEAR 3: 탐색 단계 스킬

공헌의 범위 확장

종종 회의나 대화에서 대화가 지나치게 제안이나 해결책을 주장하는 개인들과 또 다른 제안을 하는 사람들의 교환 같은 논쟁이나 토론으로 가는 경우가 있다. 빌 토버트는 효과적인 리더십 및 리더십 개발에 대한 연구(Fisher and Torbert, 1999)에서 효과적인 리더는 4가지 '스피치의 유형', 즉 **프레이밍, 주장, 예시, 질의** -의 균형을 사용해야 한다는 모델을 제시했다. 이 스피치 유형은 슈퍼바이저에 게도 필요하다.

▪ 프레이밍(Framing)

프레이밍은 우리가 무엇을 하고 왜 하는지에 대해 설명하는 것이며, 이것이 근거하고 있는 가정에 대한 것이다. 신념과 가정은 점검할 필요가 있다. 이 스킬 은 계약의 중심이기도 하다(위를 보라). 이는 대화나 회의에서 가장 자주 빼먹는 말 의 요소이다. 리더는 다른 사람들이 전반적인 목적을 알거나 공유하고 있다고 가 정한다. 분명한 프레이밍(대화가 주제에서 벗어나는 경우라면 리프레이밍)이 반드시 필요한 이유는 프레임이 공유되었을 것이라는 가정이 많은 경우에 진실이 아니기 때문이 다. 프레임에 대해 추측하게 두면 사람들은 종종 잘못 이해하거나 부정적으로 돌 리거나, 동기를 조작한다('저 사람 뭐라는 거야?').

리더는 회의에서 첫 번째 안건을 다루기 전에, 분명한 프레임을 제시하고 확 인하는 게 좋다. 예를 들면,

> '최종 마감일에서 절반 시점입니다. 우리는 많은 정보를 수집했고 다른 방 법을 논의해왔습니다만, 아직 하나의 결정을 내리지 못하고 있습니다. 우 리가 오늘 해야 할 가장 중요한 일은 뭔가 합의를 이루는 것입니다. 저는 XYZ가 최선의 기회라고 생각하고 거기에서 출발했으면 합니다. 여러분도 이 판단에 동의하십니까? 혹은 다른 더 중요한 게 있다고 생각하십니까?'

▪ 주장(Advocating)

주장은 하나의 대안이나 인식, 느낌, 추상적인 용어를 명확한 행동 제안으로 주장하는 것이다(예: '선적을 더 빨리 앞당겨야 합니다'). 어떤 사람은 대부분 주장의 용어 로 말한다. 반면 어떤 사람들은 주장의 말을 거의 하지 않는다. 주장과 비주장의 양 극단은 상대적으로 비효과적이기 쉽다. 예를 들어, '여분의 펜이 있습니까?'는 명확한 주장이 아니라, 묻는 것이다. 상대방은 사실대로 '아니오'라고 대답하고

지나가버릴 것이다. 만약 당신이 '펜이 필요합니다[**주장**]. 여분의 펜이 있습니까[**문의**]?'라고 말하면, 상대방은 '저는 없습니다. 사무실 서랍에 있을 겁니다'라고 말할 가능성이 높다.

대부분의 사람들은 느낌, 특히 이 순간에 일어나는 것에 대한 느낌을 주장하는 걸 어려워한다. 이것이 어려운 이유는 부분적으로는 우리가 어떻게 느끼는지를 완전히 알지 못하거나, 또한 자신이 약해 보일까봐 꺼리기 때문이다. 이런 이유로 인하여, 대개 감정이 강력해져서 폭발하는 방식으로 대화에 임한다('제기랄, 혼자 그만 좀 떠들고 입 좀 다물어요!'). 그러면 사람들은 그를 심하다고 평가하게 된다. 이런 주장은 대개 방어적인 반응을 불러일으키기 때문에 비효과적이다. 이와 대조적으로, 개인적으로 소유된 요청은 다른 사람에게 솔직한 공유를 불러일으키기 쉽다('대화가 너무 빨라서 저는 당황스럽네요. 모두가 좀 천천히 말하고 더 주의 깊게 들으면 좋겠어요').

■ 예시(Illustrating)

예시는 스토리를 이야기하는 것, 또는 주장의 뼈대에 살을 붙이는 사례를 제공하는 것이다. 그렇게 함으로써 다른 사람들이 더 명확하게 되고 동기부여 된다(예: '선적을 더 빨리 앞당겨야 합니다'[**주장**]). 가장 큰 고객인 제이크 탄에서 긴급 주문이 들어왔기 때문에 주말 전에 부품을 보내야 합니다[**예시**]. 예시는 주장만으로 추론하는 것과는 완전히 다른 미션과 전략을 제시한다. 단지 주장(더 빨리 선적하는 것)만으로는 부하사원이나 다른 부서의 비판을 받을 수 있기 때문에, 실제 타겟이 구체적이고 단기적으로 설정되었을 때(제이크의 부품을 주말 전에 보내는 것)으로 주어졌을 때 1년 단위 장기 시스템에 변화를 촉발시킬 수 있다.

당신은 자기의 주장이 한 가지 행동에 대한 하나의 시사점만 말했다고 믿고, 부하 직원이나 동료가 잘못 오해했다고 확신할지 모른다. 그러나 당신의 확신은 엄청난 형이상학적 실수이다. 암시는 그 속성상 해석의 여지가 무궁무진하다. 절대 유일한 하나의 암시가 아니다.

■ 질의(Inquiring)

이것은 무언가를 배우기 위하여 타인에게 질문하는 것을 말한다. 원칙적으로 이는 세상에서 가장 간단한 것이다. 하지만 실행이라는 면에서 보면 이걸 효과적으로 하기란 세상에서 가장 어려운 일 중 하나이다. 왜 그런가? 하나의 이유는 늘 그렇듯이, 수사적으로 질문하기 때문이다. 상대방에게 대답할 기회를 주지 않거나, 실제로는 대답을 원하지 않는, 적어도 진정한 대답을 원하지는 않는 톤으로 제시한다. '어떻게 지내세요?'라고 하루에도 수십 번 말하는 것은 실제로 알고 싶어서 하는 질문이 아니다. '동의하죠, 그렇죠?'라고 말한다면 원하는 대답이 뭔지 분명하다.

효과적으로 질의하는 것이 어려운 두 번째 이유는 이것이 프레이밍, 주장, 예시에 의해 진행하지 않으면 비효과적일 가능성이 높기 때문이다. 노골적인 질의는 종종 상대방으로 하여금 어떤 프레이밍, 주장, 예시가 암시되어 있는지 의문을 품게 한다. 그래서 신중하고 방어적으로 대답하게 만드는 원인이 된다(예: '보유한 재고가 얼마나 되요?'; '음, 저 사람이 인력을 줄이는 근거를 만들려고 하는 게 아닐까?').

슈퍼비전에 있어서 예술의 핵심 부분은 질의 질문을 사용하는 것이다. 이는 당신이나 슈퍼바이지나 답을 모르는―양 측의 합동 학습의 끝단에서 공동의 질의를 창조하는 것이다. 하지만 슈퍼바이저도 사용해야 한다. 프레이밍(작업을 위한 계약 수립과 슈퍼비전의 프레임 관리를 위하여), 리프레이밍(슈퍼바이지가 다른 시각으로 상황을 볼 수 있도록 돕기 위하여), 예시(슈퍼바이지의 학습 지원에 도움이 되는 사례와 경험에서 나온 이야기를 제공하기 위하여), 주장(추천 또는 때로 권위적인 조언 제공이 필요한 때).

다음 연습으로 중지와 작업을 통해 이 새로운 개념을 실제 역할에 적용하고 시도해보자.

1. **1단계**: 최근에 코칭, 컨설팅, 슈퍼비전을 받았을 때, 기대보다 덜 효과적이었던 상황을 떠올려보라.
2. **2단계**: 그 미팅의 핵심적이었던 5분에 대해 있는 그대로의 사항을 빈 종이에 작성해 보라. 오른쪽 면에는 2인치의 칸을 남겨두어서, 그때 당신의 내면에서 일어났었던 생각과 감정을 기록한다.
3. **3단계**: 위에 열거한 '스피치의 4유형'을 이용하여, 그들이 했던 스피치 유형에 따라 당신의 개입을 표시해보라.
4. **4단계**: 당신에게 유익하게 사용될 수 있는 스피치의 대안적인 유형을 생각해보라. 전달되었으면 하는 문장을 적어라.
5. **5단계**: 당신이 주로 쓰는 유형과 덜 사용하는 스피치의 유형에 대해 피드백과 코칭을 구하라. 어떻게 하면 당신이 더 균형있게 할 수 있는지를 탐색하라.

의도를 나타내기: 기여 프레이밍의 간단한 방법

대화의 흐름을 방해하는 많은 커뮤니케이션의 오류는 상대방이 하는 기여의 뒤에 있는 의도를 오해하는 데서 발생한다. 때때로 A는 B가 아까 말한 것에 기반하여 논평하려 한다. 그때 B는 이것이 타당하다고 느끼지 않고, 자신이 한 말에 대한 반박으로 듣고 방어적이 된다. 또한 많은 기여가 대화의 흐름에 더해지지 못하며, 듣는 사람들은 이 기여가 앞선 논평에 어떻게 연결되는지, 어떤 유형의 기여인지를 분명히 알지 못한다.

사람들이 말을 시작할 때 자신의 기여를 프레이밍하는 스킬을 높이면 대화는 훨씬 더 개선될 수 있다. 세 가지 간단한 가이드라인이 도움이 된다.

- 당신의 의도를 명확히 하라
- 당신이 막 기여하기 시작하는 단계에서 당신의 의도를 프레이밍하라
- 끝낼 때는 당신의 기여에 대해 다른 사람들이 의견을 내는 데 개방적이라는 걸 언어 또는 비언어적으로 나타내라

토버트의 리더십 개입의 프레임워크는 어떤 사람의 기여의 의도를 표시하는 여러 다른 방법을 생각하게 하는 좋은 모델이다. 주장, 예시, 리프레이밍, 질의의 개입 스타일을 활용한다면 함께 가기나 앞선 기여에 대해 비전투적인 방법으로 다른 관점을 제시할 수 있고, 두 개의 앞선 기여를 연결할 수도 있다. 여기에 12개 영역에서 각각 의도를 나타내는 방법을 예시해 둔다(〈표 12.3〉 참조).

표 12.3 4가지 개입 스타일

	함께 가기	비전투적 반박	연결 및 통합
주장	A1	B1	C1
예시	A2	B2	C2
리프레이밍	A3	B3	C3
질의	A4	B4	C4

A: 함께 가기

1. A1 '나는 제인이 말한 것에 기반하여 얘기하고 싶다…' – 지원적 주장
2. A2 '나는 제인이 말한 것에 대한 사례를 제시하고 싶다…' – 지원적 예시
3. A3 '제인이 말했던 것을 이해하는 또 다른 방법은 … 일 것이다' – 지원적 리프레이밍
4. A4 '당신은 제인이 말한 아이디어를 어떻게 더 개발할 수 있는가?' – 지원적 질의

B : 비전투적 반박

1. B1 '제인의 의견에 또 다른 관점을 제시하고 싶다' – 차이 주장
2. B2 '제인의 아이디어와 대조적인 이야기를 하겠다. 하지만 누구든 이 둘을 연결해줄 수도 있을 것이다' – 차이로부터의 예시
3. B3 '제인의 관점과 병행하여 상황을 바라보는 다른 시각을 소개하고 싶다' – 차이로부터의 리프레이밍
4. B4 'X 상황에서 당신 아이디어는 어떻게 작동될 수 있는가?' – 회의론으로부터의 질의

C : 논평에 대한 통합과 연결

1. C1 '내가 두 개의 다른 제안을 연결하는 방법을 제안해서 양 쪽 모두의 요구를 충족시키는지 확인해도 되는가?' – 주장 연결
2. C2 '두 가지 니즈가 연결될 때가 언제인지에 대해 말하겠다' – 예시 연결
3. C3 '두 가지 다른 관점을 연결할 수 있는 프레임워크는…' – 리프레이밍 연결
4. C4 '제인과 이안의 제안을 연결할 수 있는 방법이 있는가?' – 연결 질의

개입 스타일 – 존 헤론(John Heron)

모든 기본적 슈퍼비전에 포함되어야 하는 중요한 스킬 중 또 하나는 참가자들에 대한 퍼실리테이션 스킬이다. 이는 참가자들이 슈퍼비전에 적응하고 역량을 개발하는 걸 돕는다. 이를 실행하는 데 유용한 도구 중 하나는 헤론(1975)의 '개입의 6가지 영역' 모델이다. 이는 6개 영역을 실행하고 퍼실리테이션 하는 데 필요

한 개입 방법으로 개발되었다. 이 모델은 일대 일 상황과 그룹 상황에도 동일하게 적용된다. 이것이 모든 걸 포괄하지는 않을 수도 있지만, 여러 개입 중 편안하게 쓰는 것과 회피하는 것이 무엇인지 인식하는 데 도움이 된다. 또한 실행을 하면서 선택할 수 있는 폭이 넓어진다.

우리의 정의에서 강조점은 고객에 대한 개입의 효과를 의도한다는 데 있다. 어느 한 영역이 다른 영역보다 더 또는 덜 의미 있거나 중요하다는 것은 아니다 (《표 12.4》 참조).

개입의 6가지 유형은 고객이나 슈퍼바이지를 돌보고 배려하는 데 뿌리를 둘 때만 진정한 가치가 있다. '변질되어' 또는 '비뚤어지게' 사용되면 가치가 없다. 헤론(1975)은 '왜곡된 개입'이란 실행자가 미숙하거나 행동이 강박적이거나 자발적이지 않은 방법으로 스킬을 사용할 때 일어난다고 정의했다. 이는 대개 자각의 결핍에서 비롯되며, 거기에서 '전환된 개입'이 악의적인 것이 된다.

♬ 표 12.4 개입의 6가지 유형

권위적인	충고, 지시하기(예: '그것에 대해 보고해야 한다', '당신의 코치이에게 도전을 해야 한다')
정보제공	교훈적이고, 가르치며, 알려주기(예: '사무실 서류 캐비넷에 비슷한 보고서가 있을 것이다', '이것은 코칭에 관한 유용한 책이다')
직면시키는	도전하기, 직접적인 피드백 주기(예: '당신은 특별히 이 고객에 대해 이야기할 때 항상 미소짓는 걸 알고 있다')
속이 후련한	긴장을 풀고 감정을 표현하기(예: '정말로 당신의 고객에게 말하고 싶은 것이 무엇인가?')
촉매적인	성찰적이고, 자기 주도적 문제해결 격려하기(예: '그것에 대해 좀 더 말해 줄 수 있겠는가?', '그것을 어떻게 할 수 있겠는가?')
지원적인	승인, 확인, 검증하기(예: '정말 어렵게 느껴질 것이다')

헤론 모델은 현재의 어려움을 초래하는 것이 6가지 유형 중 하나에 문제가 있지 않은지를 보는 렌즈로 사용할 수 있다. 우리는 슈퍼바이저가 자신의 개입 스타일을 알게 하는 데 이 모델을 널리 사용하고 있다. 그들은 먼저 자신의 주요 스타일과 적어도 편안하게 사용하는 영역이 무엇인지를 자가 평가한다. 그런 다음 슈

퍼바이저 연수생들은 동료 연수생과 함께 개별적 슈퍼비전을 수행하고, 세 번째 슈퍼바이저 교육생이 관찰자로서 개입의 패턴을 기록하여 처음 했던 자가 평가를 확인한다. 덜 사용된 개입 스킬에 대해서는 다음 번에 초점을 맞추어 개발할 수 있다. 또한 신입 슈퍼바이저는 실행가로서가 아닌 슈퍼바이저로서 자신의 개입 스타일을 차별화할 방법을 생각해 봐야 한다. 예를 들어 비지시적 코치는 그동안 받았던 훈련과 경험이 촉매적 개입만을 남용하는 결과를 가져왔음을 알게 될 수 있다. 그러면 슈퍼바이저로서 '유용한 정보를 주는' 개입과 '직면적인' 개입을 더 많이 통합하는 식으로 자신의 레퍼토리를 확장해야 한다는 걸 깨달을 수도 있다.

또한 우리는 일부 작업자들은 관리자 또는 슈퍼바이저 역할로 이동할 때, 자신의 스타일을 완전히 바꿔버리면서 매우 유용한 코칭 스킬을 상당부분 포기해 버린다는 걸 알게 되었다.

일부 슈퍼바이저 연수생들은 자신의 슈퍼비전 세션을 기록하고 나서 사용했던 헤론 개입 각각에 대해 점수를 매긴다. 다른 사람들은 세션 특히 슈퍼바이지와 자신 모두를 위한 성찰에 이 모델을 사용하고, 특정한 슈퍼바이저의 개입에 대해 기록한다. 그런 다음 각 당사자가 개입 스타일을 변화시키는 데 강조할 것을 탐색하는데 모델을 사용한다.

감정적 표현의 범위 확장

훌륭한 음악가에게도 기술적 역량 때문이 아니라 자신의 정상적인 감정적 범위를 벗어난 감정적 리듬이 필요하기 때문에 잘 연주할 수 없는 음악적 부분이 있다. 마찬가지로 배우는 연극에서 특정 역할이 힘들 수 있다. 고위 경영층은 팀이나 조직에서 많은 통찰과 설명으로도 해결되지 않는 반복되는 상황, 예를 들어 갈등을 피할 수 없는 경우도 있다.

외국의 영화나 오페라, 연극을 볼 때, 대화를 이해하지 못해도 연기하는 감정을 느끼고 크게 감동을 받기도 한다. 감정은 단지 음악의 리듬에서뿐만 아니라 연기자의 목소리, 모습, 제스처에 의하여 전달된다. 감정적 리듬은 다른 문화에서도 비슷하며, 보편적으로 동일하게 인식되는 것 같다. 이 주제는 클린스(Clynes, 1977)에 의하여 연구되었다. 그는 이를 '감정적 상태(sentic states)' 리듬이라 불렀다. 그는

7가지 기본 리듬, 즉 분노, 증오, 슬픔, 사랑, 관능, 기쁨과 경외감이라는 보편적인 7가지 기본 리듬을 발견했다. 그의 초기 연구 이후, 미국의 리차드 보로프스키를 포함하여 영국의 말콤 팔레트, BCG에 그 시스템을 소개한 피터 호킨스 등이 그의 작업을 진일보시켰다. 이 저자들은 감정적 표현 영역을 확장하는 데 연기자, 경영자, 컨설턴트, 심리치료사의 작업 방법에 적용하여 표현의 범위를 넓히는 아이디어를 개발했다.

　7가지 감정적 리듬은 모두 긍정적인 면과 부정적인 면을 가지고 있다. 완전히 개발된 사람은 7가지 상태를 명확하고 적절하게 표현할 수 있다. 이 7가지 상태를 살펴보기 전에 사용된 용어에 대한 주의를 살펴봐야 한다. '분노', '증오'와 같은 용어는 구별할 수 없는 기술적 용어로 취급되어야 하며, 그러한 단어에 당신이 가지고 있을 수 있는 감정적 수화물을 부여해서는 안 된다. 그걸 마치 암호처럼 취급하는 경험을 통해 클린스가 말하는 것을 이해하는 데 도움이 되며, 프로세스와 싸우는 것을 중지하게 된다.

　〈그림 12.1〉에서 우리는 7가지 감정적 상태가 신체의 각 부분에 어떻게 연결되는지와, 유명한 힌두 시스템에 있어서 신체의 다른 부분들과 다른 에너지 차크라에 어떻게 연결되는지를 보여준다.

🖋 그림 12.1　7가지 감정(Clynes, 1977)

경외감
기쁨

관능성
사랑
슬픔
증오
분노

분노(anger) 근원적 리듬의 첫 번째인 분노는 척주의 기본에 위치해 있다. 분노는 공격성과 혼동해서는 안 되는데 왜냐하면 분명한 분노는 시간과 공간에 있어서 경계가 있고 분명한 방향이 있기 때문이다. 이는 다른 사람을 공격하는 것이 아니다. 여기에서 알 수 있듯이, 분노의 리듬이 없다면 큰 그룹의 수업이나 워크숍, 이벤트를 시작하거나 대형 토론을 끝맺기가 매우 어려울 것이다. 분노의 리듬은 '아니오'라고 말하기 위한, 또는 명확한 경계를 세우기 위한 자기주장 훈련에 필수적이다. 경영에서 이 리듬은 의도를 명확히 하는 데 필요하며, 불확실하고 초점이 부족한 상황에 질서를 부여하는 데 반드시 필요하다. 이 부분은 음악에서 베토벤의 5번 교향곡 오프닝에서 또는 번스타인의 웨스트 사이드 스토리의 시작 부분에서 들을 수 있다.

증오(hatred) 증오는 장에 위치하고 있으며, 어떤 것을 끝내거나 창조적으로 파괴하는 데 사용되는 에너지의 리듬이다. 이는 사람을 미워하는 것에 대한 감정이 아니다. 클린스의 용어로는 물건을 갈기갈기 찢고, '죽은 나무'를 꺾어버리고, 관계를 종료하는 데 사용되는 에너지를 의미한다. 증오가 없다면 우리는 변비에 걸리게 된다. 이게 없다면 퇴적물을 제거할 수 없고, 쓰지도 않으면서 다락방이나 지하실을 꽉 채우고 있는 물건들을 멀리 내다버릴 수 없고, 프로젝트나 관계를 절대 끝내지 못할 것이다. 증오는 끝내버리고, 벗어나고, 경영에 있어서 돌파구를 찾는 데 도움이 될 뿐 아니라 인정하기 싫은 꽉 막힌 상황을 직면하게 해준다. 이 리듬은 바그너의 니벨룽겐의 반지 라인의 황금에 나오는 알레리히의 아리아와 지크프리트의 미미의 아리아, 베르디의 오셀로에서 들을 수 있다. 경영에서는 이 에너지를 사용하여 생산라인의 중단, 직원의 해고 또는 고객 관계 청산을 한다.

슬픔(grief) 슬픔은 상실에 대한 슬픔에 관한 것이다. 깊은 슬픔의 에너지는 가슴과 횡격막보다 더 아래에서 발생한다. 조용히 흐느껴 우는 것에서부터 중앙아시아의 장례에서 들을 수 있는 통곡에 이르기까지 비탄과 슬픔의 리듬이다. 그것은 또한 놓아주고, 풀어주고, 항복하고 용서하는 리듬이다. 이 리듬이 없다면 다른 사람의 고통이나 슬픔에 완전히 공감하는 것이 불가능하다. 그것은 말러의 5번째 교향곡이나 찬송가 '함께 하소서'의 느린 악장에서 들을 수 있다. 경영의 리더는 이 '당기는' 에너지를 사용함으로써 어떤 것에 대해 민감하거나 말하기 어려운 것을 말하도록 이끌어낼 수 있는데, 이는 다른 리듬으로는 하기 어려운 것일 수 있다.

사랑(love) 리듬은 머무는 공간을 창조하며, 심장에서 발생한다. 다른 사람을 환대하고 포용하며, 수용하고 관심과 배려를 표현하는 데 사용되는 리듬이다. 이 리듬은 아이들이 잠드는 걸 돕는 아름다운 브람스의 자장가에, 또는 모차르트의 피가로의 결혼의 마지막에 나오는 백작부인의 노래에서 들을 수 있다. 경영에서 그것은 직원이나 프로젝트팀을 환영하는 데, 그리고 집단의 소속감을 형성하는 데 사용된다.

관능성(sensuality) 관능성은 종종 입과 손을 통하여 표현된다. 이 리듬은 관능적인 쾌감과 흥분의 표현이다. 그것은 다중 모델 그림을, 맛있는 음식을 맛보거나 다른 사람과 함께 하는 걸 즐기는 데 사용될 수 있다. 리더가 비전이 어떻게 보이는지 어떻게 들리며 어떻게 느껴지는지를 설명하면서 흥분을 불러일으키는 데 사용된다. 경영에서는 일을 따내기 위해 입찰할 때, 다른 조직과 함께 일하는 것이 어떨지에 대한 감각을 갖게 해주며, 강사들이 청중을 정력적으로 몰두시킬 때도 사용한다. 관능성의 에너지가 없다면, 관계는 무미건조해질 수 있다. 음악에서 이 리듬은 많은 위대한 재즈 색소폰 음악뿐만 아니라 비제의 카르멘, 라벨의 볼레로에서 들을 수 있다.

기쁨(joy) 기쁨은 신체를 곧장 통과하지만, 눈을 통하여 가장 잘 표현되는 리듬이다. 기쁨을 통하여 우리는 축하하고 긍정적인 것을 지지한다. 이는 선수들이 손뼉을 마주치며 '하이 파이브'를 하는 것이나 군중이 공중으로 점프를 하는 것처럼 스포츠에서 보여진다. 음악에서 이는 베토벤의 환희의 송가, 헨델의 '기쁘다 구주 오셨네' 그리고 코플랜드의 애팔래치아의 봄, '춤의 제왕'처럼 현대 찬송가 곡조에서도 들을 수 있다. 현대의 비즈니스 생활에 있어서 진정으로 축하하는 능력이 상실되는 것은 모두에게 손해이다.

경외감(awe) 아름다운 일몰이나 숨이 멎을 것 같은 황홀한 경관을 볼 때, 우리는 경외감을 표현한다. 이 리듬은 축하할 때, 다른 사람 또는 그룹이 뛰어난 성과를 낸 것을 인정할 때 사용된다. '와! 환상적이다!'라고 말할 수 있다. 이는 우리 자신 너머에서 얻어지는 리듬이며, 그것은 말러의 두 번째 교향곡의 마지막 악장에서 또는 리하르트 슈트라우스의 4개의 마지막 노래에서 들을 수 있다. 다른 사람들에 대한 깊고 조용한 감사는 경영에서 활용을 잘 못하는 리듬이지만, 사기와 자신감을 높이는 데 크고 강력한 효과를 창출할 수 있는 리듬이다.

물론 우리는 질투, 자부심, 수치, 복수, 불안, 두려움 등과 같이, 7가지 감정이 아닌 다른 감정적 상태를 만난다. 하지만 이들 대부분은 하나 이상의 주요 감정 상태가 어우러진 것으로서 그 자체로 분리되어 존재하기보다는 다양한 믿음과 판단과 함께 포장된 감정적 상태의 융합이다.

명백한 예외는 두려움(fear)이다. 7가지 감정적 상태처럼 두려움은 신체의 부분, 위에 위치하고 있으며, 전형적으로 개방된 홈이나 틈과 같다. 약간 가볍게 느낄 때는 두근거림과 같다. 불안과 흥분을 지닌 경계에 선 느낌이다. 두려움의 리듬은 히치콕의 영화 사이코의 사운드 트랙의 현의 들쭉날쭉한 폭포에서 들을 수 있다.

두려움은 분노처럼 파충류 뇌에 기반을 둔 고대 생물의 '싸우든지, 도망쳐라 (fight or flight)'기제의 산물이며, 아드레날린이 분비되고 맥박이 빨라진다. 하지만 분노가 얼굴과 흉부 위로 혈액을 더 많이 흐르게 만드는 것이라면, 두려움은 아래로 향하며 내적으로 흘러나간다. 이것이 두려움과 감정 상태 간의 차이다. 7가지 감정적 상태에서는 에너지는 이미 외부의 대인관계 공간으로 움직인다. 하지만 두려움의 경우 에너지는 고립을 향하여 안쪽으로 움직인다. 두려움을 느끼는 사람들에게는 적극적인 경청과 인정으로 긴장을 풀도록 하는 게 매우 중요하다. 프로세스상에서 두려움은 때때로 힘들어하는 이슈에 대한 생생한 데이터를 주는 중요한 요소이다. 그러나 조직 생활의 대인관계 공간에서 효과적인 역할 수행자가 되려면 그의 에너지가 다시 외부를 향해 흐르기 시작해야 한다.

다니엘 골만(Daniel Goleman, 1996) 등은 경영자와 전문가들이 성공적이기 위해서는 날카로운 지성(IQ)과 잘 균형 잡힌 감성 지능(EQ)이 결합될 필요성이 있다는 점에 대하여 광범위한 저작을 남겼다. 그는 EQ를 '영향력', '유대감 형성', '타인 이해' 등과 같은 25개 하위 역량으로 분류한다. 이는 매우 중요한 스킬로서, 개인이 감정을 잘 표현할 적절한 감정 에너지와 적합한 리듬에 내적으로 접근해야 한다.

우리 각자는 한 두 개의 지배적인 표현을 발달시키는 경향이 있으며, 그 밖의 다른 리듬을 충분히 표현하는 것이 매우 어렵다. 문화나 성격, 개인적 역사 때문에 그렇다. 응용연구 결과를 보면 성격은 쉽게, 적어도 빠르게 변화하지 않는다. 하지만 성격 내부에서 다음과 같은 것들을 시작할 수는 있다.

- 감정적 표현의 범위를 확장하기
- 더 깨끗하게 명확하게 감정적 리듬을 사용하기
- 다른 사람들의 비언어적 감정 표현을 더 잘 인식하기

이를 위해서는 다른 사람으로부터 솔직한 피드백이 필요하며, 선택의 범위를 이해하기 위한 프레임워크, 새로운 모드의 표현 연습과 코칭이 필요하다.

‘방(공간)에서의 전환’ 만들어내기

우리는 코치, 슈퍼바이저의 ‘방에서의 전환’을 창조하는 능력을 몇 번이나 강조한다. 이것이 모든 변혁적 작업을 뒷받침하는 중요한 스킬이라고 본다. 처음에는 이걸 이해하기 어려워할 수도 있다. 이것은 2장에서 설명한 바 있는 아주 중요한 핵심 아이디어이다. 여기서는 이 핵심 스킬을 모든 각도에서 전방위적으로 살펴본다.

어떤 사람이 이런 개입 방법에 호응을 하고 때론 지적으로 흥분하더라도 물리적인 행동이 전과 똑같은 방식이어서는 ‘방에서의 전환’을 만들어내지 못한다. ‘지적 흥분’, ‘통찰력’, ‘깨달음’은 정신적 감정적 풍경은 바꿔놓을 수 있지만, 이미 체화된 행동의 익숙한 범위 안에 머물 뿐이다. 변혁적 코칭 또는 슈퍼비전은 스스로 체화하는 범위를 넓히려고 하는 것이며, 이에 대한 성공의 측정기준은 변혁적 전환이 만들어지는 핵심 순간에 코치이나 슈퍼바이지의 신체적 인식이다. 우리가 신체적, 심리적, 감정적 수준에서 통합된 영향을 미치면, 변혁적 변화의 시작 조건이 만들어지는 것이다. 이 장 마지막 부분에서는 이러한 것들이 의미하는 바와 이러한 역량, 수행능력, 능력을 개발할 수 있는 방법을 탐색한다.

고객과 일하는 데 주의를 요하는 4개의 특별한 영역이 있다. 이것들은 일이 고착되었을 수도 있는 신호, 그리고 그걸 푸는 것이 무엇인지에 대한 신호를 알려준다. 아래와 같은 때 경계해야 한다.

- 대화가 대립 속에서 마무리되는 경우가 많음
- 체크해 보면 열망과 현재 상황 사이에 현실적 간격이 발견됨
- 슈퍼바이지가 자기 고객에게 도전하는 걸 너무 빨리 포기함
- 대화 그리고/또는 행동이 되풀이되며 같은 고리를 돌고 있음

‘교착상태’는 어떤 것이 자연적 변화를 중지하게 되는 것을 의미한다. 2장에서 보았듯이, 신경과학 연구에서 뇌의 가소성은 기본적으로 존재한다. 가소성은 변화하는 환경에 대해 적응하고 변화할 수 있는 자연적 능력을 의미한다. 예를 들

어 두려움 같은 오래된 패턴과 같은 다양한 이유들 때문에 우리는 무의식적으로 변화가 일어나는 걸 억제하거나 중단할 수 있다. 이러한 '교착' 패턴을 잊기 위해서는 신체적, 정신적, 감정적인 차원의 변화 그리고 우리가 만든 프레임의 변화가 요구된다. 이것이 방 안에서 한꺼번에 일어나야 하는 전환이다.

이제 몇 가지 제시된 이슈와 거기에 필요한 변혁적 전환을 살펴볼 것이다.

▪ 대화가 자주 대립 속에서 끝나는 경우

서로 확신을 가지고 양극단의 대립을 하게 되어버리면 거기서는 어떤 걸 시도해도 이길 수 없다. 그렇다면 코치와 슈퍼바이저로서 우리는 먼저 대화를 진행하는 체계적인 패턴을 이해하고 '잠금장치를 여는' 방법을 알아야 한다. 이 매커니즘은 2장에서 설명했는데, 부적절한 가정 때문에 비슷한 자극에 대해서 반복적이고 반사적인 반응을 보이게 되고 이로 인해 대화가 교착상태에 빠지는 것이다.

우리는 '양극단' 대화가 '교착상태'를 정당화하기 위해 필요한 것임을 이해하고 있다. 그러므로 이 상황에서 코치와 코치이의 모든 토론은 코치의 관점이 옳다는 걸 강조하기 위한 과정일 뿐이며, 앞으로 향해 나갈 새로운 방법을 모색하는 중립적 시도가 아니다. 변혁적 코칭의 관점에서 여기서의 이슈는 코치이/슈퍼바이지가 이런 상황에서 모든 옵션을 닫아버리고 그로 인해 해결로 나아가지 못한다는 것이다. 슈퍼바이지가 참여의 4가지 수준을 통하여 이슈를 생각하도록 도와줌으로써, 교착상태의 근원을 드러내고 현재의 패턴에서 벗어나서 새롭고 더 많은 기능적 반응을 하게 할 수 있다.

♬ 그림 12.2 언제 어떤 개입유형을 사용하는지에 대한 예시

진단	개입 스타일	
• 자신감 부족	(지원적)	
• 상자안에 갇힘	(촉매적)	촉진적인(세로)
• 막혔다고 느낌	(카타르시스)	

• 새로운 자각의 필요	(직면)	
• 필요한 정보 부재	(정보제공)	권위적인(세로)
• 방향을 선택 못함	(지시적인)	

▪ 열망과 현재 상황 사이의 현실적 간격이 있는 상황

고객의 수사적 표현과 우리가 방 안에서 보는 현실 사이에 격차가 드러날 때가 있다. 수사적 표현과 현실이 다르다면 거기에 어떤 장벽이 있는지를 탐색해야 한다. 스스로가 자신이 어떤 사람이라고 하는 이야기는 개인적 경험에 대한 방어기제로 만들어진 환상일 수도 있다. 지금의 현실과 미래의 기회(예: '언젠가 나는 정말로 유명해질 거야!')에서 보면 완전히 이상한 것일 수 있다. 이를 넘어서 앞으로 나아가는 데 한 가지 유용한 방법은 헤론의 6가지 개입 유형(위를 참조)을 명심하는 것이다. 마음속으로 잠재적인 방해물을 점검하는 작업을 통해서, 현재 나타나는 장애의 유형에 대해 직관적인 '교정'이 일어날 수 있다. 개입 유형은 장애를 해결할수 있는 방법에 대한 단서를 제공한다.

▪ 강력한 반복적 행동 루프가 행해지는 경우

코칭이나 슈퍼비전 상황에서 반복적인 행동 루프에 직면했을 때, 위에 기술된 어떤 기술을 사용할 수도 있고 또는 전환에 도움 되는 다른 방법을 탐색할 수있다. 2장에서 언급했듯이, 루프에서 벗어나 앞으로 나아가게 하는 한 가지 방법은 자신의 자동적 반응을 다시 인식하도록 하는 것이다. 이런 개입을 명확히 하는데는 사례를 드는 것도 도움이 된다. 첫 번째 단계는 패턴을 명백하게 하고 의식하도록 만드는 것이다. 말하는 데 틱 장애처럼 반복되는 패턴이 있다면, 이는 상대적으로 간단하다. 예를 들어 어떤 경영자가 말끝마다 '내 말 무슨 말인지 알지?'라는 걸 달고 산다면, 패턴을 스스로 인식하게 하는 것만으로도 도움이 된다. 한 번 더 의식하게 되면 상대적으로 쉽게 변화될 수 있다.

하지만 더 복잡한 감정적 반응 패턴이나 틱 현상처럼 단순 명료하지 않은 신체의 습관적 반응은 머릿속에서 틱 현상만큼의 강도로 울려퍼지지 않는다. 한 발더 나아간 방법으로 이 패턴을 더 명백하게 만들 수 있다.

- 문제 행동이 취해지는 그 시점에 평소보다 속도를 높이거나/낮춘다. 천천히 할 때는 점점 더 세부적인 사항을 물어봄으로써 속도를 늦추며, 빠르게 할 때는 보통보다 이야기를 더 빠르게 앞으로 나아가게 한다.
- 경험되는 행동의 강도를 높이거나/낮춘다. 빙빙 돌기만 하는 어떤 이야기

를 아주 중요하게 다루거나, 혹은 그 반대로 한다.

● 리프레밍을 통해 행동의 의미를 변화시킨다−어떤 것이 일어난 이유에 대해서, 다른 가정으로 대체한다.

● 다른 사람의 관점에서 보도록 요청함으로써 관점이나 가정을 변화시킨다.

관점을 전환시키기(리프레이밍)

우리가 어떤 사건에 부여하는 의미는 그것을 인식하는 프레임에 달려 있다. 리프레이밍은 자신에게 어떤 의미를 갖도록 하기 위해서 그걸 인식하는 프레임을 변화시키는 것이다. 뇌는 상황을 빠르게 스캔하고 감정적, 지적, 신체적 반응의 용어로 이를 기록한다. 어떤 상황이 예전 학창시절을 기억나게 하면 명확한 논리나 연결이 없이도 지금의 내가 불안을 느낄 수 있다. 스도쿠 퍼즐을 좋아하는 나의 열정이 연결되는 상황이 되면 뇌의 신피질에서 호기심이 작동되기 시작한다. 큰 막대기를 가지고 다가오는 누군가를 보면 두려움 반응이 시작되고, 길 건너로 피하고 싶은 충동을 느낀다.

의미가 변화하면 사람들의 반응과 행동도 변화한다. 프레임이 행동을 발생시키는 경우를 예를 들어보자. 한 전문 서비스 기업의 파트너가 있는데, 세무당국에 매출을 누락시키거나 분식회계로 주주를 속이는 글로벌 고객을 본다고 해보자. 이 파트너는 그 상황에 도전하는 것이 어렵다. 그것이 어려운 이유는 고객의 고위 경영자가 그 행위를 기업 문화에 있어서 '영리한 회계' 또는 '강력한 관리'로 보고 있고, 거기에 동참하지 않으면 이 사람을 배제하기 때문이다. 그런 행동에 대한 고객의 현재 가정−프레임은 어떤 수준에서는 이 정도는 허용되는 관행이며, 좋은 기업의 관리자들도 저지르는 일이라는 것이다.

그 '프레임' 안에 있는 한, 이 전문 서비스 파트너가 고객의 진술에 도전하면서 그 고객을 유지하는 것은 어렵다. 그가 조용히 묵과하는 데서 벗어나 주도적인 입장을 취하기 위해서는 그 행위를 리프레이밍하여 다른 의미를 구축해야 한다. 최근에 벌어진 많은 경우를 보면 이렇게 행위를 리프레임한 것은 전문 서비스의 고위 파트너가 아니라, 법원이었다−그래서 너무 늦었다!

CLEAR 4: 행동 단계 스킬

구체적인 계획

루디야드 키플링(Rudyard Kipling)은 한 편의 시를 썼는데, 여기엔 저널리스트가 되는 데 필요한 핵심 스킬이 들어있다.

나는 여섯 명의 정직한 도우미를 두어왔다.
(그들은 나에게 아는 모든 걸 가르쳤다);
그들의 이름은 무엇, 왜, 언제,
그리고 어떻게, 어디에, 누가이다.

(Kipling, The Elephant's Child, 1902)

코칭이든 슈퍼비전이든 행동의 단계에서는 '왜'를 제외한 이 모든 것들이 아주 유용한 군사들이다. '왜' 질문은 탐색 단계에는 유용할 수 있지만, 행동으로 옮겨갈 때 유용한 질문들은 다음과 같은 것들이다.

- 그래서 **무엇을** 하시겠습니까?
- **어떻게** 그것에 몰입하시겠습니까?
- **실제로** 무엇이라고 말하겠습니까?
- **언제** 어디서 그것을 하시겠습니까?

활동 단계는 구체적인 다짐으로 나아가는 것에 관한 것이다. 슈퍼바이저의 프로세스 모델에서 이런 질문 유형은 실행가의 개입에 초점을 둔 모드 2로 이동할 때 필요하다.

빨리 감기 예행 연습

시스템적 변혁적 코칭(2장 참조) 부분에서 설명한 바와 같이, 슈퍼바이지가 어떤 행동을 하겠다고 말하는 데서 변혁적 다짐의 지점으로 이동하기 위해서는 빨리 감기 리허설이 매우 유용하다. 슈퍼바이저가 슈퍼바이지에게 직접적인 표현을 하도록 요청한다고 해보자. '내가 당신이 말한 고객이라 생각해봅시다. 당신이 다음 주 목요일 오후에 사무실에 가서 새로운 방법으로 도전할 예정인, 바로 그 고객이라고 상상해 보는 겁니다. 처음에 어떻게 말을 시작할지 한 번 얘기해보세요.'

이러한 리허설 이후에는 슈퍼바이저가 효과적인 피드백의 원칙(아래 참조)에 따라 즉각적인 피드백을 제공하는 것이 중요하다. 다음과 같은 방식으로 할 수 있다.

- '내 관점에서 볼 때 당신이 매우 효과적이었던 것은…'
- '당신 고객의 역할을 할 때 나로 하여금 정말 몰입되고 확신을 갖게 만든 것은…'
- '어느 순간에 당신으로부터 떨어져 표류하는 느낌이었다. 만약 그때 당신이 나를 쳐다보고 목소리에도 감정이 더 담겼다면 어땠을까…'

피드백 후에는 슈퍼바이지가 재 리허설을 하면서 다듬도록 권유할 수 있으며, 이는 다르다는 걸 느끼는 정도가 아니라 자신의 신념과 가치와 일치할 때까지 지속할 수 있다. 리허설은 압력을 받는 순간에도 기존과 다르게 반응할 수 있다는 자신감이 체화될 때에 중단한다.

CLEAR 5: 검토 단계 스킬

᛫ 피드백 주고 받기

피드백이란 자신이 어떻게 경험했는지를 다른 사람에게 말해주는 것으로 알려져 있다. 피드백을 주고받는 것이 어렵고 불안하게 느껴지는 이유는 부정적 피드백이 마치 아이처럼 꾸짖음을 받았던 기억을 다시 자극하기 때문이다. 반면 긍정적인 피드백은 '자만하지 말라'는 경고에 어긋난다. 대부분의 사람들은 무엇인가 잘못되었을 때만 피드백을 주고 경험한다. 그러므로 피드백을 둘러싼 감정은 종종 나쁜 것으로 연결되고 그래서 피드백에 대한 두려움은 강화될 공산이 크다. 여기 피터와 동료가 개발한 피드백의 규칙을 소개한다. 이 규칙은 피드백을 주고 받는 것이 유용한 거래가 되고 변화로 이어지도록 만들어 준다.

▪ 피드백 하기

다른 의제의 영향이 없는 깨끗한 피드백을 제공하는 것은 그 사람에게 주는 귀한 선물이다. 일상적으로 많이 하는 피드백은 상대방이 우리가 원하는 대로 하게 하려는 의도가 끼어 있다. 여기서 말하는 피드백은 그런 것이 아니다. 우리는 들을 수 있어야 하고 '깨끗하게' 관찰할 수 있어야 하며, 그리고 나서 우리가 실제 경험했던 것에 대해 피드백을 해주는 것이며, 그래서 이것이 다른 사람을 개발하는 데 도움이 된다. 또한 모든 피드백은 피드백을 받는 사람에 대해서 만큼이나 피드백을 주는 사람에 대해서도 말해준다는 걸 알아야 한다.

좋은 피드백을 주는 하나의 신호 역할을 하는 연상기호가 CORBS이다: 명확하고(Clear), 자신이 소유한(Owned), 정기적인(Regular), 균형 있고(Balanced), 구체적인(Specific) 피드백이라는 뜻이다.

1. **명확한(Clear)**: 할 수 있는 만큼 명확하게 하라. 분명하지 않으면 받는 사람은 불안을 키우게 되고 이해하지 못하게 된다. 당신이 불확실하게 하면 다른 사람에게 전달되어 그들도 당신의 말을 불확실하게 전달할 것이다.

2. **자신이 소유한(Owned)**: 당신이 하는 피드백은 당신 자신의 인식일 뿐 궁극적인 진실이 아니다. 그러므로 피드백은 피드백 대상자에 대한 것만큼이나 당신에 대한 것이기도 하다. 피드백에서 이 점을 설명하거나 암시하면 받는 사람에게 도움이 된다(예: '당신은 … 합니다'라고 하는 것보다 '당신이 … 하다는 걸 알게 되었습니다').

3. **정기적인(regular)**: 피드백이 정기적으로 주어지면 더 유용할 가능성이 높다. 정기적인 피드백이 없으면 불만이 누적되어 강력한 형태로 전달될 위험이 있다. 가능한 어떤 일이 있을 때 바로, 그리고 상대가 피드백을 받고 뭔가 조처를 취할 수 있을 만큼 일찍 피드백을 제공하라(예: 이랬으면 더 좋았을 거라는 식의 말을 그들이 떠난 다음 말하지 말라!).

4. **균형 잡힌(Balanced)**: 부정적인 피드백과 긍정적인 피드백의 균형. 만약 당신이 하는 피드백이 항상 긍정적이거나 항상 부정적이라면, 당신의 관점이 어떤 면에서 왜곡되었음을 말해주는 것일 수 있다. 부정적인 피드백이

항상 긍정적인 피드백과 함께 주어져야 한다는 의미가 아니라, 균형을 유지해야 한다는 뜻이다. 다른 한편으로는, 만약 당신이 말하고 싶은 부정적인 것이 여섯 가지이고 긍정적인 것은 하나뿐이라면, 한 세션에서 부정적 코멘트의 숫자를 제한하라. 그렇지 않으면 피드백을 받는 사람이 한꺼번에 모두를 이해할 수 없을 것이다.

5. **구체적인(Specific)**: 일반화된 피드백을 주면 거기서 뭔가 배우기가 어렵다. '당신은 짜증 난다'와 같은 표현은 상처와 분노로 이어질 뿐이다. '당신이 메시지를 잊어버리고 기록하지 않을 때는 짜증난다'고 하면, 피드백 받는 사람에게 어떤 정보를 주게 된다. 물론 그들은 그 정보를 활용하거나 무시할 수 있다. 이러한 표현을 할 때는 피드백을 주는 사람이 짜증나는 원인이 자기 자신에게 있을 수 있다는 점도 고려해야 한다.

▪ 피드백 받기

피드백을 받는다고 해서 완전히 수동적일 필요는 없다. 피드백을 받는 사람도 피드백이 잘 주어지는 데 대한 공동 책임을 질 수 있다. 피드백을 가지고 무엇을 할지는 전적으로 받는 사람에게 달려 있다.

1. 만약 피드백이 위에서 제안했던 방식으로 주어지지 않았다면, 피드백을 좀 더 명확하고 균형 잡히게, 자신의 관점을 담아서 정기적으로 그리고/또는 구체적으로 해달라고 요청할 수 있다.
2. 판단을 하지 말고 피드백을 끝까지 들어보라. 성급한 방어적 반응을 보이는 것은 피드백을 실제로 이해하지 못하고 있다는 뜻일 수 있다.
3. 당신이 왜 그렇게 했는가를 설득하거나 혹은 긍정적인 피드백을 밀쳐내는 설명을 하려 들지 마라. 그 사람이 당신을 경험한 만큼 피드백을 들으려 노력하라. 때로 피드백을 듣고나서 '감사합니다'라고 말하는 것만으로 충분하다.
4. 듣고 싶었지만, 듣지 못한 피드백이 있다면 이를 요청하라.

▪ 피드 포워드

피드백을 하는 것은 일반적으로 다른 사람의 행동과 그것이 당신에게 미친 영향에 대해 말해 주는 것이다. 이는 피드 포워드와 결합되면 훨씬 유익한데, 피드 포워드란 다른 사람에게 향후 비슷한 사건이나 상황에서 다르게 행동하도록 격려하는 것을 말하는 것이다. 피드백과 마찬가지로, 이것은 명확한, 자신이 소유한, 정기적인, 균형 잡힌 그리고 구체적인 방법으로 전달되어야 한다.

결론

이 장에서는 코치로서, 멘토로서, 조직 컨설턴트로서 개발되는 데 필요한 스킬들, 특히 그들이 다른 사람들의 슈퍼바이저 역할을 하기 시작할 때 개발해야 할 스킬을 정리했다. 슈퍼바이저가 슈퍼비전의 어느 지점에서 체크하고 새로운 스킬을 개발해야 하는지를 보여주려고 노력했다. 제3부의 시작 부분에서는 7개 영역 모델을 탐색했고, 다중 지능의 아이디어가 중요한 개발 프레임이라는 걸 보여주기 위하여 상단에 가드너의 다중 지능을 배치했다. 그런 다음 지성은 미리 연마된 형태로 오는 것이 아니라는 사실에 입각해서 구축했다. 어떤 일은 즉각적으로도 잘 수행할 수 있지만, 다른 지능면에서는 괜찮은 수준이 되는 데 엄청난 피땀과 눈물이 필요할 수도 있다. 뛰어난 수학자가 미적분 방정식에 대해 대답하는 데는 어려움이 없지만, 근육과 신체감각을 인식하고 빠르게 수행하는 능력에서는 지난한 노력이 필요할 수 있다.

CLEAR 모델을 이용해서 여러 스킬이 슈퍼비전에 들어맞는 지도를 갖도록, 그리고 슈퍼바이저가 자신을 개발하기 위해 강화해야 하는 스킬에 대한 일종의 지표를 갖는데 도움이 되도록, 각각이 7개 영역 모델과 어떻게 관계되는지에 대해 논했다〈그림 12.3〉 참조).

다음 장에서는 수행능력의 개발이라는 관점에서 7개 영역의 중요성을 더 깊은 측면에서 살펴볼 것이다.

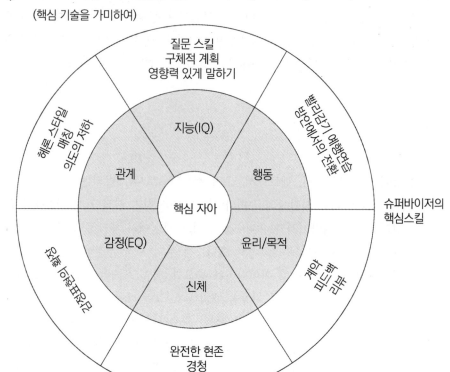

🖙 그림 12.3 **일곱가지 개발 영역(Smith and Smith 2005)**

(핵심 기술을 가미하여)

질문 스킬
구체적 계획
영향력 있게 말하기

해론 스타일
매칭
의도의 저하

빠르감기 여행연습
양연에서의 전환

지능(IQ)

관계

행동

핵심 자아

감정(EQ)

윤리/목적

신체

제약
피드백
리뷰

슈퍼바이저의
핵심스킬

감정의 표현의 감

완전한 현존
경청

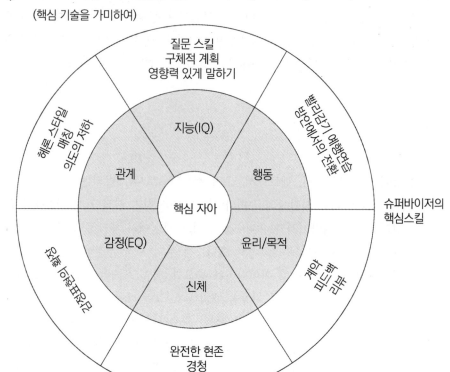

🖙 그림 12.3 **일곱가지 개발 영역(Smith and Smith 2005)**

(핵심 기술을 가미하여)

제13장 | 핵심 자질과 능력

소개

이 장은 코칭, 멘토링, 조직 컨설팅, 슈퍼비전 영역에서 일하는 데 필요한 능력에 초점을 맞춘다. 능력은 훈련 과정으로 가르칠 수 없지만, 삶을 통해 기술을 개발하는 가운데 갖춰지고 정제될 수 있는 인간적 자질이다. 슈퍼비전의 주요한 하나의 측면은 슈퍼바이지가 핵심 능력(Hawkins, 2011b)를 개발하고 확장하도록 돕는 것이다.

핵심 능력(Core Capacities)

다음의 핵심 능력은 효과적인 코치, 멘토, 컨설턴트, 슈퍼바이저가 되는 데 필수적이다. 또한 성찰 기능을 가진 직업과 슈퍼비전에도 필수적인 능력이다. CPD는 핵심 능력을 지속적으로 확장하고 더욱 완전하게 체화되도록, 일을 하는 데 이 능력들이 생생하게 작동하도록 돕는 것이다. 핵심 능력은 다음과 같다.

1. 적절한 리더십(appropriate leadership)
2. 권위, 존재, 영향력(authority, presence, impact)
3. 관계 참여 능력(relationship engagement capacity)
4. 다른 사람의 리더십과 성찰적 실행, 셀프 슈퍼비전을 개발하는 능력

5. 힘을 보유하고 영향력 발휘하는 능력
6. 차이를 넘어 일하기, 개인차에 대한 이문화 감수성
7. 윤리적 성숙
8. 유머감각과 겸손

적절한 리더십 갖추기

다른 사람의 리더십을 개발하는 것은 코치, 멘토, 조직 컨설턴트의 핵심적인 과업이다. 이는 가장 많이 논의되는 주제 중의 하나지만, 정작 코치, 멘토, 컨설턴트가 갖춰야 하는 리더십 능력에 대해 쓴 저작물은 매우 드물다.

영국에서 코칭기관이 출범할 당시, 충분한 심리학적 훈련이나 수행능력이 부족한 코치로 인한 위험성에 대해 많은 우려가 있었다. 마찬가지로 조직 경험이 부족한 미래의 코치들에게도 똑같은 위험이 있다고 생각한다. 많은 사람이 상담가/심리치료사/심리학자의 경로를 통해 코칭으로 이동했기 때문에 조직 내에서 리더십 역할을 수행해 본 적이 없다. 이 그룹은 다른 사람의 리딩 능력을 키우는 노력은 많이 해왔지만, 자신이 조직에서 책임지고 리더십을 발휘하는 위치에 있어 본 적이 없다.

직업적 뿌리가 상담에 있는 코치들에게는 '선한 개인─악한 조직'으로 요약되는 신념체계에 빠지지 않는 것이 도전이다. 이런 신념체계에서 코치는 박해하는 조직에 대항하는 개인을 도와주려는 데 무의식적으로 사로잡힐 수 있다. 이것은 카프만(Karpman, 1968)의 '박해자', '희생자', '구원자'가 상호 연결된 역학인 고전적인 드라마 삼각형으로 발전할 수 있다(《그림 13.1》 참조). 우리는 조직의 리더와 일하려고 하는 코치, 멘토, 컨설턴트는 리더십을 발휘해본 직접적인 경험이 필수적이라고 생각하며, 이것이 개발의 핵심적인 측면이라고 믿는다. 이러한 직접적인 경험을 통해 코치는 리더와 그들이 경험하는 압력에 대해 공감적 이해를 높이게 된다. 그 경험은 삼각 드라마의 잠재적 분열의 역동성을 피하도록 도와준다. 남을 돕는 직업을 가진 사람 중 대다수는 개인을 지원하는 데 초점을 두고 있다. 조직의 리더는 다층적이고 복잡한 니즈, 서로 다른 개인들의 니즈, 서로 다른 이해관계자 그룹의 니즈, 집단적인 조직의 니즈 사이에서 균형을 잡아야 하는 어려움을 직접 경험한다.

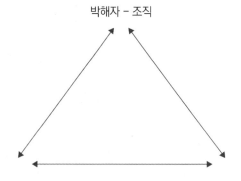

박해자 – 조직

하지만 리더십은 하나의 역할에 그치는 것이 아니다. 그것은 삶에 대한 태도이며, 또한 삶의 도전이다. 리더십은 우리가 다른 사람 탓하기를 멈출 때, 일이 잘못된 것에 대해 변명을 중지할 때 시작된다. 리더십은 '어떻게 가장 좋은 차이를 만들 수 있는가?'를 고민할 때, 더 중요하게는, 자신의 역할에서 스스로의 리더십 능력을 개발해야 한다고 믿을 때 시작된다. 어떤 사람들은 코치가 리더십을 발휘하는 것은 부적절하게 지시적이게 될 수 있기 때문에 옳지 않다는 입장으로 우리와 논쟁을 했다. 우리는 필수적이고 적절한 유형의 리더십이 있으며, 만약 코치와 조직 컨설턴트가 중층적인 고객의 관심에 지지와 도전의 균형을 갖추려고 한다면 반드시 이를 개발해야 한다고 주장한다. 코치 또는 컨설턴트는 적절한 때에 경영자에게 도전할 수 있어야 하고, 더 넓은 시스템의 요구를 표현할 수 있어야 한다. 우리는 여러 번 이런 질문을 받았다. '고객에게 도전해야 하는 적절한 때가 언제인지 아십니까?', '고객에게 도전하기 위해서 어떤 도덕적 권위를 가져야 합니까?' 이 두 가지 질문에 대해, 우리는 시스템적 관점에서 대답한다. '고객이 자기 자신과 정렬되지 않거나, 그들이 속한 더 큰 시스템과 정렬되지 않는다고 진실로 느낄 때, 그리고 우리가 더 큰 시스템의 니즈를 대표하고 있음을 자각할 때'라고.

더 큰 시스템은 다음과 같은 것들이다.

- 즉각적 반응이 아닌 자기 자신의 장기적 니즈
- 그들이 속한 팀
- 조직 전체의 니즈

- 이해관계자 시스템의 니즈
- 해당 분야 또는 직업의 니즈와 목적

그러면 다음과 같은 후속 질문이 나온다. '왜 조직의 니즈가 즉각적인 니즈보다 더 중요합니까?'

우리는 자신이 속한 시스템과 정렬되는 행동만이 자신의 장기적 니즈에 진정으로 기여한다고 믿는다. 서식지를 파괴하는 종은 조만간 스스로의 삶을 파괴한다는 환경적 법칙(Bateson, 1985)은 다른 시스템적 접점에서 일어나는 비유다. 더 큰 시스템에 기여하는 것만이 진정으로 우리 자신의 장기적 관점의 이익에 기여하는 것이다.

우리는 항상 '당신이 원하는 변화 자체가 되라'라는 간디의 명언이 중요하다고 생각한다. 슈퍼바이저로서, 그것은 슈퍼바이지와 그들의 시스템이 다른 방법으로 일할 수 있도록 하려면 당신이 뜻하는 바를 스스로 구현하는 것이 중요하다는 걸 말해준다. 또한 외부에서 할 변화를 슈퍼비전 세션에서 탐색하고 리허설 하는 것이 중요함을 말해준다. 체화는 우리로부터 시작되어야 한다. 이것은 다른 사람을 지원하고 도전하기를 바라기에 앞서, 우리 자신 안에서 만들어야 하는 전환이다.

우리는 코치, 멘토, 컨설턴트로서 진실을 말할 수 있어야 하며, 우리가 보고 듣고 느끼고 이해하는 것을 명명할 수 있어야 한다. 두려움 없는 연민을 가지고 그렇게 행동해야 한다. 관계에서 리더십을 발휘하는 이러한 용기는 적절한 겸손과 개방성으로 균형을 이루어야 한다. 더 잘 알고 더 빨리 아는 체 하는 걸 피해야 한다. 항상 불확실성이 있는 상태에서 한 사람의 진실을 말할 때 한편으로는 전체를 온전히 이해하지 못한 상태이며 고객 또한 그렇다는 것을 인정해야 한다. 우리는 대화를 통해서 두 관점을 합한 것보다 더 온전한 전체 그림을 이해할 수 있게 된다.

권위, 존재, 영향력

코칭과 슈퍼비전 관계에서 권력이 작동되는 다양한 측면을 알아차리면서 적절한 권위를 배우는 것은 중요하고도 도전적인 과제다. 변화 그 자체가 되기 위한 핵심 능력의 또 다른 측면이다. 카두신(Kadushin, 1992)은 다음과 같이 쓴다.

> 슈퍼바이저는 방어나 변명 없이, 권위와 그(원문 그대로)의 지위에 내재된 고유의 권력을 받아들여야 한다. 권위의 사용은 때때로 불가피하다. 슈퍼바이저는 행동함에 있어서 확신을 가지고 의사소통할 때 더 효과적일 수 있다.

개인적 힘과 영향력을 3가지의 주요 측면으로 나눈다(〈그림 13.2〉).

⌐ 그림 13.2 **권위, 존재, 영향력**

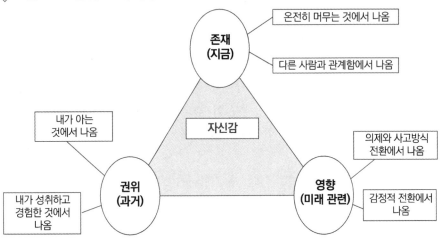

▪ 권위(Authority)

권위는 당신이 아는 것이나 아는 사람, 혹은 과거에 했던 것으로부터 나온다. 당신의 성취와 경험은 직함, 자격 또는 역할로 표시되어 있다. 또한 이력서, 평판, 소개, 또는 지식과 경험을 언급하는 식으로 드러날 수 있다. 당신 존재의 진정한 권위는 당신이 방에 들어가는 방식, 다른 사람과 인사하는 방식, 경험을 다른 사람을 위한 자원으로 개방하는 방식 등으로 표현된다. 물론 원하지도 않는 사람에게 부과하는 것은 아니라야 한다.

권위를 온전히 갖기 위해서는 당황하지 않고 나만의 적당한 공간을 가져야할 필요가 있고, 나의 토대 위해 서서 신체적으로나 지적으로, 윤리적으로 잘 정비되어야 한다.

권위를 행사하거나 나타내는 것으로 처음 관계를 트거나 초기의 관심을 얻을 수 있다. 그렇지만 그 자체로 지속적인 관계를 창조하거나 변화에 영향을 주지는 못한다. 어떤 사람의 권위를 과도하게 행사하거나 과도하게 알리는 것은 불가피하게 부정적인 효과를 만들어낸다. 당신이 그렇게나 열심히 자신을 알리려고 하는 이유에 대해 다른 사람들이 의구심을 갖거나, 과시하는 것으로 간주되어 반감을 갖게 된다.

▪ 존재(Presence)

존재는 즉각적으로 온전히 존재할 수 있는 능력이며 매우 다양한 사람들과 관계를 맺고 빠르게 라포를 형성하는 능력이다. 존재의 수준이 높은 사람은 폭넓은 상황에서 다른 사람의 주의와 존경을 끌게 되며 수많은 사람들이 그와 관계 맺기가 쉽다는 걸 알게 된다.

높은 질의 존재감을 가지려면 메타 인지(상위의 인식)가 필요하다. 이는 자기 자신과 타인에게 모든 수준에서 일어나는 일을 포용하고 이해하는 것이다.

> 존재를 개발하지 않는 한, 우리는 온전히 여기에 머무르지 못한다. 우리의
> 생각에, 욕망에 있게 되며 우리의 존재에 머물지 못한다. 우리가 여기에
> 온전히 있지 않기 때문에 온전하게 관계할 수 없다. 존재가 없이는 대화가
> 주로 정신적 또는 감정적이게 된다.   (Helminski, 1999)

존재를 지니면 침착함과 품위를 보여주며, 우리와 연결되는 다른 사람들에게 여유를 제공한다. 그것은 또한 '무언가 떠오르는 것을 찾는 데 개방적이며 진실한 헌신의 근원을 발견하는 데 개방적인 것(Senge et al, 2005)'을 포함한다.

▪ 영향(Impact)

'영향'은 양(陽), 즉 바깥으로 향하는 에너지 혹은 '존재'를 끌어들이는 에너지이다. 그것은 방 안에서의 전환을 만들어내는 것과 관계가 있으며, 앞으로 나아가기 위한 몰입과 행동 변화를 창조하기 위한 것이다. 높은 수준의 영향을 지닌 사

람들은 미팅, 대화, 일의 방향을 변화시킬 수 있다. 그들은 이슈가 지각되고 다뤄지는 방식을 변화시키거나 리프레이밍하는 식으로 개입할 능력을 가지고 있다.

영향의 다른 측면은 미팅, 관계, 대화의 감정적 분위기를 변화시키는 능력이다. 유머를 쓰거나 확신에 차거나, 초점이 분명한 도전으로 능숙하게 다른 감정에너지를 들여오는 것일 수도 있다. 또는 담론의 수준을 변화시키거나 뭐라 말할 수 없는 집단적 느낌을 표현함으로써 이루어지기도 한다.

영향은 새로운 가능성을 향해 문과 창문을 여는 것이고, 전에는 깨닫지 못했던 깊이로 연결한다. 방 안에 솔직하고 분명한 에너지를 불어넣음으로써 문제의 핵심에 초점을 맞추고 한방향 정렬을 만들어 내며, 새로운 가능성을 깨닫고 실현하는 것으로 나아가게 한다.

▪ 관계 참여 능력(Relationship engagement capacity)

사람 관련 직업은 모두 다른 사람과 관계하는 능력이 핵심이다. 고객이나 슈퍼바이지는 우리와 배경이 완전히 다르고, 매우 다른 세계를 경험하고 있을 수 있다. 14장에서 차이를 다루는 법을 설명하겠지만, 이는 코치이, 멘티, 팀과 조직에 대한 작업에 동일하게 적용된다. 우리의 다른 고객은 우리가 관계하고 참여하는 능력을 확장하는 방법을 가르쳐주는 교사이다. 파트너나 자녀, 친구가 우리에게 관계하는 법을 새롭게 가르치는 교사가 될 수도 있다. 특히 관계가 어려울 때 그렇다! 교사들과 함께 하는 작업에서, 새로운 모델은 그들의 교육적인 능력을 탐색하기 위하여 만든 것이다. 우리는 이 프레임워크를 더 일반적으로 적용할 수 있는 리더와 코치, 멘토, 컨설턴트(〈그림 13.3〉 참조)를 위한 '관계 참여 능력'의 모델로 개발했다.

이 모델은 관계 능력의 4분면을 보여준다. 서쪽 분면은 자신과 비슷한 사람뿐 아니라 차이가 큰 폭에 걸쳐서 라포를 형성할 수 있는 능력이다. 동쪽 분면은 힘든 감정으로 가득 차 있는 관계에서 반사적이거나 파충류 뇌의 반응이 촉발(예: 고객의 괴로움이나 불안 때문에 당신이 공격당하는 것 같은 자극을 느낄 수 있다) 되지 않고 상대방에게 몰입할 수 있는 능력이다. 이 부분은 고객에 대해 대응적이거나 기분 나빠하지 않으면서 고객의 의사소통을 들을 수 있는 '충분히 좋은' 슈퍼바이저와 '충분히 좋은 노동자'의 개념과 매우 밀접하게 연결되어 있다(Hawkins and Shohet, 2012).

남쪽 영역은 몰입의 깊이를 측정하는 데 초점을 둔다. 자신에게 이렇게 질문할 수 있다. '나는 단지 문제의 내용만을 다루고 있는가? 아니면 지금 여기에서

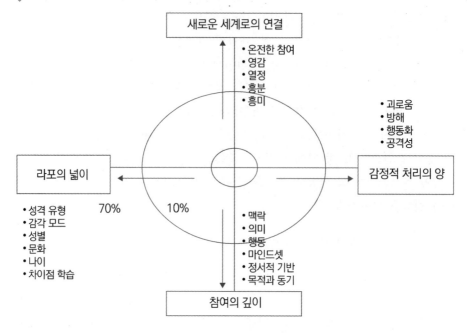

그들의 행동에 대해 직접적으로 말하고 있는가?', '문제를 그들의 사고방식이나 프레임, 감정, 가치, 목적의 지각과 연결하고 있는가?' 마지막으로 북쪽 영역은 다른 사람들에게 새로운 창과 문을 여는 능력으로서 새로운 세계 및 가능성과 연결시키는 것이다.

그림은 각각의 분면에 대해 1에서 10의 척도(중앙에서 바깥으로 숫자 매김)를 활용하여 자신의 능력을 점찍는 지도이다. 네 개의 점찍어진 점수를 연결하여 나타나는 영역은 현재 능력에 대한 자기평가이다. 선 안의 영역에 빗금을 그어보면, 나타나는 영역이 당신의 참여 스타일을 말해준다. 북서 사분면에 대부분 빗금이 쳐 있는 사람들은 '동기부여적 연설가', '전도사', '엔터테이너' 스타일의 경향이 있다. 남서부에 주로 빗금 쳐 있는 사람들은 '촉진자(퍼실리테이터)' 스타일로서, 방 안에 있는 사람들 사이에 깊은 연결을 창조할 수 있다. 남동부에 있는 사람은 대개 사람들의 내적 삶에 잘 참여하는 '상담가', '슈퍼바이저'일 것이다. 북동부에 있는 사람들은 '코치'에 더 가까운데, 자신이 모르는 것의 경계에서 고객과 결합하는 사람들이다(〈그림 13.4〉를 보라).

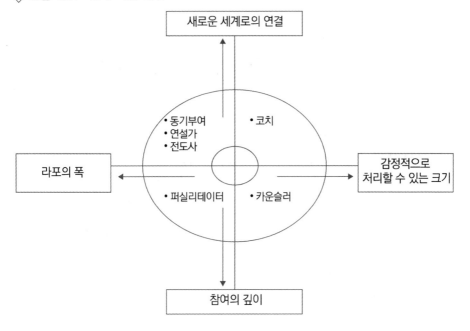

☞ 그림 13.4 **관계 역량 유형**

새로운 세계로의 연결

• 동기부여
• 연설가
• 전도사

• 코치

라포의 폭

감정적으로
처리할 수 있는 크기

• 퍼실리테이터

• 카운슬러

참여의 깊이

수평적 차원을 따라 그려지는 사람들은 지원적이고 능력을 북돋는 스타일을 향하는 경향이 있다. 반면 수직적 차원을 따라 그려지는 모양인 사람들은 더 도전적이고 영향을 주는 스타일이다.

자신의 능력에 대해 다음 세 가지 다른 측면에서 점을 찍어보는 것도 유용하다.

- 최악일 때의 나의 능력
- 최상으로 기능할 때의 나의 능력
- 잠재적 능력이 될 수 있다고 믿는 것

다음 질문을 활용하면 동료 또는 슈퍼바이저와 함께 사용해서 다른 질문으로 가는 발판이 될 수 있다.

- 나 자신과 개인적 삶, 컨설팅, 조직과 직업에 있어서 나의 능력을 이런 낮은 수준으로 밀거나 축소시키는 조건과 스트레스 요인들은 무엇인가?

- 나 자신과 개인적 삶, 컨설팅 공간, 조직과 직업에 있어서 나의 능력을 높은 수준으로 활성화시키는 조건과 가능요인들은 무엇인가?
- 나 자신과 개인적 삶, 실행, 조직과 직업에 있어서 나의 능력을 성장시켜 완전한 잠재력을 향하게 하려면 어떤 개발이 필요한가?
- 문을 열고 내부의 일에서 떠나면 나는 외부의 일에서 어떤 능력이 나타나는가?

다른 사람의 리더십 개발 능력과 성찰적 실행, 셀프 슈퍼비전 능력

모든 리더는 리더십 능력을 개발한 결과, 관계에서 너무 지배적이 될 위험, 그리고 슈퍼바이지의 부적합성이나 의존의 감정을 초래할 위험이 있음을 자각해야 한다. 지배성에 대한 이슈를 고려해야 하고, 함께 일하는 사람들이 리더십 능력을 펼치도록 문을 개방하는 것을 고려해야 한다. 우리의 리더십 능력을 강화하는 스킬은 다른 사람이 자신의 강점과 리더십을 발견하도록 하는, 그리고 그들 '내부의 슈퍼바이저' 개발을 촉진하는 능력과 균형을 이루어야 한다. 좋은 리더는 리더를 만들어낸다. 다른 말로 하자면 좋은 리더란 다른 사람의 잠들어 있는 리더십을 일깨워주는 사람이다.

앞의 장에서 방 안에서나 방 밖의 일의 세계에 참여할 때 다른 사람의 강점과 능력을 촉진하고 끌어내는 많은 도구와 방법을 제공했다. 여러 해 동안 슈퍼비전을 해오면서 우리가 깨달은 핵심은 슈퍼바이지들에게 하듯이, 우리 자신이 '내부 슈퍼바이저'를 개발할 수 있다는 것이며, '내부 슈퍼바이저'는 다른 사람에게 한창 몰입해 있을 때 성찰과 자각, 통찰력의 공간을 제공한다는 것이다.

이 내적 목소리 또는 공간은 컨설턴트에게는 '진실의 순간'과 같이 우리 자신을 지원하는 가장 중요한 요소다. 난처한 상황에 처해 앞으로의 관계를 유지할 것인가 혹은 이대로 깨버릴 것인가를 결정해야 할 때, 싸우거나 도망가거나 둘 중 하나를 해야 할 때, 언쟁으로 공격을 방어하고 싶을 때, 쥐구멍에라도 들어가 버리고 싶을 때! 이런 순간들에 슈퍼비전을 열심히 하다보면 '두려움 없는 연민을 지닌 내면의 슈퍼바이저'에 다가갈 수 있다. 이 능력은 지속적으로 내면을 향하고, 반응적인 데서 벗어나는 훈련에 의하여 개발된다. 이를 통해 새로운 이해를 향해 움직이게 되고 두려움 없는 연민으로 반응하게 만든다.

여기 한 코치가 지방 관청의 최고책임자와의 거래에서 이러한 순간을 다루었던 사례가 있다.

나는 리더십 프로그램에서 발생하는 문제를 얘기하고 있었다. 어느 순간 최고 경영자가 강렬하게 나를 쏘아보면서 두려움과 취약함을 느끼게 하고 있다는 걸 알아차렸다. 아주 잠깐 동안, 최고 경영자가 자기 권위를 내세우고 싶어서 내가 '아무 것도 아닌' 존재처럼 느끼게 하려는 것 같은 생각이 들었다. 그때 내적 슈퍼바이저가 나에게 그 생각을 잠시 내려놓고 그의 의도에 다른 프레이밍을 생각할 것을(그러나 신속하게!!) 요청했다. 나는 연민이 다시 올라오는 걸 느꼈고, 최고 경영자가 일의 근본 원인을 파악하고 분석하는 데 엄청난 재능이 있다는 걸 기억해냈다. 나는 그의 눈을 바라보며 말했다. "때로 당신이 문제의 근본을 발견하기 위해 절대적으로 몰입할 때는 눈빛이 강렬해져서 무섭게 느껴지기도 합니다. 혹시 나 말고 다른 사람도 그렇게 느끼지 않는지 궁금하네요. 본질적인 질의를 던지는 당신의 강력한 힘을 어떻게 하면 다른 사람이 자신감을 갖는 방식으로 발휘할 수 있을까요?"   (개인 커뮤니케이션, 2006)

압박 상황에서 힘을 잃지 않기

이것은 다른 사람들에게 힘을 행사하는 다소 공격적이고 지배적인 능력처럼 들릴지 모른다. 하지만 여기에서 이야기하려는 것은 다른 사람을 지배하는 것이 아니라, 우리가 능력을 갖고 압박 상황에 처해 있을 때조차도 세계에 영향을 미친다는 것이다. 우리의 경험을 보면 어떤 상황에선 또는 어떤 유형의 사람들은 이른바 '복종의 임계점'을 촉발시키는 일이 아주 일반적이다. 어떤 사람에겐 '높은 권위'가 그걸 촉발하고, 또 어떤 사람에겐 지나친 형식이 이를 촉발한다. 복종의 임계점은 여러 가지 이유 중 어떤 하나에 대해 변혁적인 영향을 주는 것으로 인도한다.

경험 많은 코치이자 슈퍼바이저인 조는 월간 슈퍼비전 세션에서 다음 경험을 얘기했다.

최근에 나는 성공한 글로벌 투자회사 CEO를 방문해 달라는 요청을 받았다. 그녀는 매우 거칠고 냉철하다는 평판이 있었다. 나는 서너 명의 인터뷰를 해보는 코치 후보 중의 한 사람임이 분명했다. 런던의 건물 꼭대기층에 있는 그녀의 사무실에 걸어 들어가자마자, 나는 '균형을 잃은' 느낌이었다. 그녀는 의자 너머로 악수를 건네며 짓궂게 나를 바라보았다. 나는 즉각적인 압력을 느꼈다. 그렇게 시작하고 싶지 않았지만, 그녀의 짓궂음이 내 반응을 촉발했다. 내가 했던 일들을 줄줄이 얘기하기 시작했고, 거의 '패닉 영역'에 빠진 느낌이었다. 과거에 고위 경영자와 매우 성공적으로 일해 왔음에도 불구하고 그 자리에서는 내가 가진 모든 경험과 스킬이 나를 버렸다. 나는 미팅이 빨리 끝나기만 바랐다. 코칭 계약을 따낼 것이라는 데 현실적 확신이 들지 않았다!

무엇이 경험 많고 숙련된 코치인 조를 매우 비효과적인 사람이 되게 했고, 실패를 예견하는 자기충족적 예언을 만들어냈을까? 논점은 조가 자신도 모르게 자신의 '복종의 임계점'을 넘어버렸다는 것이다.

2장에서 특정한 상황에서 반복적인 반응을 창출하는 매카니즘을 설명했다. 조의 사례에서 보인 반복적인 반응은 잠재적 고객에게 최상을 제공할 수 없음을 의미했다. 조가 이 CEO 앞에서 좋은 인상을 줘야 한다는 압박을 느끼며 줄줄 말한 행동이 어떤 반응적인 감정(예: 그 상황에서 상대방과 동등하다고 느끼지 못하거나, 중요한 사람이 화내거나 민감해 보이면 불안을 느끼는 등)에 의하여 유발된 행동 패턴이라는 것이다. 사건의 순서를 상세히 분석해 보자. 조가 사무실로 걸어 들어갔을 때 그의 편도체는 그 장면의 데이터를 스캔했을 것이고 그가 그 자신이 되는 것으로는 안전하지 않은 상황이라고 판단했을 것이다. 편도체는 조가 보여준 행동 패턴을 부추기는 불안과 존중의 감정을 촉발시켰다.

슈퍼바이저로서 우리는 조가 최대한 명백하게 이런 영향을 인식하도록 도움을 줄 것이다. 조가 그 상황에서 그런 행동을 하게 만든 가정을 깨닫게 하려고 노력할 것이다. 또한 그러한 상황에서 하고 싶은 행동 방식을 바라보도록 나아갈 수 있다. 2장에서 살펴본 바와 같이, 조가 다른 더 효과적인 가정, 감정, 행동이 무엇인지 들여다봄으로써 그런 행동 패턴이 미래에는 반복되지 않게 도울 수 있다.

이 상황을 오슈리(Oshry, 1996)(10장)의 틀로 해석할 수도 있다. 그는 'A문(Door A)'

반응이라고 부른 반사적 반응과 그로 인해 일어나는 것을 개략적으로 설명했다. 그가 설정한 프로세스는 우리의 행동을 더 지각하게 하고 새로운 의도를 개발하도록 한다. 그는 이것을 우리의 'B문(Door B)' 반응이라고 부른다. 이것은 슈퍼바이저들에게 일반적으로 반사적 반응을 이해하고 이를 다루는 데 도움이 된다. 또, 구체적으로는 압박 하에서 힘을 잃는 반응을 탐색하는 데 도움이 된다. 복종과 복종의 임계점에 대한 더 심도 있는 논의를 읽고 싶으면 호킨스와 스미스(2006: 293-301)를 보라.

우리가 개발하고자 하는 능력은 전문적인 코치, 멘토, 컨설턴트, 슈퍼바이저로서의 힘을 유지하고 강화하는 것이다. 무엇이 우리의 복종을 유발하는지를 아는 것은 우리의 깊이와 강점으로부터 다른 누군가와의 관계를 맺는 여행으로 향하는 좋은 출발점이다. 우리의 중심에서 떨어져 나가면 그 능력을 잃게 되고, 우리의 중심성을 유지하면 그 능력을 다른 사람에게 제공할 수 있다.

차이를 넘어 일하기

최근에는 차이를 넘어 함께 일하는 것이 점점 더 중요해지고 있다. 이 주제가 이 장 안에서 다뤄지는 것도 적합하지만, 하나의 독립된 장으로 할애할 중요한 주제이다. 그래서 15장에서 더 심층적으로 이 능력을 살펴볼 것이다.

윤리적인 포용

이 제목을 붙인 14장에서 이와 관련된 복잡한 문제들을 다룬다.

유머감각과 겸손

지금까지 언급된 모든 역량과 수행능력, 능력을 개발하는 노력을 하다 보면 자신을 지나치게 심각하게 다룰 위험성이 크다. 코치, 멘토, 컨설턴트 그리고 더 중요하게는 슈퍼바이저의 역할에 있어서 자기 자신을 비웃을 수 있는 능력이 전제조건이 되어야 한다. 때로 고객에 대해서도 혹은 고객과 함께, 우리 인간이 다다르는 불합리성에 웃을 수 있어야 한다. 그러나 가장 먼저 우리 자신을 비웃어야한다.

유머는 훌륭한 교사이다. 그것은 때때로 미묘하게 역설을 포용하며, 세상을 보는 고정된 방식으로부터 우리를 해방시켜주기도 한다. 호킨스(2005)는 리더십 개발에서 현명한 바보인 나스루딘의 유머 넘치는 이야기를 활용한다.

유머는 익숙해진 상황과 생각을 다른 관점에서 보게 함으로써 충격을 준다. 나스루딘 이야기는 미묘한 역설과 인과 관계가 선형의 프로세스가 아니라 근원적으로 상호 연결된 패턴에서 나온다는 것을 여실히 보여준다. 수피 전통의 이야기는 적어도 세 가지 수준에서 작동된다.

1. 유머의 창조적 도약
2. 마인드의 심리적 전환
3. 존재의 개인적 고정성에서 일시적으로 우리를 해방하는 영적 차원

좋은 나스루딘 이야기는 항상 뒷맛 혹은 반전이 있다. 이야기는 좋은 유머를 타고 집에 흘러 들어오는데, 한 번 들어오면 가구를 재배열할 수도 있고 벽을 통하여 다른 창문을 두드릴 수도 있다. 자신이 살고 있는 곳이 감옥임을 인식하면 스토리는 매우 해방적이며, 반대로 정들고 편안한 잘 갖춰진 집이라고 인식하면 이것은 매우 당황스러운 경험일 수도 있다.

웃음은 엔돌핀을 방출하고 시스템을 활성화하여 신체와 건강에 유익하다고 알려졌다. 또한 마음에 더 많은 공간을 창출할 수 있고, 연결을 만드는 방식을 변화시킬 수 있으며, 차이를 넘어 접촉을 만들어낼 수 있다. '리더십에 대한 현명한 바보의 가이드(Wise Fool's Guide to Leadership, 2005)'에서 피터 호킨스는 리더를 위한 '폐기 학습' 교육 과정에 유머를 사용하는데, 이는 코치, 멘토, 컨설턴트, 슈퍼바이저에게도 동일하게 적용할 수 있다.

겸손은 자기 자신을 비웃을 수 있음으로 인해 강화되기도 하지만, 이는 근본적으로 전능의 덫을 피하는 것과 관련이 있다. 궁극적으로 우리 코치, 컨설턴트들이 '다른 사람의 개발과 변화를 도와주는 것이 아니다, 우리는 단지 학습, 변화, 변혁이 일어날 수 있도록 이끌어내는 공간을 유지하는 청지기다.'라는 인식을 요구한다. 우리는 학습이 일어나는 우아한 공간을 깨끗하게 만들고 성찰이 더 정확하게 일어나도록 거울을 닦는 사람들이다.

겸손하다는 것은 관계의 질이다. 누군가와의 관계에서 혹은 더 큰 힘과의 관계에서 겸손하다. 겸손은 삶의 장엄함에 직면하여 자신이 그리 중요하지 않다는 걸 아는 것, 또는 다른 사람이 가진 사랑의 힘을 보는 것에서 나온다. 우리는 경험하는 것을 통해 우리를 겸손하게 느낀다. 가끔 더 넓은 목적의 프레임에서 상황을 보기 위해 '우리는 무엇을 섬기고 있습니까?'하는 질문을 한다. 겸손하기 위해서는 큰 시스템에서 자기 자신을 명확하게 보고, 우리를 둘러싼 거대한 복잡성의 한 부분에 불과하다는 점을 알아야 한다.

겸손은 역설적인 반전의 능력과 함께 온다. 이것은 겸손의 역설을 포착한 유태인의 오래된 농담에 잘 나타나 있다.

> 어느 날 랍비가 희망에 넘친 비전을 가지고 유대교 회당의 방주 앞으로 뛰어와서 바닥에 엎드려 말한다. "신이시여, 신이시여, 당신의 눈에 저는 아무 것도 아닙니다." 더 뛰어나고자 하지 않았던, 교회당의 선창자(노래부르는 사람) 또한 제단으로 돌진하여 바닥에 엎드려 말한다: "신이시여, 신이시여, 당신의 눈에 저는 아무 것도 아닙니다." 샤마쉬(관리인)도 이 두 사람을 보고 같은 행동을 하기로 한다. 그는 돌진하여 바닥에 엎드려 같은 말을 한다. "신이시여, 신이시여, 당신의 눈에 저는 아무 것도 아닙니다." 그러자 랍비가 돌아서며 선창자에게 말한다. "아무 것도 아니라고 생각하는 사람을 보게." (Hawkins and Shohet, 2006)

유머와 겸손의 핵심 능력은 변화 프로세스에서 우리가 개인의 변화에 관련되어 있는지 또는 조직의 변화에 관련되어 있는지 어디에 서있는지에 대한 감각과 관련이 있다. 'U 이론' 개념(Theory U, Scharmer, 2009)은 이미 알고 있는 것에서가 아니라 '모르는 것'으로 출발하는 변화 프로세스를 이해하는 유용한 방법이다. 그것은 우리가 미래가 이럴 것이라고 믿는 것에 관한 것이 아니라, 미래가 우리에게 말하려는 것이 무엇인지를 듣는 공간을 만드는 것이 중요하다는 것이다. 샤메르의 용어에 따르면 이는 '보내기(let go)'와 '받아들이기(let come)'가 존재하는 공간이다. 기술은 거대한 조직과 광범한 시스템의 변화와 관련되어 있다. 코치, 멘토, 조직 컨설턴트, 슈퍼바이저가 샤메르의 문헌을 읽을 것을 추천한다. 개인적 변혁 프로세스가 더 큰 그룹 변화의 일부로서 일어나야 한다는 샤메르의 주장을 살펴보기 위해서다.

결론

　우리는 이 8개 능력만으로 완전하다고는 믿지 않는다. 하지만 이것들이 우리 작업에서 다른 사람이 배우도록 실행할 때 활용하는 핵심 차원이라고 생각한다.

　코칭, 멘토링, 조직 컨설팅, 슈퍼비전의 핵심적인 목적이 고객의 인간적 능력을 개발하는 것이라는 점을 감안할 때, 우리 자신과 다른 사람에 있어서 각각의 능력을 명확하게 이해하고 인식하는 것이 필수적이다. 능력을 그동안 많이 개발해 왔다고 해도, 항상 갈 길이 멀다! 조만간 다가올 삶은 한 가지 혹은 더 많은 능력의 한계를 느끼게 도전을 줄 것이며, 앞으로 더 개발할 기회를 함께 줄 것이다.

제14장 | 윤리적인 포용

소개

전문성을 가진 전문가란 시장 광장에서 당당하게 본인이 믿고 주장하는 바를 대중적으로 선언하는 사람이다. 윤리적 실천이란 당신이 평가받을 기준을 분명히 하고 그에 맞게 살아가는 책임을 지겠다는 걸 말한다. 다양한 전문직을 연구한 레인(Lane, 2011)에 의하면, 전문직업이 되기 위한 핵심 요소는 윤리적인 틀을 갖추는 것이며 그 틀은 최소한 다음 세 가지를 갖추어야 한다.

- **목적**-그 직업이 누구를 위한 것이며 어떤 차이를 가져오는지를 규정하는 목적
- **관점**-그 직업의 모든 종사자에게 공유되는 지식 기반과 이론, 연구를 포함하는 관점
- **프로세스**-전문직업인이 고객과 어떻게 일하는지, 계약 전후에 취하는 행동과 고객 및 핵심 이해당사자들에게 지는 책임이 무엇인지를 포함하는 전문적인 업무 프로세스

코칭, 멘토링, 컨설팅에 있어서 윤리적 실행은 모든 당사자 및 그들 간의 세세한 관계를 고려하고 공정해야 한다. 또한, 다층적인 고객들의 적절한 요구에 균형을 취할 수 있어야 한다.

종종 윤리의 의미를 전문가 직업협회의 윤리규정과 법으로 축소시키기도 한

다. 그럴 때 윤리는 포부와 비전을 담은 더 높은 형태의 역량과 실행을 담보하는 것이 아니라 경직된 신앙의 도그마와 비슷하다.

호킨스와 쇼헷(2012: 132-3)에서 피터는 다음과 같이 썼다.

> 슈퍼비전을 잘 하기 위해서는 윤리를 잘 알고 코치의 업무에 대한 윤리적인 틀을 잘 이해해야 하며, 슈퍼바이지가 이를 자기 일에 어떻게 적용하고 있는지 잘 파악해야 한다. 슈퍼바이지들이 직업의 윤리적인 틀을 얼마나 지키는지만 초점을 맞춘다면 단순하고 축소하는 것이며, 각자의 윤리적 기준을 적용하도록만 하는 것 또한 불충분하며 일면만 이해하는 것이다.

슈퍼바이저로서 우리는 윤리적 실천이 중첩적인 일련의 시스템 안에 존재한다는 걸 인식해야 한다. 개인의 윤리와 가치, 양심은 직업의 윤리적 틀 안에 존재할 뿐 아니라 그들이 돕는 조직 내 일의 맥락과 규정에도 존재한다. 이 두 가지 틀은 또한 모두 문화적 맥락과 국가 법의 테두리 안에 존재한다. 또 문화적 윤리와 국법은 유엔의 세계인권선언이나 전 세계 종교나 철학에서 말하는 '대접 받고 싶은 대로 남을 대접하라'는 '황금률' 같은 도덕적 보편적인 인간의 윤리적 틀 안에 존재한다. 실제로 몇 전문조직은 유엔의 세계인권선언과 연결해서 자체 글로벌 윤리 규정을 개발했다. 예를 들어 2008년 베를린에서 채택되어 심리학자들의 업무에 적용되는 네 가지 보편 원칙인 '심리학자들의 세계 윤리 원칙 선언'이 그것이다.

- 사람의 존엄성에 대한 존중
- 사람과 사람들의 웰빙에 대한 세심한 배려
- 정직
- 사회에 대한 전문적이고 과학적인 책임

그래서 슈퍼비전의 첫 번째 윤리적 책임은 슈퍼바이지에게 하는 일이 내적 외적 관점에서 윤리적이도록 도움을 주는 것이다. 이를 통해 내적 가치와 자신이 속한 중첩 시스템의 외적 윤리적인 가치가 어떻게 그들의 일과 상충되는지 고려하게 된다. 윤리적인 가치는 미리 정해지거나 고정된 것이 아니라 삶이 겪는 도전과 변화에 맞게 끊임없이 조정해 나가야 한다.

슈퍼비전의 두 번째 윤리적인 책임은 슈퍼바이지로 하여금 단지 현재의 윤리적 딜레마를 해결하는 것이 아니라, 이러한 윤리적인 도전을 활용하여 윤리적 성숙도를 높이는 데 도움을 주는 것이다.

이 장에서는 슈퍼바이저가 슈퍼바이지와 일하는 데 필요할 수 있는 선택이 올바른 것인지 어떻게 평가할 수 있는지 살펴보고 또한 슈퍼바이지가 실행하는 데서 건설적이고 영향력 있는 방법으로 윤리적 딜레마를 대처해 가도록 도움을 주고자 한다.

누구를 위한 일인가?

이 책 전체를 통해 보여 주는 것처럼 우리는 코칭이 단지 고객 한 사람만을 위한 일이 아니며 슈퍼비전이 단지 슈퍼바이지 한 사람을 위한 프로세스가 아니라고 본다. 그보다 더 넓은 이해관계자 그룹을 위해 함께 일하는 파트너십(코치와 고객간, 그리고 슈퍼바이저와 슈퍼바이지 간의) 관계로 본다. 우리는 누구를 위한 일을 하는지, 그리고 어떻게 그 일을 함께 수행할 것인지를 명료화 하는 것이 윤리적 실천의 핵심이라고 믿는다.

코치, 멘토 그리고 컨설턴트 양성 과정에 있어서 우리는 참가자에게 다음 문장을 완성하라고 한다. '슈퍼비전이란 … 을 위한 상호간 노력이다.' 그런 다음 그룹 멤버들이 서로의 생각을 공유하면서 서로의 답이 다르다는 걸 알게 한다. 참가자들이 그걸 하나의 목록으로 만들면서 개인의 응답보다 훨씬 종합적인 답을 얻게 된다. 때로는 그룹이 함께 못 본 다른 이해관계자를 덧붙여주기도 한다.

그 목록에는 다음과 같은 것들이 포함될 것이다.

- 슈퍼바이지의 개인 고객들
- 슈퍼바이지의 기업 고객들
- 슈퍼바이지의 개발과 학습, 지지의 욕구
- 슈퍼바이저의 학습
- 슈퍼바이지가 일하는 조직

- 슈퍼바이저가 일하는 조직
- 슈퍼바이지와 슈퍼바이저가 함께 속하는 직업 모든 당사자의 일이 이루어지는 지역사회와 그 법률 관할

메튜 퍽스(Matthew Fox)의 책 〈일의 재창조(The Reinvention of Work)〉(1995)에 의하면, 우리가 이 영역에서 부담하는 책임은 냉엄하며 거의 예언적이다. 그는 '우리는 일을 통해 영혼의 어두운 밤을 통과하는 여행에 서로 도움을 주거나 … 혹은 사람과 피조물이 복구할 수 없는 어둠의 구덩이에 들어가도록 도움을 준다.'라고 썼다.

윤리에 대한 이해

우리는 윤리 실천은 단지 윤리 강령에 사인하고 모든 조항을 지키는 것이 아니라 윤리적 성숙에 도달하기 위해 지속적으로 윤리적인 행동을 다듬어 나가야 한다는 마이클 케롤(Michael Carroll, 1996, 2011), 본드(Bond, 1993) 알렌 등(Allan et al, 2011)의 입장을 따를 것이다.

우리는 윤리적 성숙을 다음과 같이 정의한다.

> 윤리적 복잡성을 포용하고 어느 상황에나 모든 당사자들을 적절한 존중과
> 공정함을 가지고 대하도록 향상되는 역량

앞서 말한 언급한 황금률('대접받고자 하는 대로 다른 사람을 대접해야 한다')은 윤리적 기준을 보여주긴 하지만 실행가와 슈퍼바이저가 맞닥뜨리는 윤리적 딜레마를 해결해 주지는 못한다. 뿐만 아니라, 그건 다른 사람들이 나와 비슷하다는 믿음의 결과이기 때문에 문화적 규범 및 전통 상 다르게 대접 받기를 선호할 수도 있다는 걸 간과할 수 있다. 따라서 황금률은 다문화적 감수성에 균형을 맞추어야 한다(15장 참조).

이 복잡성은 부분적으로는 전문적인 관계의 파워 역학에 기인하는데, 이는 잠재적인 권력 남용을 불러올 수도 있다. 모든 코칭, 멘토링, 컨설팅 및 슈퍼비전 상황에서 한 사람 이상의 이해관계자가 관여하게 되면 분명히 모순된 충성심이

발생될 것이며 때때로 다양한 이해관계자들 사이에 갈등이 예상된다. 몇 가지 예를 들어 보자.

- 코치/관리자는 코치 받는 사람이 더 많이 책임을 위임 받고 새로운 역량을 개발하고 싶어 하는 니즈를 존중하고 싶지만, 팀이 어려운 목표를 달성해야 하는 압력이 강하면 빠르고 위험이 적은 숙련된 구성원에게 의존하기도 한다.
- 개인과 조직의 목표가 한 방향으로 정렬되지 않는 경우가 매우 많아서 외부 코치가 기업에 코칭에 더 많은 투자를 하라고 하면서 동시에 코치 받는 사람이 조직을 떠나는 데 영향을 미치는 경우가 있을 수 있다.
- 코칭 고객은 자신의 취약점과 어려움을 다룰 수 있게 비밀이 보장된 공간을 원하는데, 조직은 그가 현재 또는 미래의 직위에 적합한지에 대해서 내부 코치 또는 외부 코치가 언급해 주길 바란다.
- 조직은 비밀 유지 환경을 존중하고 싶어 하지만, 동시에 이 특별한 투자에 쓴 돈의 가치와 결과의 증거를 보여주기를 원한다.
- 컨설팅 팀은 회사의 모든 지역 및 국제 팀에게 팀 코칭을 제공해야 하는데, 지역 맥락에 꼭 맞으면서도 조직의 모든 부분에 통하는 일관된 표준을 전달해야 한다.

그러므로 모든 코칭과 멘토링, 컨설팅 및 슈퍼비전 교육에서 교육생이 자신의 윤리 기준을 정의하고 윤리적 딜레마를 다루는 능력을 향상시키는 데 시간을 할애해야 한다고 우리는 믿는다.(Hawkins, 2011b) 우리는 교육 과정 마지막 부분에서 이러한 니즈를 다루기로 하였는데 그 이유는 그때쯤이면 일반적으로 그룹 내에서 폭넓게 실습을 해서 각자의 윤리적 도전에서 서로 배울 수도 있기 때문이다. 교육 초기에 발생하는 윤리적 어려움들은 개별 슈퍼비전을 받아야 하고 그런 맥락에서 다루어져야 한다.

사람들은 종종 부정적으로 제한하거나 금지하는 규칙인 '… 하지 말라' 증후군 함정에 빠진다. 이러한 일방적인 접근 방식의 문제는 원하는 방향으로 나아가는 데 잠재적 방해가 되는 윤리의 모든 분야를 규정하려 한다는 점이다. 이는 결국 윤리와 욕망 사이의 갈등을 불러오며, 사람들의 몰입 에너지를 감소시키거나 비윤리적으로 행동하게 만들기도 한다.

따라서 우리는 참가자들이 '가능' 규칙(또는 윤리적인 원칙)과 일하는 데 있어서 '준수' 규칙 사이에서 잘 균형을 잡으라고 조언을 한다. '가능' 규칙은 이전에는 용기가 없었거나 또는 권한이 없었던 것을 하도록 허락하는 것이다. '가능' 규칙의 예는 '나/고객이 일과 삶의 균형을 확실하게 유지하기', '더 넓은 시스템의 요구를 다루는 허가' 등이다.

자신만의 규칙 및 지침 만들기

자신의 윤리 규칙 및 지침 만들기에 도움을 주기 위해서 우리의 슈퍼비전 심화 교육 과정에서 코치와 멘토, 컨설턴트 그리고 슈퍼바이저에게 활용하는 과정을 보기로 들 것이다. 이 과정의 목적은 모든 교육생들이 윤리 규칙과 원칙, 지침을 만들어 매일 일하는 곳에서 적용하는 틀로 씀으로써 그들의 윤리 역량을 넓히도록 돕는 것이다.

이 과정에서 우리는 다음 4단계를 수행한다.

1. 모든 교육생들이 중요하다고 여기는 윤리 규칙을 작성하게 한 다음 이것에 대해 전체 그룹과 공유하게 한다.
2. 직업 경험을 통해 가장 어려웠던 윤리적 딜레마를 그룹과 공유하게 한다.
3. 앞서 작성했던 규칙들 중에 어떤 것이 이러한 윤리적 딜레마를 극복하는 도움이 되는지 탐색하도록 한다.
4. 그들이 만든 윤리적으로 복합적인 상황을 더 잘 관리하기 위한 윤리적 원칙을 만들도록 한다.

이 책을 읽는 당신도 지금 자신을 위해 이 4단계를 수행해 보면 좋을 듯하다. 교육 과정 중에서 가장 많이 나왔던 코치를 위한 규칙들은 다음과 같다.

● 코치와 코치 받는 사람의 관계는 코치의 개인적인 이득(경제적, 성적, 승진 등)에 이용되어서는 안 된다. 개인적 직업적 경계를 적절히 유지해야 한다.

이것은 전문기관의 윤리규정에 명시되어 있다.

- 코치는 고객의 의제(명시적, 암묵적인)를 따라야 한다.
- 명시되고 합의된 비밀유지 지침이 있어야 하며, 어떤 조건하에서 비밀이 유지되지 않을 수 있는 목록이 있어야 한다(예: 학대 또는 불법 활동).
- 코치는 고객과의 코칭 내용에 대한 슈퍼비전을 받기 전에 고객의 허락을 얻어야 한다.
- 고객은 자신의 선택에 책임을 져야 하고 자율성이 있다고 느껴야 한다-코치는 고객이 의존하게 만드는 걸 피해야 한다.
- 코치는 자신과 고객 사이의 권력의 균형을 인식해야 한다.
- 코치는 고객의 맥락이나 니즈에 변화가 일어나면 기꺼이 다시 계약해야 한다.
- 코치는 고객에 대한 솔직한 참조 요구가 있을 때 고객의 합의를 얻어야 한다.
- 코치는 '해를 끼치지 않는다'라는 히포크라테스 선서의 핵심 요소를 받아들여야 한다.
- 항상 본인 역량 및 수행능력 범위 내에서 일한다.
- 코치는 불법행위에 대해서는 행동을 취해야 하지만, 가능한 고객이 책임지게 한다.
- 분열을 공모하는 것에 얽혀지는 것을 최대한 피해야 한다.

슈퍼바이저에 해당하는 이슈는 분량이 훨씬 '적다'.

- 고객의 고객을 빼앗지 마라
- 공유된 경험을 다른 곳 혹은 다른 목적에서 사례로 활용할 때는 고객의 허락을 받아라
- 불법에 대한 적절한 조치를 취해라

이런 교육에서 다른 구성원의 규칙이 효과적이지 않다고 생각할 때는 곧 브레인 스토밍 과정에서 토론이 이루어진다. '그러나 만약 … 하다면?', '… 하면 어떻게 할 것인가?' 교육생들은 변경 불가능한 규칙으로는 일하는 데 있어서 윤리

적 문제를 잘 헤쳐나가는 데 부족하다는 걸 곧 인지하게 된다.

그리고 나서 '자신의 슈퍼바이저 활동에 있다고 생각하는 하나의 중요한 윤리적 딜레마'를 써내어 공유하게 한다.

가장 자주 나오는 딜레마들은 다음과 같다.

- 슈퍼바이지가 자신의 코칭 고객이 한 조직에 해가 될 수 있는 행동을 한 것을 다른 누구에게도 공유하지 않겠다고 약속을 했는데 이를 슈퍼바이저에게 보고하는 것
- 슈퍼바이지가 슈퍼바이저에게 전달한 정보가 같은 조직에서 일하는 또 다른 슈퍼바이지에게서 들은 이야기와 완전히 모순인 경우
- 슈퍼바이지의 고객이 정신적 안정성에 대해서 슈퍼바이저는 우려를 하지만, 코치는 자기가 고객을 다룰 수 있다고 계속 주장하는 경우

슈퍼바이저가 다음에 대해 심각한 의혹을 갖는다.

- 슈퍼바이저가 코치가 고객과 성적 관계를 맺는 걸 의심하지만, 공개적으로 인정한 게 아니라 유추일 뿐이다.
- 슈퍼바이저는 코치가 자신의 역량수준보다 높은 것처럼 과장하여 자신의 평판 및 조직에서의 코칭의 명성에 손상을 준다고 생각한다.
- 슈퍼바이저는 코치가 조직에서 따돌려지고 있다는 피드백을 조직으로부터 받는다.

피터는 '이것 아니면 저것' 솔루션에 집중하는 걸 경고한다(Hawkins, 2005). 또한 슈퍼비전에서 나타나는 일반적인 윤리적 딜레마를 말한다(Hawkins, 2011b).

슈퍼비전에서 발생할 수 있는 전형적인 윤리적 딜레마는 코치가 자기 고객이 회사 몰래 외부에서 새로운 직업 인터뷰를 받는 것에 대해 코치 받으려고 코칭의 비밀 유지를 요청하는 경우이다. 자신의 코칭에 대해 대가를 지불하는 것은 현재 회사이니 이는 합의된 내용을 벗어난다.

그는 계속해서 '코치가 이런 문제에 어떻게 접근하는지가 그들의 현재 생각이나 행동 논리의 틀이 반영되어 보여주는 것'이라고 했다(Torbert, 2004). 슈퍼바이지 혹은 고객을 위해 올바른 것이 무엇인지의 느낌에만 혹은 윤리적 규정을 지키는 것에만 의존하는 건 윤리적 성숙이 낮은 데서 온다. 그래서 계속하는 것이 적절한지 아니면 이 영역에서 일하는 것을 거부해야 하는지 양자택일에 갇히게 된다.

윤리적 성숙 수준이 높으면 슈퍼바이지가 다음을 탐구하도록 도울 수 있다.

- 고객이 모두 충족시키려 애쓰는 서로 다른 시스템의 요구
- 그들이 얼마나 개인적 요구와 조직의 요구 사이의 분열 속에서 코칭을 받고 있는지
- 이것이 코치에게 어떤 반응을 일으키게 하는지, 그리고
- 어떻게 이 과정에 슈퍼바이저를 참여시키는지

케롤(Carroll, 2001)은 딜레마를 모두 꺼내어 놓을 수 있도록 일련의 질문을 제시한다.

1. 어떤 목소리를 들어야 하는가?
2. 어떤 말을 해야 하는가?
3. 어떤 진실을 알아야 하는가?
4. 어떤 연결이 만들어져야 하는가?
5. 어떤 가정에 도전해야 하는가?
6. 어떤 믿음이 재검토될 필요가 있는가?
7. 어떤 감정이 표현되어야 하는가?
8. 어떤 행동을 취해야 하는가?
9. 어떤 관계가 언급되어야 하는가?
10. 어떤 비밀이 알려져야 하는가?
11. 어떤 강점이 보여져야 하는가?
12. 어떤 제한이 표현되어야 하는가?
13. 어떤 승리를 축하해야 하는가?
14. 어떤 손실을 슬퍼해야 하는가?

15. 어떤 정신적 지도를 나타내야 하는가?
16. 가능하게 하기 위해 일어나야 전환은 무엇인가?
17. 내가 직면하지 않고 있는 두려움은 무엇인가?

이런 질문들은 비록 모든 경우에 명시적으로 강조될 필요는 없지만, 우리가 잘 인식하지 못하고 있는, 발견되고 들어야 하지만 숨겨져 있는 문제들을 명심하는 데 도움이 된다.

이런 것들을 인식하면 윤리적 딜레마는 더 쉽게 해결할 수 있다. 그러한 딜레마들을 다룰 수 있는 방법을 종합적으로 탐색하면 '준수' 규칙(법 안에서 행동한다는 의미)이 '가능' 규칙 또는 윤리적 원칙(그 법칙으로부터 행동한다는 의미) 보다 덜 유용하다는 것이 명확해지며, 우리는 가능 규칙을 더 복잡한 상황에 적용할 수 능력을 개발해야 한다.

윤리적 코칭의 원칙

코칭과 슈퍼비전의 윤리적 맥락 중 고려해야 할 것은 개인과 조직 모두에게 최상의 서비스를 해 주는 관계를 어떻게 선택하고 만들어 가는지에 대한 원칙을 명확하게 하는 것이다.

여기에 심화 슈퍼비전 교육에서 나온 윤리 원칙의 예시가 있다.

- 합리적으로 행동하는 성인다운 건강한 개인들과 일한다고 가정한다.
- 잠재 고객이 이러한 면에서 긍정적인 점수를 받지 못할 경우 필요한 변화를 하려면 더 깊고 강도 높은 치료적 도움이 필요할 수도 있다.
- 도덕적 딜레마를 인식하게 되면 코칭 방에서 그걸 언급하는 것이 중요하다.
- 코치는 자신, 다른 사람들 그리고 조직에 대해 정직하게 행동해야 한다.
- 코치는 직접적인 의사소통을 장려해야 한다.
- 같은 조직에서 두 명 이상을 코칭하는 경우, 당신은 암묵적으로 그들간의 관계도 코칭하게 된다는 걸 인식할 필요가 있고 모든 당사자에게 당신이 관여하는 내용을 공개해야 한다(7장 참조).

우리는 모든 실행가들이 자신의 윤리적 원칙을 개발할 필요가 있으며, 그 원칙은 하지 말아야 할 것뿐만 아니라 무엇을 하고자 하는지 그리고 전문적인 경력을 이끌어가는 데 목소리를 내는 것이어야 함을 굳게 믿는다.

우리는 다음과 같은 윤리적 열망에서 영감을 받는다.

- 다른 사람이 당신에게 해주기 바라는 일을 당신이 다른 사람에게 해준다.
- 연민의 감정으로 행동한다.

연민은 특히 어려운 미덕이다. 그것은 우리가 이기주의와 불안과 내재된 편견의 한계를 넘어설 것을 요구한다(Armstrong, 1998: 449). 연민은 모든 것을 자신의 관점에서 판단하는 것을 넘어서서 다른 사람의 관점에서 세상을 바라보려고 시도하는 것이기도 하다. 즉, 대인관계에서 구경꾼이 되는 게 아니라 다른 사람과 함께 느끼고 생각하며, 개방성과 호기심과 상상력으로 다른 세상에 들어서는 것을 의미한다.

우리는 슈퍼비전 일에서 일곱 가지 기본 원칙을 지킨다.

1. 슈퍼바이지의 일에 대한 책임성과 그들의 자율성에 대한 존중에 적절히 균형 잡기
2. 그들의 자율성에 대한 존중과 함께 고객의 웰빙과 보호에 대한 관심을 보여주기
3. 자신의 역량 범위 내에서 행동하는 것과 더 도움이 필요한 경우를 아는 것
4. 신의—명시적 혹은 암시적으로 한 약속에 대해 충실하기
5. 반—억압 연습에 대해 열정 보여주기(15장 참조)
6. 지속 학습에 적극적인 노력과 함께 도전과 피드백에 개방적이기
7. 가장 중요한 원칙은 '해를 끼치지 않는 것'

브램리(Bramley, 1996), 패스모어(Passmore, 2011), 드 한(de Hahn, 2012)과 레인(Lane, 2011) 모두가 윤리에 대해 유용한 언급을 하고 있으며, 윤리적 성숙은 문화적 차이를 존중하는 윤리적 중요성과 밀접하게 연결된다는 걸 보여주고 있다(15장 참조). 수행능력 8(13장 참조)과 연관해서 살펴보면, 항상 유머의 도구를 갖추고 일에 임하

라. 브램리(Bramley)의 마지막 명령은 '제발 웃어라!'이다.

슈퍼바이저의 공개에 대한 법적 제약

지금까지 코치와 멘토, 슈퍼바이저의 실천을 위한 윤리적 원칙을 알아보았으며, 이제 간단하게 법적인 맥락에서 간단히 설명하고자 한다. 슈퍼바이저나 실행가가 일하는 나라에 어디냐에 따라 분명히 다르다. 처음에 고객과 합의된 계약을 명확히 하는 것이 법적 측면에서 매우 중요하다. 당신이 공개할 의무가 있는 증거를 제공하고 나서 협상을 하려는 것 보다는 말이다.

현재 영국에서 고려하는 주요 법적인 경계는 다음과 같다.

- **아동 학대**: 당신이 일을 하면서 아동 학대가 일어나고 있음을 인지했을 경우, 이를 지방 아동 보호팀에 통보할 법적 책임이 있다.
- **테러리즘과 돈세탁**: 영국의 대테러 입법에 따르면 어떠한 계획된 테러 활동이나 자금 세탁에 관해 알고 있는 경우 모든 종사자들은 그것을 보고할 의무가 있다.
- **정보 보호**: 고객은 당신이 전자적으로 갖고 있는 그들에 대한 정보를 알고 있어야 하며 접근할 수 있어야 한다. 그 내용은 그들의 서면 동의 없이 제3자에게 넘길 수 없다.
- **자신이나 다른 사람에게 해를 끼치는 사람**: 조치를 취할 법적 의무는 없지만, 자신이나 다른 사람에게 위험해 보이는 행동을 하는 고객에게 어떻게 대응했는지는 조사의 대상이 될 수 있다.

다행히도 실제 코칭, 멘토링, 컨설팅에서 위의 예시와 같은 상황이 발생하는 경우는 거의 없으나 일어날 수도 있다. 그런 경우 항상 가장 먼저 할 일은 고객이 책임을 지도록 도전하는 것이며, 그리고 나서 슈퍼바이저로부터 이러한 상황을 대처하는데 도움과 지지를 얻는다. 그러나 고객이 부정하거나 어떤 이유로든 이 문제를 다루지 못하게 되거나 다루는 걸 꺼린다면, 전문가는 행동을 취할 것이라는 점과 어떻게 실행할 것인지를 고객에게 알려야 한다.

윤리 원칙 적용하기

마이클 캐롤(Michael Carroll)과 에릭 드 한(Erik de Hahn, 2012)은 윤리적 성숙을 다음과 같이 정의한다.

> 어떤 행동이 옳고 그른지, 좋은지 더 나은지를 판단하는 성찰적, 합리적, 정서적, 직관적인 능력을 갖추는 것, 그런 판단을 실행하는 끈기와 용기를 갖는 것, 윤리적 결정(공적이든 사적이든)에 대해 책임을 지는 것, 경험 (들)을 통해 배우고 그렇게 사는 것이다.

그들은 윤리적 성숙의 다섯 가지 주요 측면이 있다고 주장한다.

1. 윤리적 감성과 경계의 조성: 윤리적 문제나 딜레마가 일어났을 때 경고해 주는 윤리적 감지기를 세우는 것
2. 우리의 윤리 원칙과 가치에 맞춰 윤리적인 결정을 내릴 수 있는 것
3. 내려진 윤리적 결정을 실행하는 것
4. 윤리적 결정과 그걸 실행하는 이유를 이해관계자들에게 명확하게 하고 정당화하기
5. 다른 가능한 또는 더 나은 결정을 할 수 있었더라도 내려진 결정을 매듭 짓고 평화롭게 받아드리기: 이미 발생한 것에서 배우고 결정의 결과에 순응하는 것은 지속적인 행복과 윤리적 행동에 중요하다.

호킨스(Hawkins, 2011b)는 슈퍼바이저가 슈퍼바이지의 윤리적 성숙을 개발하는 데 어떻게 중요한 역할을 할 수 있는지 탐구한다.

슈퍼비전의 세 번째 윤리적 책임은 슈퍼바이저가 윤리를 실천하고 윤리적 역할 모델이 되는 것이다. 라다니(Ladany, 2004)의 심리 치료 교육에 대한 연구에 따르면, 교육생의 50%가 자신의 슈퍼바이저가 비윤리적인 행동을 한다고 보고했고, 그 중 개인의 편견에 기초한 경우가 많다고 하더라도 여전히 모든 슈퍼바이저에 대해 중대한 질문을 제기한다. 카베리(Kaberry, 2000) 또한 슈퍼비전이 학대적이 되는 여러 유형을 설명한다. 슈퍼바이지가 윤리적으로 실행하고 윤리적 성숙을 개

발하도록 도움을 주려면 슈퍼바이저가 건전한 윤리적 원칙을 신봉하고 그 자신이 성숙한 윤리적 포용력이 있어야 한다. 모든 실행가들이 자신의 윤리 규칙과 원칙을 개발하고, 동료와 함께 공통적인 윤리 딜레마를 연구하는 것뿐만 아니라 윤리적 도전을 가지고 연습을 하는 것이 중요하다. 우리의 슈퍼비전 교육 과정에서 제7장에서 설명한 바 있는 '실습' 방법을 바탕으로 활동하는데 이것은 예비 슈퍼바이저가 동료가 가져온 실제 문제에 윤리 원칙을 적용하는 기회를 제공하기 위함이다〈그림 14.1〉 참조).

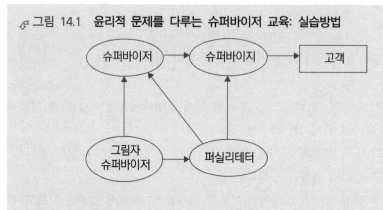

그림 14.1　**윤리적 문제를 다루는 슈퍼바이저 교육: 실습방법**

참가자를 위한 지침

- 슈퍼바이지는 다루기 힘든 윤리적 문제를 내포하는 생생한 현장의 사례를 가지고 온다 (예: 이 상황에서 내 고객은 누구인가?).
- 슈퍼바이지와 일을 시작하기 전에, 슈퍼바이저는 "최고의 학습"이 무엇인지 명료하게 한다. 이것은 둘의 상호작용에서 최고의 배움이 일어나도록 만들어 준다.
- 슈퍼바이저와 그림자 슈퍼바이저는 즉시 코칭 혹은 윤리적 성숙이 코칭 방에서 일어나도록 하기 위해 타임 아웃을 외칠 수 있다.

결론

모든 코치, 멘토, 컨설턴트, 슈퍼바이저는 윤리규정을 개발한 전문협회에 등록된 여부와 관계없이 자신의 윤리 원칙을 명확히 하는 시간을 가져야 한다. 모든 실행가들은 자신의 일 또는 동료의 작업에서 발생하는 윤리적 딜레마의 범위를 연구하고 이러한 윤리적 문제에 대해 충분히 다뤄야 한다. 이 책에서 다룬 다른 핵심 역량과 똑같이, 윤리적 수행능력도 계속 개발하고 평생 확장해야 하는 개인 및 직업적인 개발의 한 부분이다.

윤리 개발은 공통적으로 여러 단계를 거친다. 어린 시절에는 가족과 사회의 윤리적 관습을 배운다. 직접적인 가르침과 문화에 대한 불문율에 따라 배우는 것이다. 청소년기가 되어서는 자신의 신념과 윤리적인 위치를 찾아가는 전주곡으로서 수용할 수 있는 한계를 시험해보기도 하고 주어진 한계에 반발하기도 한다. 윤리 개발의 다음 단계는 점점 더 커지는 윤리적인 복잡성을 맞닥뜨리면서 대응하는 방법을 찾으면서 진행된다. 3장에서 길게 논의한 바와 같이, 윤리적 성숙을 포용하는 능력의 확장은 전문성과 리더십 개발의 핵심이며 슈퍼비전의 핵심 측면이기도 하다.

고객과 리더 개인, 팀 그리고 조직 모두와 일할 때, 우리는 그들의 도덕적 딜레마를 도와 달라는 요청을 받을 것이다. 그런 요청에 대응하는 능력은 우리 자신의 윤리적 용량을 얼마나 잘 개발했느냐에 달려있다.

제15장 | 다른 문화에서 일하기: 다문화적 능력

■ 본 아베띠(Bon appetit)

나스루딘은 곧 유명한 경영 컨설턴트가 되어 부자가 되었고, 다른 많은 부유한 바보들처럼 크루즈 여행을 갔다. 여행 첫 날 저녁 그는 프랑스인과 같은 테이블에 앉게 되었다. 식사를 시작할 때 프랑스인이 그에게 인사하며 "본 아베띠!"라고 했다. 나스루딘은 그가 정중하게 자기 이름을 소개하는 줄 알고, "물라 나스루딘"이라고 대답했다. 그들은 즐거운 식사를 했다. 그런데 다음 날 아침 식사에서도 프랑스인이 똑같이 "본 아베띠(Bon appetit)"라고 했다. 나스루딘은 그 사람이 청각장애가 있는 줄 알고 더 크게 "물라 나스루딘"이라고 외쳤다. 점심 때에도 똑같은 일이 벌어지자 나스루딘은 짜증이 났고 그 프랑스인이 바보라고 생각했다.

다행히 그날 그는 프랑스어를 하는 다문화 컨설턴트 코치와 얘기하게 되었다. 그는 '본 아베띠'는 프랑스어로 '맛있게 식사하세요'라는 인사말이라고 일깨워 주었다. "아! 감사합니다." 그제서야 알게 된 나스루딘이 안도하며 말했다. 오후 내내 그는 갑판 위 아래를 걸으면서 연습했다.

그 날 저녁식사 때 그는 미소를 띠우면서 프랑스 친구에게 의기양양하게 "본 아베띠"라고 말했다. "물라 나스루딘"이라고 프랑스인이 대답했다.

(Hawkins, 2005: 70)

소개

1998년 그래거슨 등이 미국에서 포춘 500대 기업 설문 조사를 통해 발견한 사실은 다음과 같다.

- 85%는 글로벌 리더가 충분히 있지 않다고 생각한다.
- 67%는 현재의 리더들이 글로벌에서 일하려면 추가적인 기술과 지식이 필요하다고 생각한다.

대기업 고위 임원에게 코치, 멘토, 컨설팅하려는 전문가들은 다문화적으로 일하는 데 숙련되어 있어야 한다. 심지어 국제적인 기업이 아니거나, 특정 지역에서 공공 부문 혹은 봉사 부문에서 일하는 경우에도 점점 늘어나는 다문화 직원들과 일할 수 있어야 하며, 또한 고객들이 다양한 사람들과 효과적으로 일할 수 있도록 도와줄 수 있어야 한다.

그래거슨 등을 포함해서 여러 연구는 효과적인 글로벌 리더가 되기 위해 필요한 자질이 무엇인지를 정의했는데, 우리는 코치, 멘토, 컨설턴트, 슈퍼바이저들도 국제적이고 다양성이 있는 데서 효과적으로 일하려면 그와 동일한 자질이 필요하다고 제안한다(〈표 15.1〉 참조).

表 15.1 **효과적인 글로벌 리더, 글로벌 컨설턴트**

정체성	개념적 능력	대인관계
• 개인적인 자아 개념 • 진정성 • 다른 사람에 대한 적응력 • 자신과 자신의 문화를 맥락 속에서 파악하기 • 원칙 중심 • 다름에 대한 개방성	• 글로벌 사회 경제적 시각 • 맥락적 사고 (좁게/넓게)(헬리콥터/우주 왕복선 시각)	• 신중하게 행동을 해석 • 상황에 맞게 스타일을 조정 • 자신을 이해시킴 • 사람들을 공평하게 존중 • 영향에 대해 열려있음

문화적 소양(Cultural literacy)

이 장에서는 다양성을 다루는 코칭, 멘토링, 컨설팅 및 이들에 대한 슈퍼비전에서 차이를 넘어 일하는 데 필요한 감각과 인식에 초점을 맞춘다. 차이란 인종, 국적, 성별, 계층, 장애, 전문성 배경 등 서로 간에 장벽을 만들고 잘못된 편견과 가정을 초래하는 모든 것이 해당한다. 다른 문화권에 대해서만이 아니라 그 정도 혹은 그 이상으로 자신의 문화에 대해서도 감각과 인식을 가질 필요가 있다. 소수 그룹은 주류 그룹과의 다른 점 때문에 종종 차별을 받는다. 우리는 단지 인종과 민족만이 아니라 계층과 그 밖의 다른 그룹화에 대해서도 집중할 것이다. 이런 것들이 '하위' 문화를 만들어내기 때문이다.

줄피 후세인(Megginson and Clutterbuck, 2005: 98)은 이렇게 기술했다. '다른 문화의 사람을 멘토하기 위해서 멘토는 자신의 문화와 멘티의 문화가 그들의 소통에 어떻게 영향을 미칠지를 판단할 수 있어야 한다.' 그녀는 계속해서 이른바 '문화적 소양(cultural literacy)'의 중요성을 강조했다. 문화적 소양은 문화적 어법이라고 하는 이것은 지배적인 문화의 가치, 신념과 상징을 이해하는 것이며, 멘티의 문화와 그가 속한 조직의 문화를 이해하는 것을 말한다.

이는 다른 문화를 이해하기 위해서도 중요하지만, 평소 질문에 대해 개방적인 자세를 갖는 데도 유용하다. 부분적으로는 배움에 대한 개방적인 태도가 우리를 계속 살아있게 하고 창의적으로 만들기 때문이기도 하며, 문화적 다양성을 부정하지 않고 진정으로 가치 있게 여기는 또 다른 이유로는 차이를 넘어서 대화하는 방법을 알아야 할 필요가 있기 때문이다. 만약 단지 상대방의 관점을 이해하기 위한 것만을 과제로 생각한다면 진정한 만남은 일어나지 않는 셈이다. 우리, 자신이 거기에 존재하지 않기 때문이다. 슈퍼비전 관계에서 다양성 이슈는 코치－고객 관계의 차이를 기꺼이 격려하고 탐색한다는 의미이며, 동시에 자신과 슈퍼바이지와의 관계의 개방성을 의미한다.

타일러 등(Tyler et al, 1991, 1999 홀로웨이와 캐롤에서 인용)은 문화에 대한 반응을 다음 세 가지로 구분한다.

1. **보편주의자**(universalist)는 문화의 중요성을 부정하고 개인 특성의 차이로 치부한다. 코칭에 있어서 보편주의자는 모든 차이를 개인의 욕구와 이슈라

는 관점에서 이해할 것이다.

2. **개별주의자**(particularist)는 보편주의자와 완전히 반대의 관점으로, 모든 차이점을 문화에 두고 이해한다.

3. **초월주의자**(transcendentalist)는 우리 관점과 비슷하다. 콜맨은(Coleman, 홀로 웨이, 캐롤 1999)은 이러한 관점을 다음과 같이 설명한다.

'고객과 [코치] 모두는 그들의 세계관과 행동에 깊은 영향을 미치는 광대한 문화적 경험을 가지고 있다.' 그는 '그 경험들을 이해하고 해석해야 하는 것은 개인'이라고 말한다. 초월 또는 다문화 관점은 인종, 성별, 계층 등 문화적 요소에 따라 규범적인 가정(assumptions)이 있으며, 단 이러한 규범 가정이 현실로 되는 것은 개별 구성원이 내리는 특정한 선택을 통해 이루어진다고 본다.

엘레프테리아두(Eleftheriadou, 1994)는 '다문화(cross-cultural)'와 '이문화(transcultural)' 간 차이를 유용하게 구분한다. 전자는 다른 사람을 이해하는 데 있어서 우리의 세계 관점을 넘어서서 이해하는 게 아니라 자신의 기준 시스템을 사용하는 것이다. 문화를 넘어서 '이문화적(transcultural)'으로 일한다는 것은 코치가 문화의 차이를 넘어 일을 해야 하며 다른 개인과 그룹의 기준 틀 안에서 일할 수 있다는 것을 의미한다.

이러한 방법으로 일하는 능력은 매우 중요하다. 상대방 영역에 들어가는 것은 다양성을 가치 있게 여기는 핵심 부분이다. 새로운 지형에 적응하는 건 사람들이 배워야 할 중요한 스킬이다. 그러나 더 깊은 단계에서는 생성적인 차원이 있다. 양 당사자가 각각의 차이를 상호 존중함을 넘어서 함께 공유의 언어를 만들고 질의를 위한 프레임워크를 설정하는 것이다. 질의에 대한 열린 태도는 초월주의자 관점에서 문화를 넘어서 일할 수 있는 능력을 향상시킨다. 질의는 양 당사자가 학습하는 대화에서 많이 발생한다.

한 가지 특히 복잡한 영역은 권력과 권위의 이슈이다. 슈퍼바이저 역할에 부여된 권위 때문에 슈퍼비전 관계는 이미 이런 면에서 복잡하다(Ryde, 2009, 2011: 185). 차이점 속에서 일하는 데 있어서, 힘의 역학은 주류와 소수집단의 힘의 불균형 때문에 복잡해진다. 우리는 어떻게 다른 역할, 문화, 개인 성격에 부과된 힘이 모아져 복잡한 상황을 만드는지 살펴볼 것이며, 이는 무시하거나 부정할 것이 아니라 더 잘 탐구해 볼만한 가치가 있다. 이 장에서는 슈퍼비전에서 차이를 이해하고 적절하게 반응하도록 하는 데 슈퍼비전이 어떤 역할을 할 수 있는지에 대해 살펴 볼 것이다. 다음 항목의 중요성을 다룬다.

- 슈퍼비전할 때 문화와 다른 영역의 차이점을 고려한다.
- 다루어야 하는 문화적 요소들
- 힘의 역학과 차이
- 어떻게 차이가 세븐 모드 슈퍼비전에 영향을 미치는가(9장 참조)
- 차이에 대한 감수성을 지닌 슈퍼비전의 모범 사례

우선 '문화'가 무엇을 뜻하는지부터 탐색할 것이다.

문화의 이해

'코칭에 문화를 통합하기 위해서 가장 먼저 필요한 것은 문화에 대해 이야기하는 언어이다.'(Rosinski, 2003: 49). 우리는 '문화적 차이'란 다른 그룹의 행동과 사회적 측면에 영향을 미치는 서로 다른 명시적 암시적 가정과 가치라고 이해한다(Herskowitz, 1948). 로진스키는 코치에게 더 간단한 실무적 정의를 이렇게 내렸다. '그룹의 문화란 기존 구성원들을 다른 그룹과 구별시키는 고유한 특성의 집합이다.'(Rosinski, 2003: 20) 고객의 문화를 이해한다는 것은 우리 자신의 문화 가정과 신념에 대해서도 이해야야 한다는 뜻이다.

문화는 '우리가 지닌 어떤 것'이 아니라, 우리가 사는 환경 속에 거주하는 것이다. 문화는 우리가 생각하는 것만이 아니라 어떻게 생각하느냐에 우선적으로 영향을 미친다. 비록 우리 자신의 생각이 문화적 가정의 결과를 바꿀 수는 있다고 해도, 문화란 우리 사이의 공간에 존재하며, 우리는 '문화'라는 실험실에서 자라나는 유기체와 같다.

호킨스(Hawkins, 1995, 1997)는 문화의 다섯 단계라는 모델을 개발했는데, 각 단계는 근본적으로 그 아래 단계에서 영향을 받는다.

1. **인공물**: 의식, 상징, 예술, 건물, 정책 등

2. **행동**: 관계 맺고 행동하는 패턴, 문화적 규범
3. **사고방식**: 세상을 보고 경험을 프레임하는 방식
4. **정서적 기반**: 의미를 형성하는 감정의 패턴
5. **동기의 뿌리**: 선택을 이끌어내는 기본적인 열망

이 모델은 5장에서 충분히 다루었다.

모든 사람은 다층적인 그룹에 속하며 서로 다른 문화에서 생활한 경험이 있다. 일부 저자들은 문화를 단지 국가적인 현상(일본, 영국, 프랑스, 미국 등)으로만 보는 함정에 빠진다. 다른 사람들은 문화권의 다층성을 이해하고 있다.

로진스키(Rosinski, 2003: 21)는 다양한 문화적 회원권의 범주를 이렇게 열거했다.

- **지리와 국적**: 지역, 종교, 인종
- **규율**: 직업, 교육
- **조직**: 산업, 기업, 노동조합, 부서
- **사회 생활**: 가족 친구, 사회 계층, 클럽
- **성별과 성적 지향성**

문화적 성향

국가와 민족, 성별, 계층, 성적 취향, 직업, 종교적 선호도 등을 기반으로 한 하위 집단은 서로 다른 문화적 규범을 가지고 있으며, 이는 다른 그룹들과 구분이 되는 행동, 사고방식, 감정 기반과 동기의 뿌리이다. 문화의 성향은 무수히 많아서 이를 체험해서 배우는 것은 불가능하다. 우리가 할 수 있는 것은 다양한 문화적 성향에 대해 감수성을 갖는 것이다. 로진스키(Rosinski, 2003: 51-2)는 '문화적 성향 프레임'을 다음과 같이 제시한다.

- 권력과 책임감
- 시간 관리 접근법
- 정체성과 목적

- 조직의 배열
- 신체적, 심리적 영역
- 소통의 패턴
- 사고방식

여러 학자들(예: Kluckhohn and Strodtbeck, 1961; Sue and Sue, 1990; Trompenaars and Hampden-Turner, 1994)에 의해 밝혀진 다른 변수로는 다음과 같은 것들이 있다.

- 평등성 대 계층성
- 자기 공개
- 외부 지향성 대 내부 지향성
- 원인-결과 성향
- 성과 지향성
- 보편주의 대 특수주의
- 적응주의 대 보호주의
- 순차적인 시간 대 동기화된 시간

라이드(Ryde, 2005, 2009)는 다문화적 코칭에 적절한 두 차원에 대해 기술했다. 이는 다음과 같다.

- 개인 경험 중시와 집단 중시 간의 연속체(continuum)
- 감정 표현과 감정 억제 간의 연속체

두 차원이 서로 어떤 영향을 미치는지 〈그림 15.1〉과 같이 정리해서 보여준다. 이렇게 되면 특정 문화를 네 가지의 요소에 의해 도표에 위치를 배치할 수 있다. 예를 들어 대부분의 영국과 북유럽 문화는 개인적-감정 억제적 분면에 위치할 것이다. 이 표로 문화적 차이를 모두 드러낼 수는 없지만, 두 가지 중요한 변수로 더 쉽게 성향을 알 수 있고, 문화적인 감수성을 높이는 데 도움을 준다. 유사한 매핑 프로세스는 다른 문화적 차원에도 사용될 수 있다.

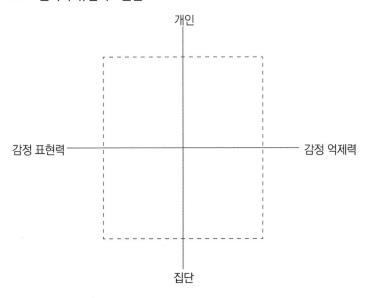

✍ 그림 15.1 문화적 규범의 4분면

개인

감정 표현력 ─────────── 감정 억제력

집단

다문화 능력

다른 문화적 렌즈를 통해서 세상을 보는 방식을 더 잘 이해할수록, 여러 문화 속에서 더 잘 일할 수 있다. 반 위덴버그와 브링크맨(van Weerdenburg, 1996; Brinkmann and van Weerdenburg, 1999)은 밀튼 버넷(Milton Bennett, 1993) 박사의 연구를 바탕으로 해서 이문화적 감수성을 개발하고 발전시키는 모델을 만들었다. 이는 각 단계를 거치면서 다문화적 효과성을 높이는 모델로서, 단계는 다음과 같다.

* **거부**: 자신의 문화를 유일한 문화로 보는 단계
* **방어**: 문화적 차이에 대해 방어적이며, 자기 문화만을 좋은 것으로 보는 단계
* **최소화**: 자신의 문화적인 세계를 보는 관점을 보편적이라고 보는 단계
* **수용**: 자신의 문화가 여러 복잡한 세계관 중 동등한 하나임을 인식하는 단계

- **인지적 적응**: '다른 눈을 통해' 세상을 볼 수 있는 단계
- **행동적 적응**: 다른 문화적 상황과 관계에 맞게 자신의 행동을 적응시킬 수 있는 단계

    이 단계 중 앞의 세 단계를 '민족중심적(ethnocentric)'이라 하고, 뒤의 세 단계는 '민족상대적(ethnorelative)'이라 한다(〈그림 15.2〉). 첫 두 단계는 문화적 둔감함을 나타내며, 그 다음 두 단계는 다문화적 실천의 시작이다. 마지막 두 단계만 다문화적 코칭 또는 슈퍼비전이라고 부를 수 있다. 이 단계들은 7장에서 설명한 슈퍼바이저 양성의 일반적인 단계와 나란히 병렬적인 개발의 단계이다.

    데이빗 토마스(David Thomas, 1990, 2001)는 인종적 경계를 넘어서는 멘토링 관계에 대한 연구를 수행했다. 그는 어떤 멘토링 짝은 매우 직접적으로 인종적 차이에 대해 논의했으며 그것이 관계의 강점이라고 보았다(민족상대적 관점). 반면 다른 짝들은 이런 차이를 부정 혹은 무시하거나 매우 피상적으로 언급했다(민족중심적 관점). 그가 발견한 흥미로운 점은 이것이 멘토와 멘티의 나이 차이와 관련이 있다는 것이다. 앞의 그룹은 나이 차이가 거의 없는 반면에 뒤의 그룹은 나이 차이가 훨씬 많았다.

🔗 그림 15.2   **다문화 능력: 민족중심적 관점에서 민족상대적 관점으로**
(van Weerdenburg, 1996)

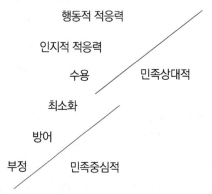

슈퍼비전에서의 문화 및 다른 다양성의 인식

슈퍼비전에 관한 몇몇의 저자들(Brown and Bourne, 1996; Proctor, 1998; Carroll and Holloway, 1999a; Gilbert and Evans, 2000; Hawkins and Shohet, 2012)은 슈퍼비전의 상황은 일대일보다 더 복잡한 관계를 가져온다고 지적했다. 슈퍼비전에는 적어도 세 가지 관계가 있다. 고객－슈퍼바이지 관계, 슈퍼바이지－슈퍼바이저 관계, 고객－슈퍼바이저 관계(그룹 슈퍼비전의 경우와 슈퍼바이저 위에 또 다른 슈퍼바이저가 있는 경우는 세 가지 이상의 관계). 문화적 차이가 존재하는 상황이라면 이는 더욱 복잡해진다. 어느 한 관계가 문화적으로 다르거나 세 관계 모두가 문화적으로 다를 수도 있다. 고객이 문화 배경이 다른 상황이라면 슈퍼바이지과 슈퍼바이저는 개인의 심리라기보다는 문화적인 요인에서 기인한 것을 개인 특성으로 오해하는 공모가 일어나지 않는 게 중요하다.

지배적인 문화 안의 소수 민족 그룹인 경우 이들의 2세대가 동시에 두 문화에 존재하려고 노력하는 경우가 많다. 지각된 문화적 차이는 종종 물리적 특성, 피부색, 코 생김새 등에 초점을 맞춘다. 지배적인 그룹은 실제적 또는 지각된 차이를 가지고 무자비하게 폄하하고 하찮게 여길 수도 있다. 사람들은 이런 극심한 편견에 직면하려 하지 않고 다르다고 위장하거나 영향을 부정하는 식으로 문제를 더 키운다.

다름의 영향을 축소화하는 것은 즉시 명백하게 보이지 않게 하면서 다름을 지닌 사람에 대한 문화적 거부를 통해 큰 소외감을 일으키는 원인이 될 수 있다. 성적 취향은 다름이 잘 보이지 않는 영역이다. 다름에 대한 차별을 불법화하는 노력에도 불구하고, 슈퍼바이저와 슈퍼바이지 사이에 의식적 또는 무의식적 편견이 남아있을 가능성이 있다.

권력과 다름

사회는 함께 사는 다른 문화 사람들의 다양성의 크기에 따라 더 풍요로워질 수 있다. 그러나 지배적인 문화는 지역 사회에서 더 강력한 영향이 있다. 이러한 힘의 불균형은 슈퍼바이지와 슈퍼바이저, 슈퍼바이지와 고객의 관계를 포함하여 전문적인 관계에서 불가피하게 발생된다. 위에서 보았듯이, 브라운과 부르네(Brown and Bourne, 1996)는 여러 조합의 슈퍼비전 관계를 대상으로 어떤 깊이에서 권력 관계를 연구하였다. 그들은 소수 그룹 사람이 가능한 역할을 맡았을 때 생겨나는 모든 가능한 조합을 검토하고 그 결과로 일어나는 복합적인 권력의 역학을 지적한다(p. 45). 성적 취향, 장애, 계층의 차이도 힘의 불균형을 가져오지만 그들은 특히 인종과 성별을 강조한다.

인스킵과 프록터(Inskipp and Proctor, 1995)는 흑인과 백인의 상담 관계의 역학을 연구했는데, 각각 흑인 혹은 백인일 수 있는 슈퍼바이저, 고객, 상담사의 가능한 모든 조합을 보여주는 여덟 가지 삼각형 모델을 사용했다. 각 삼각형은 각자의 역학이 있는데, 그것은 역할과 민족 그룹에서 나오는 다른 힘의 역학에서 영향을 받는다. 우리는 이것이 코치, 멘토, 조직 컨설턴트, 슈퍼바이저의 역할에 직접 관련이 있다고 생각한다.

이를 더 그려보면 다문화 슈퍼비전에 필연적으로 존재하는 복잡한 힘의 역학을 보여주는 또 다른 삼각형이 있음을 보여준다. 각 코너에는 다른 형태의 권력이 있다. 역할 권력, 문화적 권력, 개인적 권력(〈그림 15.3〉 참조).

그림 15.3 역할 삼각형

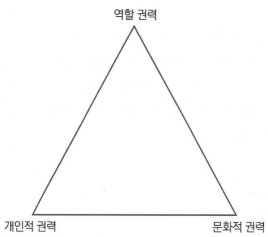

- **역할 권력**은 슈퍼바이저의 역할에 내재된 권력을 가리킨다. 그것은 슈퍼비전이 진행되는 조직의 상황에 따라 달라진다. 역할 권력은 역할에 부여된

합법적인 권력이다. 강압적 권력은 슈퍼바이지로 하여금 무엇인가를 하게 만드는 힘이고, 보상적 권력은 보상을 제공 또는 철회하는 힘을 뜻한다. 자원 권력은 슈퍼바이저가 자원을 제공 또는 철회할 수 있는 힘을 의미한다(French and Raven, 1959).

- **문화적 권력**은 지배적인 사회와 인종 그룹에서 파생된다. 북유럽이나 미국에서 문화적 권력은 백인의 주류 집단에서 태어난 사람이 해당될 것이다. 그 사람이 남성, 중산층, 이성애자, 비장애자라면 이 권력은 강조된다.
- **개인적 권력**은 개인의 특별한 힘을 가리킨다. 역할과 문화를 통해서 개인에게 주어진 힘으로서 클 수도 있고 적을 수도 있다. 전문가로서의 권위에서도 나오고 또한 존재와 개성의 영향에서도 나온다. 이는 프랜치와 레이븐(French and Raven)이 **명명한** 준거적 권력의 구성요소이기도 하다. 슈퍼바이지가 슈퍼바이저를 닮고싶어하고 동일시하려는 데서 나오는 힘이다.

한 사람이 세 가지 권력 원천이 모두를 갖는다면 효과가 압도적일 수 있다. 슈퍼바이저가 꼭 지배적인 문화적 그리고/또는 개인적 권력을 가져야 하는 것은 아니다. 그렇게 되면 권력의 역학은 단순해질 수 있다. 그 권력이 당연시되어 무감각하게 오용되거나 간과될 수 있다. 슈퍼바이저가 문화적 그리고/또는 개인적 권력을 갖고 있지 않을 때는 권위를 세우는 데 갈등이 있을 수 있고, 혹은 과도한 강조로 인해 보상이 필요할 수 있다. 어떤 경우든지 슈퍼비전에서 권력의 관계는 무시되기 보다 더 연구되어야 할 주제이다. 주류 집단에 속해서 자동적으로 주어진 문화적 권력은 가짜 권력이고 그로 인한 권위라면 그것도 가짜이지만, 그렇더라도 권위는 슈퍼바이저가 역할을 통해 더 큰 권위를 갖는데 적절할 수 있다(13장 p. 327-330 참조).

치료 슈퍼비전의 세계에서 있었던 어떤 예를 보면 코치 또는 멘토의 슈퍼비전에서 발생할 수 있는 문제점을 알 수 있다. 한 선한 의도를 가진 백인 슈퍼바이저가 첫 슈퍼바이지로 흑인이 왔을 때 긴장되고 흥분을 느꼈다. 보통 상담 과정을 시작하는 학생들은 그 전에 상담경험이 있지만, 이 슈퍼바이지는 상담경험이 없었는데 상담 과정에 들어온 학생이었다. 이 '긍정적 차별' 때문에 슈퍼바이지는 기초적인 상담기법과 이론을 이해하고 사용하기 어려웠다. 하지만 슈퍼바이저는 인종차별로 보이기 싫어서, 슈퍼바이지가 고객의 말을 듣기 보다는 조언하는 경향이 있다는 걸 직면해 주기를 주저했다. 나중에 그 슈퍼바이지가 자기 선생님에게 가서 슈퍼바이저가 인종차별주의자라고 불평을 함으로써 슈퍼바이저가 가장 두려워했던 것이 실제로 일어났다. 이로 인해 그녀는 다시 대립을 주저하게 되었다.

이러한 복잡한 상황을 이해하는 데는 카프만(Karpman)의 드라마 삼각형(1968)이 도움이 된다. 그것은 박해자, 피해자, 구원자의 상호 역학을 보여준다. 이 역학은 맡은 역할에 의해 방식이 정해지며 사람들 사이에서 역할은 돌아가는 경향이 있다(11장 참조). 이 예에서 처음에는 슈퍼바이저가 박해자이고, 슈퍼바이지는 피해자, 선생님이 구원자로 보인다. 그러나 인종차별이라고 항의하면서 역할은 변경되었다. 슈퍼바이저가 이제 분명하게 피해자 역할을 하게 된 것이다.

사실 '역할 권력'은 슈퍼바이저에게 있었다. 그녀가 경험이 많고 자신감이 있었더라면 먼저 슈퍼바이지와 이 모든 복잡한 상황을 탐구하는 일을 했을 것이다. 슈퍼바이지─슈퍼바이저 관계의 권력 역학이 '인종' 차이라는 문화적 맥락에 의해 복잡해졌다. 그 외에도 학생이 보통과 다르게 상담 경험이 없이 과정에 입문했다는 문화적 맥락, 고객이 조언을 받는 것과 들어주는 경험의 차이를 탐구하는 것, 슈퍼바이저와 슈퍼바이지의 다른 문화권에서 '들어주는 것'과 '조언을 받는 것'은 어떤 문화적 의미가 있는 가 등의 문화적 맥락이 있는 것이다. 슈퍼바이저가 적절하게 자신의 권위를 지키면서 복잡하게 꼬인 문제를 열어놓고 두려워하지 않고 다루었다면, 슈퍼바이지는 (슈퍼바이저도) 풍부한 배움의 기회가 되었을 것이다. 어떤 학생도 권위가 적절하게 있기를 기대하기 때문이다.

만약 이 과정에서 슈퍼바이저가 슈퍼바이지를 쫓아내버린다면 그건 권력의 남용이라고 확실히 말할 수 있을 것이다. 이 상황에서는 권력이 미묘하게 오용되었다. 적절한 권위가 없었고 슈퍼바이지는 과정의 어려움 때문에 힘들어했다. 어떤 사람은 슈퍼바이저가 인종차별주의는 아니더라도, 이런 문제들을 공개적이고 정직하게 말할 수 없다고 하는 가정이 분명한 문화적 편견이라고 얘기할 수 있을 것이다.

코칭과 슈퍼비전의 관계에서 적절한 권위를 갖추는 법을 알면서 또한 다양한 권력 요소에 대해 민감하게 알아채는 것은 매우 중요하고 도전적인 과업이다.

압박 반대 실행(Anti-oppressive practice)

효과적으로 다문화적으로 일을 하려면 압제 반대의 실행 틀을 갖는 게 필수적이다. 이것은 단순히 차별 행동을 피하는 것을 넘어서는 일이다.

줄리아 필립슨(Julia Philipson, 1992)의 연구에 기초해서 브라운과 브루네(1996)는 이렇게 길게 논의했다.

> 압박이란 압박하고 압박당하는 개인적 경험뿐 아니라 권력의 구조적 차이에 관한 복합적 용어이다. 이는 인종, 성별, 성적 취향, 연령, 장애와 연관되어 있으며 이런 요소로 분리되어 혹은 겹쳐서 작용되는 경험이다.
>
> (Philipson, 1992: 13)

> 차별 반대 실행은 불공평에 대한 도전 모델을 따르며 본질적으로 '성향에 대한 개혁'이다. 반면에 필립슨은 억압 반대 실행은 임파워먼트와 해방의 모델을 따르며 가치, 기관의 근본적인 재고를 요구한다.
>
> (Brown and Bourne, 1996)

반억압적이기 위해서는 슈퍼바이지와 고객 모두의 압박의 경험에 주의를 기울여야 한다. 또한 우리 자신의 문화적 편견에 지속적으로 민감해야 하며, 다름에 대한 반응을 더 잘 할 수 있어야 한다.

억압 행동을 방지할 필요성은 확실히 중요하다. 억압적 행동을 그대로 놔둔다면 문화적 차이를 다루는 슈퍼비전과 코칭은 실제 작업에 들어가기 전에 추가적인 부담을 느끼게 하는 인상을 줄 수 있다. 자신의 문화권 안에서만 일하는 것보다 더 느리고, 덜 생산적이며, 덜 효과적이라는 암시를 주게 된다. 하지만 문화적 다양성 속에서 일함으로써 우리는 큰 이득을 얻을 수 있다. 아주 다양한 참조틀을 마음대로 사용할 수 있고, 그렇지 않았다면 접근하기 힘들었을 가능 대안의 범위를 넓히고 해결책도 발견할 수 있다.

다문화 슈퍼비전의 훈련

우리는 보통 이 영역의 워크숍을 시작할 때 사람들에게 자신의 문화적 배경에 대해 공유해 달라고 질문을 한다. 이것은 자기 이름의 역사를 설명해달라고 함으로써 이루어질 수도 있다. 또한 관계에서 다문화 이슈를 더 깊이 탐구하기 위해, 교육 과정에서 짝으로 하는 연습을 개발했다.

1. A가 B에게 말한다. "당신이 내 문화적 배경에 대해 알았으면 하는 것은…"
2. B가 말한다. "내가 들은 것은…"
2a. A가 명료하게 만든다.
3. B가 말한다. "내가 들은 것을 기초로, 내가 당신을 슈퍼비전할 때 다르게 하고자 하는 것은…"
4. A는 B의 제안 중에서 유익한 것이 무엇인지 피드백을 준다.
5. A와 B가 역할을 바꾸어 앞의 1−4단계를 수행한다.
6. 서로의 차이점을 탐구한 다음 A와 B는 잘 몰랐던 유사한 면을 공유한다.

이 방법은 실습 그룹 이후에 사용할 수 있다(7과 14장 참조). 또한 슈퍼바이지를 이 문화에서 일하는 고객 상황에 대해 슈퍼비전을 받게 하고, 그룹의 다른 구성원으로 하여금 그림자 슈퍼바이저 역할을 하며 다문화간 역학의 다양한 면을 모니터하게 할 수 있다.

- 고객과 조직의 행동과 사고방식에서 작동되고 있는 문화적 가정은 어떤 것들인가?
- 슈퍼바이지의 행동에 작동하는 문화적 가정은 어떤 것들인가?
- 슈퍼바이저의 행동과 사고방식에 작동하는 문화적 가정은 어떤 것들인가?
- 더 큰 다문화 역량을 가지고 일하려면 사고방식과 행동이 어떻게 변화해야 하는가?
- 우리는 슈퍼바이저가 다문화 분야 전체에 변화를 일으킬 수 있도록 어떻게 코치할 수 있는가?

이런 주제를 다루기 위해 잠시 타임 아웃을 해서 슈퍼바이저를 코칭하기도 한다. 혹은 고객 세션의 다문화적 요소를 다루는 다양한 코칭 기법을 빠르게 예행 연습하기도 한다.

결론

이 장은 우리가 코치, 멘토, 조직 컨설턴트, 슈퍼바이저에게 필수적이라고 믿는 여덟 가지 핵심 역량으로 결론을 맺는다. 각 역량은 평생에 걸친 개발 여정을 포함한다. 이건 마스터 할 수 있는 기술이 아니라 지속적으로 강화해야 할 능력들이다. 지속적으로 관심을 기울이지 않으면 우리가 개발한 능력은 유지되지 못할 것이다. 결국 부실하게 되고 현실에 안주하며 녹슬게 된다.

슈퍼비전은 코치, 멘토, 컨설턴트들이 고객과 함께 있을 때나 슈퍼비전을 받을 때, 자신의 다양한 다양한 능력이 발휘되는 것을 알아차리고 성찰할 수 있는 환경을 제공한다. 슈퍼바이저는 개발 기능 측면에서, 슈퍼바이지를 모니터하고 이런 능력을 갈고 닦도록 도와주어야 한다. 이렇게 하기 위해서 슈퍼바이저 자신이 그런 능력을 자기 안에서부터 키워나가는 것이 핵심이다.

제16장 ┃ 전문 역량의 연마

우리가 이 책을 쓴 진정한 의도는 개인, 팀, 조직, 더 넓은 시스템에 이르기까지 잠재 능력을 실현하고 세계에 커다란 기여를 할 수 있게 돕는 것이다. 세상이 오늘날처럼 복잡하고 서로 연결되면서 (세계의 도서관을 이용하고 관계 네트워크에 접근하는 게 클릭 한 번으로 가능해진, 그래서 더 오래 머물고 더 많이 여행하게 된 세상) 사람들은 점점 더 많은 것을 성취할 수 있게 되었다. 그 어느 때 보다 물적 지적 자원이 풍부해졌는데, 인간의 능력은 모든 가능성에 속도를 맞춰 따라서 발전해가기 어렵다. 이를 따라가려면 숙련된 도움을 줄 전문가들이 필요하다. 전문가들 또한 그 영역에서 경험 많은 실행가들로부터 지지와 함께 슈퍼비전을 받을 필요가 있다.

코칭은 영원히 채워지지 않은 허기와 궁핍함을 채워주는 역할에서가 아니라 고요하고 차분한 가운데 깊은 의미를 찾는 역할에서 진정한 가치를 발휘한다. 코칭은 최상의 자신이 될 수 있도록 이끌어내고 그래서 세계에 긍정적으로 기여하게 만든다.

필요는 발명의 어머니라고 말하는데, 또한 필요는 성숙성의 아버지로서 우리가 충동에 따라서가 아니라 요구되는 바에 따라 살도록 가르친다. 전략적 필요의 목소리는 우리에게 이렇게 질문한다. '내일의 세계의 필요를 위해 당신이 독특하게 할 수 있는 것이 무엇인가?' 이보다 훨씬 즉각적인 필요성의 목소리는 이렇게 묻는다. '지금 당장 필요한 것은 무엇이며 해내야 할 일은 무엇인가?'

이 목소리는 코치, 멘토링, 컨설팅할 때 바로 옆에 앉아 있는 우리 내부 슈퍼바이저의 음성일 수도 있다. 내부 슈퍼바이저는 지금 함께 있는 개인(또는 개인들)과 더 넓은 세상에서의 그들의 일까지도 도울 수 있도록 발견하게 해 준다. 더 넓은 세계에서 어떤 작업을 돕는 정도가 아니라 가치를 창조해내는 역할을 하는 것이다.

장인은 가치를 창조하기 위해서 다양한 색상으로 모직을 가공하고 짜깁기하고 염색하여 유용성뿐만 아니라 지속성과 아름다움을 가진 카펫을 만든다. 그들은 직물에 색상을 더한 것이 아니라, 기본 물질에 가치를 더한 것이다.

코치들도 가치를 창조하기 위해 리더나 코치이가 몰입하게 하고, 그들의 도전에 귀를 기울이며 도전에 부응하기 위해 필요한 관리자의 숨겨진 잠재력을 찾는다. 코치는 숨겨진 잠재력을 표출할 수 있는 방법을 연구하며, 코치이가 지닌 지적 능력과 감정, 기술과 수용 능력 전체와 다루어야 할 도전 간의 새로운 연관성을 어떻게 창조할지 코치이와 함께 연구한다.

가치 창출이란 단지 도전을 제어하고 문제를 해결한 것만이 아니라, 코치이의 잠재력 실현과 스킬 발전, 역량 향상도 포함된다. 또한 코치이의 새로운 일을 통해 만들어지는 새로운 연결에도, 조직이 모든 이해관계자들과 만들어내는 새로운 연결에도 가치가 존재한다.

거기에 도달하려면 이 책의 여러 지점에서 논의해왔던 핵심적인 실행을 적용할 필요가 있다. 사람에 따라 이를 다른 용어로 설명하지만, 의도는 동일하다. 예를 들어, 메리 베스 오닐(Mary Beth O'Neill, 2000: 13)은 코치의 가장 중요한 자질은 '근간(backbone)'과 '마음(heart)'이라고 강조한다. '근간'이란 인기가 있든 없든 자신의 입장을 말하는 것이다. '마음'은 관계 안에 머무는 것이며, 관계에 갈등이 있을 때조차도 다가가는 것이다.

우리도 코치, 멘토, 컨설턴트의 개발 연구에서 이와 비슷한 핵심 원칙을 개발했다. 두려움 없는 연민(fearless compassion)이다. 코치가 객관성을 가지고, 보는 대로 사실을 말하고 더 큰 맥락에서의 필요를 보고 듣도록 고객에게 도전하는 면에서 두려움 없는 근간을 유지하면서, 동시에 감정적으로 정신적으로 상대방의 세계를 체험하며 사랑의 마음으로 지원할 수 있는 연민을 갖는 것이다. 이 말은 의도적인 역설적 표현으로서, 다른 사람과 따뜻함과 공감을 가진 관계를 맺는 능력과 외부 증인으로서의 객관성을 지닐 수 있는 능력을 결합한 것이다. 대담함이 없다면 연민은 공모한 동정에 불과하게 될 것이며, 연민이 없다면 대담함은 상대방의 방어적인 태도를 불러일으키는 대립적이고 판단적인 도전이 되어 버린다.

네 가지 전문 분야(코칭, 멘토링, 컨설팅, 슈퍼비전)의 개발 경로에 공통적인 핵심요소는 자신의 인성 개발과 다른 사람의 여정을 지원하는 것이다. 다른 사람들과 깊은 수준에서 공감하는 능력은 변혁적인 작업의 기초이다. 이 책에서 제시한 것처럼, 우리가 배울 수 있는 기술과 기법은 매우 많다. 개인, 팀 및 조직 심리학에 대한 유용한 지식은 매우 많고, 우리는 다양한 부문과 조직에 관해 지식을 가지고 있다. 하지만 지식 그 자체만으로는 심오하고 효과적인 변화를 일으키는 코치, 멘토, 컨설턴트, 슈퍼바이저의 수준에 이르지 못한다.

이 책 전체를 통해 우리는 시스템적 변혁적 코칭의 효과성을 강조했다. 독자와 함께 한 이 여정의 결말에서, 당신 스스로 얻을 유익이 있음을 강조하고 싶다. CPD의 핵심은 지속적인 개인 개발이다. 우리 자신의 개발은 우리가 하는 일의 모든 측면을 통해서 이루어지고, 모든 고객을 교사로 모든 피드백을 새로운 배움을 위한 기회로 만들 것이다. 행동, 성찰, 새로운 이해와 새로운 실천으로 이어지는 균형 잡힌 행동주기를 지원하는 것이다.

이 책에서 우리는 슈퍼비전을 받는 것이 코치, 멘토, 조직 컨설턴트, 슈퍼바이저들의 CDP의 기본이라고 믿는다고 설명했다. 우리가 슈퍼비전이라는 안전한 훈련의 공간에서 특정 고객의 상황과 관계, 이에 대한 우리의 반응과 패턴을 성찰하고 변화를 경험함으로써 고객에게도 큰 혜택을 줄 수 있다.

메리 베스 오닐은 '슈퍼비전'이라는 용어를 쓰지 않았지만 코치에 대한 코칭의 중요성을 언급한다. 그녀는 이렇게 말했다.

> 모든 사람은 조직의 강력한 상호작용 영역에서 방향을 잃지 않기 위해서 도움이 필요하다. … 코치가 효과적으로 역할을 할 수 있는 가장 좋은 방법 중 하나는 자신이 코칭을 받는 것이다. … 나는 수년 동안 많은 고객과 일하고 많은 경험을 하면 코칭이 덜 필요해질 것으로 생각했다. 이제 20년 동안 수백 명의 고객과 경험을 쌓은 후에, 내 효과성은 극적으로 증가했지만, 여전히 내 자신이 코칭을 받아야겠다는 의욕은 높기만 하다. 코치를 활용하는 것은 더 이상 능력 부족을 드러내는 표시가 아니라 현명한 투자라고 생각한다.
> (O'Neill, 2000: 207-8)

코치와 컨설턴트의 지속적인 개발과 슈퍼비전의 필요성은 오랫동안 간과되어 왔다. 코치, 멘토, 컨설턴트가 언행일치를 보이고 지속적인 자기개발을 직업생활의 중심에 두어야 할 때가 됐다. 우리는 이 책이 모든 실행가가 자기개발을 고민하고, 동료 및 슈퍼바이저, 트레이너로부터 필요한 도움과 지원을 어떻게 설정하는지 이해하게 돕는 기초 교과서가 되길 희망한다.

앞에 언급한 바와 같이, 장인의 여정은 단지 기술과 능력을 얻기 위한 과정만이 아니며, 또한 이력서를 장식하는 인증을 취득하기 위한 것도 아니다. 이 과정은 우리 자신에 대해 더 잘 알고, 어떻게 다른 사람들과 관계를 맺고, 다른 사람과 더 넓은 맥락을 완전히 연결하는 데 무엇이 방해가 되는지 알아가는 과정이다. 이 과정은 학습에 관한 것인 만큼이나 학습 해소에 관한 것이며, 그런 면에서 세계의 여러 영적 전통에 대해서 기록된 학습 경로와 유사하다.

수피즘(sufism)이라고 알려진 전통에서는 이런 학습 과정을 평생에 걸친 '거울 닦기'라고 표현한다. 현대의 한 수피 지도자는 이렇게 말했다.

> 우리는 비운(매일의 걱정과 집착을 비운) 상태가 되면 삶이 드러난다. 드러난다는 것은 미리 결정된 생각과 판단 없이 존재하는 것이다. 이는 간단하면서 철저한 것이다. 우리는 '거울을 닦는' 도전적인 작업을 수도원이나 동굴에 숨어서 하는 것이 아니라 (야단법석인) 매일의 생활 속에서 한다. … 평생 노력을 해서 닿아야 할 멀고 먼 영역이 아니다. 여기에서 시작해 저기에서 끝나는 여정도 아니다. 수피가 구하는 것은 오직 그리고 언제나, 바로 여기, 바로 지금이며 … 그럼에도 불구하고 아직 가야 할 길이 있다.
>
> (Amidon, 2006)

실행의 목표는 각각의 전문적 만남에 온전하게 존재하는 것이다. 이를 위해서 우리는 더욱 완전하게 '드러날' 수 있도록 전문적 거울을 닦아야 한다. 여기에는 위에서 말한 것처럼 단순함과 철저한 훈련의 조합이 필요하다. 개인 훈련과 연습만 필요한 것이 아니라, 숙련된 동료의 적극적인 참여가 필요하다. 동료는 기꺼이 두려움 없는 연민으로 우리를 대해야 한다. 즉 사랑하는 적으로서 우리에게 도전할 준비가 된 전문가 친구들이자, 우리의 고유성과 기여를 기꺼이 인정해주면서 현재의 우리보다 더 나아지도록 이끌어내는 경험 많은 실행가이다.

우리는 전문성의 거울을 연마함으로써 '실시간 학습 이끔이'로서의 기술을 개발하고, 고객과 더 넓은 세상이 필요로 하는 자질을 갖출 수 있다. 하지만 전문성의 거울을 연마하려면, 여러 피드백을 받아들이고 성공과 실패로부터의 학습을 받아들이는 열린 마음이 있어야 한다. 또한 지식과 기술의 습득을 넘어서서 학습 해소와 비움으로 나아가야 한다.

지금 평등과 민주주의 세상임에도 불구하고 아직 특정 전문직은 질이나 가치를 높여 부르는 관습이 남아 있다. 예를 들어 판사는 '존경하는 재판관님(your hon-our)'이라고 부르고, 대주교는 '대주교 성하(your grace)', 길드의 최고 장인이나 혹은 시장을 '각하(your worship)' 왕에게는 '폐하(your majesty)' 등으로 부른다. 이런 명칭은 전통적으로 그들이 갖춘 자질을 예우함과 동시에 그런 자질을 갖추도록 요구하는 것이기도 하다. 소유물 같은 자질이 아니라, 그들의 직업에서 주장하고, 구현하고 반영하는 자질이며, 전통적인 표현으로 부름으로써 전문 역량을 갖추도록 반영해 주는 것이다.

이를 보면서 우리는 생각하게 된다. 업무 기반 학습과 개발 분야에서 마스터, 즉 명장을 부르는 호칭이 무엇일지가 궁금해졌다. 그 직업에 반영하려는 핵심 자질은 무엇이며 어떻게 나타낼 수 있는가? 몇 가지 가설이 떠올랐다.

- 용기
- 솔직함
- 이끌어내는 존재
- 두려움 없는 연민

이런 연습은 재미있다. 동시에 실행가가 하는 일의 최상의 이상적인 상태, 즉 더 큰 게임으로 나가고 자신의 최고에 도전하는 상태를 생각해보게 된다. 여기 당신이 진짜 재미를 느끼며 그 상태가 무엇인지 스스로 선택하도록 초대한다. 그럼으로써 당신은 코치, 멘토, 컨설턴트, 슈퍼바이저로서의 직업에 적용하고 싶은 자질을 선택하는 것이다. 그것은 당신이 다른 사람과 함께하는 일에 반영하고 싶은 자질이며 이를 전문가 거울을 연마할 것이다.

_참고문헌

Abrams, D. (1996) *The Spell of the Sensuous*. New York: Random House.

Amidon, E. (2006) www.sufiway.org.

Ancona, D., Bresman, H. and Kaeufer, K. (2002) The comparative advantage of x−teams. *MIT Sloane Management Review*, 43(3): 33−9.

Anderson, M.C. (2001) Executive briefing: case study on the return on investment of executive coaching, available at: www.metrixglobal.net.

Anderson, V., Rayner, C. and Schyns, B. (2009) *Coaching at the Sharp End: The Role of the Line Managers in Coaching at Work*. London: Chartered Institute of People Development.

Anderson, W. (1996) *The Face of Glory: Creativity, Consciousness and Civilisation*. London: Bloomsbury.

Argyris, C. (1982) *Reasoning, Learning and Action: Individual and Organizational*. San Francisco: Jossey−Bass.

Argyris, C. (1991) Teaching smart people how to learn, *Harvard Business Review*, 69(3): 99−109.

Argyris, C. and Schön, D. (1978) *Organizational Learning*. Reading, MA: Addison−Wesley.

Attwood, G.E. and Stolorow, R.D. (1984) *Structures of Subjectivity*. New York: The Analytic Press.

Bachkirova, T. (2011) *Developmental Coaching: Working with the Self*. Maidenhead: Open University Press.

Bachkirova, T., Jackson, P. and Clutterbuck, D. (eds) (2011) *Coaching and Mentoring Supervision: Theory and Practice*. Maidenhead: Open University Press.

Bachkirova, T., Stevens, P. and Willis, P. (2005) *Coaching Supervision*. Oxford: Oxford Brookes Coaching and Mentoring Society.

Bandler, R. and Grinder, J. (1975) *The Structure of Magic*. Utah: Science and Behavior Books.

Bandler, R. and Grinder, J. (1979) *Frogs Into Princes: Neuro Linguistic Programming*. Utah: Real People Press.

Bandler, R. and Grinder, J. (1981) *Trance—formations*. Utah: Real People Press.

Bandler, R. and Grinder, J. (1982) *Reframing: NLP and the Transformation of Meaning*. Utah: Real People Press.

Bateson, G. (1973) *Steps to an Ecology of Mind*. New York: Bantam.

Bateson, G. (1985) *Steps to an Ecology of Mind*. New York: Ballantine Books.

BCG (Bath Consultancy Group) (1999) *Key Concept Paper: Account Transformation*. Bath: BCG.

Beckhard, R. and Harris, R. (1977) *Organisational Transitions: Managing Complex Change*. Reading, MA: Addison—Wesley.

Belbin, M. (1981) *Management Teams: Why they Succeed or Fail*. London: Heinemann.

Belbin, M. (2004) *Management Teams: Why they Succeed or Fail*, 2nd edn. Oxford: Butterworth—Heinemann.

Bennett, M.J. (1993) Towards ethno—relativism: a developmental model of intecultural sensitivity, in R.M. Paige (ed.) *Education for the Intercultural Experience*, 2nd edn. Yarmouth, ME: Intercultural Press.

Bennis, W. (1989) *On Becoming a Leader*. Reading, MA: Addison—Wesley.

Bennis, W. and Nanus, B. (1985) *Leaders: The Strategies for Taking Charge*. New York: Harper & Row.

Berne, E. (1975) *What Do You Say After You Say Hello?* London: Corgi/Transworld.

Binney, G., Wilke, G. and Williams, G. (2005) *Living Leadership: A Practical Guide for Ordinary Heroes*. London: Prentice Hall.

Bion, W.R. (1961) *Experiences in Groups*. London: Tavistock.

Bion, W.R. (1973) *Brazilian Lectures 1*. Rio de Janeiro: Imago Editora.

Birkinshaw, J. and Piramal, G. (2005) *Sumantra Ghoshal on Management: A Force for Good*. London: Prentice Hall.

Blake, R. Avis, W. and Mouton, J. (1966) *Corporate Darwinism*. Houston, TX: Gulf Publishing.

BlessingWhite (2008) *The Coaching Conundrum 2009: Building a Coaching Culture that Drives Organizational Success*. Princeton, NJ: BlessingWhite.

Bluckert, P. (2004) Improving professional practice—the role of supervision in coaching, available at: www.pbcoaching.com.

Boatman, J. and Wellins, R.S. (2011) *Global Leadership Forecast*. Pittsburgh, PA: DDI.

Bohm, D. (1980) *Wholeness and the Implicate Order*. London: Routledge & Kegan Paul.

Bohm, D. (1987) *Unfolding Meaning*. London: Routledge & Kegan Paul.

Bohm, D. (1989) Meaning and information, in P. Pylkkanen (ed.) *The Search for Meaning*. Northamptonshire: Crucible/Thorsons.

Bohm, D. (1994) *Thought as System*. London: Routledge.

Bolton, G. (2001) *Reflective Practice: Writing and Professional Development*. London: Paul Chapman.

Bond, T. (1993) *Standards and Ethics for Counselling*. London: Sage.

Boyatzis, R. and McKee, A. (2005) *Resonant Leadership: Renewing Yourself and Connecting to Others, through Mindfulness, Hope and Compassion*. Boston, MA: Harvard Business School Press.

Boyatzis, R., Howard, A., Kapisara, B. and Taylor, S. (2004) Target practice, *People Management*, March: 26−32.

Bramley, W. (1996) *The Supervisory Couple in Broad−Spectrum Psychotherapy*. London: Free Association Books.

Bridger, H. (1990) Courses and working conferences as transitional learning institutions, in F. Trist and H. Murray (eds) *The Social Engagement of Social Science, Vol. 1 The Socio−Psychological Perspective*. London: Free Associations Books.

Brinkmann, U. and Weerdenburg, O.V. (1999) *The Intercultural Development Inventory: A New Tool for Improving Intercultural Training?* Paper presented at the Sietar Europe Conference, Trieste, Italy.

British Association for Counselling and Psychotherapy (BAC) (1990) *Information Sheet No. 8: Supervision*. Rugby: BAC, available at www.bacp.co.uk.

British Association for Counselling and Psychotherapy (BAC) (1995) *Code of Ethics and Practice for Supervisors of Counsellors*. Rugby: BAC, available at www.bacp.co.uk.

Brockbank, A. and McGill, I. (2006) *Facilitating Reflective Learning Through Mentoring & Coaching*. London: Kogan Page.

Broussine, M. (1998) *The Society of Local Authority Chief Executives and Senior Managers (SOLACE): A Scheme for Continuous Learning for SOLACE Members*. Bristol: University of the West of England.

Brown, A. and Bourne, I. (1996) *The Social Work Supervisor*. Buckingham: Open University Press.

Brown, P. and Brown, V. (2012) *Neuropsychology for Coaches: Understanding the Basics*. Maidenhead: Open University Press.

Bruch, B. and Ghoshal, S. (2002) Beware the busy manager, *Harvard Business Review*, 80(2): 62−9.

Bruch, H. and Vogel, B. (2011) *Fully Charged: How Great Leaders Boost their Organization's Energy and Ignite High Performance*. Boston, MA: Harvard Business Review Press.

Bruner, J. (1990) *Acts of Meaning*. London: Harvard University Press.

Burke, W. (2002) *Organization Change: Theory and Practice*. London: Sage.

Burke, W.R., Goodyear, R.K. and Guzzard, C.R. (1998) Weakenings and repairs in supervisory alliances: multiple case study, *American Journal of Psychotherapy*, 52(4): 450−62.

Butler−Sloss, E. (1988) *Report of the Inquiry in Child Abuse in Cleveland 1987*. London: HMSO.

Canfield, J., Hansen, M.V. and Hewitt, L. (2000) *The Power of Focus*. Deerfield Beach, FL: Health Communications.

Caplan, J. (2003) *Coaching for the Future: How Smart Companies Use Coaching and Mentoring*. London: CIPD.

Carifio, M.S. and Hess, A.K. (1987) Who is the ideal supervisor? *Profession Psychology: Research and Practice*, 18: 244−50.

Carr, R. (2005) *Coaching Statistics, Facts, Guesses, Conventional Wisdom and the State of the Industry*. Victoria, British Columbia: Peer Resources.

Carr, R. (2008) Coach referral services: do they work? *International Journal of Evidence Based Coaching and Mentoring*, 6(2): 114−18.

Carroll, M. (1987) Privately circulated papers. Guildford: Roehampton Institute, University of Surrey.

Carroll, M. (1994) Counselling supervision: international perspectives, in L.D. Borders (ed.) *Supervision: Exploring the Effective Components*. Greensboro, NC: University of North Carolina.

Carroll, M. (1995) The stresses of supervising counsellors, in W. Dryden (ed.) *The Stresses of Counselling in Action*. London: Sage.

Carroll, M. (1996) *Counselling Supervision: Theory, Skills and Practice*. London: Cassell.

Carroll, M. (2007) Coaching psychology supervision: luxury or necessity? in S. Palmer and A. Whybrow (eds) *Coaching Psychology Handbook*. London: Routledge.

Carroll, M. (2011) Supervision: matters of the heart, in R. Shohet (ed.) *Supervision as Transformation: A Passion for Learning*. London: Jessica Kingsley.

Carroll, M. and de Hahn, E. (2012) Ethical maturity and contracting for supervision, in E. de Hahn, *Supervision in Action*. Maidenhead: Open University Press.

Carroll, M. and Gilbert, M. (2011) *On Being a Supervisee: Creating Learning Partnerships*, 2nd edn. London: Vukani Publishing.

Carroll, M. and Holloway, E. (1999a) *Counselling Supervision in Context*. London: Sage.

Carroll, M. and Holloway, E.L. (1999b) *Training Counselling Supervisors*. London: Sage.

Carroll, M. and Tholstrup, M. (eds) (2001) *Integrative Approaches to Supervision*. London: Jessica Kingsley.

Casement, P. (1985) *On Learning from the Patient*. London: Routledge.

Casey, D. (1985) When is a team not a team? *Personnel Management*, 9: 29.

Casey, D. (1993) *Managing Learning in Organizations*. Buckingham: Open University Press.

Chen, E.C. and Bernstein, B.L. (2000) Relations of complementarity and supervisory issues to supervisory working alliance: a comparative analysis of two cases, *Journal of Counseling Psychology*, 47(4): 485–97.

Childs, R., Woods, M., Wilcock, D. and Man, A. (2011) Action learning supervision for coaches, in J. Passmore (ed.) *Supervision in Coaching*. London: Kogan Page.

CIPD (Chartered Institute of Personnel and Development) (2004) *Reorganising for Success—A Survey of HR's Role in Change*. London: CIPD.

CIPD (Chartered Institute of Personnel and Development) (2008) *Learning and Development: Annual Survey Report*. London: CIPD, available at: http://www.cipd.co.uk/subjects/lrnanddev/general/_lrngdevsvy.htm.

CIPD (Chartered Institute of Personnel and Development) (2009) *Taking the Temperature of Coaching*, available at www.cipd.co.uk/NR/rdonlyres/BC060DD1–EEA7–4929–9142–1AD7333F95E7/0/5215_Learning_talent_development_survey_report.pdf.

Clarkson, P. (1995) *Change in Organizations*. London: Whurr.

Clarkson, P. and Mackewn, J. (1993) *Fritz Perls*. London: Sage.

Claxton, G. (1984) *Live and Learn: An Introduction to the Psychology of Growth and Change in Everyday Life*. London: Harper & Row.

Clutterbuck, D. (1998) *Learning Alliances*. London: CIPD.

Clutterbuck, D. (2003) *The Making of a Mentor*. London: Gower.

Clutterbuck, D. (2004) *Everyone Needs a Mentor: Fostering Talent in your Organization*. London: CIPD.

Clutterbuck, D. (2007) *Coaching the Team at Work*. London: Nicholas Brealey.

Clutterbuck, D. (2010) Team coaching, in E. Cox, T. Bachkirova and D. Clutterbuck (eds) *The Complete Handbook of Coaching*. London: Sage.

Clutterbuck, D. (2011) Using the seven conversations in supervision, in T. Bachkirova, P. Jackson and D. Clutterbuck (eds) *Coaching and Mentoring Supervision: Theory and Practice*. Maidenhead: Open University Press.

Clutterbuck, D. and Gover, S. (2004) *The Effective Coach Manual*. Burnham: Clutterbuck Associates.

Clutterbuck, D. and Hirst, S. (2002) *Talking Business*. Oxford: Butterworth—Heinemann.

Clutterbuck, D. and Megginson, D. (1999) *Mentoring Executives and Directors*. Oxford: Butterworth—Heinemann.

Clutterbuck, D. and Megginson, D. (2004) All good things must come to an end: winding up and winding down a mentoring relationship, in D. Clutterbuck and G. Lane (eds) *The Situational Mentor*. Aldershot: Gower.

Clutterbuck, D. and Megginson, D. (2005) *Making Coaching Work: Creating a Coaching Culture*. London: CIPD.

Clutterbuck, D. and Ragins, B.R. (2002) *Mentoring and Diversity*. Oxford: Butterworth.

Clutterbuck, D. and Sweeney, J. (1998) Coaching and mentoring, in *Gower Handbook of Management*. Hampshire: Gower.

Clynes, M. (1977) *Sentics: The Touch of the Emotions*. Dorset: Prism Unity.

Clynes, M. (1989) *Sentics: The Touch of the Emotions*, 2nd edn. Dorset: Prism Unity.

Colley, H. (2003) *Mentoring for Social Inclusion: A Critical Approach to Nurturing Mentor Relationships*. London: RoutledgeFalmer.

Connor, M. and Clawson, J. (eds) (2004) *Creating a Learning Culture: Strategy, Technology and Practice*. Boston, MA: Cambridge University Press.

Cook, D.A. (1994) Racial identity in supervision, *Counselor Education and Supervision*, 34: 132—41.

Cook, D.A. and Helms, J.E. (1988) Visible racial/ethnic group supervisees' satisfaction with cross—cultural supervision as predicted by relationship characteristics, *Journal of Counseling Psychology*, 35(3): 268—74.

Corporate Leadership Council (2003) *Maximising Returns on Professional Executive Coaching*. Washington, DC: Corporate Executive Board.

Coulson—Thomas, C. (1993) *Creating Excellence in the Boardroom*. Maidenhead: McGraw—Hill.

Covey, S. (1989) *The Seven Habits of Highly Effective People*. London: Simon & Schuster.

Covey, S.R. (1990) *Principle—Centred Leadership*. New York: Simon & Schuster.

Covey, S.R. (2004) *The 8th Habit: From Effectiveness to Greatness*. London: Simon &

Schuster.

Cranwell—Ward, J., Bossons, P. and Gover, S. (2004) *Mentoring: A Henley Review of Best Practice*. Basingstoke: Palgrave Macmillan.

Csikszentmihalyi, M. (1992) *Flow: The Psychology of Happiness*. London: Rider.

Darwin, J., Johnson, P. and McAuley, J. (2002) *Developing Strategies for Change*. Harlow: Prentice Hall.

Dass, R. and Gorman, P. (1985) *How Can I Help?* London: Rider.

De Bono, B. (1990) *Six Thinking Hats*. Harmondsworth: Penguin.

de Hahn, E. (2008) *Relational Coaching: Journeys Towards Mastering One—to—One Learning*. Chichester: Wiley.

de Hahn, E. (2012) *Supervision in Action*. Maidenhead: Open University Press.

Disney, M.J. and Stephens, A.M. (1994) *Legal Issues in Clinical Supervision*. Alexandria, VA: American Counseling Association.

Doehrman, M. J. (1976) Parallel processes in supervision and psychotherapy, *Bulletin of the Menninger Clinic*, 40(1).

Doidge, N. (2010) *The Brain that Changes Itself*. Victoria: Scribe Publications.

Donkin, R. (2004) *HR and Reorganization: Managing the Challenge of Change*. London: CIPD.

Downey, M. (1999) *Effective Coaching: Lessons from the Coach's Coach*. London: Orion.

Downey, M. (2003) *Effective Coaching: Lessons from the Coaches' Couch*. New York: Texere/Thomson.

Doyle, B. and O'Neill, N.V. (2001) *Mentoring Entrepreneurs: Shared Wisdom from Experience*. Cork: Oak Tree Press.

Dyke, G. (2004) *Greg Dyke: Inside Story*. London: HarperCollins.

Edelman Trust Barometer (2011, 2012) Available at www.Edelman.com, accessed 1 September 2011.

Eleftheriadou, Z. (1994) *Transcultural Counselling*. London: Central Book Publishing Ltd.

Eliot, T.S. (1936) *Four Quartets*. London: Faber & Faber.

Erikson, E. (1950) *Childhood and Society*. New York: Norton.

Erikson, E. (1968) *Identity, Youth and Crisis*. New York: W.W. Norton.

Fink, S.L., Beak, J. and Taddeo, K. (1971) Organizational crisis and change, *Journal of Applied Behavioral Science*, 17(1): 15—37.

Fisher, D. and Torbert, W. R. (1995) *Personal and Organizational Transformations*. London: McGraw—Hill.

Flaherty, J. (1999) *Coaching: Evoking Excellence in Others*. Woburn, MA: Butterworth — Heinemann.

Fordham, F. (1991) *An Introduction to Jung's Psychology*. Harmondsworth: Penguin.

Fox, M. (1995) *The Reinvention of Work*. San Francisco: Harper.

Freeman, E. (1985) The importance of feedback in clinical supervision: implications for direct practice, *The Clinical Supervisor*, 3(1): 5−26.

French, J.R.P. and Raven, B. (1959) The bases of social power, in D. Cartwright (ed.) *Studies in Social Power*. Ann Arbor, MI: Institute for Social Research.

Freud, S. (1927) *The Future of an Illusion*. London: Hogarth Press.

Friedlander, M.L., Siegel, S. and Brenock, K. (1989) Parallel processes in counseling and supervision: a case study, *Journal of Counseling Psychology*, 36: 149−57.

Friedman, T. (2008) *Hot, Flat and Crowded*. London: Allen Lane.

Fukuyama, M.A. (1994) Critical incidents in multicultural counseling supervision: a phenomenological approach to supervision research, *Counselor Education and Supervision*, 34(2): 142−51.

Gardner, H. (1999) *Intelligence Reframed: Multiple Intelligences for the 21st Century*. New York: Basic Books.

Gardner, L.H. (1980) Racial, ethnic and social class considerations in psychotherapy supervision, in A.K. Hess (ed.) *Psychotherapy Supervision: Theory, Research and Practice*. New York: Wiley.

Garratt, B. (1987) *The Learning Organisation*. London: Fontana/Collins.

Garratt, B. (1996) *The Fish Rots from the Head: The Crisis in our Boardrooms*. London: HarperCollins Business.

Garratt, B. (2003) *Thin on Top*. London: Nicholas Brealey.

Garvey, B. (1994) A dose of mentoring. Paper presented at the First European Mentoring Conference, Sheffield.

Gaunt, R. and Kendal, R. (1985) *Action Learning: A Short Manual for Set Members*. London: Greater London Employer's Secretariat.

Geertz, C. (1973) *The Interpretation of Cultures*. New York: Basic Books.

Gendlin, E.T. (1978) *Focusing*. New York: Everest House.

Gerstner, L. (2002) *Who Says Elephants Can't Dance? How I Turned Around IBM*. London: HarperCollins.

Ghoshal, S. and Moran, P. (2005) Towards a good theory of management, in J. Birkinshaw and G. Paramal (eds) *Sumantra Ghosal on Management: A Force for*

Good. London: Prentice Hall.

Gilbert, M. and Evans, K. (2000) *Psychotherapy Supervision—An integrative Relational Approach to Psychotherapy Supervision*. Maidenhead: Open University Press.

Gilding, B. (2011) *The Great Disruption: How the Climate Crisis will Transform Society*. London: Bloomsbury.

Gillie, M. (2011) Gestalt supervision, in J. Passmore (ed.) *Supervision in Coaching*. London: Kogan Page.

Goldberg, C. (1981) The peer supervision group—an examination of its purpose and process, *Group*, 5: 27–40.

Goldsmith, M. (2008) *What Got You Here Won't Get You There: How Successful People Become Even More Successful*. London: Profile.

Goleman, D. (1996) *Emotional Intelligence*. London: Bloomsbury.

Golembiewski, R.T. (1976) *Learning and Change in Groups*. London: Penguin.

Grant, A. (2000) Paper presented at the University of Sydney.

Grant, A.M. and Cavanagh, M.J. (2004) Towards a profession of coaching: sixty–five years of progress and challenges for the future, *International Journal of Evidence Based Coaching and Mentoring*, 2(1): 1–16.

Grayling, A.C. (2004) *What is Good?* London: Orion.

Gregerson, H.B., Morrison, A.J. and Black, J.S. (1998) Developing leaders for a global frontier, *Stanford Business Review*, fall: 21–32.

Greene, J. and Grant, A. (2003) *Solution—focused Coaching: Managing People in a Complex World*. London: Momentum.

Grinder, J. and Bandler, R. (1981) *Trance—Formations*. Utah: Real People Press.

Grudin, R. (1996) *On Dialogue: An Essay in Free Thought*. Boston, MA: Houghton Mifflin.

Hackman, J.R. (2002) *Leading Teams: Setting the Stage for Great Performance*. Cambridge, MA: Harvard Business Books.

Hackman, J.R. and Wageman, R. (2005) A theory of team coaching, *Academy of Management Review*, 30(2): 269–87.

Hain, D., Hain, P. and Matthewen, L. (2011) Continuous professional development for coaches, in J. Passmore (ed.) *Supervision in Coaching*. London: Kogan Page.

Hall, L.M. and Duval, M. (2004) *Meta—Coaching: Volume 1: Coaching Change for Higher Levels of Success and Transformation*. Clifton, CO: Neuro—Semantics Publications.

Hamel, G. and Prahalad, C.K. (1996) *Competing for the Future*. Boston, MA: Harvard

Business School Press.

Handy, C. (1976) *Understanding Organizations.* London: Penguin.

Hardingham, A. with Brearley, M., Moorhouse, A. and Venter, B. (2004) *The Coach's Coach: Personal Development for Personal Developers.* London: CIPD.

Harrison, R. (1995) *The Collected Papers of Roger Harrison.* London: McGraw–Hill.

Hawkins, P. (1985) Humanistic psychotherapy supervision: a conceptual frame–work, *Self and Society: Journal of Humanistic Psychology,* 13(2): 69–79.

Hawkins, P. (1986) *Living the Learning.* Bath: University of Bath, unpublished doctoral thesis.

Hawkins, P. (1988) A phenomenological psychodrama workshop, in P. Reason (ed.) *Human Inquiry in Action.* London: Sage.

Hawkins, P. (1991) The spiritual dimension of the learning organisation, *Management Education and Development,* 22(3).

Hawkins, P. (1993) *Shadow Consultancy.* Bath: Bath Consultancy Group.

Hawkins, P. (1994a) The changing view of learning, in J. Burgoyne (ed.) *Towards the Learning Company.* London: McGraw–Hill.

Hawkins, P. (1994b) *Organizational Culture Manual.* Bath: Bath Consultancy Group.

Hawkins, P. (1994c) Taking stock, facing the challenge, *Management Learning Journal,* 25(1).

Hawkins, P. (1995) Supervision, in M. Jacobs (ed.) *The Care Guide.* London: Mowbrays.

Hawkins, P. (1997) Organizational culture: sailing between evangelism and complexity, *Human Relations,* 50(4).

Hawkins, P. (1998) *The Hawkins Model of Career Stages.* Presentation at PricewaterhouseCoopers Conference, Bath.

Hawkins, P. (1999) *Organizational Unlearning.* Learning Company conference, University of Warwick.

Hawkins, P. (2004) Gregory Bateson: his contribution to action research and organization development, *The Journal of Action Research,* 2(4): 409–23.

Hawkins, P. (2005) *The Wise Fool's Guide to Leadership.* Winchester: O Books.

Hawkins, P. (2006) Coaching supervision, in J. Passmore (ed.) *Excellence in Coaching.* London: Kogan Page.

Hawkins, P. (2008) The coaching profession: key challenges, *Coaching: An International Journal of Theory, Research and Practice,* 1(1): 28–38.

Hawkins, P. (2010) Coaching supervision, in E. Cox, T. Bachkirova and D. Clutterbuck (eds) *The Complete Handbook of Coaching*. London: Sage.

Hawkins, P. (2011a) *Leadership Team Coaching: Developing Collective Transformational Leadership*. London: Kogan Page.

Hawkins, P. (2011b) Building emotional, ethical and cognitive capacities in coaches: a developmental model of supervision, in J. Passmore (ed.) *Supervision in Coaching*. London: Kogan Page.

Hawkins, P. (2011c) Systemic coaching supervision, in T. Bachkirova, P. Jackson and D. Clutterbuck (eds) *Coaching and Mentoring Supervision: Theory and Practice*. Maidenhead: Open University Press.

Hawkins, P. (2012) *Creating a Coaching Culture*. Maidenhead: Open University Press.

Hawkins P. and Chesterman, D. (2006) *Every Teacher Matters*. London: Teacher Support Network.

Hawkins, P. and Maclean, A. (1991) *Action Learning Guidebook*. Bath: Bath Consultancy Group.

Hawkins, P. and Miller, E. (1994) Psychotherapy in and with organizations, in M. Pokorny and P. Clarkson (eds) *Handbook of Psychotherapy*. London: Routledge & Kegan Paul.

Hawkins, P. and Schwenk, G. (2006) *Coaching Supervision*. London: CIPD Change Agenda.

Hawkins, P. and Schwenk, G. (2010) The interpersonal relationship in the training and supervision of coaches, in S. Palmer and A. McDowell (eds) *The Coaching Relationship: Putting People First*. London: Routledge.

Hawkins, P. and Schwenk, G. (2011) The seven–eyed model of supervision, in T. Bachkirova, P. Jackson and D. Clutterbuck (eds) *Coaching and Mentoring Supervision: Theory and Practice*. Maidenhead: Open University Press.

Hawkins, P. and Shohet, R. (1989) *Supervision in the Helping Professions*. Buckingham: Open University Press.

Hawkins, P. and Shohet, R. (2000) *Supervision in the Helping Professions*, 2nd edn. Buckingham: Open University Press.

Hawkins, P. and Shohet, R. (2006) *Supervision in the Helping Professions*, 3rd edn. Maidenhead: Open University Press.

Hawkins, P. and Shohet, R. (2012) *Supervision in the Helping Professions*, 4th edn. Maidenhead: Open University Press.

Hawkins, P. and Smith, N. (2006) *Coaching, Mentoring and Organizational Consultancy:*

Supervision and Development, 1st edn. Maidenhead: Open University Press.

Hawkins, P. and Smith, N. (2010) Transformational coaching, in E. Cox, T. Bachkirova and D. Clutterbuck (eds) *The Complete Handbook of Coaching*. London: Sage.

Hawkins, P. and Wright, A. (2009) Being the change you want to see: developing the leadership culture at Ernst & Young, *Strategic HR Review*, 8(4): 17−23.

Hawthorne, L. (1975) Games supervisors play, *Social Work*, May: 179−83.

Hay, J. (2011) Using transactional analysis in coaching supervision, in T. Bachkirova, P. Jackson and D. Clutterbuck (eds) *Coaching and Mentoring Supervision: Theory and Practice*. Maidenhead: Open University Press.

Hedberg, B. (1981) How organizations learn and unlearn, in P. Nystrom and W. Starbuck (eds) *Handbook of Organizational Design, Vol 1: Adapting Organizations to their Environments*. Oxford: Oxford University Press.

Heffernan, M. (2011) *Wilful Blindness: How We Ignore the Obvious at Our Peril*. London: Simon & Schuster.

Helminski, K. (1999) *The Knowing Heart*. Boston, MA: Shambhala.

Heron, J. (1974) *Reciprocal Counselling*, unpublished human potential research project, University of Surrey.

Heron, J. (1975) *Six−Category Intervention Analysis*. Guildford: University of Surrey.

Herskowitz, MJ. (1948) *Man and His Works*. New York: Knopf.

Hess, A.K. (1980) *Psychotherapy Supervision: Theory, Research and Practice*. New York: John Wiley & Sons.

Hess, A.K. (1987) Psychotherapy supervision: stages, Buber and a theory of relationship, *Professional Psychology: Research and Practice*, 18(3): 25−9.

Hickman, C. R. and Silva, M.A. (1985) *Creating Excellence*. London: Allen & Unwin.

Hillman, J. (1979) *Insearch: Psychology and Religion*. Dallas, TX: Spring.

Hofstede, G. (1980) *Culture's Consequences: International Differences in Work−related Values*. Beverly Hills, CA: Sage.

Holbeche, L. (2005) *The High Performance Organization*. Oxford: Elsevier Butterworth−Heinemann.

Holloway, E.L. (1984) Outcome evaluation in supervision research, *The Counseling Psychologist*, 12(4): 167−74.

Holloway, E.L. (1987) Developmental models of supervision: is it development? *Professional Psychology: Research and Practice*, 18(3): 209−16.

Holloway, E.L. (1995) *Clinical Supervision: A Systems Approach*. London: Sage.

Holloway, E.L. and Carroll, M. (eds) (1999) *Training Counselling Supervisors*. London: Sage.

Holloway, E.L. and Gonzalez−Doupe, P. (2002) The learning alliance of supervision research to practice, in G.S. Tyron (ed.) *Counseling Based on Process Research: Applying What We Know*. Boston, MA: Allyn & Bacon.

Holloway, E.L. and Johnston, R. (1985) Group supervision: widely practised but poorly understood, *Counselor Education and Supervision*, (24): 332−40.

Holloway, E.L. and Neufeldt, S.A. (1995) Supervision: its contributions to treatment efficacy, *Journal of Consulting and Clinical Psychology*, 63(2): 207−13.

Honey, P. and Mumford, A. (1992) *The Manual of Learning Styles*. London: Peter Honey Publications.

Hooper, R.A. and Potter, J.R. (2000) *Intelligent Leadership: Creating a Passion for Change*. London: Random House.

Huffington, C. (1998) The system in the room: the extent to which coaching can change the organization, in D. Campbell and C. Huffington (eds) *Organizations Connected: A Handbook of Systemic Consultation, Systemic Thinking and Practice: Work with Organizations*. London: Karnac Books.

Hunt, J.M. and Weintraub, J.R. (2006) *The Coaching Organization: A Strategy for Development*. London: Sage.

Hunt, J. M. and Weintraub, J.R. (2002) *The Coaching Manager: Developing Top Talent in Business*. Thousand Oaks, CA: Sage.

Hunt, P. (1966) Supervision, *Marriage Guidance*, Spring: 15−22.

Illich, I. (1973) *Deschooling Society*. London: Penguin.

Inskipp, F. and Proctor, B. (1993) *The Art, Craft & Tasks of Counselling Supervision: Pt 1: Making the Most of Supervision*. Twickenham: Cascade Publications.

Inskipp, F. and Proctor, B. (1995) *The Art, Craft & Tasks of Counselling Supervision: Pt 2: Becoming a Supervisor*. Twickenham: Cascade Publications.

Jarvis, J., Lane, D.A. and Fillery−Travis, A. (2006) *The Case for Coaching: Making Evidence Based Decisions*. London: CIPD.

Jones, M. (1982) *The Process of Change*. London: Routledge & Kegan Paul.

Jourard, S. (1971) *The Transparent Self*. New York: Van Nostrand.

Joy−Matthews, J., Megginson, D. and Surtees, M. (2004) *Human Resource Development*. London: Kogan Page.

Juch, B. (1983) *Personal Development*. Chichester: Wiley.

Kaberry, S.E. (1995) *Abuse in Supervision*. Birmingham: University of Birmingham.

Kaberry, S.E. (2000) Abuse in supervision, in B. Lawton and C. Feltham (eds) *Taking Supervision Forward: Enquiries and Trends in Counselling and Psychotherapy*. London: Sage.

Kadushin, A. (1968) Games people play in supervision, *Social Work*, 13.

Kadushin, A. (1976) *Supervision in Social Work*. New York: Columbia University Press.

Kadushin, A. (1992) *Supervisioin in Social Work*, 3rd edn. New York: Columbia University Press.

Kagan, N. (1980) Influencing human interaction—eighteen years with IPR, in A.K. Hess (ed.) *Psychotherapy Supervision: Theory, Research and Practice*. New York: John Wiley & Sons.

Kaplan, R.S. and Norton, D.P. (1992) The balanced scorecard—Measures that drive performance, *Harvard Business Review*, January—February: 71—9.

Kareem, J. and Littlewood, R. (1992) *Intercultural Therapy: Themes, Interpretations and Practice*. Oxford: Blackwell Science.

Karpman, S. (1968) Fairy tales and script drama analysis (selected articles), *Transactional Analysis Bulletin*, 7(26): 39—43.

Katzenbach, J. and Smith, D. (1993a) The discipline of teams, *Harvard Business Review*, March/April: 111—20.

Katzenbach, J. and Smith, D. (1993b) *The Wisdom of Teams: Creating the High Performance Organization*. Cambridge, MA: Harvard Business School Press.

Kaye, B. and Jordan—Evans, S. (1999) *Love 'Em or Lose 'Em: Getting Good People to Stay*. San Francisco: Berrett—Koehler Publishers.

Kegan, R. and Lahey, L.L. (2009) *Immunity to Change: How to Overcome it and Unlock the Potential in Yourself and your Organization*. Boston, MA: Harvard Business Books.

Kellerman, B. (2012) *The End of Leadership*. New York: HarperCollins.

Kelly, G.A. (1955) *The Psychology of Personal Constructs, Vols 1 and 2*. New York: Norton.

Kevlin, F. (1988) *Peervision: A Comparison of Hierarchial Supervision of Counsellors with Consultation amongst Peers*. Guildford: University of Surrey.

Khan, H.I. (1972) *The Sufi Message*, Vol. IV. London: Barrie Books.

Khan, M.A. (1991) Counselling psychology in a multicultural society, *Counselling Psychology Review*, 6(3) 11—13.

Kirkpatrick, D. L. (1967) Evaluation of training, in R L. Craig and L.R. Bittel (eds) *Training and Development Handbook*. New York: McGraw—Hill.

Kluckhohn, F.R. and Stodtbeck, F.L. (1961) *Variations in Value Orientations*. New York: Row, Peterson & Co.

Knights, A. and Poppleton, A. (2008) *Coaching in Organizations*. London: CIPD.

Kohlberg, L. (1981) *Philosophy of Moral Development: Moral Stages and the Idea of Justice*. New York: Harper & Row.

Kolb, D. A. (1984) *Experiential Learning*. Englewood Cliffs, NJ: Prentice Hall.

Kolb, D.A., Rubin, I.M. and McIntyre, J.M. (1971) *Organizational Psychology: an Experimental Approach*. New York: Prentice Hall.

Krishnamurti, J. (1954) *The First and Last Freedom*. Bramdean: KFT Ltd.

Kubler—Ross, E. (1991) *On Death and Dying*. London: Macmillan.

Ladany, N. (2004) Psychotherapy supervision: what lies beneath, *Psychotherapy Research*, 14(1): 1—19.

Lago, C. and Thompson, J. (1996) *Race, Culture and Counselling*. Buckingham: Open University Press.

Lambert, M.J. and Arnold, R.C. (1987) Research and the supervisory process, *Profession Psychology: Research and Practice*, 18(3): 217—24.

Landsberg, M. (1996) *The Tao of Coaching*. London: HarperCollins.

Lane, D. (2011) Ethics and professional standards in supervision, in T. Bachkirova, P. Jackson and D. Clutterbuck (eds) *Coaching and Mentoring Supervision: Theory and Practice*. Maidenhead: Open University Press.

Langs, R. (1978) *The Listening Process*. New York: Jason Aronson.

Langs, R. (1983) *The Supervisory Experience*. New York: Jason Aronson.

Langs, R. (1985) *Workbook for Psychotherapists*. Emerson, NJ: Newconcept Press.

Langs, R. (1994) *Doing Supervision and Being Supervised*. London: Karnac Books.

Laske, O. (2003) Executive development as adult development, in J. Demick and C. Andreoletti (eds) *Handbook of Adult Development*. New York: Plenum/Kluwer.

Laske, O. (2006) *Measuring Hidden Dimensions*, vol. 1. Medford MA, IDM Press.

Laske, O. (2008) On the unity of behavioural and developmental perspectives in coaching, *Society for Coaching and Psychology*, 6(2).

Laske, O. (2009) *Measuring Hidden Dimensions of Human Systems: Foundations of Requisite Organization*. Gloucester, MA: IDM Press.

Lave, J. and Wenger, E. (1991) *Situated Learning: Legitimate Peripheral Participation*.

Cambridge: Cambridge University Press.

Leddick, R. and Dye, H.A. (1987) Effective supervision as portrayed by trainee expect−ations and preferences, *Counselor Education and Supervision*, 27: 139−54.

Lee, G. (2003) *Leadership Coaching: From Personal Insight to Organizational Performance*. London: CIPD.

Lencioni, P. (2004) *Death by Meeting: A Leadership Fable*. San Francisco: Jossey−Bass.

Lencioni, P. (2005) *Overcoming the Five Dysfunctions of a Team: A Field Guide*. San Francisco: Jossey−Bass.

Levinson, D.J., Darrow, C.N., Klein, E.B., Levinson, M.H. and McKee, B. (1978) *The Seasons of a Man's Life*. New York: Knopf.

Lewin, K. (1952) Defining the field at a given time, in D. Cartwright (ed.) *Field Theory in Social Sciences*. London: Tavistock.

Lewis, T., Amini, F. and Lannon, R. (2001) *A General Theory of Love*. New York: Vintage.

Lipnack, J. and Stamps, J. (1996) *Virtual Teams: People Working Across Boundaries with Technology*. New York: John Wiley & Sons.

Loevinger, J. and Blasi, A. (1976) *Ego Development*. San Francisco: Jossey−Bass.

Loganbill, C., Hardy, E. and Delworth, U. (1982) Supervision, a conceptual model, *The Counseling Psychologist*, 10(1): 3−42.

MacLean, P.D. (1990) *The Triune Brain: Role in Paleocerebral Functions*. New York: Springer.

Madden, C. and Mitchell, V. (1993) *Professional Standards and Competence−A Survey of Continuing Education for the Professions*. Bristol: University of Bristol.

Martin, I. (1996) *From Couch to Corporation: Becoming a Successful Corporate Therapist*. New York: Wiley.

Martin, I. (2001) *The President's Psychoanalyst*. New York: Painted Leaf Press.

Maslach, C. (1982) Understanding burnout: definitional issues in analysing a complex phenomenon, in W. S. Paine (ed.) *Job Stress and Burnout*. Beverley Hills, CA: Sage.

Maslow, A. (1954) *Motivation and Personality*. New York: Harper & Row.

Mattinson, J. (1975) *The Reflection Process in Casework Supervision*. London: Institute of Marital Studies.

Maxwell, A. (2011) Supervising the internal coach, in T. Bachkirova, P. Jackson and D. Clutterbuck (eds) *Coaching and Mentoring Supervision: Theory and Practice*. Maidenhead: Open University Press.

McAdams, D. P. (1993) *The Stories We Live By.* New York: Guildford Press.

McDermott, I. and Jago, W. (2001) *The NLP Coach.* London: Piatkus.

McDermott, M., Levinson, A. and Newton, S. (2007) What coaching can and cannot do for your organization, *Human Resource Planning*, 30(2): 30–7.

McLean, A. (1986) *Access Organization Cultures.* Bath: University of Bath.

McLean, A. and Marshall, J. (1988) *Working with Cultures: A Workbook for People in Local Government.* Luton: Local Government Training Board.

McLeod, A. (2003) *Performance Coaching: The Handbook for Managers, HR Professionals and Coaches.* Bancyfelin, Carmarthen: Crown House.

Megginson, D. (1999) Creating intellectual properties: a sensemaking study. Unpublished doctorate, Lancaster University Management School.

Megginson, D. (2000a) Chamber music and coaching managers, *Industrial and Commercial Training*, 32(6): 219–24.

Megginson, D. (2000b) Current issues in mentoring, *Career Development International*, 5(4–5), 256–60.

Megginson, D. and Clutterbuck, D. (1995) *Mentoring in Action.* London: Kogan Page.

Megginson, D. and Clutterbuck, D. (2005) *Techniques for Coaching and Mentoring.* Oxford: Elsevier Butterworth–Heinemann.

Megginson, D. and Whitaker, V. (2003) *Continuous Professional Development.* London: CIPD.

Menzies, I.E.P. (1970) *The Functioning of Social Systems as a Defence Against Anxiety.* London: Tavistock Institute of Human Relations.

Mezirow, J. (1991) *Transformative Dimensions of Adult Learning.* Oxford: Jossey–Bass.

Miller, E. (1993) *From Dependency to Autonomy: Studies in Organization and Change.* London: Free Association Press.

Mintz, E. (1983) Gestalt approaches to supervision, *Gestalt Journal*, 6(1): 17–27.

Minuchin, S. and Fishman, H.C. (1981) *Family Therapy Techniques.* Cambridge, MA: Harvard University Press.

Morgan, G. (1986) *Images of Organization.* London: Sage.

Morgan, G. (1993) *Imaginization: New Mindsets for Seeing, Organizing and Managing.* Newbury Park, CA: Sage.

Moyes, B. (2011) Self supervision using a peer group model, in J. Passmore (ed.) *Supervision in Coaching.* London: Kogan Page.

Munro Turner, M. (2011) The three worlds and four territories model of supervision, in

T. Bachkirova, P. Jackson and D. Clutterbuck (eds) *Coaching and Mentoring Supervision: Theory and Practice*. Maidenhead: Open University Press.

Murray, W.H. (2002) *The Evidence of Things Not Seen: A Mountaineer's Tale*. London: Baton Wicks.

Nixon, B. (2000) *Global Forces: A Guide for Enlightened Leaders*. Chalford: Management Books.

O'Neill, M. B. (2000) *Executive Coaching with Backbone and Heart: A Systems Approach to Engaging Leaders with their Challenges*. San Francisco: Jossey–Bass.

Obolensky, N. (2010) *Complex Adaptive Leadership: Embracing Paradox and Uncertainty*. Farnham: Gower.

Okri, B. (1997) *Mental Fight*. London: Phoenix House.

Orlans, V. and Edwards, D. (2001) A collaborative model of supervision, in M. Carroll and M. Tholstrup (eds) *Integrative Approaches to Supervision*. London: Jessica Kingsley.

Oshry, B. (1996) *Seeing Systems*. San Francisco: Berrett–Koehler.

Owen, H. (1998) *Open Space Technology: A User's Guide*. San Francisco: Berrett–Koehler.

Owen, H. (2000) *The Power of Spirit: How Organizations Transform*. San Francisco: Berrett–Koehler.

Page, S. and Wosket, V. (1994) *Supervising the Counsellor: A Cyclical Model*. London: Routledge.

Parker–Wilkins, V. (2006) Business impact of executive coaching: demonstrating monetary value, *Industrial and Commercial Training*, 38: 122–7.

Parsloe, E. (1999) *The Manager as Coach and Mentor*. London: CIPD.

Passmore, J. (2011) *Supervision in Coaching*. London: Kogan Page.

Pederson, B.P. (ed.) (1985) *Handbook of Cross–Cultural Counselling and Therapy*. London: Praeger.

Pedler, M. (1996) *Action Learning for Managers*. London: Lemos & Crane.

Pedler, M. (1997) *Action Learning in Practice*. Aldershot: Gower.

Perls, F. (1971) *Gestalt Therapy Verbatim*. New York: Bantam.

Persaud, R. (2001) *Staying Sane: How to Make Your Mind Work for You*. London: Bantam.

Peters, T. (1987) *Thriving on Chaos*. New York: Knopf.

Peters, T.J. and Waterman, R.H. (1982) *In Search of Excellence*. New York: Harper &

Row.

Peterson, D.B. (2010a) Good to great coaching: accelerating the journey, in G. Hernez−Broome and L.A. Boyce (eds) *Advancing Executive Coaching: Setting the Course for Successful Leadership Coaching.* San Francisco, CA: Jossey−Bass.

Peterson, D.B. (2010b) Executive coaching: a critical review and recommendations for advancing the practice, in S. Zedeck (ed.) *APA Handbook of Industrial and Organizational Psychology, Vol. 2, Selecting and Developing Members of the Organization.* Washington, DC: APA.

Pettigrew, A. and Massini, S. (2003) Innovative forms of organizing, in A. Pettigrew *et al,* (eds) *Innovative Forms of Organizing.* London: Sage.

Pettigrew, A. *et al,* (eds) (2003) *Innovative Forms of Organizing: International Perspectives.* London: Sage.

Philipson, J. (1992) *Practising Equality: Women, Men and Social Work.* London: CCETSW.

Phillips, K. (undated) *Coaching in Organizations: Between the Lines.* Bath: Claremont.

Pinder, K. (2011) Group supervision, in T. Bakarova, P. Jackson and D. Clutterbuck (eds) *Coaching and Mentoring Supervision.* Maidenhead: Open University Press.

Pines, A.M., Aronson, E. and Kafry, D. (1981) *Burnout: From Tedium to Growth.* New York: The Free Press.

Plant, R. (1987) *Managing Change and Making it Stick.* London: Fontana/Collins.

Porter, K. and Foster, J. (1990) *Visual Athletics: Visualization for Peak Sports Performance.* New York: William C. Brown.

Porter, M.E. and Kramer, M.R. (2011) Shared value: how to re−invent capitalism and unleash a wave of innovation and growth, *Harvard Business Review,* 89(1/2): 62−77.

Proctor, B. (1988a) *Supervision: A Working Alliance* (videotape training manual). St Leonards−on−sea: Alexia Publications.

Proctor, B. (1988b) Supervision: a co−operative exercise in accountability, in M. Marken and M. Payne (eds) *Enabling and Ensuring.* Leicester: National Youth Bureau and Council for Education and Training in Youth and Community Work.

Proctor, B. (1998) Contracting in supervision, in C. Sills (ed.) *Contracts in Counselling.* London: Sage.

Proctor, B. (2008) *Group Supervision: A Guide to Creative Practice*, 2nd edn. London: Sage.

Reason, P. (1988) *Human Inquiry in Action.* London: Sage.

Reason, P. (1994) *Participation in Human Inquiry*. London: Sage.

Reason, P. and Bradbury, H. (2000) *Handbook of Action Research: Participative Inquiry and Practice*. London: Sage.

Reddin, W. (1985) *The Best of Bill Reddin*. London: Institute of Personnel Management.

Regen, F. (2005) *Faith Communities Toolkit*. London: Centre for Excellence in Leadership.

Revans, R. (1998) *The ABC of Action Learning*. London: Lemos & Crane.

Revans, R.W. (1982) *The Origins and Growth of Action Learning*. London: Chartwell−Bratt, Bromley & Lund.

Rioch, M. J., Coulter, W.R. and Weinberger, D.M. (1976) *Dialogues for Therapists*. San Francisco: Jossey−Bass.

Roberts, J. (2004) *The Modern Firm: Organizational Design for Performance and Growth*. Oxford: Oxford University Press.

Rock, D. and Page, L. (2009) *Coaching with the Brain in Mind: Foundations for Practice*. Hoboken, NJ: John Wiley & Sons.

Rogers, C.R. (1957) The necessary and sufficient conditions of therapeutic personality change, *Journal of Counseling Psychology*, 21: 95−103.

Rogers, J. (2004) *Coaching Skills: A Handbook*. Maidenhead: Open University Press.

Rogers, J. (2004) *Coaching Skills: A Handbook*, 3rd edn. Maidenhead: Open University Press.

Rooke, D. and Torbert, W. (2005) Seven transformations of leadership, *Harvard Business Review*, April: 67−76.

Rosinski, P. (2003) *Coaching Across Cultures: New Tools for Leveraging National, Corporate and Professional Differences*. London: Nicholas Brealey.

Rowan, J. (1983) *Reality Game: A Guide to Humanistic Counselling and Therapy*. London: Routledge & Kegan Paul.

Ryde, J. (2005) *White Racial Identity and Intersubjectivity in Psychotherapy*. Bath: University of Bath.

Ryde, J. (2009) *Being White in the Helping Professions: Developing Effective Inter−cultural Awareness*. London: Jessica Kingsley.

Ryde, J. (2011) Culturally sensitive supervision, in C. Lago (ed.) *The Handbook of Transcultural Counselling and Psychotherapy*. Maidenhead: Open University Press.

Saint−Onge, H. and Wallace, D. (2003) *Leveraging Communities of Practice for Strategic Advantage*. Oxford: Butterworth−Heinemann.

Sansbury, D.L. (1982) Developmental supervision from a skills perspective, *The*

Counseling Psychologist, 10(1): 53—7.

Savickas, M. L., Marquart, C.D. and Supinski, C.R. (1986) Effective supervision in groups, *Counselor Education and Supervision*, 26(1): 17—25.

Schaef, A.W. (1992) *When Society Becomes an Addict*. Northamptonshire: Thorsons.

Schaef, A.W. and Fassel, D. (1990) *The Addictive Organization*. San Francisco: Harper & Row.

Scharmer, O. (2009) *Theory U: Leading from the Future as it Emerges*. San Francisco: Berrett Koehler.

Schein, E.H. (1985) *Organizational Culture and Leadership*. San Fransisco: Jossey—Bass.

Schön, D. (1983) *The Reflective Practitioner*. New York: Basic Books.

Schroder, M. (1974) The shadow consultant, *The Journal of Applied Behavioral Science*, 10(4): 579—94.

Schutz, W.C. (1973) *Elements of Encounter*. Big Sur, CA: Joy Press.

Searles, H.F. (1955) The informational value of the supervisor's emotional experience, in *Collected Papers of Schizophrenia and Related Subjects*. London: Hogarth Press.

Searles, H.F. (1975) The patient as therapist to his analyst, in R. Langs (ed.) *Classics in Psychoanalytic Technique*. New York: Jason Aronson.

Senge, P. (1990) *The Fifth Discipline: The Art and Practice of The Learning Organization*. New York: Doubleday.

Senge, P. (2008) *The Necessary Revolution: How Individuals and Organizations are Working Together to Create a Sustainable World*. New York: Doubleday.

Senge, P., Kleiner, A., Ross, R., Roberts, C. and Smith, B. (1994) The Fifth Discipline Fieldbook: Strategies and Tools for Building a Learning Organization.

Senge, P., Kleiner, A., Roberts, C., Ross, R., Roth, G. and Smith, B. (1999) *The Dance of Change*. New York: Doubleday/Currency.

Senge, P., Jaworski, J., Scharmer, C. and Flowers, B. (2005) *Presence: Exploring Profound Change in People, Organizations and Society*. Cambridge, MA: Nicholas Brealey.

Shainberg, D. (1983) Teaching therapists to be with their clients, in J. Westwood (ed.) *Awakening the Heart*. CO: Shambhala.

Shaw, P. (2002) *Changing Conversations in Organizations: A Complexity Approach to Change*. London: Routledge.

Sherman, S. and Freas, A. (2004) The Wild West of executive coaching, *Harvard Business Review*, 82(11): 82—90.

Smith, C. and Smith, N. (2005) *Multiple Intelligences.* Bath: BCG.

Srivastva, S. and Cooperrider, D.L. (eds) (1990) *Appreciative Management and Leadership: The Power of Positive Thought and Action in Organizations.* San Francisco: Jossey—Bass.

St John—Brooks, K. (2010) What are the ethical challenges involved in being an internal coach? *International Journal of Mentoring and Coaching,* 8(1): 50—66.

Stolorow, R.D. and Attwood, G.E. (1992) *Contexts of Being.* New York: The Analytic Press.

Stoltenberg, C.S. and Delworth, U. (1987) *Supervising Counselors and Therapists: A Developmental Approach.* San Francisco: Jossey—Bass.

Sue, D.W. and Sue, D. (1990) *Counseling the Culturally Different: Theory and Practice.* New York: John Wiley & Sons.

Surowiecki, J. (2005) *The Wisdom of Crowds: Why the Many are Smarter than the Few.* London: Abacus.

Suzuki, S. (1973) *Zen Mind, Beginner's Mind.* New York: Weatherhill.

Thomas, D.A. (1990) The impact of race on managers' experiences of developmental relationships: an intra—organizational study, *Journal of Organizational Behavior,* 11(6): 479—92.

Thomas, D.A. (2001) The truth about mentoring minorities: race matters, *Harvard Business Review,* April: 99—107.

Thornton, C. (2010) *Group and Team Coaching.* Abingdon: Routledge.

Tichy, N.M. (1997) *The Leadership Engine: How Winning Companies Build Leaders at Every Level.* New York: HarperCollins.

Tomlinson, H. (1993) Developing professionals, *Education,* 182(13): 231.

Tonnesmann, M. (1979) The human encounter in the helping professions. Paper presented at the London Fourth Winnicott Conference, London, UK, March.

Torbert, W. *et al,* (2004) *Action Inquiry: The Secret of Timely and Transforming Leadership.* San Francisco: Berrett—Koehler.

Trist, E. and Murray, H. (eds) (1990) *The Social Engagement of Social Science, Vol. 1: The Socio—Psychological Perspective.* London: Free Association Books.

Trompenaars, A. and Hampden—Turner, C. (eds) (1994) *Riding the Waves of Culture.* Burr Ridge, IL: Irwin.

Tuckman, B. (1965) Developmental sequence in small groups, *Psychological Bulletin,* 63(6): 384—99.

Tyler, F. B., Brome, D.R. and Williams, J.E. (1991) *Ethnic Validity, Ecology and Psychotherapy: A Psychosocial Competence Model.* New York: Plenum Press.

van Gennep, A. (1960) *The Rites of Passage.* Chicago: University of Chicago Press.

Van Ryn, M. and Heaney, C.A. (1997) Developing effective helping relationships in health education practice, *Health Education Behaviour,* 24: 683−702.

van Weerdenburg, O. (1996) Thinking values through and through, in B. Conraths (ed.) *Training the Fire Brigade: Preparing for the Unimaginable.* Brussels: efdm.

Vince, R. and Martin, L. (1993) Inside action learning: an exploration of the psychology and politics of the action learning model, *Management Education and Development,* 24(3): 205−15.

Wageman, R., Nunes, D.A., Burruss, J.A. and Hackman, J.R. (2008) *Senior Leadership Teams.* Cambridge, MA: Harvard Business School Press.

Watson, T. (1996) Motivation: that's Maslow, isn't it? *Management Learning Journal,* 27(4): 447−64.

Weick, K.E. (1995) *Sensemaking in Organizations.* London: Sage.

Weiler, N.W. and Schoonover, S.C. (2001) *Your Soul at Work.* Boston, MA: Paulist Press.

Wheatley, M. (1994) *Leadership and the New Science.* San Francisco: Berrett−Koehler Publishers.

Whitmore, J. (1992) *Coaching for Performance: A Practical Guide to Growing Your Own Skills.* London: Nicholas Brealey.

Whitmore, J. (1996) *Coaching for Performance: The New Edition of the Practical Guide.* London: Nicholas Brealey.

Whitmore, J. (1997) *Need, Greed or Freedom: Business Changes and Personal Choices.* London: Nicholas Brealey.

Whitmore, J. (2002) *Coaching for Performance: Growing People, Performance and Purpose.* London: Nicholas Brealey.

Whitworth, L., Kimsey−House, H. and Sandahl, P. (1998) *Co−Active Coaching.* Palo Alto, CA: Davies−Black.

Williams, G., Wilke, G. and Binney, G. (2004) *Living Leadership: A Practical Guide for Ordinary Heroes.* London: Financial Times/Prentice Hall.

Williams, R. (1965) *The Long Revolution.* Harmondsworth: Penguin.

Winnicott, D.W. (1965) *Maturational Processes and the Facilitating Environment.* London: Hogarth Press.

Winnicott, D.W. (1971) *Playing and Reality*. London: Tavistock.

Witherspoon, R. (2000) Starting smart: clarifying goals and roles, in M. Goldsmith, L. Lyons and A. Freas (eds) *Coaching for Leadership*. San Francisco: Jossey—Bass.

Worthington, E.L. (1987) Changes in supervision as counselors and supervisors gain experience: a review, *Professional Psychology: Research and Practice*, 18(3): 189—208.

Yankelovich, D. (2001) *The Magic of Dialogue: Transforming Conflict into Cooperation*. New York: Touchstone.

Yerkes, R.M. and Dodson, J.D. (1908) The relation of strength of stimulus to rapidity of habit formation, *Journal of Comparative Neurology and Psychology*, 18, 459—82.

Zenger, J.H. and Stinnett, K. (2006) Leadership coaching: developing effective executives, *Chief Learning Officer*, 5(7): 44—7.

Zeus, P. and Skiffington, S. (2002) *The Complete Guide to Coaching at Work*. Sydney: McGraw—Hill.

Zinker, J. (1978) *Creative Process in Gestalt Therapy*. New York: Vintage Books.